AGITÉS D'ALGER

D'ALGER

par

Cecil SAINT-LAURENT

LES PRESSES DE LA CITÉ
116, rue du Bac - Paris VIIe

IL A ÉTÉ TIRÉ DE CET OUVRAGE
CENT EXEMPLAIRES DE LUXE
NUMÉROTÉS DE 1 A 100
CONSTITUANT L'ÉDITION ORIGINALE

« *Dans le doute mortel dont je suis agité...* »

(PHÈDRE)

PREMIÈRE PARTIE

ALGER CHUCHOTE

Le 8 décembre 1957 le colonel Jasson franchit les trente kilomètres qui séparaient son P.C. de Chamerlat du P.C. du secteur situé à Teniet-el-Haad. Il régla quelques affaires dans les bureaux du bordj puis, voyant que la nuit tombait, redescendit dans la cour avec l'intention de reprendre aussitôt le chemin de Chamerlat.

Là, il tomba sur le colonel de Bordesoule qui avait été son inséparable durant la campagne de Normandie. Ayant épuisé les nouvelles de leurs familles respectives, ils en vinrent à des considérations plus précises :

— Je me demande bien ce que tu fabriques à Teniet-el-Haad ? observa Jasson.

Il y avait de l'ironie dans la question. Pour Jasson qui commandait un régiment de cavalerie motorisée, hantait un petit bourg boueux, Bordesoule, officier d'état-major en place au *Gouvernement Général* (ainsi s'obstinait-on à appeler le *Ministère de l'Algérie*), était un militaire de salon. Il était tentant de marquer de la surprise à le rencontrer dans la boue d'une sous-préfecture aussi reculée que Teniet-el-Haad, aux confins du morne Sersou, « le pays sans arbres », et des monts de l'Ouarsenis couverts de neige et infestés de fellagha. D'un bout à l'autre de l'armée cette ironie est de mise. Le colonel d'un régiment implanté dans les monts de

9

l'Ouarsenis eût, de même, considéré Jasson, dont le P.C. était situé en plaine, comme un rentier douillet et maniaque alors que ce colonel eût été lui aussi considéré par un officier de parachutistes comme un brave touriste épris de confort.

— Mon vieux, répliqua Bordesoule, il y a plus d'épluchures de bananes à Alger qu'ici.

— C'est calme Alger, non ? Depuis le mois d'août vous êtes peinards...

— Point de vue terrorisme ? Oh ! ça oui, bien sûr...

Tout en bavardant ils avaient traversé à petits pas la cour du bordj. Le soir tombait. Des soldats nettoyaient des automitrailleuses enduites de boue. En haillons, des musulmans captifs déblayaient la neige. Tous deux entrèrent dans le bar, s'assirent, commandèrent, Jasson une anisette, Bordesoule un scotch.

— Prends donc un scotch, grogna Bordesoule, quand nous étions en Angleterre tu n'aimais que ça.

— D'accord... deux scotchs. Alors, dis-moi, qu'est-ce qui ne va pas à Alger ?

— Qui a dit que ça n'allait pas ?

— Toi, avec tes épluchures de bananes !

— Oh ! ne t'inquiète pas : elles n'explosent pas. Pas encore.

Deux lieutenants aux pieds boueux effectuèrent une entrée bruyante. A la vue des colonels, ils bifurquèrent et allèrent boire à l'autre extrémité de la salle sous les couleurs criardes d'une fresque murale visiblement exécutée par un soldat du Contingent.

— Même ici, tu le sens bien que ça ne tourne pas rond, reprit Bordesoule, après avoir noyé avec de l'eau Perrier le whisky qu'un soldat venait de lui apporter.

— Ici, explosa Jasson, le problème est double...

Il réfléchit longuement, son front chauve se plissa, puis l'habituel sourire oriental apparut sur ses lèvres, amincissant ses yeux du même coup.

— Triple, poursuivit-il, quadruple même, et quand je dis quadruple... nous avons eu d'abord la pacification du Sersou. Apparemment c'est chose faite. Un incident de temps en temps, le genre embuscade, coupure de pont, mais j'ai un baromètre, tu vois : les poteaux télégraphiques. On me les coupe de moins en moins. Si tu viens dîner chez

10

moi ce soir tu verras qu'ils sont tous debout. C'est un vrai plaisir.

Il s'interrompit, attendant une réponse à cette invitation, puis comme Bordesoule, son verre à la main, se bornait à avaler son scotch par petites gorgées, Jasson reprit :

— Sur le plan militaire, la pacification du Sersou est donc satisfaisante. Sur le plan politico-administratif, je crois avoir détruit, sinon détruit du moins entamé sérieusement, le dispositif du réseau rebelle. Et d'un point de vue positif j'ai obtenu que des hommes, des musulmans avant une influence notable, se mouillent à nos côtés, deviennent maires notamment. Bref, ça se dégèle. En montagne, dans la partie de l'Ouarsenis qui entre dans nos attributions, la situation est stationnaire. Je maintiens des postes. Je fais subsister les villages de ralliés, mais les effectifs rebelles sont aussi importants qu'avant. Ce sont eux d'ailleurs qui, en descendant dans la plaine de temps en temps, me causent les seuls véritables dégâts. Quant à la population musulmane, c'est la bouteille à l'encre. Dire qu'ils nous sont passionnément attachés, ce serait faux. Dire qu'ils sont prêts à mourir pour le F.L.N., ce serait faux aussi. Ils espèrent la paix.

Jasson s'aperçut que Bordesoule ne l'écoutait pas. Il se tut brusquement. Sur son visage, où se mêlaient une fois pour toutes la ruse et la franchise, le dépit se manifesta par une brusque pétrification des traits et un alanguissement du regard. Bordesoule y fut finalement sensible. Il lui prit affectueusement le bras.

— Très intéressant. Mais si tu veux mon avis, la manière dont tu poses les problèmes est un peu dépassée. Ne te fâche pas... mais la rébellion actuelle, il faut la concevoir avec un regard neuf, ne pas la traiter comme la révolte des Kabyles en 1871.

Pour dissimuler son irritation, Jasson avait entrepris de bourrer sa pipe. Il s'interrompit et lança d'un air moqueur :

— Je te vois venir ! Tu es intoxiqué par le V⁵ Bureau. Les services psychologiques de cet illustre bureau ne convainquent pas beaucoup les fellagha mais séduisent les officiers supérieurs. L'autre jour, j'en ai vu des officiers du V⁵ Bureau. Il en est venu en inspection à mon secteur. J'en avais déjà rencontré dans un dîner à Alger. Ils se ressemblent tous. Ils récitent du Mao Tsé-Toung. Ils connaissent les noms d'une demi-douzaine de philosophes marxistes. Parmi eux il y avait même un capitaine qui écrivait un roman. Ce jour-là, moi, j'étais très préoccupé par les résultats d'une opération que mon capitaine adjoint dirigeait dans l'Ouarsenis et ces messieurs cachaient tout juste leur mépris pour la race d'officiers désuets que je représentais, une race qui s'intéresse encore aux coups de fusils et pas trop à la sociologie.

— Tu sais bien que les spécialistes ont toujours leurs ridicules. Mais ceux-là, sur beaucoup de points, ont raison. Nous ne vaincrons pas en Algérie avec de l'artillerie.

D'un geste de la main, il bloqua la réplique qui allait sortir de la bouche de Jasson.

— Ne t'emballe pas ! J'aimerais aller dîner et coucher à ton P.C. Ce n'est pas possible. Notre entrevue ne va durer que quelques minutes. Alors ne fais pas ta mauvaise tête et écoute-moi...

— Je ne demande que ça, répondit Jasson avec une douce ironie. Tu en sais beaucoup plus que moi puisque tu vis dans des constellations voisines du soleil. Instruis-moi ! Et pardonne-moi de t'avoir interrompu au début de ton briefing. Jusqu'ici tu m'as annoncé, d'une part que sur l'Algérie mes vues étaient dépassées, d'autre part qu'à Alger les peaux de bananes étaient explosives...

— A Alger, déclara Bordesoule, sans paraître sensible aux intonations railleuses de son interlocuteur, les bombes et les grenades ont cessé. La bataille d'Alger, provisoirement, est gagnée. La semaine dernière, j'ai descendu la Casbah sans escorte. Quand on s'attable dans un café, on ne s'attend plus qu'il explose. Quand on traverse à dix heures du soir le ravin de « La Femme Sauvage » on ne se prépare plus à entendre siffler une balle. On fouille toujours les gens aux portes des grands magasins, mais sans conviction. Cette victoire c'est l'œuvre de l'Armée, plus spécialement de certains éléments de parachutistes et de zouaves. Bien. Grâce à Massu, ces éléments se sont substitués aux autorités civiles qui, soumises à de multiples influences politiques, étaient incapables d'endiguer l'action subversive et qui même, dans certains cas, étaient aptes à l'appuyer... J'ai suivi la bataille d'Alger jour après jour

Je peux te jurer qu'elle a été menée brillamment. L'Armée a su improviser dans des tâches auxquelles elle était le moins préparée. Pratiquement, le dernier acte de la bataille a eu lieu en juillet dernier. Ce jour-là, nous avons su que dix hommes-bombes allaient sortir de la Casbah pour déposer leurs engins dans les lieux les plus fréquentés d'Alger. Tu imagines ça : dix bombes explosant à la même heure dans la ville. Je dis à la même heure, parce que nous savions qu'elles avaient toutes été réglées pour neuf heures du soir. Nous avons laissé le trafic de la Casbah s'écouler normalement vers la ville. Nous n'avons établi des barrages qu'à l'intérieur, à la hauteur de l'Aletti à peu près. Et dans le périmètre compris entre l'Aletti et la Casbah nous avons fait circuler des patrouilles réglées de telle façon que tout passant fût obligatoirement sous les regards de l'une d'entre elles. Quoi ?

— Rien... Continue !

— C'était calé à monter ça ! Ajoute qu'en même temps nos hélicoptères survolaient le quartier, signalant le moindre détail suspect par radio, prenant même des photographies agrandies et développées sur l'instant. En outre, il n'y avait pas une rue qui ne fût observée du haut d'un immeuble par les postes militaires. Si cette journée a été décisive, c'est aussi parce qu'elle a démontré que notre organisation était parvenue à sa perfection. Dans le même temps où tout était mis en œuvre pour bloquer les hommes-bombes, on préparait ce qu'il fallait pour remédier à leurs ravages éventuels ; des avions approvisionnaient les hôpitaux en sang, en plasma, en chirurgiens aussi qu'on est allé chercher jusqu'à Oran ou Constantine. D'un autre côté, autant pour endiguer une crise de nerfs de la population européenne contre la population musulmane, crise que l'éclatement de dix bombes dans les lieux publics aurait pu provoquer, que pour stopper une action d'ensemble de la Rébellion qui aurait pu se produire au milieu de la panique, des troupes d'élite avaient été ramenées sur Alger dès la fin de la matinée. Ni elles, ni les ambulances qui ont attendu toute la journée, le moteur tournant, n'ont eu à intervenir. Aucun homme-bombe n'est sorti du quadrilatère que nous avions formé. Essaie d'imaginer les heures qu'ont vécues ces hommes-là à partir de l'instant où ils ont compris qu'ils étaient enfermés dans une

13

nasse, qu'ils ne pouvaient ni s'enfoncer davantage dans Alger
pour atteindre leurs objectifs, ni réintégrer la Casbah
dont nous avions bloqué les issues. Tu vois, je suis un grand
lecteur de romans policiers, eh bien, je ne reprocherai
jamais assez à leurs auteurs de ne pas se servir des suspenses
diaboliques de la guerre d'Algérie ! C'est plus fort que les
gangsters de Chicago ! Il y aurait un truc à faire avec ces
dix bonshommes, qui voyaient sur leurs montres, sur les hor-
loges, les heures s'écouler pendant qu'ils tournaient comme
des rats, de rues en rues, toujours entre deux patrouilles et
savaient qu'à neuf heures le lourd objet qu'ils portaient
contre leurs poitrines deviendrait une gerbe de feu. Ajoute
à ça qu'en fin d'après-midi les fouilles ont commencé à tous
les carrefours. Bref, vers huit heures et demie, ces dix hommes, qui ne se connaissaient d'ailleurs pas et qui étaient
disséminés dans tous les coins du quadrilatère, n'avaient plus
qu'une idée en tête : se débarrasser de l'objet qui, dans
quelques minutes, les tuerait.

D'un claquement de doigts, Bordesoule attira l'attention
du soldat qui servait de barman et le régla malgré les protestations de Jasson qui aussitôt commanda une autre tournée.
Puis :

— Finis-la, ton histoire...

— Deux des gaziers ont réussi à se débarrasser de leurs
bombes en les jetant dans la mer.

— Et les autres ?

Jasson avait posé sa question avec une nonchalance sceptique. Professionnellement, il était habitué à la rédaction des
communiqués optimistes. Il insista donc :

— Les huit autres ?

— L'un d'eux, exposa Bordesoule sans se presser, est
parvenu à entrer dans un couloir où il a déposé sa bombe
enveloppée dans du papier journal... dans « L'Echo d'Alger » d'ailleurs, n'en déplaise à Sérigny. Un parachutiste, qui
avait suivi la scène à cent mètres de là, n'est pas arrivé à
temps pour arrêter le gazier, mais il s'est emparé de la
bombe. Il a voulu la désamorcer lui-même. Elle lui a claqué
dans les bras. Il y a laissé un bras en effet. Je te signale
que ce para est la seule victime de l'affaire, de notre côté.

— Il en reste sept, dit Jasson en riant.

— Cinq ont explosé sur la poitrine de ceux qui les portaient, et qui s'étaient réfugiés dans des lieux déserts pour tenter de les abandonner. Elles n'ont fait d'autres morts que leurs porteurs. L'une, abandonnée dans un square, a tailladé le tronc d'un eucalyptus. La dixième a mis en pièces son porteur au moment où, terrifié par l'heure qu'il venait de lire sur sa montre, il se précipitait vers un poste de zouaves, sans doute pour faire sa reddition. Ce soir-là, figure-toi, la bataille des bombes à Alger était terminée. De la glace !

Et comme le serveur semblait ne pas avoir entendu, Bordesoule tapa sur la table avec son stic.

— Petit, de la glace !

Il reprit plus bas :

— Les uns et les autres, nous avons tous fait plus ou moins l'Indochine. Là-bas, nous avons toujours perdu. Ici, voilà, nous avons gagné la première manche : la bataille d'Alger. C'est pendant cette bataille que nous avons été un certain nombre à découvrir qu'après tout l'Armée française n'était pas vouée éternellement à la défaite. L'objectif de l'ennemi était de nous rendre la vie intenable, de paralyser le mouvement de la ville, de le faire savoir au monde entier et, pour finir, dans la tranchée ouverte par les bombes, de lancer des milliers de manifestants dont les vagues nous auraient d'autant plus facilement engloutis que, face à l'opinion internationale, nous n'aurions pu faire un carnage de cette foule. Eh bien, c'est loupé ! Donc, la première manche est gagnée par l'Armée. Les rudiments qu'elle a appris en Indochine, elle les a appliqués ici. La guerre subversive, elle sait ce que c'est. Elle est en train de la gagner manche après manche.

Il regarda sa montre.

— Jasson, je me sauve.

— Tu as tort. Pour une fois que tu ne m'engloutis pas dans tes racontars d'état-major !

— A Alger, mon vieux, la vie d'état-major est passionnante. Nous avons compris non seulement comment nous pouvions gagner la guerre subversive, mais aussi nous avons établi, identifié, fiché ceux qui nous empêcheraient de la gagner. Ils s'appellent le *régime, le parlement, la presse*, bref *le système*.

— Et alors ? demanda Jasson debout, la pipe insolente.

— Alors nous avons décidé d'en changer. Nous sommes

la plus grande force de la France. Auprès de nous, des centaines de milliers de civils ne demandent qu'à agir. Eternuons, et le Palais-Bourbon s'effondre.

— Tu as l'intention d'éternuer ?

— Nous avons cette intention, figure-toi.

Contre les pieds de la table, machinalement, Jasson récurait les semelles boueuses de ses chaussures. Enfin il observa :

— Tel que je te connais, pour que tu te hasardes là-dedans, il faut que le vent soit dans tes voiles.

— Il y est. Un sacré vent ! Il paraît même que de Gaulle est d'accord.

Ce nom n'agit que lentement sur Jasson. Il réfléchit, fit la moue.

— Moi, je suis pour, dit-il, mais j'ai l'impression que de Gaulle est bien oublié.

— Il n'y a pas que lui, assura Bordesoule. Je n'ai pas le temps de tout te raconter. Il faudrait des heures. Car il n'y a pas une seule entreprise, il y en a une dizaine. Je te pose une seule question...

— Laquelle ?

Bordesoule se leva, appuya ses mains sur la table, et posa sa question, le visage à quelques centimètres de celui de Jasson :

— Si je te fais donner un régiment à Alger ou dans l'Algérois, et ça c'est très possible, est-ce que...

Il changea le tour de sa question...

— Bref, si des civils se déclenchent, et si tu es envoyé pour rétablir l'ordre, est-ce que tu tireras sur des gens qui ne manifesteraient au fond que pour rester Français ?

Comme Jasson se taisait, l'autre, sans changer de position, insista :

— Tu tireras ou tu ne tireras pas ?

— Je n'en sais rien, dit Jasson.

Bordesoule l'accompagna jusqu'à sa 203 saupoudrée de neige. Le première classe qui servait de chauffeur se mit au volant, cependant que trois soldats s'entassaient dans la jeep d'escorte.

— Alors, c'est définitif, insistait Jasson, tu refuses mon invitation à dîner et à coucher à Chamerlat ?

16

AGITÉS D'ALGER

En guise de réponse, Bordesoule lui montra un groupe de civils aux manteaux sombres qui, d'un pas frileux, pénétraient dans la zone de lumière du mess.

— Tu vois, je ne suis pas libre. J'escorte ces messieurs qui font un voyage d'informations.

— J'imagine ça d'ici ! Des parlementaires, je suppose ?

— Non.

— Journalistes étrangers ?

— Non.

— Une délégation du parti socialiste ? d'Anciens Combattants ? Une commission de la Croix-Rouge ?

— Ces messieurs, dit doucement Bordesoule, font ce petit voyage sous le patronage d'une association qui s'appelle l'U.S.R.A.F. Je suis chargé de les piloter...

— ... de leur expliquer le paysage, de leur vanter les progrès de la pacification, de leur faire serrer les mains de musulmans bien pensants entre deux méchouis ?

— Beaucoup plus sérieux que ça. Tu vois, je mets ces messieurs en contact avec des autorités militaires, et contrairement à ce que tu crois, ce ne sont pas les militaires qui les endoctrinent. Ils endoctrinent les militaires. Le grand gaillard, celui qui vient d'entrer le premier au mess, c'est Delbecque. Il est chargé de mission au cabinet de Chaban-Delmas. Derrière lui, c'est Biaggi, l'avocat. Tu en as sûrement entendu parler. Celui qui rattache son lacet de soulier s'appelle Claude Martin. Théoriquement, il représente une association d'Anciens Combattants, pratiquement, c'est un caïd des Services Spéciaux. Ils vont passer leur soirée à bavarder avec ton colonel commandant le secteur...

— ... pour le persuader que l'ennemi est à Paris et que l'Armée doit se prêter complaisamment à tout assaut contre le régime, c'est ça ?

— Exactement.

Ils se serrèrent la main. Jasson sauta dans sa voiture et il refermait la portière quand le lieutenant Béverier apparut à travers les flocons.

— Mon colonel, cria-t-il, je me suis attardé avec L'O.R. du secteur. J'ai ma jeep et deux gus. On fait route ensemble ?

Bordesoule, qui s'éloignait déjà en direction du mess, se retourna pour lancer :

— Tu ne me demandes pas une A.M. pour t'escorter ?

— Non, non, cria Jasson en agitant une main de dénégation derrière la glace de sa voiture, ça va très bien comme ça.

*

Les trois véhicules coupèrent à travers les rues boueuses de Teniet-el-Haad, puis s'enfoncèrent dans une campagne nocturne que la neige avait blanchie. A l'embranchement de la route de Letourneux, une lumière s'alluma. Les voitures ralentirent, puis furent encouragées à accélérer par les quatre gendarmes qui montaient la garde en battant la semelle à côté de leur Dodge.

Jasson alluma une *troupe*, allongea les jambes, se cala et rejeta la tête en arrière. Il avait gardé intacte l'image du groupe sombre des civils trébuchant dans la neige devant le mess. Etait-ce l'image d'une bande de conspirateurs, ou Bordesoule s'était-il complu à inventer un roman feuilleton sur les mystères d'Alger ? De même, fallait-il prendre à la lettre l'offre qu'il lui avait faite d'un commandement à Alger ? Tout en tirant rêveusement sur sa cigarette, il pesait les charmes d'une affectation dans une grande ville. Il imagina l'appartement confortable où sa femme et ses filles pourraient le rejoindre, les salles de cinéma, les plages...

Le chant de l'essuie-glace luttant inlassablement contre la neige devint brusquement d'une grande tristesse pour Jasson. Cela tenait à ce que, considérant sa mutation faite, il en était à regretter son régiment. Il était cruel d'abandonner un beau régiment comme celui-ci. Pourtant, son temps de commandement étant fini, le colonel Jasson savait que s'il ne partait pas dans un mois, il partirait dans trois. C'était ainsi. Rue Saint-Dominique, des officiers en civil, entourés de cartons verts et roses, organisaient la valse lente des colonels. Jasson savait bien à quel point cette agitation des cadres militaires déconcertait les musulmans qui, à peine avaient-ils donné leur confiance à un officier, le voyaient disparaître. Il était cependant le premier à admettre, dans la mesure où l'état militaire est un métier comme un autre, que ce système fût le seul qui permît de répartir équitablement les temps de commandement, et qu'on ne pouvait le sacrifier au cas d'espèce que présentait l'Algérie.

— Fais attention, dit-il brusquement. C'est là que tu as dérapé en venant, et il y a encore plus de neige maintenant.

— Dans ce sens-là, il est meilleur le tournant, mon colonel.

Autour du canal doré poussé par les phares, la nuit était totale, reposante. Dans la journée, en franchissant ce Pont du Sénégalais qui enjambe un oued asséché, passage favori des fellagha, le colonel n'aurait pu s'empêcher de scruter du regard les éboulis. Grâce à la nuit et à la neige, un velours sombre, opaque, s'opposait à toute investigation. Il n'y avait pas à se fatiguer.

De la rue Saint-Dominique, il en revint à Alger dont les rues encombrées de voitures devaient briller de toutes leurs lumières, retentir de tous leurs klaxons. Au moment où il en fut à considérer avec plus d'entrain les avantages d'un commandement à Alger, il se rappela les à-côtés du problème. Il imagina la foule européenne révoltée et ses hommes à lui, le mousqueton à la main, se déployant sur le Forum. Au fond, Bordesoule ne lui avait guère mâché la vérité : « On te nomme là-bas pour que tu laisses passer l'émeute sans bouger. » Les propos badins de Bordesoule se ramenaient à cette phrase, la seule qu'il n'ait pas prononcée, la seule qui soit restée permanente sous les phrases superflues qu'il prononçait. « Moi, je veux bien, lui répondait maintenant Jasson, mais si l'on me donne l'ordre de charger, de tirer... Il faudrait qu'on s'arrange pour qu'aucun ordre ne me parvienne. » Il haïssait un régime qui le rendait responsable du déclin de la France, mais ne songeait pas sérieusement à participer à une action contre ce régime. D'ailleurs, il ne lui déplaisait pas de se plaindre éternellement des parlementaires, comme on se plaint de la pluie et du froid, sans espérer les détruire. Il se reprocha d'avoir laissé entendre à Bordesoule qu'il pouvait entrer dans ses vues.

Dans le rétroviseur, il apercevait les phares de la jeep d'escorte, et par instants ceux de la jeep de Béverier. Il était vaguement ennuyé de ne pas l'avoir invité à monter dans sa voiture. Il se demandait pourquoi il n'aimait pas Béverier. Est-ce parce que cet officier avait trop facilement adopté les méthodes policières que la poursuite de cette guerre exigeait ? Jasson, allumant une nouvelle cigarette, se demanda s'il n'en voulait pas surtout à Béverier de la maladresse avec laquelle il gouvernait sa vie privée. A cette pensée, il ressentit même de la colère contre un officier dont la femme se conduisait mal et qui en faisait facilement la confidence. Béverier n'avait qu'à se séparer d'elle ou à montrer assez d'autorité pour assagir cette dame qui, de très bonne famille, ne pouvait être insensible à des remontrances justifiées. Or, Béverier semblait considérer les inconvenances de sa femme comme un mal sans remède, exactement comme Jasson considérait le parlementarisme. Il ne demandait qu'à multiplier les allusions à son infortune. Ce qui était odieux. Cet homme ne savait pas vivre. En outre il n'avait rien trouvé de mieux que de tomber amoureux de Bernadette Desaix, la femme d'un colon, c'est-à-dire de quelqu'un qu'il avait mission de protéger, ce qui constituait un manque de tact déplorable. Un instant, Jasson se demanda honnêtement s'il ne cherchait pas à justifier une antipathie purement physique. Au premier abord, le lieutenant pourtant lui avait convenu avec son visage ouvert, son regard énergique, sa bouche intelligente, son allure décidée. Il était le type même de l'officier qui donne bonne impression. Devant les hommes il commandait bien. Au mess il avait la parole facile, une conversation agréable... Jasson se rappela qu'il avait ressenti ses premiers doutes sur la qualité de Béverier quand celui-ci, qui avait la réputation d'un baroudeur, d'un entraîneur d'hommes, s'était complu, sans y être obligé, dans l'interrogatoire de prisonniers ou de suspects. Un peu plus tard, lors d'un passage de parlementaires en tournée d'étude, Béverier avait impudemment fait étalage devant eux de connaissances en économie politique que personne ne lui demandait. Et il avait été l'un des premiers dans le secteur à prôner la lecture de Mao Tsé-Toung, le spécialiste de la guerre révolutionnaire. « Il est un peu charlatan », pensa brièvement Jasson. Il s'étonna d'avoir oublié une autre particularité de Béverier : il ressemblait à Desfourneaux : le même nez, les mêmes yeux, le même front, le menton moins accusé, mais taillé de la même manière. Seules leurs bouches différaient nettement. Or, Desfourneaux, chef du peloton de chars de Jasson pendant la campagne de Normandie, était l'homme qui donnait confiance, qui balayait la peur, écartait les hésitations, alors que, Jasson en était sûr, Béverier lui aurait donné la chair de poule s'il avait été sous

20

ses ordres. Le mot « ordre » ranima les inquiétudes latentes que sa conversation avec Bordesoule lui avaient laissées. « Si je suis à Alger, que je reçoive l'ordre de tirer sur la foule, qu'est-ce que je fais ? » Il en était à penser qu'en buvant seulement un verre avec Bordesoule il avait pris un risque quand il aperçut, en deçà de la route, trois silhouettes que la lueur des phares détailla une seconde sur le fond blanc de la neige.

Le chauffeur les avait vues aussi. Perdant son sang-froid il avait retiré son pied de l'accélérateur pour le porter sur le frein, puis se ravisant en une seconde, il avait accéléré violemment. Les phares maintenant ne caressaient plus que le tournant suivant et un pan de désert neigeux.

Instinctivement, Jasson avait saisi le fusil du soldat qui était posé entre eux deux. Et il s'était retourné. Le temps qu'il accomplisse ce mouvement, les trois silhouettes lui apparurent dans les phares de la jeep d'escorte pour disparaître aussitôt car la jeep, collant le train à la 203 avait, elle aussi, accéléré.

— Freine ! cria le colonel.

Il avait baissé frénétiquement sa glace, s'était penché pour signaler à la jeep d'escorte qu'il allait s'arrêter. Déjà il la voyait freiner sec et l'un des hommes, sa mitraillette à la main un pied dehors, s'apprêtait à sauter. Alors, dans la seconde même, Jasson s'aperçut que la troisième voiture, celle de Béverier, n'avait pas suivi. La fusillade éclata.

Des deux voitures enfin immobilisées, les hommes jaillirent, se mirent à courir.

— Remonte dans ta jeep, fais demi-tour, et éclaire ! cria le colonel au chauffeur, descendu le dernier et qui, du même mouvement, se rehissa sur son siège.

Il y avait d'abord eu des coups de fusil, puis les hoquets d'un pistolet-mitrailleur. C'était maintenant des coups de revolver qui claquaient. Dans les ténèbres, Jasson aperçut la jeep de Béverier, immobile dans la neige, à quelques mètres de la route. Une silhouette, debout près de la voiture et éclairée par ses feux, tirait sur une cible indistincte. En se rapprochant, Jasson identifia le tireur : Béverier.

Les hommes de Jasson arrivaient haletants à la jeep, et machinalement ils s'appuyèrent à elle, comme des nageurs à une bouée. Face à une nuit ennemie, elle constituait aussi un rempart que seul le lieutenant Béverier négligeait, s'éloignant maintenant dans la lueur des phares, son revolver à hauteur des hanches.

Un gémissement attira l'attention de Jasson. Il se pencha à l'intérieur de la jeep, entrevit deux soldats dont l'un gisait la tête renversée en arrière, cependant que l'autre se pressait convulsivement l'abdomen en poussant une plainte qui ressemblait à un gargarisme.

La seconde jeep, après avoir fait demi-tour, avait remonté la route, et, arrivée à leur hauteur, braquait ses phares. Jasson vit Béverier se pencher sur une forme qui se disloqua, se recomposa, devint finalement un homme en position verticale que Béverier ramenait vers la jeep.

— Et les deux autres ? cria Jasson.

— Y'en a un là, mon colonel, observa le maréchal des logis de l'escorte. Il a l'air mort.

Un homme, vêtu d'une combinaison de travail sur laquelle était passé un burnous, gisait à un mètre des pneus de la jeep.

— Le troisième s'est taillé, mon colonel !

Il indiqua une direction dans la nuit.

— Lance l'alerte générale, ordonna le colonel au maréchal des logis qui, remonté dans la jeep, en phonie, répétait l'indicatif.

— Allô, botanique, vous m'entendez ? Vous m'entendez ?...

— Mais il est mort ? Grenan est mort ? crie Béverier qui, ayant laissé son prisonnier entre deux soldats, s'est hissé dans la jeep.

Déjà agacé par cette exclamation, le colonel l'entend ensuite consoler le blessé ; il intervient sèchement :

— D'accord, il a mal, mais dès que le peloton sera là, on va l'expédier à l'hôpital de Teniet-el-Haad...

Un quart d'heure plus tard, les phares du peloton furent visibles sur le col du Génevrier. En quelques minutes les chars, les automitrailleuses, hérissèrent la route de leurs masses aiguisées dans un vrombissement qui obligeait les hommes à crier. La jeep où le blessé était allongé fila vers Teniet-el-Haad entre deux automitrailleuses. Un groupe s'engagea à pied, lentement, à travers les espaces de neige où le fuyard avait laissé de régulières taches de sang. Puis Jasson, qui ne se faisait aucune illusion sur les résultats de cette poursuite, remonta en voiture pour regagner Chamerlat.

La neige avait épargné le village qui dormait dans sa boue rituelle. Au mess, une petite pièce meublée de deux tables à tréteaux, Jasson retrouva Daubourguet, son officier adjoint, qui l'avait attendu pour dîner. Ils attaquèrent, en guise de hors-d'œuvre, l'éternelle macédoine de légumes en conserve sans parler. Daubourguet respectait l'air sombre de son chef.

— Encore une lettre à faire aux parents... soupira enfin Jasson.

— Pas de chance, dit Daubourguet, il allait être libéré. Hier, je l'entendais se disputer avec ses camarades parce qu'il voulait ramener avec lui Zora, la petite chienne blanche, vous savez.

— Ce Béverier, éclata soudain le colonel, je ne sais pas ce que je lui ferais !

Daubourguet hasarda une expression qui signifiait : « Mais ce n'est pas sa faute que je sache ? »

Noguès, le capitaine qui avait commandé le peloton d'intervention, était arrivé à son tour pour dîner. S'étant débarrassé de son molleton il adressa au colonel son sourire carnassier qu'une peau basanée rendait plus blanc et cligna de l'œil.

— Vous pensez qu'il n'a pas pris assez de précautions, mon colonel ? demanda-t-il en s'asseyant.

Dès que le petit rouquin eut déposé sur la table leurs tranches de bœuf gris enlisées dans de la purée de pois cassés, le colonel redressa la tête, puis ayant suivi des yeux le départ du soldat, il observa plus calmement :

— Béverier a déconné. Je l'ai interrogé. Les trois gus, il les a vus quand ils étaient dans nos phares... Nous, nous n'avons pas eu le temps de nous arrêter. Comme il avait cinquante mètres de retard sur nous, ça lui a été facile. Les gus ont voulu s'enfuir. Au lieu de braquer ses phares sur eux et de les tirer comme des lapins, il a ordonné au conducteur de quitter la route pour se diriger sur eux. Pendant que la jeep se trémoussait dans la neige, les gus ont tiré. Résultat, un mort et un blessé.

— D'un autre côté, remarqua Noguès, dans ces coups de Trafalgar là, on n'a pas tellement le temps de réfléchir.

— Le pis, c'est qu'il a réfléchi.

Le colonel s'interrompit, choqué de s'être laissé entraîner à discuter devant ses officiers de la conduite d'un des leurs.

Il entreprit d'avaler à grands coups de fourchette la purée de pois cassés qui, en refroidissant dans son assiette, s'était recouverte d'une mince carapace luisante.

— L'impression que j'ai, dit Noguès, c'est qu'au lieu de lancer sa jeep dans la nature, il aurait mieux fait d'ouvrir le feu tout de suite. Il aura voulu les avoir vivants pour pouvoir les interroger. Il n'y a pas à dire : il a le Renseignement dans le sang.

— En effet, dit Daubourguet, il n'a pas voulu dîner. Il s'est attelé à l'interrogatoire du gazier.

La traditionnelle partie de belote qui suivait le dîner n'eut pas lieu. Le colonel Jasson se rendit d'abord à l'infirmerie pour saluer le corps de Grenan qui, vêtu d'une tenue neuve, bien peigné, était étendu sur un lit entouré de soldats tête nue. Il renvoya Daubourguet qui l'avait suivi, puis, à pied, se rendit à l'autre bout du village, à la « Maison Suisse » (ainsi appelée parce qu'elle avait été construite trente ans plus tôt par un vétérinaire suisse). Elle servait de prison et les interrogatoires y avaient lieu au premier étage, dans l'ancien appartement du vétérinaire.

Jasson, en pénétrant dans le bureau où opérait Béverier, éprouva une sensation de soulagement en constatant que le captif avait bonne mine. Il était assis sur une chaise et une assiette posée par terre, à côté de lui, témoignait de son appétit : seules, quelques traces vertes subsistaient de la purée de pois cassés.

— C'est intéressant, très intéressant, prononça Béverier en se levant.

— Mais qu'est-ce que vous avez au visage ! s'exclama le colonel.

— On m'a fait un pansement à l'infirmerie, mon colonel. Ce n'est pas grand-chose : une balle m'a effleuré la joue. Sur le moment, je n'ai rien senti. Il faisait si froid que le sang a très peu coulé.

« Décidément, pensa le colonel, dès qu'il s'agit de cet officier, je suis injuste : me voilà en train de le considérer comme un maladroit parce qu'une balle lui a coupé la joue. »

— Faites sortir ce gus, ordonna-t-il impatiemment, comme

24

s'il en avait déjà donné l'ordre et que Béverier ne se fût pas décidé à obéir.

Le captif s'en alla d'un pas lent, tenant devant lui avec précaution ses poignets autour desquels brillaient des menottes.

— Primo, exposa Béverier, ce n'était pas une embuscade. Les trois gus se sont attardés sur la route où ils avaient rendez-vous avec un quatrième. Quand ils ont entendu nos moteurs, ils les ont crus beaucoup plus loin. Ils ne se sont pressés qu'en prenant les phares de votre VL dans la gueule. Un seul était armé, celui qui a réussi à s'enfuir. Belkacem Ouldah, notre prisonnier, prétend qu'il ne sait pas le nom de l'homme armé. En revanche, il m'a permis d'identifier le mort. Dans l'obscurité je ne l'avais pas reconnu : c'est le fils de Moulay. Hier encore il nous faisait des grâces au marché. Belkacem Ouldah est formel : le fils de Moulay avait un grade très important dans la hiérarchie politico-administrative. Il était responsable des finances. Cette nuit il avait embarqué les deux autres pour aller régler un compte dans les mechtas d'Aïn-Rhalem — le compte d'un musulman qui ne voulait pas payer sa cotisation et qui, dans un mouvement de colère, avait, paraît-il, annoncé hier qu'il viendrait se plaindre à nous. J'attire votre attention, mon colonel, sur le fait que le fils de Moulay passait son temps en compagnie de Si Ketany. Est-ce que ce n'est pas l'occasion de le crocher ?

— De crocher qui ? Si Ketany ! Vous êtes fou ! Vous savez bien qu'il a trop d'appuis à Paris et à Alger.

— En tout cas, reprit Béverier d'une voix plus basse, il y a un gars qui ne va pas y couper, c'est Bachir, l'intendant de Kléber Desaix. L'année dernière, toutes les preuves étaient réunies contre lui. Desaix a si bien plaidé la cause de son intendant auprès de vous, mon colonel, que vous nous avez fait lâcher prise. Ensuite, Bachir a trouvé moyen de se faire enlever par les fellouzes... mais aussitôt après il s'évadait.

Béverier s'arrêta pour ricaner sous le regard glacé du colonel qui jeta :

— On a retrouvé le cadavre de la femme de Bachir, et dans quel état ! Béverier, vous êtes complètement déformé par votre travail. On vous montrerait le soleil en plein midi, vous soutiendriez qu'il ne brille pas.

Rudement, comme s'il s'adressait à un égal, Béverier mit sous le nez du colonel une feuille de papier écolier qui avait été pliée en quatre et en gardait les marques.

— J'ai retrouvé ça dans le portefeuille du fils de Moulay. C'est un compte rendu de collectage. Il est relatif à la ferme Desaix. Lisez le détail, mon colonel, c'est très clair. Il y a la rubrique du personnel qui totalise soixante-cinq mille francs, l'apport de Bachir, vingt mille, et sous la mention « direction » cent cinquante mille.

— Oui... ça fait un total de deux cent trente-cinq mille, observa machinalement le colonel.

— Vous n'en tirez pas d'autres conclusions ? s'enquit ironiquement Béverier.

Ils étaient debout, à côté de la chaise que le prisonnier avait quittée. La semelle boueuse du colonel frôlait l'assiette maculée de pois cassés.

— Vous avez bien lu : « *direction* » *cent cinquante mille...* ça prouve que Desaix paye ? cria Béverier. Cet enfoiré de pied-noir, on vient se faire trouer la paillasse pour lui, et il paye les Viets !

— Si on se fait trouer la paillasse, c'est peut-être que les officiers font mal leur métier. Je suis venu vous demander des comptes, dit sèchement Jasson. Pourquoi votre jeep a-t-elle quitté la route alors qu'il était si simple d'ouvrir immédiatement le feu sur des silhouettes ?

Les yeux de Béverier s'arrondirent.

— Je ne comprends pas, dit-il enfin... je n'ai pas dû bien entendre votre question, mon colonel.

— Si vous aviez tiré tout de suite, gronda Jasson, vous n'auriez pas eu un blessé et un mort. Vous avez pris ce risque inutile parce que vous vouliez attraper les gars vivants et vous régaler d'interrogatoires toute la nuit.

— Mais, mon colonel, non... je n'ai pas pensé à ça !

— Vous avez pensé à quoi ? hurla le colonel.

— J'ai voulu me rendre compte. Ces trois hommes, je ne savais pas ce que c'était.

— Il y a un règlement ! Toute la population le connaît. Dans la campagne, le couvre-feu est à six heures. On tire à

26

vue sur tout rombier qui se balade après six heures dans le djebel. On ne se pose pas de question !

— Il faut quand même être sûr, se révolta Béverier. Imaginez que ces gens-là aient été des paysans qui soient allés chercher du secours pour un enfant malade...

— Qu'est-ce que vous foutez dans l'Armée ! Vous n'êtes pas un militaire ! Enfin, on vous a nommé capitaine, une nouvelle affectation vous attend, le régiment sera débarrassé de vous... une bonne chose, ça fera un amateur de moins.

— Mon colonel, demanda Béverier avec calme, est-ce là le seul jugement que vous puissiez porter sur ma présence ici depuis dix-sept mois ?

Jasson s'assit brusquement sur la chaise du prisonnier. Il éprouvait une profonde fatigue. Il se demanda si son ordonnance avait pensé à donner à manger à son chien qu'il avait laissé attaché sous sa table au P.C.

— Mon colonel, insistait Béverier, si je passe mon temps à enfreindre le règlement, c'est la forme de cette guerre qui le veut. C'est comme si nous assumions tout le mal et le bien de la terre.

— Oh ! je vous en prie...

Jasson s'était relevé. Il bourrait sa pipe. Il avait maintenant la tête d'un invité qui s'ennuie dans une réception. Béverier, lui, avait rougi. Il reprit avec une sécheresse étudiée :

— En tout cas, mon colonel, je vous demande des ordres. En ce moment je fais effectuer quelques arrestations dans l'entourage du fils Moulay, notamment celle de son père, mais en ce qui concerne Bachir et Desaix j'aimerais être fixé.

Jasson tourniqua dans la petite pièce en tirant sur sa pipe puis, se dirigeant vers la porte :

— Je verrai ça demain. Bonsoir.

Le grésillement du téléphone l'arrêta dans son mouvement. Béverier avait décroché.

— Oui, le colonel est là. Je vous le passe.

Il tendit l'appareil à Jasson en précisant que Daubourguet était au bout du fil. D'abord, Jasson ne répondit que par monosyllabes, puis ordonna que la patrouille du deuxième escadron l'attende. Elle lui servirait d'escorte.

— Vous détestez Desaix, dit-il à Béverier en raccrochant.

Vous rêvez de le faire interner. Pour vous c'est un traître,
n'est-ce pas ? Je vais de ce pas lui apprendre moi-même une
nouvelle : son grand-père a été grièvement blessé par un
terroriste. Il est intransportable. Il n'en a plus que pour
quelques jours... En même temps, je l'interrogerai sur les
problèmes qui vous préoccupent.

Au bout du couloir, sur le palier, Jasson traversa un
groupe de soldats qui entouraient le vieux Moulay. « Sait-il
que son fils est mort ? », se demanda Jasson. Il le fixa. Il
comprit que le vieux Moulay savait. Il admira la belle tête
de patriarche qui le regardait dans les yeux et, sans réfléchir, lui tendit la main. Etait-il au courant des activités de
son fils ? En était-il le complice ? Jasson avait-il serré une
main amie ou une main ennemie ? C'était une main indifférente, refermée sur sa vieillesse.

« Le plus curieux, songeait Jasson en descendant l'escalier, c'est que le vieux Moulay, malgré sa barbe blanche et
ses rides bibliques, n'a guère que trois ou quatre ans de
plus que moi. Ne suffit-il pas, pour être vieux, que d'avoir
compris la vanité d'un certain nombre de choses ? » Il se
laissa tomber sur le siège de la voiture que Daubourguet
lui avait envoyée. Elle rejoignit la patrouille qui attendait
devant le P.C. et démarra aussitôt.

— Mon colonel... ce n'est vraiment pas la peine que vous
y alliez vous-même.

C'était Daubourguet qui courait le long de la 203. Jasson
baissa la glace :

— J'y vais.

— Mais pourquoi mon colonel !

— Parce que c'est comme ça.

Les voitures s'échelonnèrent. Elles roulaient doucement.
Le colonel avait fermé les yeux. Il se régalait du « parce
que c'est comme ça » assené à Daubourguet. L'un des plaisirs
que le métier militaire lui réservait tenait à l'autorité de
ce genre de formules sur des subordonnés qui ne pouvaient
les discuter et qui, du fait même qu'ils les respectaient, leur
conféraient les qualités d'une certitude. Depuis sa réplique,
le colonel était sûr qu'il avait raison d'aller voir Desaix
lui-même.

Ce fut le chauffeur qui l'éveilla au moment où la voiture
quitta la route pour s'engager dans l'allée menant à la

ferme. Il sursauta. Ses paupières lui furent si lourdes à soulever qu'il se sentit las brusquement de son métier. Il ne serait jamais général, il en eut la certitude. Le projet confus qui lui revenait régulièrement en tête depuis quelques mois prit un nouvel aplomb : se faire mettre à la retraite et trouver dans le civil un emploi assez rémunérateur... Mais quelle sorte d'emploi ? On avait besoin de colonels dans les pétroles où plusieurs s'étaient très bien casés... Mais il y en avait tellement de colonels ! Il se rappela l'histoire qu'on racontait en Indochine du tigre qui dévorait son colonel par jour : on avait mis deux mois à s'en apercevoir.

— Ça va bien, dit-il à l'aspirant qui commandait la patrouille. Etablissez une surveillance autour de la ferme et des communs... et attendez-moi.

Une lumière s'était allumée au premier étage puis, à travers les fentes des volets blindés, ce fut le rez-de-chaussée qui s'éclaira. Dans la cour le chien s'égosillait. La patrouille avait été identifiée par Desaix car, au moment où le colonel parvint au sommet des marches, la porte s'écarta dans un fracas métallique. Kléber Desaix, le sourcil froncé, l'œil embué de sommeil, vêtu d'un pyjama safran, pieds nus, contemplait le colonel.

Celui-ci revit la tête du vieux Moulay. Décidément, cette nuit était celle des endeuillés. Il prit le bras de Desaix, fit quelques pas dans le hall. Cherchant ses mots, il regardait à terre : ses souliers boueux et les pieds nus de Desaix s'avançaient au même rythme sur le dallage.

— J'ai une triste nouvelle à vous annoncer, murmurat-il, votre grand-père a été la victime d'un attentat.

— Il est mort ?

— Les espoirs de l'en sortir sont très légers. On a renoncé à le transporter. Il est toujours dans sa ferme. Mais si vous partez demain matin...

Le colonel leva les yeux. Bernadette et l'une des servantes musulmanes se tenaient perchées sur les dernières marches de l'escalier. Elles étaient en chemise de nuit.

— Ce n'est rien, cria Desaix, va dans ta chambre !

Que sa femme ait été vue en chemise par le colonel le contrariait apparemment davantage que la nouvelle de l'attentat. Jasson n'en fut cependant pas dupe. Il comprit que le même souci de convenances qui avait maîtrisé chez Desaix

toute marque d'émotion en apprenant l'état de son grand-
père avait exigé de lui une réaction vive à la vue de sa
femme en déshabillé.

Par ce même respect des convenances, Desaix entraîna
le colonel dans le salon, ouvrit la cave à liqueurs, sortit la
bouteille de whisky.

— Mon colonel, articula-t-il, je suis confus que, en pleine
nuit, vous ayez pris la peine de vous déranger pour...

Ayant rempli le verre de son hôte, Desaix fut enfin sensible à l'indécence de son costume.

— Je vous demande une seconde pour aller passer une
robe de chambre.

Par la porte du salon, Jasson le vit reprendre, sur la
commode du hall, le fusil qu'il avait déposé là avant d'ouvrir. Cet homme en pyjama qui montait l'escalier un fusil
à la main était ridicule. « Cette guerre est décourageante »,
pensa Jasson. Desaix chaussé de babouches, enveloppé dans
une robe de chambre sombre, vint se rasseoir auprès de son
visiteur et se remplit à son tour un verre de whisky. Dans
la cour, le chien aboyait toujours.

— Je sais, reprit Jasson, que vous considériez votre grand-
père comme un véritable père.

— C'est vrai, s'exclama Desaix avec, pour la première
fois, un élan spontané, et le pire c'est que depuis mon mariage nous étions en froid lui et moi... On ne sait pas comment ça s'est passé ?

— Je n'ai aucun détail. Mon pauvre ami, je voudrais
vous laisser à votre douleur et à vos préparatifs, mais... le
hasard veut que ce soir j'aie des questions à vous poser.

— Sur lui ? demanda Desaix étourdiment.

— Sur vous.

Desaix attendit sans curiosité. Comme les questions ne
venaient pas il releva la tête et son regard rencontra celui
du colonel qui observa d'un ton uni :

— Vous payez le F.L.N.

Le colon mit quelques secondes à concevoir l'accusation.
Son visage se figea.

— Epargnez-moi toute dénégation, reprit Jasson. Mes
preuves sont irréfutables.

— Vos preuves, dit Desaix en se levant, je les emmerde.

Essayant de se calmer, il ajouta :

— Excusez-moi. Qui a dit ça ?

— Au cours d'une opération, un collecteur a été arrêté. Les papiers ont été trouvés. Alors, ne me faites pas perdre mon temps. Tous vos ouvriers cotisent. Votre intendant Bachir verse vingt mille, et vous-même cent cinquante mille.

Desaix marchait de long en large d'un pas vif que le crissement de ses sandales escortait. Il tenait son verre à la main. Une certaine bonne humeur s'était répandue sur son visage.

— Admettons que je paye. Vous allez m'arrêter ?

— Qu'est-ce que vous espérez, demanda Jasson, que je passe l'éponge ? Votre collusion avec le F.L.N., celle de Bachir sont trop graves pour que...

— Pas celle de Bachir, coupa Desaix. C'est moi qui donne les ordres ici, c'est donc moi le seul responsable. Si je n'avais pas payé, mes bâtiments et mes récoltes auraient brûlé. Mes ouvriers seraient peut-être tous passés au maquis. Etait-ce souhaitable pour le bien de la région ?

— C'est avec des raisonnements comme ceux-là qu'on perd une guerre, remarqua Jasson, étonné lui-même de la bienveillance de sa voix.

— Mais vous aussi vous payez le F.L.N. ! Quand l'armée ou l'administration confient à une entreprise le soin de réparer une route ou un ouvrage, l'entreprise demande des prix exorbitants. Vous les acceptez, parce que vous savez que pour travailler en paix l'entrepreneur doit payer.

— Même si j'admettais cette nécessité, je ne passerais pas l'éponge. Vous n'aviez qu'à ne pas vous faire prendre, c'est tout. Peut-être tous les fermiers payent-ils mais je n'en sais rien.

— Votre intérêt est de ne pas tout savoir, en effet, même en ce qui me concerne, mon colonel. Ma ferme est l'un des pivots de cette région. Réfléchissez... C'est le F.L.N. qui a intérêt au scandale. Pas vous.

Le colonel s'était levé.

— Par égard pour le deuil qui vous frappe, par égard aussi pour l'opinion publique, je remets ma décision à plus tard. Dès que vous serez revenu de Kabylie, vous voudrez bien me le faire savoir.

Desaix acquiesça silencieusement et reconduisit son hôte jusqu'au perron. Jasson en descendit les marches sans se retourner. Il n'avait pas serré la main de Desaix qui, immobile, assista au départ de la patrouille, puis entra dans la maison, assujettit les portes et replaça les lourdes barres. Arrivé à la troisième il s'interrompit, demeura hésitant, puis reprit son mouvement et d'un coup de pied s'assura que l'ensemble des volets qui fermaient la porte était bien juxtaposé.

Dans le salon, il acheva son verre de whisky, éteignit, et remonta au premier étage.

— Il t'a donné des détails ? demanda Bernadette.

— Non.

— Peut-être qu'il s'en tirera quand même ?

— Il est deux heures et demie. Nous partirons à six heures. Nous serons là-bas avant la nuit.

— Il faut que j'y aille aussi ?

— Oui.

— Quand tu lui as appris notre mariage, dit Bernadette en se soulevant et en écartant le drap, il a déclaré qu'il ne voulait pas me connaître. Je n'ai aucune envie de mettre les pieds chez lui.

— Il a eu raison, répondit paisiblement Desaix. Je l'avais mis devant un fait accompli. Et de mon côté j'avais eu raison de le mettre devant le fait accompli. Si j'avais procédé par les voies normales, il aurait essayé de m'empêcher d'épouser une francaoui et nous serions encore à en discuter. Nous avons agi le mieux du monde l'un et l'autre, moi en ne le prévenant pas, lui en se fâchant. Mais maintenant qu'il va mourir, notre place est auprès de lui.

Sans brutalité il saisit Bernadette par la tête, la lui enfonça dans l'oreiller et coupa sa protestation en observant simplement :

— Tu viendras avec moi parce que je le veux. Que j'aie tort ou raison, je suis le maître.

Le visage froncé, les yeux fermés, elle se tut. Il ouvrit le drap et, à travers la chemise, caressa le corps de la jeune femme comme celui d'un animal, d'une main négligente, en propriétaire.

Au bout d'un moment, il releva sans précautions la chemise, caressa le ventre nu, obligea la jeune femme à écarter les cuisses. Il examinait la fourche de peau douce qu'elle offrait à son regard. Il y mettait tant d'attention que ses

32

sourcils en étaient froncés. Il se demanda si Bernadette imaginait combien sa féminité était pour lui une source constante d'énergie. Il avait besoin de se savoir le maître de cette chair tendre, ronde, fendue, pour agir en homme.

— J'ai eu raison, dit-il brusquement.

Boudeuse, Bernadette n'ouvrit pas les yeux mais il sentit qu'elle l'écoutait.

— Je suis content, reprit-il. Depuis des mois ça me travaillait...

— Qu'est-ce qui te travaillait ? demanda-t-elle enfin.

— Les comptes de la ferme. Certaines irrégularités étaient flagrantes. Je ne voulais pas admettre que Bachir me volait, mais c'était une évidence.

— Bachir ! s'exclama-t-elle, en se soulevant pour prendre appui sur un coude.

Cette fois elle avait ouvert les yeux.

— Il me volait. Mais pas pour lui. Pour les fellagha. Chaque mois, il payait. Sans doute leur laissait-il entendre que je le savais.

Tout en parlant, il avait obligé Bernadette à s'allonger de nouveau, il avait remonté plus haut la chemise, dénudant les seins. C'était le visage qui était caché maintenant par le bouillonnement du nylon.

— Bachir avait compris, reprit-il, que nous risquions des pépins graves. Il savait que, la tête sur le billot, je n'aurais pas payé. Alors il a entrepris de me protéger contre le F.L.N. et contre moi-même. Ce pauvre Jasson a cru me porter une botte redoutable en m'annonçant que la feuille des cotisations avait été retrouvée. Je m'en suis frotté les mains de plaisir. C'était insupportable, tu comprends. J'en avais assez de soupçonner Bachir. Evidemment ça va me faire des histoires avec tout le monde, mais j'aime mieux ça.

Sans transition il observa :

— Il était vache avec nous quand nous étions gosses, mon grand-père. Mais une fois, j'avais quatre ou cinq ans, je l'ai trouvé occupé à ranimer avec de la cendre une hirondelle paralysée par le froid. Et il m'a pris sur ses genoux pour la regarder se réveiller. Allez, debout, Bernadette.

La voix de Bernadette fusa à travers la chemise.

— Pour quoi faire ?

33

— La maison à ranger, la valise à préparer, les ordres à donner. D'ici six heures tu n'auras pas le temps de chômer.

— Mais j'ai sommeil !

— Tu dormiras dans la voiture.

— Je peux dormir encore une heure ou une heure et demie.

— Je déteste que tu sois puérile ! cria Desaix, lève-toi.

Elle avait rabattu la chemise jusqu'à ses genoux. Son visage venait d'émerger, rose, animé par une petite moue.

— Bon, alors, traitez-moi comme une enfant !

Il aimait qu'elle ne se fût jamais tout à fait habituée à le tutoyer, et que dans l'intimité le vouvoiement lui revînt presque aussitôt. Il se pencha, lui administra deux petites gifles, la cueillit par le bras et la mit sur ses jambes.

Elle tituba et vint se réfugier dans ses bras. Dehors, le chien que le séjour de la patrouille avait bouleversé s'offrit une nouvelle quinte d'aboiements rageurs.

— Ils nous tueront comme ils ont tué ton grand-père, chuchota-t-elle.

— Oh ! dans l'immédiat ce que nous risquons surtout, c'est qu'on m'arrête, et Bachir aussi. Je me demande ce que tu fabriquerais toute seule, poursuivit-il avec un brusque désarroi.

— On verra bien, chantonna-t-elle.

Elle se laissait aller de tout son corps dans les bras de Desaix.

— Faites-moi l'amour s'il vous plaît, murmura-t-elle.

Il la secoua avec colère. Chaque fois qu'elle lui avait fait de semblables avances, il les avait ressenties comme scandaleuses. L'armature rigide qui étayait sa pensée avait délimité une fois pour toutes les rapports d'un musulman et d'un Français, des membres d'une même famille, de l'homme et de la femme. La guerre que, même dans son for intérieur, il appelait pudiquement « les événements » ayant entamé sa conception de « l'indigène », il en souffrait. De même, l'audace avec laquelle il avait épousé Bernadette sans solliciter d'abord l'agrément de son grand-père était très vite devenue pour lui un remords. Doublement désorienté, il considérait les complaisances amoureuses de Bernadette comme coupables, ses provocations comme indécentes. L'attitude de la jeune femme lui semblait à la fois contraire aux pudeurs de son sexe et à la modestie d'une femme mariée. Il regrettait parfois de l'avoir épousée dans la mesure où, non admise par son grand-père, tenue à distance par les femmes de colons, elle lui apparaissait par moments comme une maîtresse qu'il eût impudemment établie à la ferme. Bernadette ne s'occupait pas des cultures, ne s'intéressait pas aux comptes, ne surveillait la maison qu'avec nonchalance, bref, ne ressemblait pas aux laborieuses épouses de la famille.

⁂

Deux heures plus tard, comme la voiture roulant à travers les ténèbres du matin encore solidement installées parvenait aux premiers feux de Vialar, Desaix éprouva un motif d'impatience beaucoup plus précis à l'encontre de Bernadette. Celle-ci avait articulé énergiquement :

— Arrêtez-moi devant Mme Haldekch.

Il continua de rouler sans répondre, contournant la chicane de sacs de sable et de fils de fer barbelés qui, éclairée par une lanterne sous laquelle sommeillait un U.T., coupait la grand-rue. Bernadette insista :

— Je n'en ai que pour cinq minutes, implora-t-elle, comme si le refus muet de Kléber n'eût été explicable que par sa hâte d'arriver en Kabylie.

Il se fâcha :

— Tu sais très bien que...

— Je le sais que vous n'aimez pas Mme Haldekch, mais c'est mon médecin. J'avais rendez-vous avec elle cet après-midi. Il faut que je la voie.

Il ralentit en arrivant à la hauteur de la Place du Marché, s'engagea dans la ruelle où habitait la doctoresse. Quelques musulmanes, silhouettes blanches dans le jour naissant, sautillaient à travers des flaques de boue. Il arrêta enfin la voiture.

— Bernadette, dit-il avec effort, je viens de me taper une nuit assez mouvementée. je ne me plains pas. Je ne te demande pas des égards particuliers. Mais tu devrais savoir à quel point ton intimité avec Mme Haldekch m'est déplaisante.

— C'est la seule femme médecin, je n'ai pas le choix !

— Mais à cette heure-ci elle ne doit même pas être levée !

Pour toute réponse Bernadette montra au premier étage de la maison la lumière électrique qui filtrait par le volet de la fenêtre centrale.

— Alors, grouille-toi ! cria-t-il.

Bernadette descendit de voiture et traversa la rue, en-jambant les tas de neige, contournant les flaques jusqu'à la porte qu'elle poussa. Elle monta un petit escalier dans l'obscurité, arriva essoufflée sur un palier de ciment où son pas résonna. Une porte s'entrouvrit.

— Bernadette ! Vous êtes tombée du lit, mon vieux ?

Madame Haldekch était une maigre femme d'une quarantaine d'années, aux traits usés. Son sourire montra de belles dents blanches. Ses yeux bleus, fanés comme ceux d'une vieille femme, étaient encore splendides. Un nez épais, très proéminent, contrariait la finesse de son visage. Elle était enveloppée d'un trench-coat fourré de mouton blanc qui, apparemment, lui servait de robe de chambre car sa chemise de nuit dépassait et ses pieds nus étaient chaussés de petites mules roses. Ses cheveux gris étaient tirés en arrière par un chignon, découvrant les tempes bombées aux veines trop visibles.

Les deux femmes s'embrassèrent, puis Bernadette expliqua à la doctoresse que, le grand-père de Kléber ayant été griè-vement blessé, elle accompagnait son mari au chevet du mourant.

— J'ai voulu vous dire au revoir.

— Mais vous allez revenir bientôt ?

— Oh ! oui ! répondit Bernadette avec un soupir.

— Et votre mari a accepté de vous déposer devant chez moi ? Il est bien coulant ce matin.

Tout en parlant elle surveillait sur divers appareils à gaz butane des récipients dont l'un contenait de l'eau déjà bouillante. La pièce était carrelée de blanc. Celui qui y eût pénétré par hasard eût difficilement établi où il se trouvait : il y avait des éprouvettes, mais aussi une pile d'assiettes sales. Une seringue gisait au fond d'une casserole d'eau bouillante et près d'un brancard de la Croix-Rouge un grand siège de faux Henri III abritait le sommeil d'une chatte et de ses petits.

— Il est normal que M. Desaix ne puisse pas me voir en peinture, reprit la doctoresse. Pour lui, comme pour les militaires, je suis un agent du F.L.N...

— Mais ce n'est pas vrai ! s'exclama Bernadette.

— Avouez que je suis un cas ! répondit Mme Haldekch dans un roucoulement.

Elle tenait la seringue, l'aiguille, l'ampoule. Bernadette la suivit dans la pièce voisine où une jeune fille dormait sur un dunlopillo posé directement sur le ciment.

— Bonjour, Djemila, dit Bernadette, comment vas-tu ?

La doctoresse avait écarté les couvertures, remonté la chemise. Elle palpa les petites fesses serrées, puis abattit son aiguille.

— Je ne t'ai pas fait mal ? demanda-t-elle.

Djemila fit non avec tous ses cheveux qui battirent autour de sa nuque mince, puis elle se détourna pour sourire aux deux femmes.

— C'est la dernière piqûre, expliqua Mme Haldekch. Lave-toi, habille-toi, Yacef Cheriff va venir te chercher pour te ramener à Sidi Omar.

— Mais tu es contente de retrouver ta famille ? suggéra Bernadette.

La jeune fille lui adressa un regard qui signifiait : « Est-ce que je sais de quoi je peux être contente ou mécontente ? »

Quinze jours plus tôt, le médecin militaire qui régnait sur Sidi Omar s'étant déclaré incompétent et les troubles dont souffrait Djemila n'apparaissant pas assez graves pour lui valoir un lit à l'hôpital de Teniet-el-Haad, Mme Haldekch l'avait accueillie chez elle pour la soigner. Djemila était la sœur de cette petite Meriem qui, lorsque Bernadette campait à Sidi Omar, avait été envoyée à l'hôpital pour une appendicite et en était revenue en hélicoptère. Sa famille, séduite par les charmes de la médecine française, avait cette fois laissé partir Djemila avec enthousiasme.

Pendant que Djemila, sans fausse honte, se savonnait dans un tub d'eau chaude, la doctoresse observa :

— Vous voyez, Bernadette, moi aussi je fais de la propagande pour la colonisation française... Mais savez-vous pourquoi on a plus confiance en moi que dans les médecins militaires ?... Ce n'est pas une question de talent... Ces gens-là ont compris que les toubibs de l'Armée s'en iront quand la France s'en ira, alors que moi je resterai. Je ne suis pas de passage. Et ça m'est très doux : c'est la deuxième fois que je ne suis pas de passage quelque part, que mon destin est fixé une fois pour toutes sur un sol déterminé. Chaque jour je me sens davantage la citoyenne d'un pays qui, lui aussi, se forme de jour en jour.

Elle versa du café dans deux tasses, en offrit une à Bernadette.

— Folle que vous êtes ! dit-elle. Pourquoi vous êtes-vous liée d'amitié avec moi plutôt qu'avec l'une des respectables femmes de colons qui pullulent dans le Sersou ?

— Ça, Kléber aurait préféré, grommela Bernadette le nez dans sa tasse.

Elle ajouta :

— Il n'y a que vous, Mina, qui sachiez faire le café.

— Vous dites ça exactement comme Jacques.

Jacques, médecin comme elle, était le mari de Mina. Membre du Parti Communiste algérien il avait été arrêté et interné dans un camp, sur la route d'Alger à Tizi Ouzou. Quant à Mina, on l'avait assignée en résidence à Vialar. Elle y était à la fois vaguement prisonnière et collaboratrice, de par son métier, de l'administration et de l'Armée. On la respectait pour son ardeur professionnelle. On la craignait pour ses idées. Polonaise de naissance, elle avait connu les premières persécutions du ghetto de Varsovie puis, après la guerre, les convulsions de l'Etat d'Israël en formation. Revenue en France, elle y avait épousé Jacques qui, survivant de Dachau, partageait ses vues sur la révolution mondiale.

— Dépêche-toi, dit-elle à Djemila, Yacef Cheriff devrait déjà être là.

Laissant Djemila passer une culotte rose, trop grande, qui devait être un don de Mina, les deux femmes revinrent dans la première pièce où elles se firent brièvement leurs adieux.

— Bon voyage, Bernadette, et revenez vite. Vous allez me manquer. Vous êtes ma seule Européenne.

Elles s'embrassèrent, mais au moment de franchir la porte, Bernadette se retourna.

— Dites donc, Mina, quand voyez-vous Yacef Cheriff ?

— C'est lui qui emmène la petite à Sidi Omar !

— Justement...

— Justement quoi ?

— L'idée que vous en profiteriez pour faire de la propagande anti-française me déplairait drôlement, Mina.

La doctoresse, campée entre la porte et le brancard, les jambes assez écartées comme un homme, le bleu des yeux durci, sourit sans tendresse et tira sur sa cigarette une longue bouffée.

— Vous êtes en train de me détester, dit Bernadette. C'est curieux. Moi, j'admets vos idées, même si je ne les partage pas, alors que vous...

— Moi, je suis une sectaire ? s'enquit ironiquement Mina. Eh ! oui, mon vieux, j'en suis une. Parce que moi je suis engagée dans l'histoire. Vous, vous avez épousé un colon, mais vous ne vous estimez pas concernée par les événements. Vous vous prenez encore pour une touriste. Mes vues vous intéressent, mais celles de l'officier du Service Psychologique vous intéressent aussi. Vous planez, ma petite vieille. Moi, je rampe.

— Sidi Omar, c'est une partie importante de ma vie, Mina. Quoi qu'on pense de la guerre d'Algérie, il y a eu des choses bien, faites là-bas. Je ne veux pas que vous persuadiez Yacef Cheriff de trahir. Je ne veux pas que Sidi Omar tombe aux mains des fellagha.

— « Vous ne voulez pas », observa Mina avec une hostilité doucereuse. Vous êtes une vraie Parisienne. Vous croyez que vos caprices ont force de loi. Pas ici ! cria-t-elle.

— Voyons, Mina, balbutia Bernadette dont les pommettes étaient devenues rouges, vous exagérez ! Vous m'avez, sans que je vous le demande, donné assez de détails sur vos agissements, pour que...

— Pour que vous puissiez me faire arrêter ? Faites, mon vieux.

Mina ponctua sa provocation en écrasant sa cigarette sur le dallage d'un coup de talon.

— Justement, cria Bernadette, vous savez que je ne vous trahirai jamais. Vous le savez, et vous en abusez. Quand je vous demande de laisser le village de Sidi Omar tranquille, vous êtes lâche en me mettant au défi de vous dénoncer. Vous êtes lâche parce que vous savez que je ne le ferai pas.

Tournant les talons, Bernadette, sans refermer la porte derrière elle, traversa à grandes enjambées le palier. Avec sa maladresse habituelle, elle trébucha sur les premières marches de l'escalier. Mina, qui l'avait poursuivie, la rattrapa dans ses bras, l'embrassa sur les deux joues.

— Je vous aime bien, dit-elle.

Dans la pénombre, elle scrutait le visage de Bernadette, curieuse de savoir si celle-ci lui rendrait son sourire. Celle-ci le lui rendit enfin puis descendit l'escalier en s'appuyant prudemment à la rampe.

Dans la rue, une clarté jaune amortissait la blancheur de la neige. Devant elle, entre la voiture et la maison, Bernadette reconnut Kléber et Yacef Cheriff qui bavardaient, les yeux tournés vers elle.

Elle se dirigea droit sur Yacef Cheriff.

— La petite vous attend là-haut, Yacef, dit-elle sèchement. Allez la chercher, mais ne bavardez pas trop avec Mme Haldekch. Vous entendez, Yacef ?

— Ne pas parler avec elle ? Pas du tout parler ? demanda Yacef avec un certain étonnement et de l'ironie.

— Lui dire : bonjour Madame, il ne fait pas chaud, au revoir Madame, exposa Bernadette. Sinon, je le saurai.

Elle se mit à rire en finissant sa phrase. Yacef Cheriff, vêtu de kaki, porteur de pataugas boueux, sa petite tête de fouine enveloppée dans un bonnet fourré, rit aussi. Le seul qui eût l'air vraiment surpris et dépassé, ce fut Desaix. Il ouvrit la bouche pour dire un mot à Bernadette, ne le dit pas et se dirigea d'un pas lourd vers sa voiture.

*

De la tête, le vieux fit signe qu'il avait compris. Puis il referma les yeux.

Il écoutait le plancher craquer autour de son lit, les chuchotements. Il se félicita une fois de plus de n'avoir jamais toléré qu'on posât des tapis cloués dans sa ferme. Un tapis doit être libre, doit faire des plis. Si l'on admet des tapis cloués chez soi, le reste suit. Le reste, c'est-à-dire la décadence.

Il avait senti entre son pouce et son index le contact poreux de l'ardoise qu'on lui présentait. Un morceau de craie essayait de s'introduire dans son autre main. Il sourit. Son entourage attribuerait ce sourire à sa lutte contre la souffrance ; aussi quand un détail lui semblait drôle ne se gênait-il pas pour sourire. Il n'avait même jamais tant souri que depuis l'attentat.

Cette bouffée de gaieté lui venait irrésistiblement chaque fois qu'on lui présentait l'ardoise pour qu'il pût s'exprimer. Dès qu'il s'était su condamné à mort par sa blessure, il s'était condamné au silence. Même le médecin le croyait incapable de parler. Pendant les rares instants où on le laissait seul il s'offrait le plaisir de prononcer quelques phrases pour se bien prouver qu'il leur jouait la comédie. N'importe quelle phrase : « En réponse à votre honorée du 13 courant, je m'empresse de vous faire savoir que je tiens à votre disposition les deux tonnes d'artichauts... », ou bien : « Ce n'est vraiment pas un temps de saison, mais qu'est-ce que vous voulez tout est sens dessus dessous, il n'y a plus de saisons. » De temps en temps il s'était essayé en langue arabe. Depuis le matin sa formule préférée était : « Je vous emmerde tous, à pied, à cheval et en voiture. »

Péniblement, et cette fois son effort n'était pas feint, il écrivit sur l'ardoise : « J'aviserai ».

La réponse chemina de bouche en bouche jusqu'à Desaix qui se tenait sur le perron. Il en descendit les marches pour s'approcher, l'air rêveur, de sa voiture à l'intérieur de laquelle Bernadette somnolait. Elle baissa la glace.

— Il n'a pas dit non, chuchota Kléber. Il a répondu qu'il réfléchirait.

— Combien de temps ? demanda-t-elle avec impatience.

— Tu sais qu'il ne peut communiquer qu'en écrivant sur une ardoise et que le moindre mouvement le torture, alors il n'est pas entré dans les détails, tu penses ! On lui a dit que nous étions là, que nous demandions à être reçus. Il a simplement répondu « j'aviserai ». C'est sa formule favorite.

Comme son regard cherchait celui de Bernadette, elle poussa un soupir :

— Ecoute : il me fait lanterner à sa porte... Ta famille trouverait choquant que nous pénétrions seulement dans la maison sans son autorisation, et tu voudrais que je m'extasie parce que sa formule favorite est « j'aviserai ». Je m'en fiche de ses formules favorites !

Elle lui prit brusquement la main :

— Je suis injuste... Tu as de la peine, tu as des remords, et moi... et moi je suis éreintée, j'en ai marre. Alors, laisse-moi et rejoins-les puisque ta présence est tolérée.

Une heure plus tard, son fils aîné interrogea de nouveau le vieillard. Celui-ci, qui venait de recevoir une nouvelle piqûre de morphine, ne ressentit qu'une indifférence parfaite pour la question qui lui était posée. Il fit semblant de ne pas l'entendre, de sorte qu'elle fut réitérée et que les mêmes mots lui parvinrent, résonnant dans sa tête comme dans une cathédrale. Il faillit répondre : « Je m'en fous. Si Kléber et sa drôlesse tiennent à me voir, qu'ils viennent. Moi, ça m'est parfaitement égal. » Comme il avait même entrouvert la bouche pour parler il dut, pour se contraindre au silence, serrer fortement ses mâchoires. À la pensée qu'il avait failli se trahir, il laissa paraître une expression de contrariété qui bouleversa ses proches.

— Papa, reprit la voix, tu sais que nous souhaitons tous que tu pardonnes à Kléber... mais si tu estimes ne pas devoir le faire, nous ne chercherons pas à t'influencer.

Il n'écoutait plus la voix. Il reprenait un exercice qu'il avait commencé avant la piqûre et qui consistait à respirer d'un seul poumon. C'était moins douloureux. Il se demandait s'il était le jouet d'une illusion ou s'il était pour de bon parvenu à commander à sa respiration. Il avait entendu dire que des gens vivaient avec un seul poumon, mais jamais qu'une personne qui en possédait deux eût réussi à ne se servir que d'un seul. Pourtant il suivait le trajet de l'air en lui. Il aurait pu préciser l'instant où l'air, au lieu de se diviser, s'engouffrait tout entier sur la droite. Il reconnut la voix perçante d'Adèle qui proposait un compromis :

— Si vous voulez, mon oncle, il y aurait une autre solution : vous recevriez Kléber sans sa...

Se rappelant que la femme de Kléber ne pouvait être tenue pour telle tant que le vieux n'aurait pas entériné le mariage, elle rectifia :

— Kléber tout seul.

La grosse voix qui chuchota ensuite « passez-lui l'ardoise, il répondra par oui ou par non » lui était familière. Il sut qu'il l'entendait depuis vingt, trente ou quarante ans, mais ne chercha pas à l'identifier. Ce fut après un assez long laps de temps qu'il se rappela avoir repoussé l'ardoise. Il s'aperçut qu'on avait fermé les volets. Or, on était en plein hiver. Il était absurde de se défendre à ce point du soleil d'hiver. Il tâtonna sur les couvertures en quête de l'ardoise pour protester. On lui offrit aussitôt des verres, un mouchoir. Une femme inconnue, en blouse blanche, brandit un urinoir d'émail. Une houle d'impatience le souleva. A la fin, il gronda :

— Le soleil ne me gêne pas ! Ouvrez les volets.

Ils se mirent tous à parler trop fort. Ils le félicitaient, se félicitaient : quelle amélioration ! il parlait. Ce fut Adèle qui lui exposa qu'on n'avait pas fermé les volets à cause du soleil mais à cause de la nuit.

« Voilà, pensa-t-il, je vais donc mourir la nuit ». Il découvrit du même coup qu'il y avait des gens qui mouraient la nuit, des gens qui mouraient le jour. Cette distinction l'intéressa un moment.

— Monsieur Desaix, articulait le commandant Baptistin, je n'ai pas pu venir plus tôt et je m'en excuse... Mais ma pensée était avec vous. Je suis sûr que vous vous rétablirez, sûr aussi que les nouvelles souffrances que vous endurez pour l'Algérie française ne seront pas vaines.

Il entrouvrit un œil. Le gros homme se tenait debout, à quelques pas du lit, son béret de chasseur alpin à la main. Autour de lui la lumière électrique se divisait en faisceaux. Son corps semblait être percé de flèches d'or. « Qu'est-ce qu'ils sont venus fabriquer ici, ces militaires, pensa le vieux. Nous nous serions très bien arrangés ensemble, nous, avec les bounioules. Ces gens, au lieu de s'occuper de nos affaires, n'avaient qu'à rester chez eux dans le Nord. » Il se rappela le Nord, la région parisienne qu'il n'avait entrevue qu'une fois, à quinze ans. Car même en 14 il n'était pas remonté si haut, son régiment n'ayant stationné que dans le Var avant de partir pour l'Italie, puis Salonique. De Paris, il ne se rappelait qu'un restaurant, un escalier, une prostituée, la Tour Eiffel et une journée aux environs, à Chatou. Pendant le déjeuner on avait passé un plat d'alouettes sans têtes et on l'avait oublié, lui. Il regardait son assiette vide. La salle à manger s'ouvrait par deux portes-fenêtres sur un jardin planté de gros tilleuls. C'était l'été. La petite fille s'était levée. Une petite fille de neuf ou dix ans qui s'était fait gronder avant le déjeuner parce qu'elle avait grillé un rosier en l'arrosant en plein soleil. Elle était allée chercher le plat et le lui avait présenté, réparant d'un geste toutes les injustices du monde. Elle portait une robe d'un certain safran qui tirait sur le rose. Cette nuance devait avoir un nom qu'il aurait aimé connaître avant de mourir. Il s'imagina téléphonant pour demander à droite et à gauche, à un horticulteur par exemple, le nom de cette nuance. Les autres en feraient une tête !

Adèle lui tenait la nuque et il signait les papiers que son fils lui présentait un par un sur le cuir vert d'un sous-main. Il laissa retomber sa tête sur l'oreiller en ordonnant d'une voix nette :

— Allez remettre le sous-main à sa place.

Depuis combien de temps avait-il renoncé à leur jouer la comédie du mutisme ? Il se reprocha cette défaillance. Ce jeu avait été la seule affaire intéressante qui lui restât à mener à bien et il n'avait pas su aller jusqu'au bout. Il grimaça de colère.

— Ne vous fâchez pas mon oncle ! criait Adèle. Si j'insiste c'est que le malheureux a fait vingt kilomètres en pleine nuit, en profitant de l'escorte d'une patrouille, pour venir jusqu'ici. Recevez-le juste une seconde ! Ne lui parlez pas, mais recevez-le.

— Mais oui, mais oui, qu'ils entrent.

Par comédie, il referma les yeux, ne les ouvrit que quand il estima que Kléber et la francaoui étaient à son chevet. Il fut surpris de trouver à leur place le curé. — Surpris une seconde, puis indifférent. Son fils faisait à sa place un discours à l'abbé Savin :

— Vous savez que mon père est resté très attaché aux traditions laïques auxquelles tenait notre aïeul, débarqué ici en 1848. Néanmoins mon père est un ami de la Religion. Il a compris que vis-à-vis des musulmans nous nous devions de respecter... un dieu...

— C'est une visite amicale, c'est une visite amicale, bredouillait le prêtre.

Le vieillard faisait semblant de dormir. Il n'avait jeté qu'un regard à l'abbé Savin avant de refermer les yeux mais avait noté qu'autour de lui les rayons de la lampe

44

s'arrondissaient mollement au lieu de le percer comme
le commandant Baptistin.

Quand il s'éveilla, sa poitrine était devenue une cloche
carillonnante. Il essaya de crier au même rythme que le
carillon. Il trembla pendant tout le temps que le drap fut
écarté par le médecin occupé à lui faire sa piqûre. Ensuite
il transpira. C'était assez agréable. Il avait ramené ses draps
sur son menton, les serrait contre lui. Il avait refermé ses
paupières comme des portes. Le chuchotement lui parvenait
de l'extérieur, d'un monde dont il n'était plus obligé de
tenir compte. Il était délicieux qu'une voix essaie de vous
convaincre de recevoir Kléber alors qu'on n'est plus tenu
de répondre, même par un signe. C'était une voix qui ne
comptait pas. Kléber ne comptait pas davantage. Aucun
membre de cette famille ne comptait plus. Que la ferme
brûle et l'Algérie avec ! Cette disparition du monde l'enchantait. Quel dommage de n'avoir pas pensé à mourir plus tôt !
Il entendit un pas s'éloigner à travers la chambre, la porte
se refermer. Il demanda à boire.

Kléber et Bernadette avaient dormi tout habillés sur
un divan dans « le pavillon », petit bâtiment situé à cinquante mètres de la maison d'habitation, entre de gros
figuiers. De la sorte les volontés du mourant n'étaient pas
enfreintes : les parias n'avaient pas pénétré dans la maison
sans son assentiment. Adèle vint les chercher d'un air important. Ils traversèrent tous trois la cour, accompagnés
par les aboiements du chien, sous un ciel d'une éclatante
pureté. Les neiges du Djurdjura brillaient au clair de lune.

— Il a fait oui avec la tête. Paul lui a demandé s'il
acceptez de vous voir *tous les deux*, et il a encore incliné
la tête. Alors...

Les portes blindées s'entrebâillèrent devant eux. Bernadette fit quelques pas dans une chaleur qui contrastait avec
l'extrême froid de la cour, mais c'était une chaleur maladive,
lourde d'odeurs pharmaceutiques. Les pièces n'étaient que
parcimonieusement éclairées, toutes portes ouvertes. Au
fond d'un bureau encombré de lourds classeurs, au-delà d'un
secrétaire 1900, une fillette en chemise de nuit dormait sur
un divan. Gras, bronzé, l'oncle Paul déboucha du couloir
et s'avança au-devant d'eux comme pour les repousser.

— Il ne veut plus ? demanda Kléber.

— Rien de changé. Il somnole. Mais je voulais te dire...
Il baissa la voix.

— Tu comprends, poursuivit-il en posant sa main sur
l'épaule de Kléber, que tu ne dois pas outrepasser...

Il s'embrouilla dans sa phrase et la coupa d'un :

— Enfin, tu ne lui parles de rien !

— De quoi, rien ?

— Du testament. S'il est vrai qu'à la suite de ton mariage il ait révisé son testament pour te désavantager, ce
n'est pas le moment d'aller lui casser la tête avec cette
histoire. Ça serait moche, mon petit vieux... D'ailleurs il
n'est pas en état de refaire un testament. Donc, tu ne lui
parles de rien et nous nous arrangerons entre nous après.

— Ça, il n'y a pas de doute, surenchérit Adèle, tu ne
peux pas lui parler du testament. Ce serait d'un goût !

Elle ajouta avec une douceur hâtive :

— D'ailleurs Paul te l'a dit, nous débrouillerons tout ça
entre nous.

L'air rêveur, Kléber avançait dans le couloir à côté de
son oncle qui avait laissé sa main sur son épaule. Adèle
sautillait derrière eux. Bernadette fermait la marche. Personne ne s'occupait d'elle. Ils atteignirent la chambre du
mourant.

— C'est Kléber. Vous reconnaissez Kléber ?

Il battit des yeux. A chaque battement la lumière électrique frissonnait, éclaboussait les silhouettes. La francaoui
portait un imperméable noir qui s'imprégnait d'électricité
puis se déchargeait. Machinalement le vieux estima que
c'était une drôle d'idée d'épouser une francaoui. Puis il
réforma sa pensée : c'était une drôle d'idée d'épouser n'importe qui. Une idée inutile. Inutile comme tout ce qui est
au monde d'ailleurs. Il referma les yeux avec un singulier
plaisir. Quand une émission radiophonique l'irritait, il avait
toute sa vie éprouvé le même plaisir à tourner le bouton, à
détruire d'un geste une parole. La télévision ne l'avait intéressé que dans la mesure où, s'il avait possédé un poste, il
eût pu détruire en outre, en une seconde, un visage ou un
décor. Depuis qu'il mourait, il s'offrait la satisfaction de
supprimer son entourage par un simple abaissement des
paupières.

— Grand-père, disait Kléber, je vous demande pardon de

m'être marié précipitamment sans vous avoir consulté. Dans les circonstances actuelles on ne fait pas ce qu'on veut... Je suis bien malheureux de vous voir dans cet état. Est-ce que vous vous sentez mieux ?

Le vieillard ne les voyait pas, ne les écoutait pas, mais il entendait leurs respirations à tous. La chambre était pleine de respirations. S'il lui était indifférent que Kléber eût épousé cette fille, il admettait mal qu'au moment de mourir on lui présentât un nouveau visage. Depuis qu'il était né il avait vu trop de visages. Il avait été bombardé par des grappes de visages chaque jour. A ce souvenir il en eut la nausée, remua, une douleur stridente le traversa de l'aine à l'épaule. Les yeux ouverts il demanda, les mâchoires contractées :

— Est-ce que vous connaissez Chatou ?

Kléber poussa Bernadette en avant, plus près du lit.

— Oui, chuchota Bernadette, c'est-à-dire que j'en connais un en France, près de Paris, entre Paris et Saint-Germain-en-Laye.

— Saint-Germain-en-Laye, oui. Et puis ?

— C'est à côté du Vésinet, balbutia Bernadette.

— Encore.

— La Seine y passe.

L'après-midi ils étaient tous allés se promener au bord de la Seine et la fillette en robe rose safran lui avait raconté l'histoire d'un chasseur qui tire sur un perroquet, le blesse, le perroquet tombe par terre et dit : « charmante soirée... » et le chasseur répond : « Oh ! excusez-moi, monsieur, je vous avais pris pour un zoizeau ».

— Regarde, souffla Desaix dans l'oreille de Bernadette, il te sourit : rends-lui son sourire...

Elle obéit. En pure perte car le vieillard, entre ses cils, ne regardait que la crête neigeuse de son drap hérissé d'aiguilles électriques.

Bien que la ferme fût plus proche de Fort National, l'enterrement eut lieu à Tizi-Ouzou par une matinée froide, étincelante de soleil.

Ensuite Bernadette, Kléber et Paul Desaix, invités à déjeuner par Vignon, le préfet de Kabylie, filèrent en voiture jusqu'à Tirzit, au bord de la mer, où se trouvait la résidence préfectorale d'été.

Vignon, un haut gaillard d'allure anglo-saxonne, les accueillit dans le jardin de la Résidence et sut formuler ses condoléances avec un élan, une sincérité, qui équilibrèrent le tour officiel qu'elles étaient néanmoins obligées de garder.

Sur une table, au milieu d'un jardin qui descendait jusqu'à la mer, un monticule d'oursins brillait au soleil. Les invités du préfet, un maire musulman, un couple de peintres suisses habitant Tirzit, un capitaine détaché, comme directeur, au cabinet du préfet, une jeune et sémillante Algéroise, un Bachaga, un conseiller d'Etat de passage et une journaliste de Paris, décortiquaient leurs oursins avec entrain, cependant qu'un jeune domestique musulman tournait inlassablement autour d'eux en remplissant les verres d'un vin blanc sec du pays.

Vignon, qui tenait Desaix par le bras, coupa court aux protestations de son hôte qui se demandait si, endeuillé comme il l'était, il pouvait participer à une réception aussi brillante.

— C'est la guerre, dit Vignon, ne soyons pas conventionnels. D'ailleurs la pensée de votre grand-père doit nous rester présente. J'avais envie de vous parler de lui précisément. Je le connaissais bien, vous savez.

Il ajouta, énigmatique :

— Je m'entendais avec lui... et il s'entendait avec moi mieux qu'avec les militaires. Sa mort, ajouta-t-il en baissant subitement la voix, il la leur doit !

Le préfet s'interrompit pour envoyer le boy remplir le verre de Bernadette qui bavardait avec un des peintres et la journaliste. Puis :

— Vous connaissez l'histoire ?

— Quelle histoire ?

— L'histoire de la mort de M. Desaix.

— Bien sûr, je...

— Non, je ne vous parle pas des modalités de l'assassinat, mais des causes.

— Elles tombent sous le sens. Mon grand-père en Kabylie, comme moi dans l'Ouarsenis, vivons depuis des années avec une chance de ne pas finir la journée, déclara Desaix avec une soudaine irritation.

— Ils tuent rarement au hasard. Si vous êtes encore en

vie, si votre grand-père était encore en vie il y a une semaine, de même que s'il ne l'est plus aujourd'hui, il y a une raison. Au début, les colons qui sont tombés étaient souvent les plus salauds, ceux contre qui les ouvriers avaient une vendetta. C'est devenu plus subtil ensuite. Cette subtilité a tué votre grand-père. A l'origine il y a eu une affaire : la fermeture du marché du Tarza. Nos militaires de Kabylie n'ont pas inventé la poudre, et leur arme préférée contre les populations gagnées à la rébellion est la fermeture des marchés qu'ils finissent par obtenir de l'administration. Tarza est située à une vingtaine de kilomètres de la propriété de votre grand-père...

— Je le sais !

— ...et les militaires ont donc obtenu le mois dernier la fermeture de son marché. Cette mesure est censée gêner le ravitaillement des hors-la-loi et punir les populations qui sympathisent avec nos adversaires. A Tarza, cette mesure était non seulement inefficace, mais inopportune. Elle contribuait à faire basculer les populations vers l'autre bord et ne gênait pas la Katiba. Desaix a pris l'initiative d'une campagne pour la réouverture du marché. Il a rassemblé des signatures. Il a fait deux voyages à Alger. Il est allé rendre visite à une multitude de commerçants et de paysans musulmans. Bref il est devenu le chef d'un mouvement que j'appuyais de mon côté, et qui devait aboutir, malgré les efforts des militaires, à la réouverture du marché pour la nouvelle année. Si l'exécution de votre grand-père a été décidée, c'est justement que son action lui avait valu une popularité grandissante dans le coin, que le succès de sa campagne l'eût encore accrue, c'est aussi que la réouverture du marché ne convenait pas au F.L.N., lequel exploitait cette brimade auprès des populations. Vous comprenez ? C'est l'Armée qui a mis M. Desaix dans cette situation dangereuse. Elle a su, comme moi, que sa vie était menacée. Elle n'a rien fait pour le protéger efficacement.

Des lambeaux de conversation leur parvenaient. Le conseiller d'Etat estimait que cette portion de la Kabylie, avec ses montagnes boisées, ses calanques de mer violette, ressemblait à la Corse. La journaliste parisienne trouvait plutôt que, la mer mise à part, le paysage évoquait l'Auvergne.

49

Le maire musulman assurait qu'autrefois des touristes anglais lui avaient juré qu'ici on se croirait en Grèce. Vignon les rassembla :

— Venez voir mes tombes phéniciennes !

En colonne, on traversa le jardin jusqu'à une terrasse dominant la plage. Là, une demi-douzaine de tombes de pierre émergeaient du sol.

— Qu'elles sont petites ! s'exclama la journaliste parisienne.

— Oui, reconnut le préfet avec un léger dépit. Je ne comprends pas pourquoi elles sont si petites.

— Des tombes d'enfant ? proposa le Bachaga.

— C'est la seule hypothèse, répondit Vignon.

— Je ne savais pas, observa gravement le conseiller d'Etat, que les Phéniciens eussent occupé cette côte.

Et il promena un regard satisfait sur l'assemblée, étant de ces hommes qui ont une opinion suffisante d'eux-mêmes pour croire charmer un auditoire en proclamant une ignorance.

— Vous ne saviez pas ! s'exclama la journaliste. On nous a fait tout un cours là-dessus, à la Délégation Générale. Si je me rappelle bien, tout le monde a défilé dans le Magreb, Phéniciens, Grecs, Romains, Vandales, Arabes, Turcs, que sais-je encore ! L'officier du Service Psychologique qui nous a fait ce cours entendait nous persuader, je suppose, que, puisque les malheureux Magrébins n'ont jamais été seuls chez eux, ils ne sont pas fondés aujourd'hui à s'étonner de la présence des Français.

La journaliste était vêtue d'un pantalon de velours et d'une veste de daim. Elle s'agitait, très à l'aise dans une quarantaine musclée ; à la bouche, une cigarette éteinte.

— C'est un argument qui a sa valeur, admit Vignon tout en aidant Bernadette, de la main, à enjamber deux petites tombes, mais il ne s'applique qu'aux griefs qu'on peut nous faire concernant la conquête elle-même de l'Algérie. Nous n'avons pas mis une nation sous le joug, c'est exact, puisqu'il n'y avait pas de nation algérienne, mais qu'il existait seulement un joug turc pesant sur des tribus dispersées. Naturellement cet argument serait sans valeur de nos jours si l'on considère que peu à peu une nation algérienne s'est formée.

— Et elle s'est formée, n'est-ce pas ? demanda la journaliste avec gourmandise en se tournant vers le maire musulman.

Celui-ci feignit de ne pas comprendre que la question lui avait été posée plus singulièrement qu'aux autres. Il garda le silence, le regard maintenu sur la mer où il semblait suivre la marche d'un navire au ras de l'horizon. Pour assurer sa contenance il ramena sur son complet de drap aubergine les pans de sa gandoura blanche agités par le vent.

Ce même vent gonflait la jupe plissée bleu marine de Bernadette qui, juchée sur la murette de pierres antiques qui dominait, d'un côté les tombes phéniciennes, de l'autre la plage, regardait s'ébattre les mouettes au ras des premières vagues. Parfois, d'un doigt nonchalant, elle corrigeait l'envol de sa jupe dont le frétillement, puis l'évasement, reprenaient aussitôt après. Kléber Desaix essayait de dominer l'indignation que lui causait l'impudeur de Bernadette, admettant que son indignation était excessive. Il lui semblait que ses nerfs avaient flanché et qu'il n'en était plus le maître. Volontiers il eût piétiné Bernadette parce qu'elle laissait entrevoir ses cuisses. Une seconde auparavant, il eût volontiers giflé la journaliste dont il trouvait le ton trop persifleur, comme tout à l'heure il avait failli se fâcher quand le préfet s'était donné des airs de lui apprendre que Tarza était à vingt kilomètres de la ferme du grand-père. Et le grand-père lui-même lui avait inspiré plusieurs fois, pendant la matinée, des velléités coléreuses. Il lui en avait même voulu d'être mort, donc d'échapper aux reproches — le principal reproche concernant les dernières dispositions testamentaires prises par le vieillard à l'encontre de son petit-fils.

Ils remontèrent vers la maison devant laquelle rôtissait un mouton enfilé par un épieu au-dessus d'un feu. Le conseiller d'Etat marchait en tête en compagnie du vieux Bachaga.

— Monsieur le Bachaga, demandait-il, vous connaissez certainement Chevalier, le maire d'Alger ?

Dès que son interlocuteur eut acquiescé, le conseiller d'Etat s'empressa de baisser la voix : que pensait-il des opinions répandues dans l'entourage de Chevalier et concernant le règlement de la rébellion grâce à des négociations avec une tierce force, c'est-à-dire avec des éléments représentatifs d'une bourgeoisie musulmane à la fois proche du F.L.N. et liée à la France ? Le Bachaga le laissa développer son programme « de promotion et de négociations », puis demanda doucement :

— Croyez-vous que j'aie des rhumatismes ?

— M. le Bachaga, murmura le haut fonctionnaire, déconcerté, je ne me suis jamais avisé de penser que...

— Alors pourquoi croyez-vous que j'aie une canne ? et que je m'appuie si fort sur elle ?

Il donna lui-même la réponse :

— Je sors de l'hôpital. Il y a un mois, j'ai pris trois balles dans la peau en donnant à manger à mes paons, dans ma propriété.

— J'ignorais... C'est effrayant ! Mais justement ne faut-il pas espérer mettre un terme à tant d'horreurs ? Et les deux partis, au lieu d'attendre ce terme d'une victoire que chacun espère sienne, n'agiraient-ils pas plus humainement en laissant à une troisième force le soin d'établir un équilibre valable pour tous ?

— La troisième force n'existe pas. On peut l'inventer. En ce cas, elle ne servira qu'à renforcer sournoisement l'une des deux autres. Il faut en prendre votre parti, monsieur, en Algérie il n'a a pas d'angle à arrondir ni de poire à couper en deux. Cette guerre finira par un vainqueur et un vaincu. Le vaincu sera à coup sûr celui qui aura cru, comme vous, une troisième solution possible.

A l'arrière de la petite troupe, la tension était encore plus fiévreuse. Aux reproches de Desaix, Bernadette était devenue rouge, non de confusion mais d'exaspération. C'était simple : elle en avait assez ! Sa vie était infernale. Et Desaix, au lieu de la gourmander sur le jeu du vent dans ses jupes, pourrait peut-être se demander vers quoi ils allaient tous les deux.

Pour la première fois cette fille lymphatique avait éclaté de colère devant son mari. Sidéré, il l'observait tout en montant à ses côtés le sentier bordé par des massifs de jasmin.

— D'ailleurs, j'en ai marre, conclut Bernadette. Ce soir, on rentre à Alger. Et j'ai envie de sortir, je veux aller dans des boîtes.

Il s'aperçut qu'elle pleurait.

L'homme du Conseil d'Etat se pencha vers le maire musulman, lui désignant du regard le vieux Bachaga :

— Il est impressionnant. C'est une forte personnalité, n'est-ce pas ?

— Nous mourons de ces gens-là.

— Pardon ?

— Tout ce qui est vieux dans ce pays demeure, tout ce qui est jeune savait que nous avions besoin d'évoluer. Vous, en Europe, vous avez évolué. Vous n'êtes pas les mêmes qu'autrefois. Au fond, nous avions remis nos pouvoirs à la France pour qu'elle nous fasse évoluer plus vite. Mais la France a choisi chez nous les éléments les plus conservateurs, des caïds aux bachagas, qui eux nous ont freinés. Alors ?

— Alors, balbutia le haut fonctionnaire, vous pensez peut-être que...

— Je pense que le F.L.N. nous freine autrement. Je cherche ma voie entre les deux.

Il sourit :

— ...avec l'aide de Dieu.

— La troisième force ?

— Non, je joue une nouvelle France. La France dont nous avons rêvé. J'espère qu'elle naîtra de la leçon que lui donne le F.L.N. Et tout sera bien.

Déconcerté, le voyageur se retourna et aperçut Bernadette en larmes. « Le problème des Européens, pensa-t-il. Pauvre femme ! Elle est née ici. Elle a ses morts au cimetière. Elle tremble toutes les nuits. L'un de ses proches vient d'être égorgé. » De retour à Paris, il pourrait dire qu'au-dessus de tombes phéniciennes, entre deux palmiers, il avait vu pleurer d'angoisse la femme d'un colon.

*

A Alger, la nuit était tombée. Kléber Desaix, planté devant la porte-fenêtre entrouverte, regardait s'écraser la pluie sur la petite terrasse blanche au pied de laquelle des réverbères éclairaient des palmiers décoiffés par les rafales.

Depuis que Bernadette s'était enfermée — à peine ar-

rivée — dans la salle de bains, Desaix soutenait avec elle
une querelle intérieure. « Je connaissais un brave petit
hôtel très confortable, beaucoup moins cher qu'ici, tu as
voulu venir au « St-Georges » ! J'ai cédé. Alors, au moins,
ne fais pas la gueule... Ou si tu as des raisons de faire la
gueule, donne-les tes raisons. Qu'est-ce qu'il y a exactement ? J'admets qu'en Kabylie nos relations avec ma famille n'ont pas été drôles, que tu as été traitée en étrangère, mais j'ai fait bloc avec toi. Celui qui devrait en
souffrir, c'est moi et non toi qui ne connais pas les miens,
et ne peux donc éprouver aucun déchirement. Si tout simplement tu es vexée, c'est ridicule. Et tu pourrais cacher
ton dépit au moment où j'éprouve, moi, la douleur autrement profonde de la mort du grand-père. Or, c'est le contraire : c'est moi qui cache ma peine parce qu'elle t'agace...
D'ailleurs depuis plusieurs mois tout t'agace. Ça ne date
pas de la Kabylie, ça date de l'arrivée de cette doctoresse.
Elle te dit du mal de moi. Pour elle, je suis un colon.
abruti et rétrograde, évidemment. C'est son droit de le penser. Mais explique-moi quel plaisir tu éprouves à fréquenter
assidûment quelqu'un qui ne m'aime pas... Tu es malheureuse, Bernadette ? »

Il fit quelques pas à travers la chambre qui n'était peut-
être pas celle où il avait ramené Bernadette libérée par les
parachutistes, un an plus tôt, mais qui lui ressemblait parfaitement : même moquette grise, même ameublement banal,
même petite terrasse, même frise de carreaux de couleurs.
En arrivant Bernadette s'était également enfermée dans la
salle de bains, puis était réapparue en peignoir. Il l'avait
considérée avec attendrissement, révolté par l'épreuve qu'elle
venait d'endurer chez les parachutistes, et tellement désireux de la secourir, de mériter sa confiance, qu'il s'était
tenu pour un monstre quelques secondes plus tard quand,
la jeune fille s'étant glissée dans le lit, il avait été secoué
par une bourrasque de désir. La scène lui revint en images
précises. Même il se rappela qu'il y avait un plateau avec
deux verres de cognac.

Il se retourna vivement vers Bernadette qui, pieds nus,
en peignoir comme dans l'ancienne image, venait d'apparaître. Elle regardait dans le vide. Il fut pris de panique.
Il se souvenait trop bien de quelle sorte exacte de tristesse

était empreint le visage de Bernadette, un an plus tôt, pour ne pas être frappé par la nouvelle forme que cette tristesse avait prise dans l'intervalle. Aujourd'hui, c'était un accablement définitif. Et tant il liait son sort à celui de Bernadette qu'il pensa : « Comment en sommes-nous arrivés là ? »

— Vous avez des tas d'amis à Alger, dit-elle d'une voix neutre. Passez la soirée avec eux. Moi, je me couche.

Desaix, dont la compassion s'était transformée en colère, s'écria :

— Vous avez voulu ce séjour à Alger. Il paraît que vous avez besoin de vous distraire ! Malgré mon deuil, et j'imagine déjà les racontars que ça me vaudra ! j'ai accepté que nous venions nous détendre ici, une semaine. Je vous propose même, après-demain, de passer le réveillon de la St-Sylvestre à l' « Aletti »... mais alors !...

Sa voix changea :

— Mais alors, je t'en prie, ne fais pas la gueule !

Elle ne répondit pas, ouvrit sa valise, en tira une chemise de nuit qu'elle posa sur l'un des deux lits jumeaux, alluma la lampe de chevet, bref, se prépara à se coucher comme si elle n'avait même pas entendu les observations de son mari. Celui-ci, après quelques secondes d'immobilité parfaite, se précipita sur elle, la saisit aux poignets, la secoua violemment, puis lui donna quelques coups d'une main encore ouverte pour gifler mais prête à se fermer pour frapper. Par l'entrebâillement du peignoir, il entrevit les cuisses volumineuses de la jeune femme. Haletant, il la lâcha. Elle pleurnichait. Ce qui le surprit le plus, ce fut les griefs qu'entre deux sanglots de petit chien elle formulait :

— Vous me gâchez l'existence !... A la ferme, vous ne me laissez rien faire. Je m'ennuie. Si par bonheur dans ce pays d'abrutis arrive une femme un peu cultivée comme Mme Haldekch, vous me faites un crime de la rencontrer... Quand vous recevez quelqu'un, si je fais une apparition, vous me foudroyez comme si je commettais une inconvenance... je n'étais pas préparée à cette séquestration, Kléber... et le seul officier du régiment avec lequel on puisse échanger trois idées, vous vous êtes brouillé avec lui.

— Béverier ? C'est lui qui s'est brouillé avec moi, voyons ! Il me déteste. Tout comme la mère Haldekch. Tu n'apprécies que mes ennemis, si je comprends bien ?

— Et ce matin, parce que nous étions avec des gens un peu plus civilisés, chez le préfet, vous ne décoériez pas !

— Je t'ai fait une observation parce que, sans t'en apercevoir peut-être, tu te tenais mal.

— Vous n'êtes pas chargé de m'élever, cria-t-elle. C'est déjà fait. Ma famille valait la vôtre et mes amis n'auraient pas voulu fréquenter vos amis. Croyez qu'avant de vous rencontrer j'ai fréquenté des gens qui n'auraient pas été chercher des leçons de savoir-vivre dans le Sersou.

— Tu es ridicule, prononça-t-il avec un certain accablement, et injuste. Tes reproches tombent à côté.

— Les vôtres plutôt, ça oui !

— C'est enfantin ! Tu ne sens pas que notre discussion est enfantine ?

— Alors ne discutons pas. Je voudrais être tranquille un peu... un peu toute seule. Allez donc retrouver vos amis, vos parfaits amis.

Sans répondre, il décrocha l'appareil téléphonique suspendu au mur. Au bout de quelques instants, ayant obtenu son numéro, il poussa un cri joyeux.

— Jean-Paul ! sacré vieux bâtard ! Kléber à l'appareil ! J'avais peur que tu ne sois sorti.

En même temps qu'il échangeait avec Jean-Paul de véhémentes taquineries amicales, Kléber écoutait derrière lui le froissement soyeux lui annonçant que Bernadette passait sa chemise de nuit ; puis un craquement lui apprit qu'elle se mettait au lit. C'était d'une absurdité navrante ! Il eut envie de se retourner vers elle, lui sourire, de faire « pouce » mais, craignant de ne rencontrer qu'un visage glacé, imperméable, il poursuivait son bavardage avec Jean-Paul et accepta de passer la soirée avec lui.

Quand il eut raccroché, il vit que Bernadette, la tête posée au milieu de son oreiller, examinait le plafond. Il s'assit sur le bord du lit. L'un des bras de la jeune femme sortait du drap. Il le caressa. Il était replet ce bras, avec une fossette très mignonne au-dessus du coude, un beau bras de femme. « Puisqu'elle est femme, pensa-t-il, elle n'a qu'à se fier à moi, et à m'obéir. »

— Quand tu étais petite, tu as lu les contes d'Andersen ?

Une seconde, elle garda son visage hostile puis, déconcertée murmura :

— Allons bon ! Les contes d'Andersen maintenant. Oui, je les ai lus. Pourquoi ?

— Tu t'en rappelles ?

— Je ne m'en rappelle pas mais je me les rappelle, prononça-t-elle sévèrement.

Il ne releva pas la leçon de grammaire et demanda :

— Le conte de la femme dont le mari était allé à la foire, tu t'en souviens, Bernadette ?

— Non, je ne me rappelle aucun conte en entier, mais des détails... Plus effarants les uns que les autres, d'ailleurs. Je pense qu'on ne donne Andersen à lire aux mômes que pour les préparer à la lecture d'Edgar Poe ou de Sade.

De la même voix un peu littéraire, elle ajouta :

— Pousse un peu la fenêtre, la pluie rentre.

Il connut l'un de ces instants de bonheur qui le submergeait fugitivement dès que Bernadette s'exprimait comme aurait pu le faire une des femmes de sa famille. Qu'elle se fût montrée sensible au fait que, le vent ayant changé, la pluie vînt par bouffées noircir le tapis devant la fenêtre comblait d'aise ce mari qui, à la place d'une femme d'intérieur, s'était trouvé affublé d'une gitane. Lorsqu'elle réagissait en ménagère, c'est-à-dire pour lui en femme, il se disait : « rien n'est perdu ». En même temps il n'ignorait pas qu'il avait choisi Bernadette parce qu'elle était physiquement saine et bien plantée, comme une bonne Pied-Noir, mais aussi parce qu'elle différait des autres. Elle l'eût déçu en leur devenant semblable. Ce qu'il lui fallait, c'était un dosage savant. Il lui arrivait même de se demander s'il n'était pas « trop compliqué ». La fenêtre poussée il revint, le visage souriant.

— Ça ne t'a pas frappé, toi, poursuivit-elle, ce délire morbide d'Andersen ? Pour moi, chaque conte, c'était une maladie qui ne différait d'un autre conte que comme une maladie diffère d'une autre. Ce vieux prince mourant avec son rossignol ! Cette fille qui tisse des tuniques à ses frères avec des orties ! Cette sirène infirme ! Une naine aussi, à la dérive sur une feuille... même un petit cygne, il s'arrange pour en faire un petit monstre. Et cette princesse lubrique qui, la nuit, va prendre les conseils d'un sorcier, tu sais, qui fait de la psychanalyse...

— Moi, dit Kléber en se rasseyant, je me rappelle tout bonnement le conte du bonhomme qui part à la foire...

— Pour la foire...

— ...pour la foire avec une vache qu'il veut vendre. Il échange la vache contre un troupeau d'oies, le troupeau d'oies contre quatre dindes, les quatre dindes contre trois canards et de fil en aiguille, d'échange en échange, il s'en retourne à la ferme avec, à la place de la vache, un sac de pommes. Et des Anglais, parieurs comme tous les Anglais, l'escortent pour assister aux réactions de la femme. Le bonhomme lui énumère les transactions qu'il a accomplies. Pour chacune, la femme est ravie. Elle adore les dindes ! Elle raffole des canards ! et pour finir, la pomme est son fruit préféré ! Comme le mari avait parié avec les Anglais que sa femme l'approuverait en tout à deux mains, il se trouve avoir gagné dix fois le prix de sa vache.

— Tu es sûr que c'est d'Andersen ?

— Certain.

— Ça signifie quoi, alors ?

Comme il ne répondait pas tout de suite, elle répondit à sa place :

— Tu crois que la femme doit vouer à l'homme une admiration docile, c'est ça ? Et tu me reproches de tirer à hue quand tu tires à dia ?

Elle rêva un instant.

— Remarque bien qu'en t'épousant je suis entrée dans tes vues. Je voulais m'en remettre à un homme. J'en étais arrivée à penser que le métier de femme est un métier impossible. Pas d'autre solution que de me livrer au maître que j'aurais choisi. D'ailleurs, je suis persuadée que ce goût de la servitude est profondément féminin. Tiens, quand j'avais quinze ans, j'aimais obéir à mon premier flirt... ça ne te choque pas que je te parle de mon premier flirt ? Il avait le même âge que moi... J'aimais lui dire : « tu vois comme je suis obéissante ». Je lui répétais ça même quand je ne l'étais pas tellement, obéissante.

— Ça allait jusqu'où exactement avec ton premier flirt ? s'enquit Desaix d'une voix embarrassée.

— Ah ! non, lança-t-elle gaiement. J'ai dit que j'aimais avoir un maître, pas un tyran ! Tu ne comprends pas d'ailleurs qu'en étant jaloux de bêtises, jaloux parce que j'aime la conversation de Mme Haldekch, parce qu'il ne me déplaît pas de plaire aux hommes dans une réception comme celle de ce matin, tu n'es plus un maître mais un esclave rageur, un petit garçon qui trépigne. C'est ça qui me déçoit.

— La vérité, dit brusquement Desaix, c'est que notre existence t'a épuisée. Ce n'est pas une vie ! Moi-même je suis à bout de nerfs. Rien que le fait de s'enfermer derrière des plaques de fer dès que le soir tombe c'est odieux, insupportable pour une femme de ton âge. Ecoute...

Il hésita, prêt à retenir la proposition qui lui était venue aux lèvres et que, finalement, il énonça :

— Même la vie d'Alger ne suffira pas à te détendre. Un réveillon avec couvre-feu, ça n'est pas un réveillon. Tu as besoin de vacances. Moi, je ne peux pas en prendre. Il faut que je rentre à la ferme. Toi, pourquoi n'irais-tu pas faire un tour en France ? Quelques jours dans le Midi, quelques jours à Paris, hein ? Si tu veux, je te laisse la voiture.

Elle n'accepta ni ne refusa mais tous deux bavardèrent encore, mis de bonne humeur par leur réconciliation.

— Tant qu'on sent qu'on se comprend, dit Bernadette, rien n'est perdu.

— Tu ne croyais tout de même pas que tout était perdu ?

Ils s'embrassèrent. Kléber écarta les draps, assaillit la jeune femme qui, avec beaucoup de naturel, lui fit savoir que ce soir et pour quelques jours la nature voulait qu'elle fût indisponible. Le visage de Desaix se rembrunit. La liberté avec laquelle Bernadette traitait de ses états les plus intimes et, en général, commentait les actes amoureux, était un sujet renouvelé de scandale pour cet homme qui ne concevait la vie féminine qu'enrobée d'embarras et de mystères.

— Est-ce que tu viens avec moi chez Jean-Paul ? demanda-t-il.

59

— Vas-y tout seul, je suis vannée. Je vais dormir.

Il se changea et, quelques minutes plus tard, il dévalait l'escalier du « St-Georges », l'air heureux parce qu'il allait retrouver ses copains.

De son lit, Bernadette saisit le téléphone pour demander le numéro de Meriem Benboulaïf.

— J'ai laissé sonner longtemps... ça ne répond pas.

*

La maison des Sapin-Lignière se dressait sur la colline d'El Biar, dans une région mi-urbaine, mi-campagnarde, mal éclairée la nuit. De vieux fusils datant de la Conquête, des panoplies, un étendard, signalaient, dans une maison meublée par ailleurs avec un goût féminin très sûr, la présence d'un amoureux de l'armée : le maître de maison. Celui-ci, trapu, solidement appuyé sur ses pieds bien qu'il fût assis, le visage régulier, la moustache courte et rêche, l'œil en mouvement, intervenait d'une voix chaude :

— Permettez, permettez ! Je crois que nous embrouillons plusieurs questions...

Sa femme, grande, mince, de noir vêtue, mais d'un noir auquel elle prêtait du bouillonnement et de l'extravagance, le visage espagnol, ardente dans le moindre de ses gestes, le regard vif et brûlant, manœuvrait au milieu de l'assemblée, une bouteille à la main.

Desaix n'ouvrait pas la bouche, par timidité. Il n'avait pas eu le temps de s'habituer à la pensée qu'au lieu de passer la soirée avec Jean-Paul, « ce sacré bâtard », il allait participer à une espèce de débat politique. En effet Jean-Paul, qui l'attendait sur le trottoir, avait sauté dans sa voiture, lui avait donné El Biar comme objectif, se bornant à lui assurer : « Tu ne t'embêteras pas. C'est chez les Sapin-Lignière. Il y a un Américain de passage qui cherche des informations, souhaite des rencontres. Tu vois le genre... Les Sapin-Lignière l'ont invité à prendre un verre. On s'est arrangé pour lui faire un échantillonnage d'Algérois. Moi, je représente les colons de la Mitidja. Toi, tu me doubleras en tant que variété du genre : le Colon de l'Intérieur. Il y aura des gens que tu dois connaître : Philippe

Marçais, l'universitaire, l'arabisant, le pied-noir épris de l'Islam. Le colonel Tomazo et son nez de cuir. Lui, il exposera les positions de l'unité territoriale de l'Algérois ; le docteur Porrot qui nous fera la psychanalyse de la question algérienne ; comme journaliste, Jean Brune, et pour personnifier la Mystique Militaire, le commandant Cogniet. Il ne s'agit pas de bourrer le crâne de cet amerloque mais il faut tout de même veiller à lui donner des arguments qui puissent toucher un esprit de là-bas, que je suppose du genre Reader's Digest. Ah ! oui, j'oubliais de te dire qu'il y aura le capitaine Brahim Benboulaïf, aussi, à titre musulman. Quant aux Sapin-Lignière, tu les connais, ils sont adorables, tu vas passer une soirée intéressante. Ça te décrassera du Sersou. »

La soirée prenait en effet progressivement de l'intérêt. L'ankylose initiale se dissipait. En faveur de l'Algérie française, les arguments invoqués avaient d'abord été d'un classicisme banal qui ne déridait pas l'Américain, un petit homme gras, au teint assez foncé de Latin, mais aux cheveux blonds et secs. La discussion ne s'échauffa qu'au moment où Jean Brune, d'une voix vibrante qui transformait irrésistiblement sa prose en alexandrins, s'emporta contre les échos qu'avait trouvés dans la presse française une déclaration américaine hostile à la présence de la France en Algérie, et fondant cette hostilité sur le fait que, victime du colonialisme britannique et ne s'en étant libérée que par une guerre, la nation américaine ne pouvait être qu'unanime dans sa condamnation de l'oppression coloniale. Brune feignait de ne s'en prendre qu'aux journaux français qui avaient reproduit, sans la discuter ou en l'approuvant carrément, la déclaration d'Outre-Atlantique. Il la visait néanmoins et l'Américain s'en aperçut :

— Je comprends votre thèse, monsieur Brune.

— N'embrouillons pas les questions ! intervint Sapin-Lignière. L'ami Brune est choqué que la presse de Paris ait en somme approuvé la déclaration dont nous parlons. Et ça, ça se rattache à un très vaste problème, celui de la presse et du pouvoir en Métropole...

— Mais si l'on en revient, coupa le docteur Porrot, au contenu de la déclaration américaine elle-même, elle me fait penser à une nouvelle de votre Edgar Poe, M. Burke, « Le Système du docteur Plume et du professeur Goudron ». Vous savez très bien que vous n'êtes pas des colonisés libérés de vos oppresseurs, mais des colonisateurs libérés de votre métropole ; ce qui est tout autre chose. Votre guerre de l'Indépendance, c'est une guerre de sécession.

— C'est comme si nous autres, Algériens, refusions de continuer à nous considérer comme Français et envoyions balader les ordres de Paris.

— Ne me prenez pas pour un Américain trop... trop primaire. Je sais. Je sais que mes compatriotes s'illusionnent sur leur guerre de l'Indépendance. Mais c'est là le problème. Si nous pouvons nous permettre d'avoir si bonne conscience, de nous tromper si complètement, c'est que nous avons gagné la partie. Nous ne nous rappelons même plus qu'autrefois l'Amérique était peuplée d'Indiens. Je ne veux pas être cynique, mais enfin, vous autres Français, si vous vous trouvez dans la situation inextricable qu'est la vôtre actuellement, avouez que vous l'avez bien cherché ! En 1830, il n'y avait guère de journalistes pour venir y regarder de trop près, pas du tout d'O.N.U. pour intervenir. Les musulmans que comptait l'Algérie étaient peu nombreux, vous auriez pu...

Depuis le début de sa phrase il s'adressait à Brune, sur sa gauche, mais celui-ci, peu favorable aux propos qui lui étaient tenus, ayant détourné la tête, Burke termina son exposé en s'adressant plus précisément au capitaine Benboulaïf.

— Vous auriez pu exterminer vos Indiens et vous n'en seriez pas là aujourd'hui.

Benboulaïf, les sourcils froncés, soutenait le regard de l'Américain avec une perplexité, un embarras, qui ne cessa que lorsque le rire de Brune se fut élevé. Ce rire devint général, secoua tous les invités et Benboulaïf le partagea enfin, brusquement détendu. Burke regardait autour de lui, décontenancé.

— Cher monsieur, déclara alors Sapin-Lignière, j'ai sans doute manqué à mes devoirs de maître de maison en n'insistant pas davantage sur les origines du capitaine Benboulaïf dont, sans doute, vous n'avez pas remarqué le nom au moment des présentations.

— Oh ! mon Dieu s'exclama Burke qui, malgré son teint foncé, rosit en bon Anglo-saxon.

Et saisissant le bras de Benboulaïf avec affection il s'écria :

— Jurez-moi que vous me pardonnez ! C'était un paradoxe de salon que je soutenais...

Puis faisant le tour des visages, il ajouta :

— Vous m'avez bien eu !

— Nous n'avons pas cherché à vous avoir, M. Burke, déclara Marçais. C'est vous qui vous êtes dupé. Vous vous faites une idée si fausse de l'Algérie que même la consonance du nom de notre ami n'a pas éveillé votre attention, tant au fond vous étiez peu préparé à imaginer des musulmans et des Européens passant la soirée ensemble.

Le visage grave, tendu, le commandant Cogniet fit claquer ses doigts avant de prendre la parole :

— Sachez, monsieur, que même si l'un de nos camarades musulmans n'était pas présent, votre paradoxe de salon nous eût pareillement surpris. Aucun des Pieds-Noirs qui sont ici ne regrette qu'après la conquête les autorités françaises aient oublié de se livrer à un génocide. Aucun d'entre eux ne peut imaginer de quitter un jour cette terre, mais aucun n'imaginerait non plus de s'en rendre maître au prix d'une destruction de la population autochtone. L'Algérie est leur pays et les musulmans font partie, pour eux, de ce pays. Vous avez, par exemple, ici Marçais qui comme il est de tradition dans sa famille, s'est consacré à la connaissance de la civilisation musulmane, à la compréhension de sa mystique. Vous avez Brune dont un oncle a si bien décrit la vie des fella, et qui lui-même a étudié dans une université coranique. Sur cette terre, et c'est ce qui en fait un cas particulier, il y a les germes d'une synthèse de l'Orient et de l'Occident. Et le mot synthèse est un peu sec, beaucoup trop sec, inexact... Il ne rend pas compte de ce qu'il y a d'amour dans l'intérêt, même scientifique, que l'élite des Pieds-Noirs a porté, porte, portera à l'histoire des musulmans du Maghreb.

— C'est si vrai, poursuivit Marçais, que mon collègue Demeilhan qui, à la suite d'une affaire pénible et compliquée a été déplacé en métropole...

— Vous avez de ses nouvelles ? demanda Brune.

— Justement : Demeilhan a refusé une chaire importante à la Faculté des Lettres de Nancy. Il a préféré un traitement minable pour conduire, dans le midi de la France, des recherches sur les survivances arabes.

— Messieurs, coupa Burke avec énergie, si je me trompe sur l'interprétation de l'affaire algérienne, et si mes compatriotes se trompent, ce n'est ni hasard, ni fatalité. Si je peux rester suffisamment longtemps ici j'espère me faire une opinion personnelle mais le fait est que je suis arrivé avec une opinion et que cette opinion vous était et, jusqu'à plus ample informé...

Charmé d'avoir placé ce gallicisme avec aisance, il s'interrompit une seconde, et conclut :

— Si jusqu'à plus ample informé je suis ignorant de vos thèses, c'est qu'en Amérique tous les éléments qui m'ont permis de me former un jugement vous étaient hostiles. Or nos sources d'informations sont en général françaises et je ne dis pas communistes. Alors ?

— Voilà l'un des aspects du problème, s'exclama Tomazo dont le « nez de cuir » brillait à la lumière de la lampe de bureau contre laquelle il était assis. A Paris, les gouvernements qui se succèdent, la presse qui les soutient, se sont résignés à la perte de l'Algérie par défaitisme et par ignorance.

— La bourgeoisie de la Métropole, confirma le commandant Cogniet, s'est formé une philosophie des événements assez sommaires que lui inculquent Aron, dans *le Figaro*, Duverger, dans *le Monde*, Domenach, Giroud et Consort dans *l'Express*, Bourdet, dans *l'Observateur*, parfois Cartier, dans *Match*. Je m'arrête, il y aurait trop de noms à citer pour que ma liste soit exhaustive... Toujours est-il que cette philosophie consiste à vénérer sous le nom de « sens de l'Histoire » l'orientation passagère des événements politiques. Comme si l'Histoire n'abondait pas en contradictions, en aller et retour, et se prêtait si facilement à une intervention linéaire. Le « sens de l'Histoire » étant décolonisateur, la bourgeoisie l'ayant doctement admis, son élite s'impatiente de notre mauvaise volonté à nous laisser décoloniser. Au lieu d'examiner le cas particulier de l'Algérie, elle ne veut le connaître qu'abstraitement.

— Ajoutez à ça, observa vivement Brune, que la Métropole ne prend connaissance de la guerre d'Algérie qu'à travers des prismes politiques préexistants. Les deux familles sentimentales de la Métropole, la famille de gauche et la famille de droite, se sont emparées de la question algérienne. Ni l'une ni l'autre ne cherchent à la comprendre, mais toutes deux à la réduire aux lieux communs de leur dialectique.

— Enfin, cette guerre coûte de l'argent, insista Cogniet, et l'argument financier...

— ... est très souvent invoqué en Métropole, coupa Benboulaïf. Je rentre d'un stage dans l'Est. Ça m'a frappé.

— Les porcs ! s'exclama Tomazo, ils se mettent à l'école de Sauvy. Au lieu de raisonner et de ressentir, ils comptent. Comme si la France avait compté, lors des Croisades, comme si la Révolution avait compté quand elle a envahi l'Europe, comme si...

— Remarquez, dit Jean-Paul, intervenant pour la première fois, que les arguments financiers ne sont pas tous en notre défaveur. Il est bien évident que si la France perdait l'Algérie, le rapatriement de millions de gens, la perte de ses débouchés économiques sur le Magreb, porteraient un tel choc à son économie qu'une crise, provisoire peut-être, mais très dure, s'ensuivrait. Le gouvernement la redoute d'autant plus qu'elle se doublerait fatalement d'une crise politique...

— Et voilà pourquoi, observa le docteur Porrot, la Métropole fait une névrose en la personne de ses dirigeants. De Pinay à Mendès, ils veulent brader et ils ont peur de brader. Ils se sont réduits eux-mêmes à vivre dans une contradiction qui est invivable.

— Elle est mortelle cette contradiction, renchérit Brune. On ne peut pas à la fois vouloir et ne pas vouloir.

— ... Je ne crois pas être atteint de déformation professionnelle, jeta le docteur Porrot, en la comparant à une névrose. Quand on électrifie le disque sur lequel un rat est obligé d'aller chercher sa nourriture et qu'on provoque ainsi son envie de grimper sur le disque pour se nourrir en la liant à la peur du choc électrique, on le réduit à un état...

— ... invivable.

— ... névrotique qui est exactement celui des parlemen-

65

taires et des gouvernants français. Ils sont installés dans
une contradiction qu'ils ne peuvent pas plus résoudre qu'un
grand malade. La guerre d'Algérie est perdue dans leur
esprit, mais aucun d'eux ne prend l'initiative d'y mettre
fin. Et pendant ce temps-là...

— ... et pendant ce temps-là, explosa Tomazo, ici, les
gens meurent.

Il se leva pour s'adresser à Burke qui, depuis quelques
minutes, complètement oublié, était silencieux, attentif, le
visage tourné successivement vers chaque orateur.

— Car mettez-vous bien dans la tête, poursuivit Tomazo,
que s'il est normal d'être tué dans une guerre, il est mons-
trueux qu'un gouvernement fasse tuer une seule personne
dans une guerre à laquelle il ne croit pas. Ah non ! ça
ne se passera pas comme ça ! Non M. Burke, non !

Sapin-Lignière se pencha vers l'Américain.

— Le colonel Tomazo a eu deux fils tués ici.

Burke cilla et se tourna vers Tomazo, toujours debout.

— Le Parlement, reprit le colonel, s'il a, dans sa majorité, l'intention de larguer l'Algérie n'a pas le droit de faire
crever des gens pour rien. Il n'a pas le droit non plus
d'engager l'Armée sur le chemin du déshonneur.

— Il ne faut pas abuser, je crois que c'est un des défauts
des Latins, du mot déshonneur, observa Burke, qui n'eut
pas le temps d'en ajouter davantage car Tomazo, soutenu
par plusieurs voix, avait éclaté :

— M. Burke, figurez-vous que ce mois-ci, comme il y
a un an, comme il y a deux ans, des centaines, des milliers
d'officiers, dans le bled, ont fait, ont réitéré la même
promesse, l'éternelle promesse de ne jamais partir, de
rester. Cette promesse répond à une question qui est toujours la même, à une question que les bouches musulmanes
ont prononcée sans trêve : resterez-vous toujours ? Essayez
de comprendre, M. Burke : les paysans savent que les gens
du F.L.N., du M.N.A., les rebelles, quoi ! sont installés,
implantés, sans esprit de départ. Ils ne peuvent donc, ces
paysans, choisir la France que si la France est fermement
décidée à rester...

— C'est si vrai, commenta Cogniet d'un ton plus calme,
qu'il suffit parfois d'un déplacement de régiment qui fait
croire au départ de l'Armée pour que, d'un seul coup,

les contacts avec la population s'estompent, le Renseignement cesse, la sécurité se détériore...

— Les journaux, surtout les hebdomadaires de Paris, renchérit Brune, sont lus attentivement dans les djebels, et commentés le soir. Car dans cette guerre se mêlent les plus vieux mots de la révolte islamique, portés de bouche en bouche à travers les siècles, et les plus récents articles tracés d'une plume désinvolte par un jeune snob, au café de Flore...

— Et il suffit, appuya Benboulaïf, qu'un ministre ou un ancien ministre, une quelconque personnalité politique littéraire française, ou scientifique même, s'avise de sortir une déclaration laissant entendre que la France n'ira pas jusqu'au bout, que son intérêt est de négocier avec le F.L.N., pour renforcer dans l'esprit public musulman l'effroi latent de ceux qui n'appartiennent pas à la rébellion et qui se résume ainsi : la France va partir.

— Or, coupa Sapin-Lignière, il ne se passe pas de semaine sans que les paquets de journaux parisiens, débarqués d'avion à Maison-Blanche et essaimés à travers toute l'Algérie et le Sahara, ne répandent, ne confirment cette rumeur terrible de l'abandon !

Tomazo était resté debout, les mains en mouvement comme s'il orchestrait les répliques qui fusaient de tous les coins de la pièce. Il revint à sa démonstration première :

— Donc pour lutter contre cette rumeur permanente, l'Armée est obligée, en permanence, de répéter qu'elle restera. Chaque jour les officiers s'y engagent. En s'y engageant, ils engagent leur honneur comme celui de l'Armée. Si celle-ci, sur l'ordre du gouvernement, devait un de ces jours plier bagages, elle serait positivement déshonorée au sens strict du terme. Elle n'abandonnerait pas seulement derrière elle des gens promis à l'égorgement pour avoir commis le péché contre l'astuce de lui faire confiance, elle abandonnerait des gens qui auraient le droit, avant de crever dans des conditions dont crevaient et crèvent nos amis marocains, de penser et de dire que la parole et la pensée françaises, c'est de la merde.

— Notre ami, conclut Marçais en s'adressant lui aussi à Burke, vient de mettre l'accent sur l'un des drames les plus aigus de cette affaire. Ce drame, la Métropole l'ignore, mais il est vécu ici quotidiennement.

— Très intéressant, dit Burke, très émouvant même. Mais insoluble.

— Pourquoi insoluble ? cria Mme Sapin-Lignière.

— Si le Parlement, si le Gouvernement sont décidés à négocier, un jour l'ordre viendra de Paris. Alors les officiers manqueront à leur parole. C'est ce qui ressort de plus clair de l'analyse que vous venez de me faire.

L'Américain avait prononcé « analyse » avec un soupçon d'ironie, visant l'emportement de ses interlocuteurs. Il fut surpris lui-même par le calme qui tout à coup se répandit sur la petite assemblée.

— Il n'est pas interdit de penser, prononça Marçais avec une préciosité de ton plus marquée, que le problème puisse trouver une autre solution.

— Messieurs, s'exclama Burke, c'est vous qui m'obligez à la considérer comme la seule ! Vous me certifiez que la politique française se dirige vers l'abandon. Il va de soi, par conséquent, que les régiments français stationnés ici se dirigeront vers leurs casernes.

— Vous avez la conclusion trop rapide, objecta Jean Brune. Supposez que l'Armée, dans son ensemble, ait compris que cette guerre n'est pas, comme les guerres habituelles, conduite avec l'espoir de la victoire, mais au gré de gouvernements successifs qui ajournent la capitulation pour en rejeter la responsabilité sur le suivant... Ces souffrances, uniquement pour préserver des intérêts électoraux, vous imaginez ça ? On laisse des musulmans se compromettre à nos côtés, des colons s'accrocher au péril de leur vie à des terres qu'on sait perdues, des soldats du Contingent tomber dans des embuscades pour amuser le plateau... Réfléchissez un bon coup, M. Burke : une armée qui a pris conscience de ce que je viens de vous dire n'a-t-elle pas le devoir de réviser ses traditions d'obéissance aveugle ?

— Des gouvernements de cette sorte, précisa Tomazo, méritent-ils d'être obéis ?

Burke les considérait au-dessus de ses lunettes, silencieux. Puis :

— Je comprends bien, mais... l'armée française n'est pas une armée sud-américaine.

— Le Rubicon effraie plus l'armée française que la Moscova ou la Marne, il est vrai, convint le commandant Cogniet, mais...

— Mais, coupa Marçais, la guerre de 40 a modifié son état d'esprit. Le général de Gaulle d'abord, de multiples officiers, généraux ou subalternes, ensuite, ont désobéi au gouvernement légal, en ont été récompensés, alors que ceux qui étaient restés dans les traditions d'obéissance que vous évoquiez, monsieur Burke, sont morts aussi ignominieusement que le général Dentz, des chaînes aux poignets et aux chevilles.

— Et puis l'Indochine ! renchérit Mme Sapin-Lignière. En découvrant la guerre subversive, les officiers ont découvert du même coup qu'on ne peut pas séparer l'action militaire de l'action politique.

— L'exaspération de l'Armée persécutée par un gouvernement et une presse qui lui sabotent sa victoire...

— Quelle victoire ?

— Ne serait-ce que la victoire d'Alger, s'exclama Sapin-Lignière. Savez-vous qu'il y a un an certains de nos amis se prenaient pour des héros quand ils nous rendaient visite ici, après la tombée de la nuit ?

— Alors, résuma lentement Burke, vous croyez que, frustrée de sa victoire, l'Armée prendrait l'initiative de...

— Aucune initiative. Mais le jour où la foule algéroise, exaspérée, se soulèvera, l'Armée n'aura sans doute pas le cœur de la retenir. C'est tout.

Burke astiqua posément les verres de ses lunettes, méditant une question qu'il finit par poser :

— La foule algéroise, pour vous, ce sont les Européens, je suppose. Mais les autres ?

— Il est probable, prononça Brahim Benboulaïf vers qui les regards s'étaient tournés, que si les musulmans voyaient les militaires et la population européenne unis, prêts à créer une Algérie où les origines ethniques ne joueraient plus... s'ils étaient sûrs que c'est vraiment sérieux, ils seraient bien capables de faire pencher le plateau de la balance vers la solution française.

— Oui, je vois. Mais vous sous-estimez et les réactions du gouvernement et celles des métropolitains qui, peu soucieux d'aventures, lui resteront fidèles, objecta Burke. Encore que... lors de mon séjour à Paris le mois dernier, j'ai pu constater une certaine désaffection de l'opinion pour le régime. Les parlementaires sont mal vus. La Constitution est discutée aussi bien par le chauffeur de taxi que par l'inspecteur des finances. Si vous avez à Paris des atouts que j'ignore, votre entreprise peut, bien sûr, prendre un tour différent.

— Cher Monsieur, s'exclama Brune, ne nous inventez pas d'autre entreprise que de vous distraire ce soir, et de vous informer.

— Nous n'avons d'ailleurs pas été raisonnables, appuya Marçais. Nous avons laissé dévier la conversation sur nos frictions avec la Métropole alors que notre intention était de bavarder avec vous des rapports existant entre les deux communautés, rapports historiques et rapports actuels.

— Malheureusement, intervint Mme Sapin-Lignière avec vivacité, il est trop tard pour réparer nos égarements. Je ne vous chasse pas, Monsieur, mais vous aurez remarqué qu'à Alger, le devoir des maîtresses de maison est, au lieu de retenir leurs hôtes, de les chasser avant le couvre-feu.

Les invités, ayant renfilé leurs manteaux, trouvèrent au-dessus de la terrasse un ciel constellé. Pourtant les arbres, encore imprégnés de pluie, égouttaient. On se répartit dans les voitures. Le capitaine Benboulaïf prit à son bord l'Américain, bien décidé à ne pas lâcher un interlocuteur musulman. Jean-Paul remonta dans la voiture de Desaix. Des ronflements excessifs qui montaient d'Alger témoignaient de la hâte des conducteurs, talonnés par le couvre-feu.

— Toute votre famille est-elle pro-française ? demanda sans ménagement Burke à Benboulaïf au moment où le chauffeur, un jeune soldat, mettait la voiture en marche.

— Non pas, répondit froidement le capitaine. Mon frère, Omar, sert dans la rébellion. Ma nièce, Samia, aussi. J'ai également un cousin à Tunis et deux cousins à Paris, dont l'un est avocat du F.L.N. L'autre ne fait pas de politique. Il se fait oublier. J'ai aussi une nièce mariée à Lille. Elle est persuadée qu'elle est Française. Là-bas, on lui trouve le type alsacien. Je ne sais pas pourquoi. C'est compliqué et très difficile à expliquer tout ça. Vous interrogeriez Desaix (il le montra au volant de la Versailles qui les précédait), il serait aussi confus que moi. Il faut vivre ici pour comprendre.

Kléber Desaix conduisait en silence. Pendant toute la soirée il avait cessé de penser à Bernadette, mais au moment de la rejoindre il retrouvait son malaise. D'abord il fut enclin à se faire des reproches. Mais était-il le fautif ? Il eût aimé demander conseil à Jean-Paul. Il chercha même une phrase. Puis il sentit que ses relations avec sa femme étaient impossibles à rendre avec exactitude et aussi qu'on ne peut demander conseil sur ce qui vous importe trop.

Ayant déposé Jean-Paul devant sa porte à 11 heures 5, il appuya sur l'accélérateur, fonçant vers le « St-Georges ».

Au même instant Bernadette, blottie dans son lit, l'appareil téléphonique au creux de l'épaule, annonçait :

— Kléber ne serait pas content de me trouver en train de téléphoner avec vous. Et il va sûrement arriver d'une seconde à l'autre. Alors, bonsoir... Oui, promis !... Je vous ai dit que si je trouvais de la place sur le bateau, je serais à Marseille dimanche. Téléphonez-moi au « Noailles » lundi matin... Oh ! surtout Béverier, pas d'erreur d'interprétation. Kléber m'offre une permission de détente, je la prends comme vous prenez, vous, votre permission de convalescence. Le hasard fait que nous serons à la même date à Marseille. Il serait absurde de me bouder, mais aussi absurde de laisser aller votre imagination...

Comme il parlait encore, elle eut un mouvement d'impatience qui fit tressaillir le sommier, et coupa :

— Il est tard ! Bonsoir... Non, je ne veux pas vous voir à Alger. Rentrez à votre hôpital. Dormez.

Elle raccrocha. Elle allait éteindre quand Kléber entra.

— Tu ne dors pas !

Il était de bonne humeur, très fier d'avoir échappé à la patrouille qui, pour infraction au couvre-feu, eût risqué de lui faire passer la nuit au commissariat. Il avait pris le tournant du Palais d'Eté à 130 à l'heure.

— Mais pourquoi ne dormais-tu pas ? s'inquiéta-t-il.

— Pour rien...

— Tu es fâchée ? Tu n'es plus contente d'aller en France ?

71

Elle secoua la tête et lui ouvrit les bras.

**

Au moment où le capitaine Brahim Benboulaïf déposait Burke devant le perron de l'hôtel Aletti, plusieurs voitures, stimulées par l'heure, démarraient en trombe.

— Vous avez un laissez-passer ? demanda Burke. J'aimerais tellement bavarder au bar avec vous.

— Je n'ai pas de laissez-passer, mais grâce à cette voiture militaire, je ne risque guère d'être interpellé par une patrouille.

— Alors, c'est oui !

Le couvre-feu avait presque vidé le hall de l'hôtel. Il ne restait là que des clients peu pressés de remonter dans leur chambre et de rares détenteurs de laissez-passer.

Au bar, il restait une douzaine de consommateurs. Les deux hommes s'assirent, commandèrent leurs scotchs et éprouvèrent aussitôt, simultanément, le regret d'avoir prolongé une soirée qui jusque-là s'était agréablement déroulée. Ils cherchaient un sujet de conversation.

— A la table qui est près de l'entrée, on parle américain, observa sottement Benboulaïf, comme si Burke ne pouvait qu'être charmé de retrouver sa langue natale.

— Je les connais de vue, dit Burke, des pétroliers. Ils sont avec une femme charmante. Une Française, je suppose...

— Je la connais. Elle s'appelle Clotilde Vignolet. C'est la femme d'un grand brasseur d'affaires qui est lui-même le neveu des Hunter.

Il baissa la voix pour ajouter :

— Au bout du bar, les gens que vous voyez, ce sont les responsables de la sécurité d'Alger. Le premier, celui qui a des lunettes fines, l'air rusé, c'est le colonel Godard. Il commande le secteur d'Alger-Sahel. Il a mené dans la Casbah la bataille des bombes. Debout, à côté de lui, c'est son adjoint, le capitaine de la Bourdonnais.

— Et celui qui est en uniforme ?

— Le capitaine Sirvan. Ce n'est pas un parachutiste, c'est un zouave. Il commande théoriquement une partie de la Casbah. En fait, il la contrôle tout entière. C'est un étonnant père tranquille qui a sur les habitants de la Casbah

72

une influence presque superstitieuse. Ils le croient capable de deviner leurs pensées.

— Et les deux autres ?

— Deux paras, le capitaine Marin et le lieutenant Wasseau... des paras qui ne courent plus le bled et se sont spécialisés dans la lutte anti-terroriste.

Avec une certaine gourmandise, Burke interrogea :

— Alors, ce sont des tortionnaires ?

Comme Benboulaïf se gardait de répondre, Burke, en bon enquêteur, reprit le problème sous un autre angle.

— Vous êtes un musulman, capitaine. Que ressentez-vous en face d'hommes comme ceux-là ?

— Ce sont des officiers comme moi. Il est vrai qu'ils appartiennent à une arme que je n'aime pas beaucoup. Dans l'armée française, comme toutes les armées je suppose, il y a de solides rancunes entre certaines armes, et même certains régiments. Les paras nous agacent parce qu'ils sont des enfants gâtés. Ils ont le meilleur armement, le meilleur matériel, un encadrement sensationnel. On ne leur refuse rien. On ne parle que d'eux. On laisse croire qu'ils sont les seuls à courir des risques. On les photographie comme des vedettes. Dans les uniprix d'Alger, les panoplies pour enfants représentent toujours des paras. Et nous autres, les parents pauvres, nous autres, c'est-à-dire tout le reste de l'armée, ils nous considèrent comme les pauvres bougres du quadrillage, des espèces de gardes-barrières. Ça nous porte sur les nerfs.

Burke avait supporté avec patience un discours qui l'intéressait peu mais grâce auquel Benboulaïf avait esquivé un sujet brûlant. Ayant appris à mesurer la malice de son interlocuteur, l'Américain renonça à biaiser :

— Vous êtes musulman. Bien que vous soyez resté dans l'armée française, je présume que ça doit vous rendre malade de vous trouver en face des tortionnaires de vos frères.

Benboulaïf parut réfléchir comme s'il voulait formuler une confidence très précise, très personnelle.

— Voyez-vous, dit-il enfin, il y a des problèmes de vocabulaire dont il faut tenir compte. Vous pouvez appeler ces gens-là des tortionnaires, soit. Mais en ce cas, vous êtes obligé d'appeler les gens du F.L.N. des assassins. En fait, il n'y a ni assassins, ni tortionnaires, mais des hommes aux prises avec la guerre subversive.

Il ajouta avec un léger sourire :

— Ne croyez surtout pas qu'ils limitent leurs activités aux musulmans, ils sont encore plus vaches avec les Européens. Je les ai vus travailler de près, j'ai été arrêté par eux.

— A cause de votre frère passé au F.L.N. ? Racontez-moi donc ça.

Le regard de Benboulaïf était resté fixé sur le groupe d'officiers, si bien que Wasseau, en relevant la tête, l'aperçut. Il signala sa présence à Marin. Tous deux lui firent un signe de la main, imités aussitôt par Sirvan.

— Vous êtes en bons termes ! s'exclama Burke.

Sur quoi, Wasseau, ayant sauté de son tabouret, vint les chercher.

— Mon capitaine, l'isolement ne vaut rien à cette heure-ci. Nous vous offrons un verre.

A peine s'étaient-ils agglomérés au groupe que Burke, découragé par la prudence de Benboulaïf, en profita pour attaquer les officiers sur l'état actuel de la Casbah.

— C'est bien simple, affirma le colonel Godard, il n'y a plus de bombes dans la Casbah. Le moindre passage insolite nous est aussitôt signalé par les habitants. Depuis que nous sommes venus à bout de Yacef Saadi, l'étau de la peur s'est desserré. Savez-vous que, le lendemain de son arrestation, il y a eu des youyous dans la Casbah ?

— La mort de Ramel et de Mourad a bien décongestionné le secteur aussi, ajouta La Bourdonnais, un long fume-cigarette planté entre ses lèvres sous sa fine petite moustache.

— J'ai entendu dire que l'amélioration serait due à un accord passé entre les rebelles et Madame Germaine Tillon... hasarda Burke.

Tous les officiers rirent.

— On pourrait vous en raconter beaucoup, prononça enfin Wasseau, sur les tractations de cette dame et sur leurs jolis résultats.

— Ces détails ne vous intéresseraient pas, coupa Marin. Sachez simplement que Madame Tillon n'est pour rien dans la pacification de la Casbah. Elle le fait croire à Paris en se fondant sur le fait que les attentats auraient cessé peu de temps après ses entretiens avec les chefs rebelles. Cette bonne dame oublie que les attentats ont cessé parce que les chefs rebelles ont été arrêtés ou abattus. Et le terrorisme n'a pas repris.

— Mais en pleine nuit, insista Burke, à combien vous hasardez-vous à l'intérieur de la Casbah ?

Le capitaine Sirvan lui toucha le bras, puis regarda sa montre.

— Je vais y faire un tour de ce pas, Monsieur, en compagnie d'un zouave. Nous partirons du boulevard de Verdun, devant la prison Barberousse, et nous descendrons jusqu'à la cathédrale. Vous verrez bien...

D'un signe de tête, Burke acquiesça.

— Alors, en route, dit Sirvan.

A peine les deux hommes s'étaient-ils éloignés que le capitaine Benboulaïf s'enquit d'une voix retenue pour n'être pas entendu à la table où Clotilde finissait une bouteille de champagne avec les Américains.

— Ne croyez pas que je vous questionne par curiosité, mon colonel. Ce que j'ai besoin de savoir, c'est ceci : estimez-vous qu'un regain de terrorisme ait des chances de réussir à Alger ?

— Dans les circonstances actuelles ? demanda Godard.

— Oui. Ce mois-ci par exemple.

— Aucune chance. Je le disais tout à l'heure, la population nous renseigne maintenant. Nous avons cassé les réseaux. Pour en reconstruire un comme le Réseau-Bombe, il faudrait qu'ils contactent trop de gens pour que nous ne soyons pas prévenus. Peut-être des jeunes, des excités, tenteront-ils un jour une opération de ce genre... elle est perdue d'avance. C'est tout ce que vous vouliez savoir, capitaine ? Alors, je vais me coucher.

— Moi aussi, dit La Bourdonnais.

Avant de s'éloigner à la suite de son chef, La Bourdonnais se pencha vers Wasseau :

— Tu n'as pas fini de reluquer les genoux de Clotilde Vignolet !

— Placé comme je suis, dit Wasseau, c'est plus haut que je vois.

— Vous la regardez trop, critiqua Marin de sa voix

neutre. Elle va s'en apercevoir. Elle décroisera les jambes, Nous serons tous perdants.

— Ne me faites pas rire ! coupa La Bourdonnais. Elle s'en est aperçue depuis longtemps !

S'éloignant d'un pas rapide, il croisa à l'entrée du bar un lieutenant en uniforme que Wasseau héla aussitôt.

— Béverier, qu'est-ce que tu fais ici ?

Il présenta Béverier à Marin et Benboulaïf.

— Tu t'es décidé à sortir de ton Ouarsenis ?

— Je suis à l'hôpital Maillot. Demain je pars en convalo à Marseille. Ce soir, j'ai traîné. Résultat, je vais me faire engueuler à l'hôpital et surtout, comme je n'ai pas de laissez-passer, je risque des embêtements en rentrant.

Béverier s'exprimait d'une voix lasse.

— Qu'est-ce qui t'est arrivé ? demanda Wasseau. C'est une fatma qui t'a mordu pendant l'interrogatoire ?

Précipitamment, se rappelant la présence et la susceptibilité de Benboulaïf, il ajouta :

— A moins que ce ne soit la bobonne d'un brave colon du Sersou ?

— Un accrochage l'autre nuit. La balle m'a juste égratigné mais c'est vachement douloureux. J'en bave.

— Tu en baves, mais tu as une convalo. Ne te plains pas. C'est drôle, je te connais depuis l'Indo, et je t'ai toujours connu comme ça. Tu te rappelles, à Saigon. on t'appelait « sombre dimanche ».

Béverier crispa les mâchoires et donna une seconde l'impression qu'il allait se mettre en colère, mais son regard ayant rencontré celui de Clotilde, il s'inclina avec un petit sourire qu'il accentua pour se diriger vers la jeune femme sur l'invitation qu'elle lui en fit d'un geste de la main.

— Quand nous vous avons arrêté l'année dernière, vous vous rappelez, enchaîna Wasseau en s'adressant à Benboulaïf sur un ton amusé, il y avait dans le même panier que vous une espèce de petite Parisienne qui depuis a épousé un colon du Sersou ou de l'Ouarsenis. Je me rappelle son prénom : Bernadette.

— Oui, dit Benboulaïf, il y avait plusieurs petites filles.

— Votre nièce Samia, mais celle-là s'est taillée, et la fille du professeur Demeilhan qui a été inculpée et qui est

en France maintenant ; et puis cette Bernadette qui arrivait
de France et qui n'était pas dans le coup...

— Ça y est, j'y suis ! intervint Marin. Le cabinet de
Lacoste nous a tannés jusqu'à la gauche pour qu'on la libère.
J'ai appris qu'à la base il y avait une intervention de ce
politicard de Vise-Canisy, lui-même manœuvré par Clotilde
Vignolet. Et comme on raconte que Clotilde Vignolet a un
petit faible pour les dames, j'ai pensé que c'était l'explication.

— Ça, j'ignorais le détail, dit Wasseau, mais ce que j'ai
appris, c'est que là-bas, dans le bled, Béverier est tombé
amoureux d'elle — de Bernadette, pas de Clotilde. Je ne
sais pas si elle est sa maîtresse ou pas, je crois que oui,
encore qu'il a une telle poisse ! Il n'y est peut-être pas
arrivé. Le pauvre, je vais quand même le ramener à son
hôpital Maillot.

— Votre nièce, Samia, demanda brusquement Marin à
Benboulaïf, vous n'en avez jamais eu de nouvelles ?

Benboulaïf jeta un peu d'eau de Seltz dans son verre
avant de répondre :

— Non.

Troublé, il déglutit puis prononça :

— Mon frère, Omar, est maintenant à Tunis mais je
n'ai pas non plus de nouvelles de lui. Il a fait venir sa
femme là-bas. Son autre fille Meriem s'est mariée en France.

— Alors Samia, vous ne savez pas ce qu'elle est devenue ?

— J'ai entendu dire qu'elle avait été arrêtée dans les
Aurès, puis que... elle s'était évadée. On prétend qu'elle a
été abattue pendant son évasion. Cela, je ne le crois pas.
Je ne l'ai jamais cru. Elle doit être cachée dans un djebel,
à moins qu'elle ne soit allée retrouver son père à Tunis.
C'est une gentille fille, Samia.

— Il y a beaucoup de gentilles filles dans la Rébellion,
observa Marin avec une gravité qui correspondait mal à la
banalité de son propos.

— Evidemment, reprit Benboulaïf, comme s'il découvrait
des inconvénients à sa réponse première, peut-être est-elle
vraiment morte...

Il ne laissa pas à Marin le temps de poser une autre question :

— A Alger, depuis que vous êtes devenus officiers de renseignements, vous en avez pris les tics. Vous ne croyez plus à ce que vous dites. Vous parlez pour obtenir une information de votre interlocuteur. Vous parlez sans vous soucier de ce que vous dites !

Les deux officiers, surpris, se considérèrent avec un demi-sourire.

— Les questions sur Samia vous ont déplu ?

— Non, je pense à celle que j'ai posée au colonel Godard tout à l'heure. Je me demande s'il m'a répondu sincèrement, ou si c'était du bidon.

— Ça, je vous jure qu'il a dit vrai ! s'exclama Wasseau. Godard vous a dit qu'aucun réseau ne pouvait ressusciter et ça j'en mets ma main en feu, et mes couilles avec !

— Cette question, observa Marin, semble vous préoccuper beaucoup ?

Il ajouta avec une douceur encore plus marquée :

— Si ça vous intéresse, je vous donnerai des détails. Pas ce soir, car le barman nous fout visiblement à la porte. Mais voulez-vous que nous prenions un rendez-vous ?

— Avec plaisir, balbutia Benboulaïf, mais je préférerais vous téléphoner. Il est question que j'aille à Cherchell cette semaine...

— Comme vous voudrez. Alors, bonne nuit.

— A demain, dit Wasseau. Moi, je vais aller faire un tour au palais Bruce.

Après le départ de Marin, les deux hommes restèrent un moment silencieux.

— Béverier nous a nettement plaqués pour Clotilde Vignolet, observa enfin Wasseau qui avait suivi du coin de l'œil les évolutions du groupe, le départ des Américains, puis la longue conversation de la belle dame et de l'officier à l'entrée du bar.

— Je vous dis bonsoir, annonça précisément Béverier en revenant vers eux. Madame Vignolet a un appartement à l'Aletti. Elle veut bien m'offrir l'hospitalité pour cette nuit. Comme je n'ai pas de laissez-passer...

— Elle n'a plus sa superbe villa ? demanda Wasseau.

— Si. Mais comme un farceur lui a refusé le renouvellement de son laissez-passer, elle a loué un truc à l'Aletti pour les soirs où elle s'attarde. Son mari est à New York. Elle est obligée de recevoir à sa place cette bande de pétroliers américains...

— Allez, on ne te demande pas tant d'explications ! répondit Wasseau en riant.

Après le départ de Clotilde et de Béverier, le barman commença d'éteindre les lumières, et Wasseau entraîna Benboulaïf. Les deux hommes frissonnèrent en franchissant le perron. Un brouillard froid s'était répandu sur Alger, succédant à la pluie.

— Ecoutez, dit brusquement Benboulaïf, depuis hier matin je me creuse la tête. Tout à l'heure j'ai passé une soirée très intéressante chez les Sapin-Lignière, eh bien, je n'arrivais pas à suivre la conversation.

— Vous n'allez quand même pas me faire croire que vous vous torturez la cervelle à propos des chances de résurrection d'un réseau terroriste ?

— C'est toute une histoire.

— Vous avez une voiture ? Moi pas. Déposez-moi donc au palais Bruce, et vous me raconterez ça pendant le trajet. Je crève de froid. Cette nuit, on se croirait à Lille, ici.

Ils montèrent à l'arrière de la Peugeot conduite par un tirailleur qui la lança à travers un Alger désert.

Et alors votre histoire ?

Du regard, Benboulaïf lui désigna la nuque du chauffeur.

— Si vous voulez, je vais vous la raconter dans votre bureau. Elle est grave. vous savez, mon histoire.

*

L'appartement de Clotilde à l'Aletti se composait d'un salon et de deux chambres communiquant par une salle de bains. Par quatre portes-fenêtres il s'ouvrait sur une vaste terrasse au bout de laquelle l'eau du port, empanachée par le brouillard, reflétait les battements réguliers du phare.

— Il fait froid, dit Clotilde. Mais en été, j'aimerais dormir sur cette terrasse.

— ... Froid ! dit Béverier. Je vous jure que quand on arrive de l'Ouarsenis, Alger est bien douce.

« J'aime beaucoup sa voix » pensa la jeune femme. Au

souvenir du discours qu'il leur avait tenu, un soir, en dînant dans sa ferme du Sersou, elle eut un petit rire. Puis, frissonnante, elle serra contre elle les pans de sa robe de chambre et rentra dans le salon suivie de Béverier qui, enveloppé d'un peignoir de bain, referma soigneusement la porte-fenêtre. Adossée au radiateur, Clotilde observa :

— Vous vous rappelez ce dîner chez moi ? Il y avait Hansi, mon régisseur, la petite Bernadette et vous. Vous m'avez fait la morale, vous me donniez de terribles leçons de politique. Et moi, je trouvais que vous aviez une très jolie voix.

Il fit quelques pas incertains, chaussé de babouches appartenant à Clotilde dont il n'avait pu enfiler que les extrémités.

— Remarquez, reprit-elle, je vous parle de ce dîner comme si dans l'intervalle nous étions devenus de vieux amis. Or, c'est à peine si depuis le fameux dîner nous nous sommes entrevus quatre ou cinq fois, hein ?

— Hélas ! vous avez déserté votre ferme.

— Ah ! non ! ne me grondez pas tout le temps. A propos, que devient-elle la petite Bernadette ?

— Elle est à Alger.

— La dinde ! Elle aurait pu me faire signe.

— Elle est arrivée ce soir.

— Avec son mari ?

— Oui.

— Ah ! C'est pour ça que vous avez un air lamentable ! Toujours amoureux d'elle ?

— De toute façon, je dois la retrouver à Marseille à la fin de la semaine.

— On est mal ici. Prenez les verres et allons dans ma chambre.

Elle traversa d'abord celle qu'elle avait offerte à Béverier dont la présence ne se manifestait que par son manteau et son képi jetés sur le lit, puis, une fois dans la sienne, s'allongea sur son lit. C'était un très grand lit dominé par deux oreillers. Après une hésitation marquée, Béverier s'assit au bord du lit.

Il tenait les deux verres de scotch avec des précautions maladroites sur chacun de ses genoux. Le contraste était éclatant entre la pose raide, contrainte, de Béverier et la nonchalance de Clotilde qui, la tête posée sur l'oreiller, le corps abandonné, ses petits pieds nus dépassant de la chemise de nuit de mousseline blanche sur laquelle la robe de chambre vieil or était entrebaîllée, surveillait son compagnon, entre ses cils presque fermés, d'une lueur tenace. « Donc, pensait-elle en détaillant patiemment la silhouette mince et musclée de Béverier, en approuvant la couleur du hâle qui teignait son visage têtu, et jusqu'à la crispation boudeuse des lèvres, voici à qui je vais me donner après treize ans de fidélité à François. » Elle était très émue. Il y avait autant de timidité dans son affectation de naturel que dans le maintien guindé de son hôte.

— Alain Béverier, soupira-t-elle avec une trace de sourire au coin des lèvres, votre tristesse vous va, mais n'en abusez pas. En somme, tout va bien pour vous. La balle qui eût pu vous tuer vous a égratigné. Dans quelques jours, vous porterez un galon de plus. Demain, vous vous embarquerez pour la France. A Marseille, vous retrouverez Bernadette...

Il ne répondit pas, occupé à décroiser ses jambes dont Clotilde examina avec sympathie les mollets nerveux et le coup de pied bien gonflé. Les revers du peignoir, en remuant, découvrirent sur la poitrine de l'officier une petite croix d'or au bout d'une chaîne imperceptible.

— Est-ce horriblement indiscret de vous demander si Bernadette était votre maîtresse l'année dernière, à Sidi Omar ?

— Il n'y a jamais rien eu entre Bernadette et moi.

— Mais vous pensez que ça aura lieu à Marseille ?

— Oui, dit doucement Béverier, j'en suis même sûr. Ce qui me navre, c'est que l'année dernière je crois qu'elle m'a aimé et qu'elle ne s'est refusée que pour des raisons saugrenues, pour des idées de jeune fille. Alors que maintenant, c'est tout simplement parce qu'elle est fatiguée de son mari qu'elle me dira oui.

— Oh ! là là ! c'est vous qui avez des scrupules de jeune fille ! Je veux dire des idées de jeune fille dix-neuvième siècle ! Est-ce que les raisons de Bernadette comptent ! C'est la manière dont ça se passera qui est capitale.

Elle s'amusa franchement de l'expression soucieuse qui rida le visage de Béverier. Il semblait aussi inquiet qu'un

écolier à la veille d'un examen mal préparé. « Que cet
homme est donc peu sûr de lui ! Il est adorable... » et Clotilde ramena un bras derrière sa nuque, geste qui lui était
devenu machinal depuis qu'elle se laissait repousser les
cheveux. Elle les caressa du bout des doigts. Son mouvement avait fait saillir un sein voilé de mousseline dont la
pointe violette et le galbe doré furent si complètement
trahis par la transparence du tissu que Béverier en reçut
un choc. Sans chercher à le cacher, il observa :

— C'est fou ce que vous êtes bronzée !

— C'est banal. Je reviens des sports d'hiver.

« Il a le sérieux d'un petit garçon ! Il m'examine avec
compétence comme si j'étais un meccano. » Le regard que
Béverier appuyait sur tout ce que la transparence de la
mousseline révélait du corps de la jeune femme était en
effet celui d'un observateur honnête qui se pose des questions.

— Je me demande, dit-il, comment vous avez pu vous
bronzer entièrement aux sports d'hiver.

— Bien simple : en me mettant toute nue au soleil.

— Sur une terrasse ? proposa Béverier.

— Non, dans la neige. Au-dessus de Sils Maria, sur une
pente très ensoleillée...

— ... et solitaire, je présume ?

— Oui, parfaitement solitaire : juste le moniteur et moi.
C'est assez étonnant, vous savez, de skier nue.

— Et le moniteur ? demanda-t-il avec une sévérité har-
gneuse, comme si, pensa-t-elle, faute d'en être amoureux,
il se donnait le sombre plaisir d'être jaloux de toutes les
femmes.

— Il est superbe, répondit-elle. Un Viking. Il a les yeux
verts, le gauche plus foncé et le droit un peu orangé, c'est
fascinant. Il est très pédé et très gentil. Là-bas, il me sert
de masseur aussi. Dans la neige, il a une façon de m'oindre
d'huile solaire qui, rien que d'y penser, me donne des
frissons sous les cheveux. Oh ! vous êtes facile à scandaliser,
alors !

Elle se moquait de lui mais s'interrogeait sur elle-même.
Lorsqu'en épousant Francis, elle avait pris le parti de prouver que les orages de sa vie passée ne l'empêcheraient pas
d'être une épouse vertueuse, elle s'était condamnée au rôle

d'allumeuse. Elle avait tenu l'engagement, gagné la gageure dans la mesure où elle n'avait permis qu'à Francis de la posséder, mais elle avait passé son temps à encourager le désir des hommes et à se laisser prendre en pensée. Un Vise-Canisy, dominé par ses manèges, espérait encore de chaque rendez-vous qu'il se terminerait au lit. Jusqu'à Hansi qu'elle recevait le matin dans sa chambre, en négligé, comme si nul ne pût penser à mal alors qu'elle le savait habité par le désir. Et si, prudente, elle s'était choisi un moniteur pédéraste ce n'était pas sans savoir que l'homosexualité est un état aux frontières imprécises et que, nue et seulement chaussée de ses skis, lorsqu'elle lui livrait son corps pour qu'il l'enduisît d'huile solaire, elle lui coupait la respiration.

— Vous vous moquez de moi, dit enfin Béverier, parce que vous me croyez prude. Vous me jugez à la légère. Je ne suis pas facile à scandaliser.

— Ce soir, c'est nous qui avons scandalisé Alger. Oh ! ne prenez pas l'air étonné. Vous n'avez pas remarqué la mine goguenarde de vos deux amis ? Jusqu'au concierge qui avait pris le parti de baisser les yeux. Je crois que je ne suis pas faite pour habiter Alger. Un jour, les gens me lapideront. Ils décideront que tous leurs maux viennent de mes mauvaises pensées, ou plutôt des mauvaises pensées que je leur donne, et ils me jetteront à la mer.

Elle riait. Son corps en était secoué sous la mousseline. Béverier baissa les yeux.

*

— Un sucre ? Deux sucres ? Trois ?

— J'en veux bien quatre, répondit Brahim Benboulaïf.

Wasseau versa le café dans les deux verres. Ils étaient assis sur des chaises de jardin, autour d'une petite table occupée en partie par un fichier. Une ampoule électrique nue pendait au plafond, éclairant l'étroit bureau. Derrière la fenêtre, sur la terrasse du palais Bruce, passaient des silhouettes enténébrées.

— Donc, reprit le lieutenant Wasseau, vous connaissez une jeune fille musulmane..

— Ne vous emballez pas. J'aimerais que nous discutions sans entrer dans les détails. Je vous ai demandé ce que vous conseilleriez à une fille musulmane de vingt-deux ans qui vit seule, qui travaille, et qu'un inconnu a abordée pour lui enjoindre de travailler en faveur du F.L.N. Wasseau, quel conseil donneriez-vous ?

— La fille peut refuser tout bonnement. En ce cas il est difficile de prévoir ce qui se passera. Ou bien l'agent du F.L.N. estimera que cette fille est une buse, qu'elle a la trouille, et la laissera tomber, ou alors il craindra de s'être trop découvert, et elle risque d'être assassinée ou enlevée. Remarquez, je ne crois pas beaucoup à la deuxième solution dans la mesure où, comme nous vous l'avons dit, les réseaux de la zone autonome d'Alger sont en si pitoyable état qu'un attentat contre une fille d'un intérêt secondaire me paraît exclu.

Ils buvaient leur café à petites gorgées. La porte s'entrouvrit, un musulman en blue-jean apparut. Il sourit à Wasseau, s'excusa d'un geste, et se retira en refermant la porte sans bruit.

— Non, voyez-vous, reprit le lieutenant, le plus probable, c'est que cette jeune fille ne sera pas tuée. L'homme qui l'a contactée insistera, la tannera, la menacera, lui fera si peur qu'à la longue elle se décidera à travailler pour lui. Une fois qu'elle aura commencé, elle ne pourra plus s'arrêter. Le schéma le plus proche de la réalité, je crois que c'est celui-là. Elle est jolie ?

— Pourquoi ? demanda Benboulaïf avec ironie, sa beauté modifierait-elle le schéma ?

— J'aime bien imaginer les gens, moi. Ce qui me minait le plus les nerfs dans cette bataille d'Alger, c'était d'ignorer les visages des chefs de réseaux contre lesquels je luttais. Pendant des semaines je recueillais sur la couleur de leurs yeux ou la forme de leur nez des renseignements contradictoires. Quand par bonheur une photo d'identité me tombait entre les pattes, je respirais. Vous comprenez, un ennemi sans visage, on lui prête une astuce surnaturelle. Dès qu'on a vu sa photo, on sait qu'on en viendra à bout. Encore un peu de café, mon capitaine ?

Benboulaïf répondit d'un signe de tête affirmatif et resta songeur, le regard posé sur la vitre.

— Vous savez, je pige très bien pourquoi ce bidule vous tracasse, s'exclama Wasseau dont l'accent du Nord fut tout à coup plus évident. Une fille vous a demandé conseil et vous vous dites que si vous me rancardez sur la fille, moi, je serai obligé d'agir. Alors vous vous inquiétez des conséquences que ça aura pour la fille.

— Exactement, dit froidement Benboulaïf. Si vous étiez un officier à l'ancienne mode, comme mes camarades tirailleurs, comme ceux avec lesquels j'ai fait la campagne d'Italie, je vous demanderais votre parole d'honneur de ne rien tenter auprès de cette fille sans mon consentement, et je vous raconterais tout.

— Vous n'avez aucune confiance dans ma parole d'honneur ?

— Aucune. L'honneur n'existe pas dans une guerre subversive. Des hommes qui, comme vous, sont à la pointe de cette guerre, ont le devoir de mettre leur honneur à n'en plus avoir.

Wasseau, le front plissé, se répéta pour en dégager tout le sens la phrase abstraite, trop abstraite, qu'il venait d'entendre.

— Ça me rappelle les sujets de français qu'on nous donnait quand j'étais enfant de troupe, dit-il paisiblement. Je pige. Je suis presque d'accord avec vous... Mais pas tout à fait. Par exemple, votre jeune fille...

Il s'interrompit pour protester de nouveau contre l'allégation de Benboulaïf.

— Vous noircissez le tableau, je vous assure ! Plus tard, quand on pourra raconter ce qui s'est passé, on verra que si les chefs du F.L.N. et nous, nous sommes faits des coups atroces, il y a eu aussi des moments de confiance où les uns et les autres nous avons eu du plaisir à tenir nos engagements. Vous vous méfiez de moi, mais tel chef du F.L.N. est venu un jour à un rendez-vous, sur ma simple parole donnée à un intermédiaire. Non seulement je l'ai tenue, mais ça n'a pas surpris une seconde mon bonhomme. Je ne cherche pas à vous rassurer en ce moment, mon capitaine. Racontez-moi votre histoire, on verra ensuite le meilleur parti à prendre...

— Le meilleur pour la jeune fille ou pour vous ?

— Pour elle et pour nous.

— Bon... Donc, cette jeune fille, je ne la connaissais pas et hier...

— Ne commencez pas par mentir ! Sinon il va nous falloir toute la nuit pour désembrouiller votre folklore. La jeune fille, vous la connaissiez.

Une flamme de colère s'alluma dans les yeux de Brahim Benboulaïf qui devinrent très beaux.

— Excusez-moi, mon capitaine ! dit Wasseau. Ce n'est pas une vie que la nôtre, vous savez ! Les gens sont habitués, quand ils demandent l'heure, à ce qu'on la leur donne exacte. Nous, notre existence consiste à nous débattre avec des vérités, glissantes comme du savon, et qui nous échappent dix fois des doigts. Ça rend nerveux !

— Ne soyez pas nerveux à tort et à travers, répliqua Benboulaïf. N'oubliez pas que si je suis ici, c'est de ma propre volonté. Je ne suis pas un suspect que vous interrogez. J'ai eu la faiblesse de croire qu'il y avait entre nous des relations amicales. Si je me suis trompé, je m'en vais. Quand je vous dis que je ne connaissais pas cette jeune fille, c'est vrai. Vous m'avez coupé la parole au moment où j'allais définir mes relations avec elle. Je ne connaissais ni son nom, ni son domicile. Je l'avais aperçue l'année dernière, à l'hôpital Maillot, quand mon fils, blessé par un terroriste y a été soigné. C'était une jeune infirmière mais pas une infirmière de l'hôpital. Elle venait de temps en temps y voir des copines. Quand elle m'a abordée, hier matin...

— Dans la rue ?

— Rue de l'Isly... oui. D'abord je ne l'ai pas reconnue. Elle était essouflée, elle avait l'air ému. Finalement elle m'a demandé d'entrer dans un uniprix. Elle ne tenait pas à être remarquée avec moi sur le trottoir. Au rayon des sacs, elle m'a raconté qu'à quelques pas de son domicile un jeune homme l'avait abordée, lui avait reproché de n'avoir jamais rien fait pour le F.L.N. et lui avait annoncé qu'une première mission lui serait confiée la semaine prochaine.

— Elle a répondu quoi ?

— Je crois qu'elle ne se rappelait même plus ce qu'elle avait répondu, tant elle était bouleversée. Depuis, elle avait réfléchi et admis qu'elle n'avait que trois voies à suivre : ou elle refusait de travailler pour le F.L.N., ou elle acceptait, ou elle quittait Alger. Elle m'a rencontré par hasard, au moment où son désarroi était à son comble, et la confidence qu'elle n'avait osé faire à personne, elle me l'a faite, peut-être parce que j'étais pour elle une espèce de juste milieu, à la fois musulman, comme elle, et officier français. Et puis, c'est bête, je crois que mon fils lui avait beaucoup plu. Tout cela a joué.

— A quel genre de mission veulent-ils l'employer ?

— J'allais en arriver là. J'ai d'abord cru qu'on attendait d'elle un travail anodin, tel que taper ou distribuer des tracts, ou qu'on voulait utiliser sa profession pour obtenir des médicaments sans ordonnance. Pas du tout. Ils attendent d'elle qu'elle transporte des armes. Le garçon lui a certifié que le Réseau-Bombes allait renaître, les attentats reprendre, mais que pour mener à bien cette entreprise on avait besoin de gens nouveaux comme elle, sans passé politique.

— Si on prenait une anisette ? proposa Wasseau.

Il lut assez d'étonnement sur le visage de Benboulaïf, pour avoir envie de s'expliquer.

— Ma vie, c'est ça. Quelquefois je grenouille quatre nuits de suite. Je dors l'après-midi. Ça me donne la gueule de bois de dormir l'après-midi. Toujours est-il que je vis la nuit comme le jour et que ça ne m'étonne pas de boire une anisette à deux heures du matin. Tout à l'heure, j'ouvrirai une boîte de maquereaux au vin blanc. Ce qui est moche, vous voyez, c'est de vivre comme ça à Alger. A Oran ou à Bône, ça ne me déplairait pas. Mais Alger, ça ressemble à Lille ou à Lyon. C'est le Nord, le puritanisme, je te dors neuf heures par nuit à côté de bobonne et je te fais réciter le Coran, le catéchisme aux enfants. A côté de l'Indochine, quelle misère ! Moi, je ne respire que dans la Casbah. Le malheur, c'est que j'y suis pour y établir l'ordre alors que je n'en aime que le cirque. Vous ne comprenez peut-être pas bien ce que je vous raconte ?

— Je suis un officier de la vieille école.

— Ou une bière alors ? Vous voulez une bière ?

Et Wasseau sortit du bureau comme si le feu était au palais. Il revint escorté d'un zouave, un caporal-chef qui portait sur une sorte de plateau de bois trois anisettes et trois bières qu'il équilibra comme il put sur le fichier.

— On commence à la bière, déclara Wasseau.

Il prit son demi, imité par Benboulaïf et par le zouave. Celui-ci fut le seul à le vider jusqu'à la dernière goutte.

— Emporte ton anisette, lui dit Wasseau, nous avons à travailler.

Au moment où le soldat franchissait la porte, il lui demanda :

— L'arrivage de gars que j'ai vus dans la cour, c'est quoi ?

— Des camés. Ils faisaient un tel ramdam dans un caravansérail que le capitaine Sirvan qui s'y baladait avec un Ricain en a fait descendre six. Même que je me demande pourquoi, vu que ces gars-là, y'a qu'à les laisser où ils sont à fumer leur kif...

— Evidemment, tu en fumes, toi.

— Ou alors, s'ils font du bordel, poursuivit le zouave, y'a qu'à les envoyer au commissariat de police. Nous, c'est pas notre job.

Quand la porte se fut refermée, Benboulaïf demanda :

— Je n'ai jamais très bien compris comment le rapport s'établissait entre zouaves et paras, dans la Casbah.

— Par le capitaine Sirvan. Théoriquement, nos missions diffèrent, pratiquement, nous nous entendons comme cochons.

— Je suis un vieux tirailleur, dit Benboulaïf, je n'aime pas tellement les zouaves.

— Oui, répondit Wasseau, c'est marrant, il y a des moments moi, après plusieurs anisettes, où je crois à la fraternité universelle. Je me dis : merde ! qu'est-ce que ça signifie tout ça, on peut s'entendre ! J'ai même envie de relâcher les types qui sont dans les caves du palais Bruce. On boirait l'anisette ou le thé à la menthe, on casserait les verres après, et vive la fraternité ! Et puis, là-dessus, on voudra me faire connaître un officier qui, en Indochine, était de l'état-major du général Leclément, par exemple, et je répondrai : plutôt crever ! parce que ce général, je ne sais pas si vous l'avez connu là-bas mon capitaine, c'était une ordure.

Il versa de l'eau dans l'anisette de Benboulaïf et demanda :

— Vous m'arrêterez ?

— C'est vous qui m'avez arrêté l'année dernière ! répondit Benboulaïf.

Le jeu de mots passa au-dessus de la tête de Wasseau qui poursuivit sa pensée :

— Tenez, l'autre jour, je dis à un camarade bordelais qu'il était arrivé un officier de Bordeaux comme lui. Il me répond : je sais, mais il est du quartier des Chartrons, je ne peux pas le voir. Vous ne buvez pas votre anisette, mon capitaine ?

— Je commence par digérer ma bière.

— Moi, je mélange. Je me mets au diapason. C'est un sacré mélange l'Algérie !

Il rit brusquement :

— Eh oui ! c'est vrai que je vous ai arrêté l'année dernière. Une sacrée salade ! Il y avait le professeur...

— Demeilhan...

— ... qui se trimbalait avec une grenade dans une poche et un python dans l'autre. On l'a tué le python d'ailleurs, je me rappelle. Et puis toutes ces petites mômes qui transbahutaient plus ou moins des armes. Vous, au milieu ! Je vous prenais pour un grand chef F.L.N. Un représentant de Tunis. Elle est digérée votre bière, buvez donc l'anisette.

Le capitaine trempa ses lèvres dans le trouble breuvage et s'informa :

— C'est parce qu'il a appris que mon fils avait été blessé par un terroriste que le capitaine Marin m'a fait relâcher ? Sinon, j'aurais sans doute fait connaissance avec l'électricité ?

— Je ne crois pas, répondit posément Wasseau, que l'attentat contre votre fils ait pesé dans la décision de Marin. Il connaît encore mieux la musique que moi. Il sait que vous pourriez avoir un fils F.L.N. qui se fasse descendre par un M.N.A... ou que votre fils aurait très bien pu être atteint par une grenade qui ne lui était pas destinée... ou encore qu'il pouvait être régulier et vous, F.L.N. Vous avez bien un frère à Tunis. Ça ne vous empêche pas de venir nous signaler qu'une jeune fille a été contactée.

— Comment me jugez-vous ?

— Je n'ai plus le temps de juger les gens. Ça m'évite de me juger moi-même. Je ne suis pas un intellectuel.

— Au fond, observa Benboulaïf, un homme comme moi

89

qui, après de longues hésitations, s'est décidé à penser que le progrès de l'Algérie ne se concevait que dans un cadre français, ou du moins occidental, est-ce que ça ne vous gêne pas un peu ?

— Comprends pas.

— Si vous étiez musulman, de quel bord seriez-vous ?

— Me suis jamais posé la question.

— Moi, je n'ai cessé de me la poser. Je crois agir pour le bien suprême de l'Algérie, mais je n'en sais rien. Il y a cent mille Harkis aux côtés de la France, contre trente mille fellagha seulement, bien sûr. Mais la Rébellion pourrait lever bien d'autres troupes, et ces trente mille fellagha, même s'ils se trompent, représentent peut-être l'ardeur d'un peuple, alors que moi, qui sans doute ai raison...

— Vous, dit Wasseau, vous allez vous en aller en me laissant votre histoire de jeune fille sur les bras sans m'en dire plus !

— Que ferez-vous ?

— J'enquêterai. Je crois que vous m'avez dit la vérité : votre pucelle ne travaille pas à l'hôpital Maillot. Donc, elle travaille à Mustapha, ou dans une clinique. Je vais faire chercher autour de la rue de l'Isly, soit qu'elle y habite, soit qu'elle y travaille. Je ferai enquêter à Maillot auprès des infirmières pour établir quelle était la copine qui venait les voir l'année dernière. C'est peut-être la meilleure filière...

Il se leva et commença à se déplacer lentement à travers la petite pièce.

— Le plus simple serait que nous fassions un pacte, mon capitaine. La fille nous fournirait juste les coordonnées nécessaires pour que nous puissions prendre en filouze le gars qui est venu la contacter. Jamais le gars ne saura qu'elle a parlé. Jamais le F.L.N. ne s'en doutera. Résultat : la fille aura la paix, et nous, nous tiendrons une filière. On marche comme ça ?

Wasseau, adossé à la porte-fenêtre, alluma une cigarette dont il regarda pendant un moment la fumée envahir la pièce.

— Mon capitaine, reprit-il, je vois dans votre jeu comme si vous l'aviez étalé sur la table.

— Vous avez plus de chance que moi !

— Vous êtes un homme qui attendez.

— Dans les circonstances actuelles, un officier musulman qui reste dans l'armée française, même les bras ballants, s'engage, il se mouille.

— Négatif. Vous savez aussi bien que moi que le C.C.E. ne condamne pas la position des officiers musulmans qui conservent leur poste. Vous avez beaucoup de temps devant vous avant d'être obligé de choisir entre les deux camps. Il y a des gens mouillés comme l'était le Glaoui, un bachaga Boualem, par exemple... Des types comme Madrani... mais vous, vous pouvez continuer à servir sans commettre l'irréparable. Et vous le savez. C'est pour ça que le problème qui se pose à vous depuis hier matin vous fait grossir la tête à vue d'œil. Votre première réaction a dû être celle-ci : je la laisse se dépatouiller comme elle pourra, cette fille, je ne m'en mêle pas ! Hein ? Et puis elle était jeune, sûrement jolie, elle vous faisait confiance comme à Dieu le Père, alors vous lui avez dit : pour le moment, ne bougez pas, je vais examiner ça. Exact ?

— En gros, oui.

— Alors, vous vous êtes posé la question : est-ce qu'un nouveau réseau-bombes a des chances de succès ? Si oui, je laisse aller la fille. Si non, je freine tout. Ce n'est pas ça que vous avez pensé, mon capitaine ?

— Il y a des moments, dit Benboulaïf, où le seul problème qui se pose à un Algérien est de savoir quel est le moyen le plus rapide de rétablir la paix, et si ce moyen passe par Tunis ou par le G.G. Vous comprenez, on en vient à se désintéresser de l'issue de cette guerre, à souhaiter seulement qu'elle soit rapide. La vie du peuple algérien est intenable.

— Je ne sais pas si vous avez pensé si loin. Votre intérêt a dû se limiter à cette jeune fille. Vous vous êtes demandé comment lui sauver la vie. Alors vous avez interrogé le colonel Godard, puis le capitaine Marin, puis moi, pour savoir si une nouvelle bataille des bombes, à Alger, avait des chances d'être gagnée par le F.L.N., ou si ceux qui l'entreprendraient seraient condamnés à mort. En ce moment vous pensez que nous vous avons dit la vérité, que si votre petite fille commence à grenouiller avec des bombes, elle finira mal. Alors, vous nous l'apportez sur un plateau en nous priant de faire en sorte qu'elle échappe aux représailles du F.L.N. sans tomber sous nos coups.

— Elle est très bien, prononça Benboulaïf. Je ne veux pas qu'elle paye la crise d'hystérie que nous vivons.

— D'accord. Donnez-nous ses coordonnées. Nous la débarrasserons du gars qui l'embête, nous ne lui causerons pas le moindre tort, et le F.L.N. ne saura jamais qu'elle a servi d'appât.

— Je vais réfléchir.

Benboulaïf fut étonné d'entendre Wasseau lui répondre :

— Mais comment donc, capitaine, c'est tout naturel.

**
**

— C'est fou ! dit Béverier. Incroyable !

Il était assis dans un fauteuil auprès du lit, bien serré dans son peignoir.

— Vous êtes aussi facile à révolter qu'à scandaliser...

Le ton était plus hostile que moqueur. Surpris, Béverier interrogea Clotilde du regard. Depuis une heure, frileuse, elle continuait la discussion ses couvertures remontées jusqu'au menton. Elle bâilla.

— Nous avons beaucoup trop parlé, dit-elle avec une trace d'amertume. Allez, on dort.

— Vous êtes fâchée ?

— Doux Jésus ! Pourquoi ? Vous vous êtes conduit en invité parfaitement poli... Vous avez écouté avec une patience admirable mon long exposé sur la guerre du pétrole.

— Clotilde ! comment pouvez-vous parler de patience ? J'ai été passionné !... quand je pense que ce régime a laissé grignoter nos intérêts sahariens, nos intérêts dans un pays que nous avons exploré et étudié seuls, par les Anglais, les Américains ! Ce qui m'a peut-être le plus soufflé, c'est l'affaire du Fezzan. Tout ce que vous m'avez raconté, je n'en reviens pas ! Ça me fout mal au ventre de penser que Leclerc nous a conquis le Fezzan, qu'au lendemain de la Libération un Conrad Kilian a détecté avec précision les régions pétrolifères, que le Canada nous a offert l'aide financière nécessaire, que cette offre, les hommes politiques inféodés à l'Angleterre et à l'Amérique l'ont refusée, qu'on a laissé assassiner Kilian, que la France là-dessus a cédé gratuitement le Fezzan à l'Angleterre et à l'Amérique... et que celles-ci ont commencé, de cette manière, leur conquête du Sahara !...

Clotilde poussa un soupir de rage. Ce niais lui récitait le cours qu'elle venait de lui faire et dont il n'avait saisi que la lettre. Il était passé à côté de la seule information qu'elle ait tenté de lui faire entendre, à savoir qu'elle s'était détachée politiquement et sensuellement de son mari. Son exposé sur les pétroles n'avait eu d'autre objet que de lui montrer comment, à la longue, elle avait compris que son cœur ne pouvait battre avec celui de la Haute Finance. Elle en était venue à contredire, par ses vœux politiques, ceux de son mari, et ce désaccord avait trouvé un écho plus grave : elle s'était mise à mépriser les vues de Francis. Ne tenant pas à confier à Béverier une découverte plus cruelle qui l'avait délivrée de son devoir de fidélité envers Francis, elle avait appuyé sur leur rupture politique et morale, espérant apaiser du même coup les scrupules que Béverier était bien capable de concevoir.

— Mais vous savez, Clotilde, l'opinion commence à s'ameuter contre les parlementaires. Naturellement, on ne peut pas préjuger de l'avenir, mais...

— Je me fiche de l'avenir, allez vous coucher.

Elle eût été drôle, pourtant, cette aventure ! Il était plaisant de se trouver au bar d'un hôtel un beau garçon dont on se rappelle tout à coup qu'il vous plaît depuis un an. On se le trouve, on se le prend par la peau du cou, on se le monte dans son appartement, on lui fait voir le phare et les étoiles, comme à une jeune fille, on lui ouvre son lit. Le lendemain, on l'expédie en France.

— Ce que je voulais dire, insista Béverier, c'est que les parlementaires, un jour, seront peut-être obligés de rendre gorge devant la Haute Cour.

— En plus, vous avez un style effroyable !

— Quoi ?

— Éteignez le plafonnier, et allez-vous-en.

Déconcerté par cette rudesse, il obéit, puis, du seuil de la porte, adressa un « bonne nuit » peiné à Clotilde.

— Bonne nuit !

Dès qu'il fut sorti elle écarta le drap, s'étira. Elle était encore réduite à rêver. Depuis des mois que Francis ne l'approchait plus, elle se débattait avec une anecdote, toujours la même : un homme — mais pas le moniteur de ski, un autre — la massait avec de l'huile solaire, une huile très lourde, une crème.

Elle se glissa, pieds nus, jusqu'à la fenêtre, écarta le rideau et se laissa fasciner par la régularité des appels du phare. Pour la première fois de son existence, elle provoquait un homme qui ne se jetait pas sur elle. Aimait-il Bernadette au point de devenir idiot ? Elle entrevoyait les difficultés de la vie qui l'attendait : il faudrait qu'elle maintienne un équilibre chanceux entre des aventures du genre de celle qu'elle avait souhaitée cette nuit et le maintien de son union avec Francis. « Je ne rigolerai pas tous les jours », pensat-elle. Elle s'étonna qu'à Vichy, ayant Guy de Vise, elle eût appelé des complications dans les bras de l'écuyer et d'un Jean-Marie Derden. Elle souffrait à la pensée que Béverier partirait le lendemain pour Marseille. Or, quelques heures plus tôt, elle était loin de penser à lui. Il n'y avait eu entre eux qu'un bref désir, issu d'elle, incompris de lui. Qu'eût-ce été alors si leur séparation avait eu lieu après une nuit d'amour ?

Il lui revint un peu de colère, une colère qui lui fit du bien, à la pensée que dans quelques heures ce crétin irait béer d'amour dans les bras de Bernadette. Elle laissa retomber le rideau qui effaça la Méditerranée.

*

Le lendemain matin, le chauffeur du capitaine Benboulaïf arrêta sa voiture comme d'habitude, à huit heures et demie, devant la porte d'un immeuble de la rue de Charas. Or Benboulaïf, au lieu d'apparaître entre huit heures trente et huit heures quarante, se fit attendre. Indifférent, le chauffeur alla s'installer à quelques pas de là, dans une flaque de soleil. Le ciel était pur, la lumière tiède, le printemps errait dans cet Alger de fin décembre. Les pluies de la veille se résolvaient en légères fumées. Les toits brillaient.

Enfin Benboulaïf apparut, les paupières gonflées par le manque de sommeil. Il ordonna :

— A la Dixième Région.

Rue de l'Isly, comme le chauffeur ralentissait pour couper la circulation et s'engager entre les réseaux de fils de fer barbelés qui hérissaient l'accès de l'immeuble de la Dixième Région Militaire, Benboulaïf l'arrêta d'une tape sur l'épaule.

— Range-toi là et attends-moi. J'ai une course à faire.

Il bondit à terre, remonta la rue de l'Isly parmi les voiles des musulmanes, les capotes des soldats, les bleus de travail des ouvriers. Comme convenu, devant la vitrine des chaussures Ciggera, la jeune fille attendait.

Elle portait une petite robe bleu marine et, malgré le soleil, un trench-coat jaune serin. Très claire de peau, mais les cheveux assez foncés, la bouche menue à peine soulignée de rouge, les yeux brillants, elle agita aussitôt les mains pour s'expliquer avec Benboulaïf. L'homme qui, tout en feignant d'examiner des cravates devant une devanture, à vingt mètres de là, ne la quittait pas des yeux, estimait qu'elle avait de très jolies jambes. Elles étaient chaussées de ballerines et gainées de sombre, d'un bleu tirant sur le noir. C'était la dernière mode, la mode la plus audacieuse de Paris, et l'homme se demandait, sachant que ces bas existaient également sous forme de collant, si la jeune fille avait opté pour le collant ou pour les bas. Le problème était impossible à élucider, mais l'homme pensa que, puisqu'il avait mission de filer le capitaine Benboulaïf jusqu'à ce qu'il eût rendez-vous avec une jeune fille, et de filer la jeune fille ensuite, celle-ci finirait probablement au palais Bruce, au palais Klein ou dans la villa d'El Biar, ce qui lui donnerait peut-être bien l'occasion de révéler si elle portait un collant.

L'homme était très jeune, rasé de près, le cheveu court. Il portait un complet de serge, trop petit pour lui, et de gros souliers. Il laissa le capitaine Benboulaïf remonter seul vers sa voiture et, sans se presser, descendit la rue de l'Isly derrière la jeune fille qui marchait d'un pas sec et vif, mais peu rapide. Elle tourna brusquement à gauche et son pisteur dut accélérer pour l'apercevoir qui entrait dans une petite maison blanche sur laquelle il lut « Clinique Garcia ». Par conscience professionnelle, il attendit à l'angle de la rue pendant un petit quart d'heure, puis entra dans un café pour téléphoner.

Bientôt il reconnut au bout du fil la voix du lieutenant Wasseau.

— Bon... parfait, répétait Wasseau. Mais comme je voudrais savoir où elle habite, et que nous avons une chance sur deux qu'elle rentre déjeuner chez elle, planque-toi, attends, et si elle sort à midi, reprends-la. Compris ?

La terrasse d'un petit café servit de planque au para. Les heures passèrent. Par grappes, les aouleds donnaient l'assaut aux gros souliers pour les cirer. A onze heures, une ambulance s'arrêta devant la clinique. Rue de l'Isly, la circulation se gonfla brusquement un peu avant midi. Les coups de sifflets d'un agent qui devait se trouver au carrefour, aigus, furent les seules interventions du monde extérieur qui portèrent sur les nerfs de cette sentinelle aux jambes croisées, qui buvait des anisettes et fumait la pipe, le regard vague.

La jeune fille ne réapparut qu'à midi vingt-cinq. En compagnie de deux amies de son âge, sans doute infirmières elles aussi, l'une peut-être musulmane, l'autre assez rousse, assez laiteuse pour être anglaise, elle prit le tournant de la rue de l'Isly qu'elle remonta jusqu'à un arrêt du trolley où elle les abandonna toutes les deux. Pendant dix minutes le para marcha derrière elle, gardant soigneusement un écart d'une cinquantaine de mètres. Ce jeu lui plaisait. Il ne regrettait pas son engagement dans les paras. Il y avait goûté toutes les sortes de plaisir qu'il pouvait attendre de la vie quand, dans un ratissage, il avait giflé son premier suspect comme un flic, deux ans plus tôt, l'avait giflé au square d'Anvers, quand il avait sauté pour la première fois d'un Potez par une claire matinée qui faisait briller la neige sur les Pyrénées ; il avait reçu son estampille d'homme quand il défilait, les bras nus avec son P.M., en musique, et que les Algérois applaudissaient ; il se sentait une vedette comme Sacha Distel quand il avait marché pendant dix heures, avalant juste une demi-boîte de ration, et que les balles lui claquaient au nez au lever du soleil ; il se consacrait héros, un héros qui dans sa tête tenait du chevalier de ses livres d'enfants, du gangster cow-boy des films américains, et quand il racontait l'ensemble à de petites admiratrices, dans des bars, les cuisses moulées par la prestigieuse étoffe bariolée, il bichait, enchanté d'exister. Depuis peu on l'habillait en civil et il connaissait le bonheur supplémentaire de jouer aux espions dans les rues, l'air de rien, en mâchonnant du chewing-gum comme au cinéma.

La petite, après être entrée chez un boulanger, fit une pause assez longue chez un mozabite. Elle ressortit enfin, les bras chargés de paquets et, comme elle parvenait au bout de la rue de l'Isly, elle s'engagea dans une ruelle qui aboutissait à un grand escalier.

Un jeune homme de petite taille, très mince, aux cheveux bruns, vêtu d'un blue-jean et d'un blouson de daim, marchait derrière elle. Le para fut charmé par cette péripétie inattendue. Il était bien évident que ce jeune homme suivait aussi l'infirmière. La suivait-il au nom de la Sûreté, de la D.S.T., des fellouzes ? C'était en tout cas une de ces péripéties comme on en trouve dans les romans policiers. Autre élément imprévu : le petit con ayant rattrapé la fille au moment où, à mi-hauteur des escaliers, elle poussait une porte, tous deux finalement étaient entrés ensemble dans la maison.

Le para décida de rallier le bistrot le plus proche pour informer le lieutenant Wasseau. Eût-il seulement monté quelques marches de plus, il eût entendu derrière la porte, qui n'était pas complètement repoussée, les échos d'une rapide altercation.

— Laissez-moi tranquille ! Je ne veux pas que vous montiez chez moi. Il y a du monde...

— Je suis renseigné, tu habites seule. Pas d'histoire, j'ai à te parler !

La voix de l'infirmière était claire et très frêle ; celle de son interlocuteur, plus rauque, plus grave, mais traversée par des notes hautes, féminines, qui devaient tenir à son adolescence. Finalement, il poussa la jeune fille devant lui. Tous deux gravirent un petit escalier de ciment où deux enfants jouaient à faire dévaler une planche soutenue par des roues.

La jeune fille sortit une clef de son sac et pénétra dans une chambre assez grande dont la fenêtre était entrouverte sur une cour remplie de soleil et de cris d'enfants. Le garçon commença par fermer la porte, pousser le verrou, puis il ordonna :

97

— Aïcha, boucle la fenêtre. Je ne veux pas qu'on nous entende.

Pendant que la jeune fille s'exécutait, il interrogea :

— Pourquoi n'étais-tu pas au rendez-vous hier ?

— Je n'ai pas pu.

— Je t'ai attendue trois quarts d'heure. C'est contraire à la règle. Je n'aurais pas dû prendre le risque de t'attendre. Enfin, comme tu es une débutante, je l'ai fait.

Le lit était recouvert d'une cretonne fleurie ; des manuels scolaires garnissaient le cosy-corner qu'ornait une statuette représentant une panthère. Dans la pièce adjacente on apercevait un réchaud à gaz butane et une baignoire-sabot, surmontée d'une douche.

— Ecoutez, je ne suis pas faite pour le travail que vous me demandez.

— Tutoie-moi. Appelle-moi « Frère ». C'est la règle. Quant à savoir pour quoi tu es faite, je m'en fous. Tu exécuteras mes ordres. Tu en sais trop. Si tu essaies de te défiler, tu es perdue, Aïcha.

Il s'assit sur une petite chaise d'acajou recouverte de la même cretonne que le lit. Il tournait le dos au soleil. Son visage imberbe, aux joues rondes, était presque celui d'un enfant.

— Alors, pourquoi tu n'es pas venue hier ?

— A la clinique... il y a eu une urgence. On m'a gardée jusqu'à neuf heures.

— Ce n'est pas vrai. On t'a vue rentrer chez toi à sept heures et demie. Tu sais, si tu travaillais pour les Français, en les trompant comme tu viens de le faire, ils seraient capables de te tuer.

— Ça ! Je ne sais pas ! Mais je ne voudrais pas être mêlée à ces trucs-là.

— Il faut d'abord que tu apprennes qu'on ne fait pas attendre impunément un frère qui remplit une mission.

Il avisa, parmi les paquets qu'elle avait déposés sur le lit en entrant, une boîte de sel.

— Tu veux que je remplisse un bol avec ce sel et que je te le fasse avaler ? Ça te ferait boire pendant trois jours... N'aie pas peur, je n'irai pas jusque-là. Mais il faut que tu comprennes qu'hier tu t'es conduite comme une enfant. Retire ton trench-coat.

Elle obéit, et alla l'accrocher à l'autre bout de la chambre. Puis, sur un signe, elle revint vers le jeune garçon et tous deux furent un instant réunis dans une grande glace à encadrement 1900 qui, au lieu d'être accrochée, était appuyée au mur, dressée sur les carreaux. Il était petit au point qu'Aïcha le dépassait mais semblait n'avoir aucune conscience de sa taille, de sa fragilité, de sa jeunesse. Ce petit poucet donnait ses ordres avec l'assurance d'un dur et dans un français châtié, d'une voix douce plus inquiétante encore.

— Débarrasse le lit.

Elle le regarda sans bouger.

— Tu n'as pas entendu ?

— Le lit, pourquoi je le débarrasserais ?

— C'est une mission que je te donne. Apprends à ne pas poser de questions inutiles quand tu reçois une mission. Nous sommes frères, nous sommes égaux, mais tant que durera la guerre, celui qui ordonne une mission doit être obéi avec discipline.

Malgré la fermeture de la porte et de la fenêtre, les chants d'oiseaux et d'enfants montaient toujours de la cour et le raffut des deux gosses dans l'escalier se poursuivait inlassablement. Il y eut aussi la mélopée d'un homme, à l'étage supérieur puis, de l'autre côté de la cloison, le vacarme d'un poste de radio qui diffusait « la voix des Arabes ». Des hommes qui descendaient l'escalier, gênés sans doute par la planche à roulettes, jurèrent en espagnol. Ce genre d'immeubles crasseux, mais dotés de certains avantages comme l'eau courante, l'électricité, sont fréquents à proximité de la Casbah ; ils sont habités en proportions égales par des musulmans et des « petits blancs ».

— Je ne veux pas, prononça Aïcha avec courage. Je vous en supplie...

— Je t'ai dit de débarrasser le lit pour que tu t'étendes dessus. Je n'abuserai pas de toi. Si quelqu'un est décidé à ce que la pureté fraternelle règne dans nos rangs, c'est bien moi.

Le ton était si franc qu'Aïcha, à demi rassurée, rassembla les paquets qui encombraient le lit pour les transporter sur la chaise. Elle portait une jupe bleu marine très foncé et un petit pull noir dont l'ensemble, vu de loin, pouvait être pris pour une robe. Ses gestes étaient menus et efficaces.

Elle fit deux voyages entre le lit et la chaise, silencieuse, les yeux baissés, avec une grâce qui laissa son visiteur parfaitement indifférent.

— Maintenant, déshabille-toi.

— Je vous ai dit que ça, je ne l'accepterais pas.

— Veux-tu me tutoyer !

— Je t'en supplie ! Laisse-moi ! la prochaine fois, je viendrai à l'heure au rendez-vous, je te jure.

Le garçon déboucla une petite ceinture de cuir noir tressé qu'il portait sur son blue-jean, très bas sur les hanches. Il en fit passer une extrémité plusieurs fois autour de sa main.

— Je vais simplement te donner une volée. Tu as besoin, pour liquider ton ancienne vie, une vie paisible et futile, d'un bon choc psychologique. Je crois qu'après ça, tu auras admis que tu entres dans une nouvelle vie. Tu es infirmière, tu as de l'instruction, tu sais peut-être ce que c'est qu'une cérémonie initiatique ?

— Ah ! tu es fou ! cria Aïcha.

— Non, mon petit, pas du tout ! Cette bataille d'Alger que les hommes ont perdue, je veux bien la reprendre et la gagner avec des femmes. J'ai besoin de femmes disciplinées. Hier, tu as commis une faute. Tu vas la régler. Après ça, je suis sûr que nous travaillerons ensemble comme de vrais frères.

Aïcha, dont la peau était naturellement claire, était devenue blême.

— Tu ne me feras rien d'autre ? prononça-t-elle.

— Mais non, que tu es bête ! Regarde-toi dans la glace. Quelle tête feras-tu, alors, quand il faudra que tu transportes des armes ! Allez, petite, déshabille-toi, ce n'est pas la peine que j'esquinte tes vêtements.

Comme on se jette à l'eau, la jeune fille fit passer son pull par-dessus sa tête. Puis elle voulut de nouveau supplier mais, d'un frétillement impatient du pied, le garçon la ramena à l'obéissance. La jupe alla retrouver le pull sur le dossier de la chaise. Aïcha portait un collant bleu sombre, renforcé à la taille.

— Hop, allez, allonge-toi !

Le premier coup de ceinture claqua. Le garçon fit une pause :

100

— Il ne faut pas que tu aies la sensation d'une injustice. Tu l'as mérité. Hier, tu t'es conduite en pimbêche et non en femme consciente de la part qui lui est dévolue dans la lutte du peuple algérien contre l'oppression.

Des traces roses, à mesure que siffla la ceinture, s'entrecroisèrent sur la peau de la jeune fille.

— Tu feras bien, conseilla-t-il tout en continuant de taper, de ne pas te montrer à ton amant aujourd'hui. Ça lui ferait poser des questions.

— Je n'ai pas d'amant, sanglota Aïcha.

— Tu n'en as jamais eu ?

— Non.

Le garçon renoua sa ceinture autour de ses hanches, s'éloigna posément du lit, puis eut une grimace de colère à la vue d'Aïcha qui ne bougeait pas, étendue sur le lit, les doigts agrippés à la cretonne.

— Tu as fini de faire la chatte ! s'écria-t-il. Oh ! je n'aime pas ce genre-là ! Tu te rhabilles et tu me fais à manger.

Pendant qu'Aïcha remontait gauchement son collant, il continua de s'indigner :

— Tu en voulais encore ? Ce que les femmes me dégoûtent quelquefois ! Elles aiment ça, ma parole !

Rhabillée, Aïcha passa silencieusement dans la cuisine, et quelques minutes plus tard tous deux s'attablèrent, entre la douche et l'évier, sur un napperon rose. Comme boisson, Aïcha remplit les verres de Vittel-Délices.

— Tu n'as rien d'autre ?

— Du lait.

— Donne. Et ne fais pas cette tête. Il ne t'est jamais rien arrivé, alors qu'il y a des filles de ton âge qui se sont battues dans le djebel, il y en a qui ont résisté à la torture chez les paras, et des cellules, à la prison Barberousse, sont remplies de nos sœurs. Pendant ce temps, tu cajolais des colonialistes à la clinique Garcia. Tu devrais avoir honte.

— Oh ! il y a des musulmans aussi qui se font soigner.

— Reprends des piments ! tu ne manges pas.

— Merci.

Il l'aida à desservir la table et à laver la vaisselle, puis lui tendit cinq cents francs.

— Ma part pour le déjeuner.

— Ce n'est pas un restaurant ici, protesta Aïcha en re-poussant le billet.

— Prends ça ! J'entends que dans notre Réseau tout se passe régulièrement, méthodiquement. Tu auras des frais, ils te seront remboursés. Ecoute-moi bien : demain, tu sors à quelle heure de la clinique ?

— Sept heures et demie.

— Un taxi t'attendra devant la porte conduit par un de nos frères. Un taxi qui attend devant une clinique, c'est nor-mal. Mais sois bien exacte. Si une camarade te voit monter, donne-lui une raison qui tienne debout. Le conducteur te mènera devant l'hôtel Aletti. Il t'attendra pendant que tu monteras, en face, la rue en escalier jusqu'à la première épicerie verte. Tu entreras, tu demanderas si ton paquet est prêt. Tu demanderas si tu dois quelque chose, on te répondra que ta mère a tout réglé. Tu reviendras à ton taxi. Il te mènera à une destination qu'il connaît. Il te fournira les instructions nécessaires pour que tu remettes le paquet à celui qui l'attend.

— Qu'est-ce que c'est, ce paquet ?

— Un pistolet mitrailleur. Ce matin, dans une ambulance, une de nos sœurs nous a apporté les munitions. Tout s'est bien passé. Tout se passera bien si tu obéis exactement. Je ne t'ai pas donné une volée pour le plaisir. Il faut que tu comprennes, une fois pour toutes, que dans la partie que nous jouons un retard de cinq minutes peut être mortel. Il est inutile qu'on nous voie ensemble dans la rue. Je file. Attends cinq minutes pour t'en aller.

Dehors, l'homme au complet bleu et aux gros souliers, qui essayait de jouer l'amoureux auquel on pose un lapin, poussa un soupir de soulagement en voyant apparaître le garçon en blue-jean. Il lui emboîta le pas, freinant le sien pour maintenir la distance, et se rappelant l'injonction de Wasseau : « celui-là, ne va pas me le perdre. C'est le pre-mier maillon de la chaîne. Après, il n'y aura plus qu'à tirer. »

DEUXIÈME PARTIE

MARSEILLE - MONTE - CARLO

— Je vous dépose ? dit-elle, comme si la soirée était finie.

— Non.

Béverier s'était tassé à l'autre extrémité de la banquette.

— Non. Remontez jusqu'à votre hôtel. Vous me lâcherez là.

— Vous avez peur que votre femme, de sa fenêtre, vous voie descendre de ma voiture ?

— Ce que je m'en fiche !

Bernadette démarra.

— C'est absurde ! Il vous faudra courir à la recherche d'un taxi ou traverser Marseille à pied.

— Je prendrai l'air.

Elle tourna pour enfiler la Canebière.

— Vous vous figurez que je vais vous laisser monter dans ma chambre, Alain, c'est une erreur. N'est-ce pas que vous voulez me raccompagner à mon hôtel parce que vous avez ma chambre en tête ?

— Je ne sais pas. C'est vrai, je ne sais pas. Peut-être bien...

— Bon, eh bien, sachez qu'il n'en est pas question.

Elle s'était arrêtée à un feu rouge. Comme il venait de pousser un soupir, elle demanda :

— Vous avez mal ?

— Pas spécialement.

— C'était un soupir d'agacement ?

— Non. De dépaysement. J'ai du mal à écouter les gens, même vous. Vous me dites que je sais ceci, qu'il faut que je sache cela... Je ne sais plus rien... rien sur rien.

Le sourcil froncé elle cherchait une place, en trouva une sur un passage clouté. Tout en manœuvrant elle répliqua :

— Je n'aime pas ce numéro, Alain. Vous me rappelez certains petits camarades de propédeutique. Il y a un temps pour ce genre de conneries. Après, un adulte sait ce qu'il dit et ce qu'il veut.

— Oh ! je vois à quel homme vous pensez !

Elle coupa le moteur, éteignit les phares. Devant l'hôtel Noailles un groupe stationnait autour de valises. Des marins chantaient sur l'autre trottoir.

— C'est normal que je pense à lui.

— Ne jouez pas la comédie, cria Béverier, vous n'admirez pas votre mari. Vous le savez borné.

Elle rétorqua paisiblement :

— Kléber est borné par des limites qui sont des qualités.

— Citez-les moi pour me faire rire.

— Allez, descendez !

— Je ne descendrai pas.

— Bonne nuit.

— Bonne nuit.

Elle sauta à terre pour se diriger d'un pas ample vers l'entrée de l'hôtel. Son pas fut étouffé par l'épais tapis du hall qui étouffa aussi celui de Béverier. Quand il la rejoignit et lui toucha le bras, elle poussa un petit cri.

Comme la scène n'avait pu échapper au concierge, immobile derrière son comptoir, Bernadette rougit jusqu'au cou.

— Moi, ma femme ne sait même plus faire ça.

Il s'attendait qu'elle demandât : « Faire quoi ? » Il eût répondu : « rougir ». Il eût ajouté : « Vous rougissez jusqu'où ? Jusqu'aux hanches ? » Sur la moitié de son visage la douleur rayonnait, triomphait. Il se sentait ivre. Au même rythme que la douleur il prévoyait entre Bernadette et lui un dialogue rapide : rougeur, corps, nudité, désir, étreinte.

— Demandez votre clé. On monte.

— Vous me faites honte, dit-elle d'une voix tremblante.

Il n'osa pas répondre. La douleur depuis une seconde perdait en gloire, gagnait en étendue, épousait la forme d'un casque posé sur son crâne, appuyé sur son œil droit. Le menton se libérait ; il n'y subsistait plus qu'un battement mat.

— Je demande ma clé, Alain, reprit-elle, puis je prends l'ascenseur. Si vous me suivez, je prierai le liftier de vous jeter dehors. Je n'ai pas peur du scandale.

Il s'écouta rire avec naturel.

— Alors, ne prenez pas votre clé. Allons boire un pot au bar.

Elle fit « oui » de la tête avec une gentillesse surprenante. Les bords de son nez se plissèrent même. Il continua de la regarder, marchant devant lui en direction du bar. Son manteau de queues de vison dissimulait un peu ses formes. A chaque pas, il caressait ses jambes.

— Kléber est bien, décréta-t-elle en s'asseyant.

Il grimaçait, porta la main à son visage.

— Vous avez très mal ? La piqûre ne fait plus d'effet ?

Il se leva.

— Je reviens tout de suite.

Il gagna les toilettes au pas gymnastique, s'enferma dans la cellule de porcelaine qui miroitait cruellement sous la lumière électrique. La douleur carillonnait sur certains points de son visage, elle le hérissait de crêtes inconnues : une sous la lèvre, une à la bosse du menton, une sur l'aile du nez. De ces points culminants des filets de souffrance se tendaient vers l'intérieur de la tête où ils se rejoignaient, se tressaient à la cadence d'un tam-tam. A l'hôpital d'Hanoï il avait entendu hurler des corps déchirés. Le soleil giclait par une fenêtre. Les corps étaient sur des brancards. Il porta la main à son pansement. Il le savait qu'il n'avait qu'une égratignure, lui, et que l'auteur en était un garçon épicier de Vialar.

Accroupi, il introduisit le premier suppositoire. De nouveau l'Indochine. Le clapotement de la rizière. Trois hommes le portaient, des commandos en tenues bariolées, le pistolet et le poignard au côté, enguirlandés de grenades. D'autres blessés étaient transportés autour de lui, les rescapés d'un « coup de main » loupé, vite fini au pied du poste viet sur

105

un champ de mines. Puis le tintamarre des hélicoptères. Les cris des hommes qu'on soulevait pour les installer dans les appareils. Le vol écœurant durant lequel Béverier n'avait pas cessé d'attendre sa mort. Puis le couloir peint en blanc de l'infirmerie du bataillon. Et l'examen hâtif du lieutenant-médecin — « La terre s'est soulevée, j'ai senti que j'éclatais » haletait Béverier. Les A.F.A.T. étaient venues prêter main forte, la jupe sexy, le chemisier lascif, les bras en sueur, enjambant les corps. L'une d'elles, Josette, avait demandé au médecin : « Et le lieutenant, on ne lui fait rien ? » — « Il n'a rien. Des contusions. Une petite commotion peut-être. Rien d'urgent. Fichez-lui un suppositoire si ça vous amuse. » Ça l'avait amusée. Machinalement il l'avait aidée, creusant les reins exactement comme une femme consentante. Josette lui avait rabattu les cuisses sur le ventre. Il savait quel spectacle il offrait. Etendu sur le dos il en apercevait le reflet dans le regard d'une autre A.F.A.T. qui, un tampon d'ouate ensanglanté dans les mains, avait cessé d'éponger son Sénégalais et observait. Il y eut la voix du médecin : « Celui-là, laissez-le, il est mort. » Josette et l'autre A.F.A.T., insensibles à la remarque d'ailleurs formulée froidement par le médecin, continuaient de se regarder avec jubilation.

Le lendemain, il avait refusé la palme que son commandant lui annonçait. Il ne pouvait admettre qu'elle brillât sur sa croix de guerre. Elle eût signifié non pas l'instant où il avançait à la tête de son peloton vers le vert glacis du fort, mais celui où les deux filles riaient en silence. Il eût aimé pouvoir expliquer que ce n'était pas la posture à laquelle l'adversité l'avait réduit qu'il ne se pardonnait pas, ni même la jubilation des deux A.F.A.T., mais le trouble qu'il avait éprouvé.

Au-dessus de la lunette la chasse d'eau gloussait régulièrement. Béverier, en 44, avait quitté Paris pour être un héros. Non par saccades, mais continuellement. De quelles lectures avait-il été la victime ? Il avait cru qu'un homme pouvait vivre coutumièrement à l'état héroïque. Il avait quitté sa famille et sa femme-fillette sur cette illusion. « Si je mourais en cet instant, dans cette posture, avec le souvenir des deux A.F.A.T., j'offrirais une version de ma vie aussi juste que si je tombais d'une balle dans le front avec la citation posthume qui me traiterait de « magnifique entraîneur d'hommes dont le courage indomptable, etc. ». Je n'aurais pas choisi ce métier ni cette vie si j'avais su que l'héroïsme n'est pas indivisible. J'avais voulu me débarrasser de ce que je ressentais de méprisable, par instants, dans mes gestes ou mes pensées et je l'ai gardé intact à côté de ce que j'ai gagné. »

En sortant de la cabine il constata qu'il ne souffrait presque plus. Les deux suppositoires n'avaient pas eu le temps d'agir. La torture avait cessé d'elle-même. Il fit quelques pas, égaré par ce silence de l'orchestre qui l'emplissait depuis une heure. Il attendait la reprise : la douleur démarrait progressivement, cessait d'un coup, puis se ranimait. Il la connaissait ; elle avait ses habitudes. Dans une glace du bar il se vit venir d'un pas rapide « d'entraîneur d'hommes ». Mais ces semaines de névralgie avaient acéré l'expression de son visage, lui avaient donné de l'esprit, une certaine tristesse, l'étincelle du doute.

A la vue de Bernadette, il frémit :

— Oh ! excusez-moi ! J'ai été d'une longueur, je...

— Mais non ! J'ai joué avec le caniche... Vous n'êtes resté qu'une seconde.

Le flirt entrouvrait devant eux son badinage, mais Béverier ne put résister à la tentation du sérieux.

— Voyez-vous, Bernadette, mon malheur, c'est d'être un peu trop intelligent. Si j'en suis là, gronda-t-il avec d'autant plus de rage qu'à mesure qu'il parlait il lui semblait que ses voisins, deux couples mûrs, tendaient l'oreille, c'est que je suis sans doute trop disposé à comprendre ce qui se passe autour de moi. Je comprends quand vous vous refusez ; je comprends quand vous me vantez Kléber, bien que Kléber soit, comme tous les colons, un homme d'argent qui se prend pour un seigneur de droit divin et trouve normal que des gosses... garçon !... Vous en reprenez un, Bernadette... non ?... Vous me donnerez un double scotch, garçon...

Il se tourna vers ses voisins qui ne s'occupaient pas de lui mais du caniche noir. Il reprit sa phrase :

— Qui trouvent normal que des gosses se fassent envoyer au tapis pour défendre leur fric... leur fric de colons... leur bonne conscience de colons qui se croient d'une race supérieure... qui n'admettent pas que l'histoire bouge, que la roue tourne. Avez-vous lu Mao Tsé-Toung ?...

Il but et comme un secret, confia à Bernadette :

— Pendant que les petits gars du Morbihan ou du Berry se font envoyer en l'air pour une histoire qui ne les concerne pas, pour les beaux yeux des colons, eux, les colons...

— Vous l'avez déjà dit, change de disque !

— Les colons pendant ce temps payent leur cotisation au F.L.N. qui achète des balles avec pour tuer les gosses du Contingent. Presque tous ! Vous allez me dire que votre mari ne paye pas, peut-être ?

— Réglez-le, Alain, s'il vous plaît... à moins que vous ne veuillez rester seul, ici ?

— Mais n'est-ce pas, pourquoi aller reprocher aux colons d'être colons, aux viets d'être viets, aux militaires de carrière d'être militaire de carrière, aux fellagha d'être fellagha !... à une femme d'être une femme...

— Ne criez pas comme ça. Et réglez.

Il s'offrit le plaisir de lui obéir. Il sortit les billets de son portefeuille. Il jouissait de son obéissance.

— Mon lieutenant, dit le garçon, vous ne me reconnaissez pas mais j'ai été avec vous. Dans votre commando.

— En Indo ?

— Oui, mon lieutenant. Je m'appelle Charlet. Brigadier-chef Charlet.

Il ajouta :

— Après, je suis redescendu avec vous jusqu'au Delta.

— Je me rappelle, prononça sèchement Béverier. Rappelle très bien. Habitez Marseille ?

— Oui... Vous êtes toujours dans l'armée ? Dans la région ?

— Algérie.

— Ça va plutôt mal, hein ? là-bas, à ce qu'on dit, j'ai rencontré un...

— Ça traîne, dit Béverier en se levant, mais on veille au grain. Il n'y aura pas de Dien-Bien-Phu.

— C'est comme pour l'Indo, ils vous trahissent à Paris.

— On veille au grain, récita Béverier qui regardait Bernadette se lever.

Il serra la main du garçon avec un sourire cordial et dur, s'apprêta à suivre la jeune femme qui sortait du bar.

— Vous savez, dit le garçon, avec vous on... Non merci mon lieutenant, le service est compris, non, je n'accepterais pas... Je voulais seulement vous dire qu'avec vous on ne s'embêtait pas, je veux dire, on ne se faisait pas de mousse, du moment que vous étiez là, on était tranquille, du moment que vous étiez là...

Béverier offrit une cigarette à Charlet qui hésita, la prit et s'excusa devant la clarté du briquet.

— Je la fumerai tout à l'heure. Pendant le service c'est interdit. C'est comme aux commandos, quoi...

Il ajouta :

— Je pense souvent à l'Algérie. C'est aussi vache que là-bas ?

— Non. Les fellouzes ne valent pas les Viets. Ils sont mous à la bagarre... Je me suis quand même fait accrocher...

Il montra le pansement. Charlet était petit, maigre de corps mais le visage bouffi et les yeux à fleur de peau. Les yeux s'arrondirent.

— Embuscade ?

— En patrouille. Oh ! c'est trois fois rien !

Ils restèrent silencieux l'un en face de l'autre.

— Et à Alger, demanda le garçon, on peut se payer du bon temps comme à Hanoï ?

— Puh !... ce n'est pas drôle Alger. Oran, à la rigueur.

— Parce que, à Hanoï...

Béverier reconstituait l'évasion de Bernadette. Il avait entendu son pas décliner dans le hall, puis le son de sa voix. Sans doute demandait-elle sa clef. Elle devait être dans l'ascenseur. C'était très bien. Il préférait échanger des propos nuls avec cet inconnu marqué comme lui : entre eux il y avait le même secret confus et triste.

— A Hanoï... répéta Charlet avec un rire court.

Il fallut que Béverier résistât au démon qui formait les phrases dans sa tête : « Tu appelles ça du *bon temps* de se faire estamper par les Chinois, de boire et de dégueuler alternativement, de s'offrir de sommaires parties de fesses en l'air avec des Indochinoises plutôt belles et des A.F.A.T. style barmaid, aussi avides de piastres les unes que les autres ? Le bon temps c'est de se rencontrer, de se parler de « là-bas ». Boire un verre, accoudé à un comptoir, tous les deux hein, ce serait mieux que notre mythe du bon temps, le plaisir qu'on aurait à l'évoquer ? »

— J'ai ramené une congaye. Elle est manucure. On s'est mariés.

— C'est très bien, dit Béverier.

Il examinait son ancien soldat en veste blanche et pantalon noir. Il le soupçonnait d'avoir été, de naissance, de plain-pied avec les femmes — c'est-dire avec le monde. « Moi pas. J'ai trop aimé ma femme à dix-huit ans, trop purement, définitivement. Je n'ai connu qu'elle. En Allemagne je regardais les femmes comme des habitantes de la rive opposée. Je ne me suis décidé à m'encrasser sans plaisir avec des putes qu'en Indochine. Un autre que moi aurait eu Bernadette. Les femmes sentent ma faiblesse en face d'elles, ma probité. Ma probité les glace. Elles ont un instinct qui manque à Charlet puisque je lui donnais confiance alors que j'avais aussi peur que lui. Quand même, ça prouve que je me tenais bien puisqu'il s'y est laissé prendre ! conclut-il avec satisfaction après avoir de nouveau serré la main du garçon et franchi le seuil du bar. C'est peut-être ça être un héros ! »

Il avançait à travers le hall à larges enjambées. Il comprenait le reproche de Bernadette : « Vous me rappelez les petits jeunes de propédeutique qui s'interrogent à haute voix sur n'importe quoi. » Ce qu'il fallait, c'était s'interroger en silence, avec un visage serein. Illuminé par la découverte de cette règle de vie il buta dans une Bernadette plantée au milieu du hall.

— Je croyais que vous me suiviez ! balbutia-t-elle. Qu'est-ce qui s'est passé ?

Elle avait l'air inquiète.

— Rien du tout.

Il essayait d'être calme ; de mettre en pratique le devoir qu'il venait de se créer ; d'*être* celui qui rassure les autres parce qu'il pallie ses faiblesses et ses hésitations.

— J'ai été rasoir avec vous ma petite Bernadette...

— Mais non.

— Mais si ! J'ai eu droit aujourd'hui à deux piqûres, à des pilules, à deux suppositoires, toutes ces saloperies se mélangent tumultueusement à l'alcool. Alors je vous ai fait passer une mauvaise soirée.

Elle se jeta dans les explications :

— Mais non ! Seulement un homme m'a choisie sans réserve, vous comprenez ? Il a une certaine notion de la vie.

En acceptant son choix j'ai accepté de respecter cette notion, même si je ne la partage pas. Entre vous et moi il n'y aurait aucun mal si nous... faisions l'amour. Mais pour Kléber ce serait un drame, un écroulement. Il ne le saurait pas mais moi, je le saurais, ajouta-t-elle rapidement, comme pour prévenir l'objection.

Béverier observa seulement :

— Vos vertueuses considérations se dissolveraient comme neige au soleil si je vous plaisais.

— Mais vous me plaisez !

Béverier porta la main à son visage. Il lui semblait s'aplatir comme une raquette dont les cordes de gauche eussent frémi convulsivement. Il désirait crier qu'il « en avait marre » sans préciser si c'était des refus mal motivés de Bernadette ou de la douleur inutile qui faisait de sa joue et de sa tempe gauche un puzzle d'échos stridents au travers desquels il écoutait le concierge commenter le dernier tiercé avec le liftier.

— On se téléphone ? demanda-t-il brièvement à Bernadette.

— Oui... Appelez-moi demain matin. Bonne nuit.

— Bonne nuit aussi...

Il avait peur qu'elle ne lui ouvrît sa chambre. Il ne désirait ni posséder une femme, ni tuer un homme. Ni faire jouir une femme, ni torturer un homme. Il subissait sa propre torture, son désespoir, il eût subi sa mort, comme une femme l'orgasme. Une fois arrivé aux marches du hall, il se demanda s'il avait dit assez courtoisement bonsoir à Bernadette, fit volte-face. Mais elle lui tournait le dos, se dirigeant vers l'ascenseur dont le liftier lui ouvrait le portillon.

L'ascenseur l'enleva. Elle répondit avec un sourire au « bonsoir mademoiselle » du liftier et plongea dans sa chambre. Elle avait posé sur sa table de nuit la clef et le billet que le concierge lui avait remis. En commençant de dégrafer sa robe elle le lut :

« *Ma belle, je suis à Marseille. Je vais à Nice pour un reportage sur la première des ballets de Sagan mais comme Jean m'a donné votre adresse je suis descendu du Mistral à Marseille, parce que j'avais vraiment hâte de vous voir. Je suis à l'hôtel Méditerranée. Téléphonez-moi demain matin. Vous m'accompagnerez à Monte-Carlo n'est-ce pas ? J'at-*

*tendrai votre coup de fil. Vous m'appelez en vous éveillant,
de votre lit ! »*

Pierre Nahon.

***

— Non, sur la table de nuit, dit-elle le lendemain matin
au serveur qui apparaissait portant le plateau du petit déjeuner et s'apprêtait à le déposer sur une table où elle avait
abandonné ses dessous.

Pour faire place au plateau, elle cueillit la clef et le
billet froissé.

— Ouvrez-moi les rideaux s'il vous plaît.

A travers les vitres une clameur presque sans brèche montait de la Canebière.

— Mademoiselle aurait mieux fait de prendre une chambre sur la cour, ou sur la petite rue, question raffut, c'est
mieux.

Malgré l'alliance qui brillait à la main de Bernadette il
s'obstinait depuis la veille à l'appeler « Mademoiselle ».
Trapu, le visage carré, foncé, nettement dissymétrique, il
examinait sans vergogne les épaules nues de Bernadette qui
remontait le drap sur sa poitrine. Il l'entretenait de l'Algérie.

— J'ai su par la femme de chambre que vous en veniez.
je connais. J'ai été dans la marine, alors vous pensez, Alger,
Oran, Bône...

Il avait sa solution : ces gens-là ne veulent plus de nous,
bon, parfait, on s'en va, mais, minute, on ne s'en va pas
tout seul ! On embarque tout le matériel qu'on peut. Et le
reste, on détruit : les routes, les barrages, les immeubles,
les hôpitaux. Tout ce qu'on a construit, on le passe à la
dynamite.

Il appuya son regard sur la peau de Bernadette comme
si c'eût été l'interlocuteur algérien auquel il assenait :

— Nous vous dégoûtons à ce qu'il paraît ! Rassurez-vous,
avant de les mettre, on aura la discrétion de fiche en l'air
tout ce que nous avons bâti, histoire de ne pas vous laisser
de souvenirs qui vous gâteraient votre plaisir. Tout... même
les chemins de fer. J'avais oublié les chemins de fer !

Il contourna le lit pour agiter devant Bernadette une main droite menaçante :

— Et faites-moi confiance, Mademoiselle, si on avait agi comme ça en Tunisie et au Maroc pour commencer, les Algériens auraient compris. Ces gens, ils sont arriérés si on veut, et sauvages quand ils s'y mettent, mais pas tellement plus bêtes que vous et moi.

Ce fut quelques minutes plus tard, en déposant le plateau à terre, qu'elle créa un souffle d'air qui souleva du drap le billet de Nahon. Elle le relut et décrocha le téléphone.

— Allô... je voudrais l'hôtel Méditerranée...

Sa cigarette entre les lèvres elle demanda :

— Monsieur Pierre Nahon, s'il vous plaît ?...

Bientôt la voix du jeune homme grésilla, légèrement angoissée.

— C'est vous !

— Oui... mais savez-vous qui ?

— Bernadette.

— Bravo !

— ... Je peux venir vous chercher ?

— Où ?

— A votre hôtel.

— Non.

— Alors vous venez ? Je vous attends. Vous venez vite ?... Bernadette !... Pourquoi ne répondez-vous pas ? Vous jouez à me faire de la peine ou quoi ?

— Je ne joue jamais à l'impossible.

— Mais c'est fait ! Vous m'avez fait de la peine ! Hier soir, j'étais sûr de vous trouver à votre hôtel. Une intuition.

— Fausse !

— Les autres ne mentionnent leurs intuitions que quand elles se sont avérées. Je suis le seul à dire : j'ai eu l'intuition que vous étiez là, et vous n'étiez pas là.

Un instant Bernadette regarda la pluie étoiler les vitres des fenêtres. Dans la chambre voisine les domestiques bavardaient.

— Bernadette !... Bernadette !

— Oui.

— J'arrive.

— Non.

— Mais on déjeune ensemble ?

— Non.

— Vous ne m'aimez pas ?

Il insista d'une voix de femme enrouée :

— Même pas un peu ?

Bernadette raccrocha et s'étira.

Ensuite elle parcourut les deux journaux régionaux qu'elle avait trouvés sur le plateau du petit déjeuner. Une, deux embuscades en Algérie. Les hors-la-loi avaient perdu douze hommes au cours d'un accrochage avec les forces de l'ordre. Elle fumait en lisant. Le cri du téléphone la fit tressaillir. A peine eut-elle tendu la main vers l'appareil qu'elle la retira. Les cris du téléphone cessèrent brusquement.

Dans le creux du lit, le drap jusqu'au menton, les cuisses jointes elle s'immobilisa, ferma les yeux.

— Oh ! geignit-elle en entendant frapper à la porte, si c'est pour le plateau, c'est fait...

La serrure cliqueta. Un pas fit craquer l'antichambre. Nahon apparut. Il portait un complet anthracite, d'étincelants souliers. Ils brillaient si fort que Bernadette regarda machinalement les fenêtres pour en évaluer les capacités lumineuses. Il ne pleuvait plus : un soleil cru illuminait les vitres.

— Mais il fait beau !

— Parce que j'arrive, dit négligemment Nahon.

Il s'accota au lit.

— Mais je vous avais défendu de venir ! s'exclama-t-elle joyeusement.

— J'ai dû mal comprendre.

— Il m'arrive le même truc qu'à Eve, je me sens nue ! Passez-moi ma chemise de nuit.

— C'est où, cette histoire d'Eve ? Une fois qu'elle a mangé la pomme ?

— Evidemment !

— Vous connaissez la Bible ? Moi, je n'aime que René Char. Vous allez vous sentir encore plus nue là-dedans, dit-il en agitant la chemise dont la transparence pâle frissonnait.

Elle s'en empara et essaya de l'enfiler, s'agitant derrière le drap, rideau imparfait qui révéla pendant plusieurs secondes la cambrure d'un sein à la lourde pointe mauve.

— Vous êtes bien belle, dit Nahon avec une conviction appuyée, nuancée d'étonnement.

114

Son numéro fut interrompu par le téléphone qui sonnait impétueusement.

Le visage de Bernadette changea.

— Qui ?

La voix répéta, nette, tranchante, haut perchée :

— Marie-Jeanne Béverier... il faut que je vous voie.

— Mais...

— J'en ai une envie folle. Ne me dites pas non, s'il vous plaît.

— Mais...

— Etes-vous libre à déjeuner ?

— Quand ?

— Aujourd'hui. Ce n'est pas très protocolaire, mais Alain me dit que vous quittez Marseille. Dites, vous acceptez !

— Si vous voulez...

— Ah ! merci ! Je passe vous prendre dans une heure ?

Bernadette raccrocha d'un air rêveur ; son inquiétude se dissipa et une amorce de sourire détendit sa bouche ronde.

— Allez-vous-en, Pierre. Il faut que je m'habille. J'ai un déjeuner.

— Avec moi.

— Pas avec vous.

— C'est vache. Mais vous venez à Monte-Carlo.

— Qu'est-ce que j'irai faire à Monte-Carlo ?

— Qu'est-ce que vous venez faire en France ?

— Me changer les idées.

— Alors, Monte-Carlo. J'ai deux fauteuils pour la première de Sagan et le journal m'a retenu une chambre à l'hôtel de Paris.

— Je n'ai pas du tout envie de partager votre chambre !

— Bon, bon, vous en prendrez une autre.

— Si vous me mettez en retard, je n'irai pas à Monte-Carlo !

Il bondit, comique, jouant le grand garçon qui trébuche de hâte. Il se rua dans la salle de bains où des bruits d'eau éclatèrent aussitôt.

— Qu'est-ce que vous faites ? demanda-t-elle en riant.

— Il ne s'agit pas que vous soyez en retard : je vous coule votre bain.

— Non, une douche.

Le fracas de l'eau s'interrompit, relayé par le chant de la douche.

— Pas trop chaude, à point ? cria-t-il.

Il réapparut, saisit le drap et d'un coup l'écarta. Bernadette se pelotonna, une main sur la poitrine, l'autre sur le ventre.

— Je vous aime, prononça-t-il en se penchant sur elle. Vous m'aimez un peu...

— Pierre, non !

Il se redressa.

— Ben quoi, je vous ai déjà vue toute nue !

— Vous ne m'avez jamais vue toute nue.

— Et à Evian ? Jean m'a appelé pour que je vous admire.

— Ah ! oui...

— Et à Saint-Tropez, sur la plage ?...

— Il y avait Jean. Devant elle, d'accord. Elle n'aimerait pas ce que nous fabriquons en ce moment, vous savez. Et puis je me sens plus gênée en chemise que nue !

— Si ce n'est que ça !

Il parvint en même temps qu'elle dans la salle de bains, lui saisit la taille à deux mains.

— Votre corps me rend fou ! Bernadette... C'est vrai ! Vous m'aimez un peu ?

— Non.

Elle s'échappa, il la rattrapa par un bras.

— Dites-moi que vous m'aimez un peu ?

Sa voix tremblait.

— Bernadette, je vous en supplie ! Dites...

— Ça ne signifie rien, gémit-elle, aimer un peu...

— Dites...

— Pierre, je vous aime un peu mais lâchez-moi. Tout ça est fou ! Il ne faut pas...

— Vous m'aimez un peu, haleta-t-il, et moi je vous aime tant ! A nous deux, ça fait beaucoup d'amour, hein ?

Elle flancha ; sa tête glissa sur l'épaule de Nahon ; elle offrit sa bouche — et interrompit le baiser pour sauter dans la baignoire. Opposant la paume de sa main au jet de la douche, elle éclaboussa le jeune homme qui recula, jeta sa veste loin de lui et resta campé en bras de chemise, jouant l'effroi et riant comme elle.

116

Protégée par un flot dont elle pouvait à tout instant dévier le cours pour arroser son assaillant, elle devenait provocante, massant insolemment son corps ruisselant.

— Comme ça ? Je vous plais ? demanda-t-elle.

Il lui avait fallu crier pour dominer non seulement le choc de l'eau sur la porcelaine de la baignoire mais le ronflement d'orgue qui s'élevait des conduites.

Nahon trouva la jeune femme vraiment belle, criblée, ruisselante, enduite par la lumière de plaques miroitantes. Il aimait qu'elle rît gaiement, comme insensible à la provocation de son corps ; et que ses cris s'intercalassent dans les points d'orgue des tuyaux. Ce spectacle l'exaltait en sa faveur à *lui*.

— Passez-moi le savon !

Elle dut répéter son appel. Il vira, saisit la savonnette au coin du lavabo, la tendit. A peine eut-il vu la main de la jeune femme glisser sur son flanc en y laissant des coulées irisées, entrelacées de vaguelettes blanches, qu'il l'envia brutalement et lui arracha la savonnette des doigts.

— Qu'est-ce que vous voulez ?

— Vous laver.

Théâtral, il retroussa les manches de sa chemise bleu foncé.

— Pierre...

Comme elle se crispait, refusant de desserrer les cuisses, il savonna la croupe. Bernadette était la coquetterie même, car à la fois elle souriait, fronçait le sourcil ; les yeux brillants de connivence, et la parole sévère :

— Ça suffit, Pierre !

La douceur des cuisses savonneuses le bouleversa. « C'est tellement mieux, pensait-il, que si je l'avais prise en arrivant ! » L'abandon de ce corps, rendu plus évident encore par de passagères rébellions, l'enivrait. Il lui eût été impossible de prononcer un mot.

— Je sors, annonça-t-elle.

Il lui jeta un vaste peignoir et se mit à la frotter, des épaules aux pieds. Elle se laissait faire, se laissa pousser dans la chambre, ne tenta qu'une seconde de retenir le peignoir qu'il jeta sur un fauteuil. L'ayant doucement culbutée sur le lit, il la regarda dans les yeux, se rassasiant d'un mépris victorieux. Il tenait à sa merci une femme qui l'avait souvent envoyé promener, et qui s'était crue, du moins l'imaginait-il, supérieure à lui. Il décida de la prendre sans se dévêtir : c'était « plus vache ».

— Je vous aime, dit-il d'un ton pénétré, presque geignard.

Et il posa sa bouche sur celle de Bernadette avec une discrète affection. Cette comédie le combla d'aise : d'abord duper lui procurait toujours un vrai bonheur, ensuite au moment de *s'envoyer une nana*, de l'avilir avec élan, il avait besoin, pour mettre en valeur cet avilissement, de la respecter, d'être tendre la durée d'un instant. Enfin tout en déposant ce baiser soumis, ému, il formulait intérieurement la phrase qu'il lui assènerait tout en la possédant.

— Pas maintenant ! cria Bernadette, s'apercevant que le jeune homme, sans se déshabiller, avait déboutonné l'un de ses vêtements.

Il prit l'exclamation pour une ultime manœuvre de coquetterie. Il considérait même sa victoire à ce point acquise qu'il se permettait déjà d'en être légèrement déçu, déplorant notamment l'épiderme de Bernadette, encore un peu humide, plus agaçant que voluptueux.

Mais elle s'était raidie. Il fut paralysé par la netteté avec laquelle elle parla : elle avait échappé à son empire :

— Pierre, pas maintenant. Et pas ici.

— Tout de suite ! balbutia-t-il...

— Non...

Le téléphone crépita. Elle tendit le bras.

— Quand alors ?

— A Monte-Carlo.

— Vous partez avec moi cet après-midi ?

— Oui.

— Et on le fera à Monte-Carlo ?

— Oui. Laissez-moi répondre, je vous prie !

— C'est promis pour Monte-Carlo ? Dites ? Dites-le encore !

— Je vous le promets.

Il se redressa. Elle saisit l'appareil.

— Ah ! déjà ! s'exclama-t-elle... Je descends tout de suite... qu'elle veuille bien m'attendre cinq minutes dans le hall, merci.

Elle se jeta sur ses pieds.

— Oh ! là là ! Ma bonne femme qui est déjà là !

118

Fiévreuse elle rassembla ses vêtements.

— C'est moi qui vous habille. Je vous ai lavée, dit Nahon, je vous habille. Vous êtes ma fille.

Elle lui tournait le dos, en équilibre sur une jambe, enfilant un bas. Elle avait seulement incliné la tête vers lui et souriait. C'était un acquiescement.

— C'est nouveau, cette gaine, dit-il. Autrefois vous n'en portiez pas ?

— Kléber aime ça. Ça fait plus femme.

Il grogna :

— Et vous ne déjeunez même pas avec moi...

— A Monte-Carlo, nous déjeunerons.

— Qu'est-ce qu'on ne fera pas décidément à Monte-Carlo ! s'écria-t-il.

Elle rit aussi. En dépit de leur trouble, de leur réserve, de leurs calculs, ils furent, pendant un bref laps de temps, des jeunes gens qui sympathisaient avec élan.

Quelques minutes plus tard, Bernadette, en tailleur noir, débouchait dans le hall.

Ce fut le menton du concierge qui lui désigna une femme vêtue de fauve, très brune, assise sur un canapé de cuir à côté d'une fillette plutôt blonde aux longues tresses enrubannées.

***

La jeune femme se leva sans hâte et tendit la main à Bernadette. La fillette se leva avec un temps de retard après avoir refermé le livre de classe qu'elle lisait. Elle fit une révérence, une révérence restreinte, brusque, hostile.

— C'est Anne-Marie, ma fille, dit Marie-Jeanne Béverier. Mais n'ayez pas peur nous allons la déposer à sa pension avant d'aller déjeuner. Est-ce que vous connaissez l'Epuisette ? Non ? Vous verrez... Vous aimez le poisson au moins ? Je vous appelle Bernadette, n'est-ce pas ? Mon mari m'a tellement parlé de vous...

Elles sortirent. Aussitôt Marie-Jeanne désigna sa voiture, une 403 :

— Elle est là.

— La mienne est là, dit Bernadette.

— Je vous en prie, décréta Marie-Jeanne.

Anne-Marie portait, dépassant d'un manteau à boutons dorés, une jupe écossaise très sombre, très longue, plus longue que celle de sa mère. A l'assaut de ses mollets nus, plutôt maigres, montaient de hautes socquettes blanches. Dans la voiture, elle se blottit entre Bernadette et sa mère et croisa ses mains sur ses genoux.

— Elle a été malade, expliqua Marie-Jeanne. Elle rentre au cours aujourd'hui. N'est-ce pas qu'elle ressemble à son père ?

— Oui. A vous aussi.

— C'est là, ton cours ? La première à gauche ?

— Oui maman. Je peux descendre ici, si vous voulez. Mais vous ne m'avez pas donné mon mot d'excuse.

— Prends-le dans le coffre à gants. Et essaie de travailler ! A dimanche. Non, non, je vous en prie, ne descendez pas, elle va se faufiler.

Pour parvenir à la portière ouverte, Anne-Marie dut enjamber les genoux de Bernadette. Elle y mit de l'élan. Les deux femmes surprirent ensemble le regard d'un gosse de treize ans auquel n'avait pas échappé le tournoiement de la jupe d'Anne-Marie autour d'un petit dessous blanc ; elles rirent ensemble.

— C'est moi qui vous fais rire ? demanda la fillette plantée sur le trottoir.

— Non, non, va.

Une seconde Anne-Marie braqua encore sur sa mère son petit visage blême, d'une finesse transparente que déparait un nez osseux. Puis elle vira et se mit à courir, ses deux nattes se balançant sur son dos.

Le garçon, troublé par l'attention des deux femmes, s'était accroupi pour rattacher son lacet.

— Entre Alain et moi ça a commencé comme ça. Nous nous regardions à la sortie du cours.

— Si je comprends bien c'est d'Alain que nous allons parler ?

— Bien entendu. Ça ne vous ennuie pas ?

La mer s'étala, blanche sous le soleil. La voiture, lancée sur la corniche, doubla en troisième position puis Marie-Jeanne la lança dans une rue transversale, vira pour foncer vers une crique bondée de barques de pêche multicolores, enfila ensuite une ruelle aux façades blanches, roses, percées

120

d'impasses où de grands filets séchaient entre chats et cactus. Marchant la première, Marie-Jeanne entraîna Bernadette dans le restaurant.

Le maître d'hôtel les poussa sur « les grands hors-d'œuvre », et la langouste flambée. Elles acceptèrent les premiers, déclinèrent la langouste, s'accordèrent sur un loup au fenouil.

— Je sais qu'Alain vous fait la cour depuis votre rencontre dans ce bled en Algérie, dont le nom m'échappe...

— Sidi-Omar.

— Oui. Il a peut-être l'air de m'ignorer mais il m'écrit six fois par mois et m'aime comme un enfant. Je sais qu'il n'a rien obtenu. Cette nuit, si nous nous sommes déchirés, c'est que vous l'aviez envoyé sur les roses. N'est-ce pas ? Ce cher petit coco me rend responsable de ses échecs féminins. En outre il était ivre. Je crois qu'il a honte d'être marié, que ça le diminue à ses yeux. Bref ne me prenez pas pour une ennemie... Allez, ne soyons pas sottes, vous m'avez bien comprise ?

Elles grapillaient dans les assiettes de hors-d'œuvre, un escargot ici, un chipiron là, trois crevettes, une langoustine, un artichaut nain...

— Si j'ai compris que, pour vous plaire, je dois devenir sans délai la maîtresse d'Alain, me suis-je trompée ? demanda Bernadette entre deux bouchées.

— En gros, oui... quelque chose comme ça...

— Ça veut dire quoi : quelque chose comme ça ! s'exclama Bernadette, joyeuse, la bouche pleine.

Elles rirent ensemble.

— Pardon madame, demanda le maître d'hôtel, mais je ne retire pas ce couvert, vous attendez bien M. Boubaldacchi ?

— Pas d'hommes ! Nous déjeunons en filles, prononça Marie-Jeanne avec un lent sourire qui s'adressait autant à Bernadette qu'au maître d'hôtel.

Mais celle-ci fonça :

— C'est à cause de M. Boubaldacchi que vous souhaitez m'offrir à Alain ? Pour l'équilibre ?

— A peu près ça.

Le restaurant dominait la crique dont l'eau était bleue ; sous le soleil qui avait plus d'éclat qu'un soleil d'été et presque autant de chaleur, des barques de pêcheurs prenaient le départ, chacune avec une même cadence du moteur, un même souffle bref, enroué, régulièrement répété comme le pas d'un automate. La vitre contre laquelle les deux jeunes femmes étaient assises entrait par instants en résonance, puis se taisait.

— Qu'est-ce que nous fabriquons toutes les deux ? Nous nous disons la vérité ou nous nous bourrons le crâne ? demanda Bernadette tout en consultant le menu.

— Nous ne nous disons pas la vérité ?

— Ben...

— Parce que nous sommes des femmes, vous croyez ?

— Non ! Parce que... j'ai du mal à m'expliquer... mais de même qu'il y a des situations sans remède... il y a des situations sans vérité. Dites donc, à nous deux, nous avons tordu le cou à une bouteille !

— Maître d'hôtel, héla Marie-Jeanne, une demi... et deux fromages... Qu'est-ce que vous appelez une situation sans vérité ?

— Le problème algérien aussi est une situation sans vérité... vous voyez ce que je veux dire ?

— Celui-là, qu'est-ce que c'est ? demanda Marie-Jeanne.

— Du Picodon de Dieulefit. Je le recommande... Si vous aimez la chèvre c'est un régal, affirmait le maître d'hôtel, solennel, appuyant contre son abdomen la vaste pièce de liège dont il soutenait les bords avec des mains tendues à l'extrême, comme s'il tenait les rênes d'un char.

— Vous lui tenez la dragée haute, si je comprends bien, attaqua Marie-Jeanne dès qu'elles se furent servies.

— C'est la première fois que je dois me justifier auprès d'une femme d'avoir refusé de céder à son mari.

Bernadette riait pour entraîner Marie-Jeanne dans le rire, mais celle-ci demeura imperturbable.

— Il ne vous plaît pas ?

— Il me plaît beaucoup. Il m'intéresse beaucoup.

Marie-Jeanne ne lui accorda que l'amorce d'un sourire incisif, et enchaîna sérieusement :

— En général on se trompe sur les hommes, professa-t-elle. Les plus mâles n'en ont pas l'air. Alain a un côté sérieux, un peu terne, mais...

— Dieu me pardonne, vous me faites l'article !

Alors, légèrement, Marie-Jeanne consentit à rire. Ce fut le moment que Bernadette choisit pour articuler :

— J'ai décidé de ne pas tromper mon mari.

— Il vous fait bien l'amour ? demanda Marie-Jeanne après un instant de réflexion.

— Ecoutez, j'en ai connu de plus ingénieux, de plus inspirés... mais j'ai grand plaisir à celui qu'il prend sur moi... et à sacrifier un peu le mien... Si vous voulez, c'est dans la vie quotidienne que nos relations sont le plus sensuelles. Pas un instant où il ne soit un homme et moi une femme. Il est plein d'égards, il m'écoute, mais il décide. Je suis sous ses ordres. Au début je n'étais pas habituée. Un jour à table il m'a interdit un projet qui me plaisait. Je lui ai répondu qu'avec ou sans son autorisation, je ferais ce qui me chanterait ; il s'est levé, m'a menée dans ma chambre. J'ai reçu une bonne volée, pas méchante, mais énergique. Il m'avait traitée en enfant, exactement. Je ne m'en étais jamais doutée : c'était ça que j'attendais depuis toujours. J'ai tout de la squaw ?

— Mais non, bougonna Marie-Jeanne, je pige. Ça doit être agréable. D'autant que vous jouez la squaw mais qu'en douce vous régentez tout, je présume ?

— Eh... mais c'est vrai ! Je n'y avais pas pensé.

— On prend un alcool ?... Vraiment non ? Allez, Bernadette, vous avez besoin d'être menée. Garçon !... deux cognac... ça vous va le cognac ?...

La lumière s'atténuait. L'eau avait pris dans la crique une couleur d'un mauve glacé.

— Moi, dit Marie-Jeanne, Alain n'a pas voulu me dominer, il a voulu m'épater. Depuis le premier jour. M'épater ou m'émerveiller, comme vous voudrez.

— Tiens, j'aurais cru le contraire ? Il m'a raconté que vous dessiniez des croix de Lorraine sous le nez des soldats allemands. Ce n'était pas pour l'éblouir ?

— Je n'aimais pas les Fritz. D'abord je suis fille d'officier. Et puis j'avais seize ans, envie de vivre. Ces verts-de-gris m'en empêchaient. Si j'avais pu danser ou faire du ski je n'aurais sans doute pas déconné sur les murs. Et puis ça me plaisait de faire peur à Alain. Il avait salement peur.

— Pour vous ?

— Oui... Et un petit peu pour lui aussi, ajouta-t-elle avec

un rire silencieux. Alors, à la Libération il s'est engagé, espérant me dépasser dans la course aux folies et faire naître dans mon regard une lueur d'admiration.

— Il voulait vous mériter d'abord sur les champs de bataille, dit Bernadette, c'est gentil, ça. Et vous qui êtes fille d'officier...

— Justement. Ça ne me plaît plus d'être la femme d'un flic déguisé en officier qui rafle des bicots... Non, ça ne me plaît pas. L'Indochine non plus ne m'avait pas plu. Je lui ai demandé de démissionner. J'aurais dû être plus violente, peut-être... mais l'Indochine rapportait. La haute paye, le jeu des piastres : j'ai eu une voiture, une maison, des carpettes, des machines à tout faire... L'imbécile était ravi d'être un héros qui rapportait. Et puis un jour il est venu en permission et...

Elle rejeta la tête en arrière pour tirer sur sa cigarette dont l'extrémité rougeoya dans la pénombre bleutée qui avait envahi le restaurant, et qui tranchait sur l'éclat, ardent encore que mourant, de la mer.

— Le plus beau, poursuivit-elle, c'est que j'aurais pu nier. Je n'y ai même pas pensé !

Bernadette, qui contemplait la mer devenue tout à coup grise, se retourna vers Marie-Jeanne et lui sourit.

— Ecoutez, il est tard, il faut que je sois ce soir à Monte-Carlo.

Elle se leva en continuant de lui sourire avec gentillesse.

*

A 19 h 45 le lieutenant Wasseau reconnut au bout du fil la voix haletante du para qu'il avait affecté à la surveillance d'Aïcha Drouich, infirmière à la clinique Garcia.

— Tu es sûr que le taxi attend la fille, qu'il a gardé son drapeau baissé ? Ça m'étonnerait que tu trouves un autre taxi à temps... Comment les as-tu suivis ?... M'étonne pas que tu sois essoufflé !... Négatif, mon vieux. Si je transmets le numéro du taxi il sera pris en chasse et le gars s'en apercevra... Ecoute, si la petite revient trop tôt, démerde-toi pour retarder le départ du taxi. Je prends mon V.L. et je suis là dans cinq minutes.

AGITÉS D'ALGER

La circulation à Alger bat son plein à six heures et demie. A cette heure, un car d'Air France met facilement sept minutes pour prendre le virage de la rue Michelet. La stagnation qui règne ne peut être comparée qu'à celle du boulevard Haussmann à la même heure, un vendredi. La décongestion se fait sentir vers dix-neuf heures. Vers dix-neuf heures trente, les voitures se sont raréfiées de moitié. Toutefois les taxis restent introuvables. Ils ne foisonneront qu'à vingt heures. Devenue très faible, la circulation cessera presque complètement à vingt et une heures. Elle ne reprendra qu'une vingtaine de minutes avant le couvre-feu par la course furieuse des derniers noctambules talonnés par l'heure.

Le lieutenant Wasseau, qui avait pris l'habitude de conduire à la manière algéroise, c'est-à-dire au milieu de la rue et à coup de queues de poisson, mit six minutes pour parvenir devant l'hôtel Aletti. D'un coup d'œil il reconnut Lebigot discutant furieusement avec le chauffeur d'un taxi à l'intérieur duquel était assise une jeune fille. Un des chasseurs de l'Aletti s'agitait pour arbitrer leur querelle. Wasseau, qui s'était arrêté en double file, vit Lebigot hausser les épaules et s'éloigner. Le chauffeur et le chasseur échangèrent encore quelques gestes signifiant visiblement qu'ils avaient eu affaire à un cinglé, puis le taxi démarra. A tout hasard Wasseau avait profité de ce laps de temps pour noter le numéro minéralogique au cas où Lebigot, bousculé par les événements, ne l'eût pas fait. Puis il effectua un demi-tour et accéléra pour se maintenir à portée du taxi, une Versailles, qui filait assez vite. Devant la Poste il crut que le véhicule allait s'arrêter, mais celui-ci reprit de la vitesse jusqu'à monter à cent à l'heure sur la route moutonnière. Derrière lui, dans son rétroviseur, Wasseau voyait Alger suspendue au-dessus de la mer briller de tous ses feux blancs.

Il avait allumé une cigarette et conduisait à l'aise, le dos mollement appuyé à son dossier, de sorte qu'il sentait contre sa fesse la compacité de son revolver. Il ne quittait pas du regard les deux feux rouges de la Versailles qui doublait un convoi de camions militaires, et semblait ne pas prendre la moindre précaution contre une filature.

Un peu avant Maison Carrée, la Versailles le surprit en

s'arrêtant dans un poste à essence pour se ravitailler. N'osant l'imiter, Wasseau continua de rouler mais à faible vitesse. Il espérait être bientôt rattrapé et doublé mais entra dans la petite ville sans qu'aucune Versailles n'apparût dans son rétroviseur. Il se rangea devant un immeuble en construction, attendit quatre ou cinq minutes avant de voir surgir à toute vitesse la Versailles, objet de ses vœux. Si vite qu'il démarrât, il la perdit de vue. Des voitures qui s'arrêtaient en double file devant un cinéma le retardèrent encore. En outre, pour passer en seconde, son changement de vitesse lui jouait des tours. Rouge de rage, Wasseau sacrait en patois lillois.

Il n'était pas loin de prendre le parti de rallier la route moutonnière avec une chance d'y retrouver la Versailles si elle revenait sur Alger avant le couvre-feu, ce qui était probable. Comme il tournait à un carrefour pour rebrousser chemin, il reconnut le taxi qui manœuvrait pour se ranger. Il freina, vit la jeune fille descendre, un paquet à la main. La rue était sombre, mais quand elle arriva à la hauteur d'une pharmacie très éclairée, brusquement enveloppée de lumière elle parut ravissante à Wasseau. Quant au paquet...

Après une seconde d'hésitation, Wasseau coupa le contact et se précipita vers la pharmacie où Aïcha venait d'entrer. Le chauffeur du taxi, certainement complice, devait le surveiller, mais il n'y avait rien d'anormal à ce qu'un homme sautât de voiture pour entrer précipitamment dans une pharmacie sur le point de fermer.

— Et trente qui font cent, récitait une fille blonde, en blouse blanche, en rendant sa monnaie à un agent de police musulman qui enfonça la petite boîte verte dans la poche de sa vareuse.

— Mais dites bien à votre femme, insista la jeune fille, de ne prendre que la dose indiquée sur l'ordonnance. Sur le prospectus ils indiquent deux à six comprimés par jour mais le médecin a recommandé trois. Ne la laissez pas en prendre plus.

Wasseau regardait le pied d'Aïcha tapoter le carrelage de la pharmacie. Elle portait de jolies petites chaussures plates et fines, genre chaussons de danse, dont Wasseau ne se rappelait plus le nom. Ses bas étaient noirs. Ses mollets bien

126

gonflés. Le corps était difficile à détailler à cause de l'ampleur du ciré jaune mais ce qui apparaissait du visage, enveloppé dans un foulard noué sous le menton, était très jeune, mignon, même émouvant quand la petite langue caressait brièvement des lèvres qui devaient être desséchées par l'angoisse.

— Et pour vous, Mademoiselle ?

— Pour moi, prononça Aïcha avec une lenteur tremblante, je vais vous expliquer, il s'agit de...

Wasseau comprit que si Aïcha ne s'inquiétait nullement de sa présence, elle attendait que l'agent de police fût sorti. Dès que la sonnerie de la porte eut tinté, elle termina rapidement sa phrase.

— Il s'agit d'une analyse. Ma mère vous a prévenue ce matin.

La petite blonde, dont il était difficile de savoir si elle était européenne ou musulmane, avait le même âge qu'Aïcha. N'eût été un nez pointu, elle eût été franchement jolie. Elle tendit les bras par-dessus la caisse :

— En effet, votre maman m'avait prévenue.

Quelques secondes, Wasseau ferma les yeux sur cette image : deux mignonnes qui se repassaient un paquet avec des soins touchants. Le paquet aurait pu être un bébé ou une brassée de fleurs. Et comme des petites filles qui jouent à la marchande, elles s'adressaient des phrases convenues d'un ton pénétré :

— Ce soir, demanda la pharmacienne, votre maman a pris sa température ?

— Oui, Mademoiselle. Température normale.

— 37 ?

— Oui, 37.

Il arrivait que Wasseau eût envie de tout laisser tomber. Qu'on le renvoie une bonne fois à Pau pour faire sauter les bleus du haut de la tour de contrôle ! Il éprouva l'impression que si, malgré la répression, éternellement de jolies petites filles gentilles comme celles-ci réapparaissaient les bras chargés de mitraillettes ou de bombes, il était lassant et inepte de poursuivre la partie. Il poussa un soupir que la pharmacienne prit pour de l'impatience.

— Je suis à vous tout de suite, Monsieur !

Le pas sec d'Aïcha sur le carrelage. La sonnerie de la

porte. Aïcha a disparu quand la petite pharmacienne revient les bras vides.

— J'ai mal aux dents, déclare Wasseau. Je voudrais de l'aspirine.

— Si vous avez très mal, expose la jeune fille avec compétence, et notamment si votre douleur est post-opératoire nous avons des anti-algiques plus violents, la Nerdrave, par exemple, en suppositoires.

Wasseau eut envie de lui demander si la Nerdrave apaisait également les souffrances dues à une balle mal placée de pistolet mitrailleur. Il saisit le tube d'aspirine, le régla, sortit, faillit se faire écraser par un camion de soldats lancé à toute volée, puis s'installa dans sa voiture. Le taxi avait disparu. Doucement, Wasseau démarra et reprit la route d'Alger à petite vitesse. Au bout de quelques minutes le scintillement de la ville s'allongea devant lui. Sur la mer, un paquebot répétait de petits appels de sirène.

En entrant dans Alger, Wasseau s'apprêtait à filer vers le ravin de la Pointe Sauvage quand, changeant d'idée, ce qui lui valut d'être insulté par le conducteur d'un side-car, il piqua vers le centre de la ville et s'arrêta devant un immeuble de la rue de Charas.

Ayant vérifié l'adresse sur un carnet qu'il sortit de sa veste de tweed il s'approcha d'une porte, examina les noms surmontés de boutons de sonnettes qui s'alignaient sur un clavier, trouva celui de Brahim Benboulaïf et appuya. Au bout d'un instant la porte s'entrouvrit. Le lieutenant fit quelques pas dans les ténèbres du hall, puis la lumière envahit la cage de l'escalier. A peine fut-il dans l'ascenseur que, ne trouvant pas la pièce de cinq francs nécessaire pour le mettre en marche, il renonça et prit l'escalier qu'il grimpa quatre à quatre. Un tirailleur musulman, en bras de chemise, lui ouvrit mais demeura dans l'entrebâillement de la porte comme pour l'empêcher d'entrer. C'était un beau garçon aux yeux marrons, dont la prunelle était coupée par de lourdes paupières foncées. Derrière lui, apparut Benboulaïf revêtu, en guise de robe de chambre, d'une vieille djellaba militaire. L'ordonnance s'effaça mais Benboulaïf, à la vue de Wasseau, avait changé de visage. Lui aussi parut prêt à faire un pas en avant pour défendre l'entrée de son appartement.

— Qu'y a-t-il ?

Wasseau s'aperçut dans un miroir orné d'un feuillage de verre multicolore, tel qu'on voit l'art vénitien copié dans les bazars et comprit qu'il pût être un objet d'inquiétude. L'effort qu'il avait fourni pour escalader l'escalier en quelques secondes avait enflammé son visage ; sur son front et ses joues rougis la sueur jaillissait en sources miroitantes ; les sourcils rapprochés, la mâchoire mauvaise ajoutaient une sombre colère à ce masque exténué.

Il essaya de sourire.

— Il paraît que ces performances ne sont plus de mon âge.

Le bout des doigts de Benboulaïf tremblait légèrement. Il mit ses mains derrière son dos et demanda d'une voix trop calme :

— Quelles performances ?

Puis, épouvanté d'avoir manqué à ses devoirs de maître de maison, il tendit la main à son hôte et s'effaça pour le laisser entrer dans un petit salon foisonnant de tapis jetés à terre ou suspendus aux murs.

— Je n'avais pas la moindre thune sur moi, expliqua Wasseau à qui la fatigue avait rendu tout son accent lillois. Je suis monté d'un trait. Je crois que j'ai fait peur à votre ordonnance à cause de ma sueur et à cause de ma gueule. Il y a deux ans, mon cher, j'aurais pu le monter vingt fois à cette vitesse-là, votre escalier. Qu'est-ce que ça donnerait, maintenant, si on m'envoyait crapahuter dans le bled, je me le demande ! Ça me fout le cafard.

— Il faudrait être colonel plein à quarante ans, répondit Benboulaïf, rasséréné.

— Quel rapport ?

Benboulaïf manœuvra un kiosque à musique dont les portillons s'entrouvrirent, découvrant des bouteilles d'alcool, cependant que s'élevait la lente et tremblante cadence d'un menuet.

— Le rapport, expliquait-il, c'est qu'un colonel plein a des moyens de locomotion, tandis qu'un capitaine, même en trichant un peu, est obligé de se taper des heures de marche et que, serait-il entraîné, il ne vaut pas un gars de vingt-cinq ans, n'importe lequel. Du cognac ? De la Bénédictine ?

— Merci, non, dit Wasseau. Si j'ai perdu mon souffle,

c'est que je suis ici depuis deux ans à grenouiller entre El Biar et la Casbah en biberonnant des anisettes. Tout ça pour faire un métier qui n'est pas le mien, servir de cible à la presse de Paris, risquer de me faire impliquer de séquestration et de voies de faits. J'en ai marre ! De jolies petites pépées, s'occuper comme je les ai vues s'occuper aujourd'hui ! On se dit, à quoi bon !

— Je veux me faire craindre et ne fais qu'irriter. Alger a pour ma ruine une hydre trop fertile. Une tête coupée en fait renaître mille, et le sang répandu de mille conjurés rend mes jours plus maudits et non plus assurés. Meurs, tu ferais pour vivre un lâche et vain effort, si tant de gens de cœur font des vœux pour ta mort, et si tout ce qu'Alger a d'illustre jeunesse, pour te faire périr tour à tour s'intéresse.

— Qu'est-ce que vous me racontez là ? s'enquit Wasseau, le regard aiguisé comme s'il épiait un secret capital.

— Du Corneille. C'est le monologue d'Auguste, dans **Cinna**. J'ai remplacé Rome par Alger simplement. Remarquez, à la fin, Auguste se ressaisit. Et si Alger nous hait, triomphons de sa haine !

— Allez, donnez-moi quand même un cognac.

— Ou de la Marie Brizard ?

— Non, un cognac. Vous avez de l'instruction, vous.

— Comme les Orientaux, répondit Benboulaïf avec une ironie imperceptible, je sais des centaines de vers par cœur.

— Moi, mon père est mort de la première guerre. Il était gazé. On m'a mis aux enfants de troupe. Je n'aimais pas étudier. D'ailleurs, la guerre est arrivée tout de suite. Ça se termine comment cette histoire de Cinna ?

— « Happy end ». Auguste pardonne à Cinna. Mais ce n'est pas seulement politique, il y a une histoire d'amour.

— Ah ! grogna Wasseau déçu, il y a de l'amour.

— Dans la guerre d'Algérie aussi, remarquez.

Wasseau trempait ses lèvres dans le cognac. Il était fâché de s'être mis en infériorité devant un homme qu'il venait interroger. Pour se réconforter il se persuada que son essoufflement, son désarroi, la naïveté de ses questions à propos de Corneille, eussent pu être des habiletés destinées à engourdir la vigilance de son interlocuteur.

— Avec tout ça, dit-il, je ne me suis même pas excusé : je vous ai dérangé ?

130

— Du tout.

— Je passais dans le coin. J'ai voulu monter pour vous demander si vous aviez du nouveau dans l'histoire de votre jeune infirmière ?

— Je n'en ai pas, mais il y en a sûrement. Je n'en ai pas parce que j'ai été envoyé à Cherchell pendant quarante-huit heures. Je suis revenu ce soir, à huit heures. De l'endroit où elle travaille, cette jeune fille m'a appelé plusieurs fois hier et aujourd'hui. Quand je l'ai appelée à mon tour, elle était partie. Voilà pourquoi je pense qu'il y a du nouveau.

Son verre à la main, Wasseau fit quelques pas au hasard à travers le salon. La réponse de Benboulaïf était vraie ou habile, ou peut-être les deux. Il feignit de s'intéresser à la diversité des tapis, aux musettes des Aurès, aux bassours pansus, aux enjoliveurs de chameaux qui ornaient la pièce.

— Moi, d'Indo, j'avais ramené deux cantines pleines de trucs intéressants, mais elles sont tombées de la canonnière.

Il les imagina ensevelies dans la vase bleue, puis observa :

— C'est drôle, vous qui êtes d'ici, vous avez ramené des souvenirs de vos cantonnements comme j'aurais pu le faire.

— Vous savez, rétorqua doucement Benboulaïf, qu'on ait été élevé au lycée d'Alger ou au lycée de Marseille, on est aussi étonné quand on arrive dans le Hoggar.

— Je vais jouer franc jeu avec vous, prononça Wasseau qui, sans avoir écouté la réponse, s'était rassis. Vous êtes venu me parler de la petite parce que vous aviez peur pour elle. Vous la connaissiez peu, mais elle vous avait fait confiance. Vous avez essayé honnêtement de la sortir de là.

Le visage de Benboulaïf trahit l'émotion que la soudaineté de l'attaque lui avait causée. Il s'assit à son tour en observant :

— C'est à peu près ça, oui.

— Vous savez où elle habite ?

— Non.

Il ajouta :

— J'aurais pu le savoir, je ne l'ai pas cherché. Je trouve que je commence à savoir trop de choses.

— Est-ce que je peux me servir de votre téléphone ?

Bientôt sa voix s'éleva, plus sèche :

— Est-ce que Lebigot est là... eh bien, cours dans l'escalier, et rattrape-le !

Il demeura immobile, le dos tourné à Benboulaïf pour éviter toute question. Puis :

— Lebigot ? Oui, oui, ça a très bien marché. Je t'appelais pour savoir où perche ta petite cliente... Tu n'as qu'à m'expliquer, je me rappellerai... d'accord... oui... positif... Okay, d'accord, merci, bonsoir... Quoi ?... oui, passe-le-moi... Salut... un chauffeur de taxi ?... Vingt dieux ! vous ne l'avez pas boxé, au moins... bon... Pour le moment, foutez-lui la paix, je le prends sur moi... je le prends sur moi. J'en rendrai compte directement au capitaine Marin ou au colonel Godard... Oui, je passerai tout à l'heure, bonne nuit.

Il pivota et marcha vers Benboulaïf avec un grand sourire.

— Vous ne savez pas ce que nous allons faire, mon capitaine ? Nous allons de ce pas, si rien ne vous empêche de perdre une heure avec moi, rendre visite à votre petite protégée.

— Je croyais vous avoir déjà assuré que j'ignorais son adresse.

— Mais moi, je ne l'ignore pas. Cette jouvencelle s'appelle Aïcha Drouich. Elle est infirmière à la clinique Garcia. Elle habite aux confins de la rue de l'Isly et de la Casbah, une petite chambre où je me ferai un plaisir de vous mener. Et vous m'y accompagnerez, mon capitaine, dans son intérêt à elle. Savez-vous ce qu'elle a fait, ce soir, en quittant la clinique ? Elle s'est rendue à Maison-Carrée pour remettre à une complice une arme, vraisemblablement un pistolet mitrailleur, soigneusement empaqueté.

— Un P. M. ? souffla Benboulaïf.

— J'ai assisté à la livraison. J'aurais pu emballer les deux mignonnes et leur engin. Je ne l'ai pas fait... Je ne l'ai pas fait à cause de vous.

— Eh ! non... pas à cause de moi.

— Pas à cause de vous ?

— Wasseau, vous essayez de me couillonner. Je pourrais vous rendre la pareille et faire semblant de vous croire. Mais franchement, comment espériez-vous me faire avaler que, connaissant le métier comme vous le connaissez, vous auriez fait la sottise d'arrêter Aïcha, n'eût été le plaisir de m'être agréable ? Elle est le début d'une filière. Vous avez besoin d'elle pour connaître les autres...

Le corps épais de Benboulaïf s'alanguit dans le fauteuil de cuir. D'une voix grave, un peu tremblante, il poursuivit :

— J'ai eu confiance en vous comme Aïcha a eu confiance en moi. Aïcha a eu tort de placer ainsi sa confiance puisque j'ai si mal placé la mienne.

— Comme vous voudrez, dit Wasseau en se levant.

Il traversa la pièce, ouvrit la porte qui donnait sur l'entrée, coupa à travers le hall où son pas résonna. Benboulaïf, stupéfait, resta d'abord vautré sur son siège, puis se souleva et courut du pas glissant que lui donnaient ses babouches. Comme il rattrapait Wasseau, l'ordonnance apparut, inquiet, volant au secours du capitaine. Celui-ci le congédia d'un geste et se retourna vers le lieutenant qui, calme, détendu, sourit d'un air moqueur. Il s'attendait visiblement à des prières ou à des imprécations. Il perdit contenance en entendant :

— Vous perdez le sens, lieutenant, de me quitter sans prendre congé.

Le corps de Wasseau se raidit. S'il avait été en uniforme, il aurait salué.

— Et vous oubliez un détail, poursuivit Benboulaïf à voix basse. Je peux vous descendre ou vous faire descendre, si l'envie m'en prend. Je n'aurai, pour prendre ensuite le maquis, que le mal de faire trente kilomètres en voiture et une heure de marche.

Rêveur, Wasseau fit un pas en avant, Benboulaïf s'écarta et tous deux rentrèrent dans le salon.

— Essayons d'y voir clair, déclara Wasseau en se rasseyant. Ce que vous n'admettez pas, c'est qu'il arrive malheur à Aïcha.

— J'admettrais encore moins que ce malheur arrivât par ma faute. Or, tout ce que vous connaissez, vous le connaissez par moi. C'est évidemment en me filant l'autre matin que vous avez abouti à Aïcha. A moins que ce ne soit en faisant surveiller les hôpitaux et les cliniques ?

— En vous suivant, mon capitaine.

— De sorte que cette fille, je vous l'ai livrée.

— C'est exact.

— Alors, entendons-nous bien, si vous allez jusqu'au bout de votre entreprise...

133

— Inutile de répéter vos menaces, elles me touchent peu. Ce qui me touche, c'est qu'un homme comme vous, qui servez la même armée que moi, demandiez à sauver quelqu'un. Ça, je l'admets. Et je dis, examinons ensemble comment nous pouvons sauver Aïcha. Aïcha seule. Les autres, il me les faut.

Benboulaïf, à l'autre extrémité du salon, tapotait un tapis saharien. Sans se retourner il précisa :

— Il ne suffit pas qu'Aïcha soit sauvée de vous. Je crains plus encore les autres. Si le réseau tombe, et qu'ils la considèrent comme une dénonciatrice, ils la tueront.

— Très possible. Nous devons donc chercher la solution en fonction de ces deux menaces. Nous la trouverons si nous la cherchons amicalement.

— Proposez-moi quelque chose, dit doucement Benboulaïf.

— Je vous ai proposé d'aller la voir, et sans que vous lui cachiez qui je suis. Voilà qui est contraire aux méthodes habituelles. Je prends le risque de casser ma filière.

— Donnez-moi cinq minutes pour m'habiller.

Un quart d'heure plus tard, tous deux remontaient, dans la voiture de Wasseau, la rue de l'Isly presque déserte quand le lieutenant observa :

— Et vous êtes en train de vous reprocher de m'avoir mis sur ce coup !

— Je ne me le reproche pas tout à fait, je me demande comment ça va tourner.

— Ecoutez-moi : je viens de réaliser que de toute façon, sans votre intervention, nous aurions connu les activités d'Aïcha d'ici quarante-huit heures. Si ça peut apaiser votre conscience...

— Vous les auriez connues comment ? interrogea Benboulaïf avec suspicion.

— Quand j'ai appelé mon bureau, de chez vous, un type qui n'était au courant de rien m'a appris qu'un chauffeur de taxi avait bavardé, une heure plus tôt, dans un café de la place du Gouvernement. Il se vantait d'avoir effectué une mission à Maison-Carrée avec sa voiture. J'ai donné des ordres pour qu'on ne l'arrête pas et qu'on ne le file pas de trop près. Mais vous voyez, par lui, je serais facilement remonté à Aïcha. Peut-être aurais-je été sans pitié pour elle.

Grâce à vous, tout ce qui sera faisable en faveur de cette fille sera fait, je vous le jure.

Wasseau fut étonné d'avoir prononcé cette phrase. Du même coup, il découvrit que jusque-là, en dépit de ses multiples promesses à Benboulaïf, il ne s'était pas senti engagé. Ayant donné un coup de volant pour éviter une jeep il ralentit, laissant le temps de traverser à trois U.T. qui, la mitraillette sous le bras, à la queue leu leu, se dirigeaient vers le commissariat de police voisin. Wasseau souriait. Il savait pourquoi il était de bonne humeur, pourquoi il venait de faire une promesse sincère à Benboulaïf. Et son allégresse, il n'en cacha pas la cause à son compagnon :

— Je vous dis que nous avons gagné la partie à Alger. Tout à l'heure, j'ai eu un moment d'abattement, vous savez, quand vous m'avez récité du Corneille. Maintenant, j'ai trouvé mon angle pour considérer cette affaire. Elle me plaît, cette affaire. Vous savez ce qu'elle prouve ? Qu'à peine un réseau terroriste veut-il se reconstituer, l'autorité en est informée par deux sources : par vous, il y a trois jours ; par ceux qui ont entendu bavarder le chauffeur de taxi, ce soir. Je suis persuadé que, dans les quarante-huit heures qui viennent, sans me donner la moindre peine, je recevrai une troisième indication. Au début de la bataille d'Alger, une bombe pouvait exploser devant la cathédrale, personne ne l'avait entendue, pas même l'évêque. Le renseignement arrive parce que nous avons cassé le terrorisme à Alger, mais aussi parce que la population a été heureuse, soulagée par notre victoire. Je suis vachement content ! Votre fille, on va tout faire pour qu'elle n'ait pas le plus petit ennui.

Benboulaïf s'était tassé sur le siège de la voiture, ses fortes mains un peu grasses jointes sur le ventre. Il était habillé d'un complet de drap bleu-vert à infimes rayures qui lui donnait l'aspect d'un commerçant opulent. Les yeux baissés, il observa :

— Pourquoi tenez-vous à ma présence ?

— Parce que si je débouche tout seul, je vais flanquer une trouille épouvantable à votre protégée. Ce n'est pas l'objectif. Aïcha vous a prévenu, c'est donc qu'elle a peur de travailler pour le F.L.N. Si elle me voit en votre compagnie, elle me considérera comme une planche de salut.

— Et elle aura raison ?

Wasseau, oubliant totalement qu'il n'était réellement décidé à sauver Aïcha que depuis quelques minutes, ressentit assez d'indignation pour ne pas répondre. Il rangea la voiture derrière un camion ; tous deux descendirent.

Les explications de Lebigot avaient été si précises que le lieutenant trouva immédiatement la ruelle et l'escalier. Du regard, il examinait les alentours quand Benboulaïf observa :

— Si le F.L.N. la surveille, notre visite peut être catastrophique pour elle.

— Il y a une centaine de familles dans cet immeuble. On s'y livre à beaucoup de trafics, y compris celui du kif. Dans un bordel pareil, on passe inaperçu.

Et il s'engagea dans l'escalier obscur. Les hurlements d'un enfant que sa mère essayait d'endormir couvraient les autres bruits de l'immeuble. Sur le palier, Wasseau tâta les portes successives avec la main, s'arrêta devant la quatrième. D'une pression sur le bras de Benboulaïf, il l'invita au silence. Ce fut seulement au bout de deux ou trois minutes que Wasseau, persuadé que la jeune fille était seule, se décida à toquer du bout du doigt. N'obtenant pas de réponse, il frappa plus fort.

— Peut-être qu'elle dort, chuchota Benboulaïf.

D'un signe, Wasseau lui indiqua la trace de lumière filtrant sous la porte.

— Elle nous entend. Elle a peur, souffla-t-il, si sûr de son instinct qu'il lui semblait écouter le battement éperdu du cœur d'Aïcha remplissant tout l'immeuble, dominant les hurlements entêtés de l'enfant et les exclamations des joueurs de cartes dans la chambre voisine de celle de la jeune fille.

— Annoncez-vous !

Benboulaïf hésita, puis :

— Aïcha ! murmura-t-il... Ouvrez, je suis Brahim Benboulaïf.

Le cliquetis d'une targette, le grincement d'une serrure, et la porte s'ouvrit. A cette précipitation, Wasseau pu reconstituer la terreur d'Aïcha qui, blottie derrière la porte dans la crainte d'une certaine visite, avait dû bondir de bonheur en entendant le nom du capitaine.

Elle se tenait sur le seuil, pieds nus, vêtue d'une chemise de nuit bleue. Wasseau confronta avec l'image d'Aïcha remettant le paquet redoutable à la pharmacienne de Maison-Carrée l'image angélique qu'elle offrait maintenant, tremblante sous ses petits volants de nylon, et d'étroites lunettes sur le nez. S'étant avancé dans la pièce il vit, abandonné sur le lit ouvert, un manuel de médecine que la jeune fille devait être en train de lire au moment où les terribles petits coups avaient commencé derrière la porte.

— Ne prenez pas froid, dit-il en repoussant le battant. Recouchez-vous. Je suis un ami du capitaine Benboulaïf.

Celui-ci intervint :

— Cette visite chez une jeune fille, à cette heure-ci, est déjà indécente, grogna-t-il avec humeur. Au moins pourrions-nous sortir sur le palier pour lui donner le temps de s'habiller.

— M'habiller ? Vous voulez m'emmener ?

Elle avait peur de Wasseau et regardait Benboulaïf avec angoisse.

— Recouchez-vous, chuchota le lieutenant. Dans cinq minutes nous nous en irons. Je suis venu vous aider, à la demande du capitaine.

— Monsieur, annonça précipitamment Benboulaïf, est un des officiers chargés de la sécurité d'Alger-Sahel.

Wasseau lui jeta un mauvais regard. Il n'avait pas l'intention de cacher son identité à Aïcha mais n'aimait pas qu'on prévînt ses décisions. La jeune fille s'étant coulée dans ses draps, il s'assit à l'extrémité du lit mais continua de faire peser son regard sur Benboulaïf.

— Comme vous étiez inquiète, poursuivait celui-ci, je me suis confié à lui. Il s'est engagé à ce qu'il ne vous arrive d'ennuis ni de son côté ni du côté des autres.

— Parlez bas, conseilla Wasseau. Si nous entendons ces joueurs de cartes, à côté, ils doivent nous entendre aussi. Et asseyez-vous.

Benboulaïf qui s'était dirigé vers une chaise se ravisa et rougit à la vue des dessous d'Aïcha suspendus au dossier. La jeune fille se troubla à son tour.

— Il y a une autre chaise ! gronda Wasseau. Et vous, Mademoiselle, retirez vos lunettes. Vous n'allez plus lire, nous avons à parler.

Elle se troubla davantage. Accoudée sur son traversin,

ses lunettes à la main, elle considérait les deux hommes d'un regard vide.

— Il y a quelques jours, reprit Wasseau, vous avez été contactée par un jeune musulman qui vous a priée de travailler pour le F.L.N. Que s'est-il passé ensuite ?

A la grande surprise de Wasseau, Aïcha ne demandait qu'à parler. A la place des réticences qu'il attendait, il eut affaire à une volubilité qui le prit de court. Malgré Benboulaïf dont la physionomie signifiait : « Faites attention ! », elle raconta avec véhémence comment le garçon lui avait donné un rendez-vous auquel elle n'était pas allée ; comment, le lendemain, il était venu la battre à coups de ceinture ; comment, aujourd'hui même, un taxi l'attendait devant la porte de la clinique.

— Depuis deux jours je téléphonais chez le capitaine Benboulaïf, il était en voyage... J'ai essayé de me défiler, mais le chauffeur de taxi doit avoir mon signalement. Il a ouvert la portière et m'a poussée dans la voiture. Puis il m'a demandé où il devait me mener. Alors, qu'est-ce que vous vouliez que je fasse ? j'ai exécuté les ordres. Je lui ai dit de m'arrêter devant l'Aletti. Je suis montée jusqu'à la première épicerie verte. J'ai dit que je venais de la part de ma mère. J'ai regagné mon taxi. Si j'ai bien compris, il ne savait pas où j'étais allée chercher le paquet, mais savait où je devais le porter. Il a roulé jusqu'à Maison-Carrée sans me parler. Là-bas il m'a demandé de regarder sur le paquet l'adresse. C'était celle d'une pharmacie. J'y suis entrée me demandant ce que je ferais s'il y avait plusieurs vendeurs. Auquel remettre le paquet ? Il n'y avait qu'une jeune fille à laquelle j'ai dit que je venais de la part de ma mère, comme prévu. Je suppose qu'un code devait exister dont je n'étais pas prévenue car elle m'a demandé comment se portait ma mère, quelle fièvre elle avait. J'ai pensé que c'était une manière de savoir si tout s'était passé normalement. J'ai répondu que ma mère n'avait que 37, j'ai repris le taxi, il m'a déposée devant la grande poste. J'ai téléphoné et vous n'étiez toujours pas rentré, capitaine...

— En effet, dit Benboulaïf à Wasseau, quand vous êtes arrivé, je n'étais ici que depuis dix minutes. Je me déshabillais.

Aïcha se souleva et fixa Wasseau avec énergie :

— J'en suis malade ! Arrêtez-les tous, je vous en supplie !

— Ne vous excitez pas, coupa Benboulaïf, réfléchissez bien.

— C'est tout réfléchi ! Je ne demandais rien à personne. Je finissais mes études d'infirmière. J'ai encore un examen à passer. Et ces brutes qui me tombent dessus ! Je vous assure que celui qui m'a battue...

Le souvenir de cette scène la révolta si fort qu'elle demeura un instant le souffle coupé. Puis :

— Celui qui m'a battue est capable de me tuer !

Elle enfonça son visage dans le traversin et commença à sangloter. Les deux hommes, dépassés, se taisaient. Au bout d'un moment, elle jeta quelques phrases à travers ses sanglots d'où Wasseau tira que la mère d'Aïcha avait été tuée dans un tramway par l'éclatement d'une grenade. S'il avait été seul, il eût tapoté les cheveux d'Aïcha pour la calmer mais Benboulaïf était trop respectueux de la bienséance pour tolérer pareille familiarité. Donc, il attendit. Enfin la jeune fille se décida à chercher, d'une main aveugle, un mouchoir sous son traversin. Longuement elle se tamponna les yeux, puis, s'adressant à Wasseau :

— Vous n'allez pas me laisser entre leurs mains ? demanda-t-elle.

— Que contenait le paquet ?

— Je ne sais pas ! Il était très lourd. Une arme, je suppose. Je peux vous donner le numéro du taxi, je l'ai appris par cœur.

— Inutile, je le connais.

— Vous pourriez perquisitionner à la pharmacie de Maison-Carrée. Elle est située rue Gambetta...

— Au numéro 25.

Le visage d'Aïcha se figea. Puis :

— C'était vous ! Maintenant, je vous reconnais... Vous étiez là pour me protéger ?

La naïveté d'Aïcha fit mal au lieutenant. Il ne répondit rien. Il essayait de clarifier ses idées. Il examinait la chambre, les livres bien rangés, les cahiers en piles, les meubles astiqués. Cette petite fille ordonnée, froide, économe, studieuse, imperméable à tout élan révolutionnaire, se révoltait contre le désordre que des inconnus étaient venus jeter dans sa vie. Elle les haïssait jusqu'à vouloir les livrer. Décidée à se sortir seule d'affaire, par son travail, elle méprisait leur entreprise collective et leur imputait, comme un crime, le hasard qui avait tué sa mère. Soucieuse de sa dignité, elle n'était pas prête non plus d'oublier l'humiliation de la correction physique qui lui avait été infligée. Au fond, elle demandait qu'on la débarrassât de ces gens comme d'un cauchemar. A travers ce cauchemar elle essayait de maintenir intact son plan de vie, et sans doute avait-elle travaillé ce soir plus tard que d'habitude afin de récupérer le temps que lui avait fait perdre son voyage à Maison-Carrée.

— Aïcha, dit Wasseau, vous courez deux risques : celui d'être arrêtée quand vous trimbalez des armes ; celui d'être abattue par vos petits copains s'ils se doutent que vous ne jouez pas franc jeu. Le premier risque, je m'en charge. Si jamais vous étiez arrêtée par un autre service que le mien, vous serez considérée comme un agent travaillant sur mon ordre, et l'affaire n'aura pas de suites...

— Mais quoi ! souffla-t-elle, je ne vais pas continuer à travailler pour eux ?

— Si. Jusqu'à ce que je connaisse tout le réseau. A ce moment-là, je ferai en sorte qu'on ne puisse jamais se douter que vous m'avez donné des renseignements. Car à partir de maintenant, vous aurez à me renseigner tous les jours.

Il comprit le coup d'œil égaré qu'elle jeta sur ses cahiers et ses manuels et sourit :

— Mais non, ça ne vous fera pas perdre beaucoup de temps.

Il se leva. Benboulaïf parut vouloir faire une observation, y renonça, se leva à son tour. Dans la pièce voisine la litanie des joueurs de cartes continuait :

— Carta !

A l'étage du dessous, l'enfant cessa de hurler. De l'autre côté de la cloison parvint le froissement des cartes. Puis, l'éclat d'une voix triomphante :

— Tessâa ou achrine !

**

Bernadette et Nahon arrivèrent à Monte-Carlo dans la nuit. Une nuit plus tiède qu'à Marseille. Ils longèrent une

140

place découpée en vastes rectangles de jardin public au bout
de laquelle, derrière des palmiers, brillait le casino. A
l'*Hôtel de Paris*, Nahon dut parlementer longuement pour
obtenir une chambre pour Bernadette en plus de celle qui
avait été retenue pour lui. Enfin vainqueur, il accompagna
la jeune femme jusqu'à sa porte.

— Demain, dit Bernadette, téléphonez-moi pour m'éveiller.

— Ecoutez, gémit Nahon, j'ai été tout ce qu'il y a de
régulier ! J'ai sauvé les apparences, je me suis débattu pour
qu'on vous trouve une chambre... mais je dors dans la vôtre.

— Non.

Et elle sourit. Sa bouche demeurait ronde quand elle
souriait.

— Décidément, depuis que je suis en métropole, je n'arrive pas à être toute seule tranquille dans une chambre
d'hôtel. Hier soir, c'était Béverier, ce matin...

— Oui, mais vous ne lui aviez rien promis à Béverier.

Bernadette hésita :

— J'ai dit : « à Monte-Carlo », je n'ai pas dit quand.
Nous y sommes pour plusieurs jours. Les ballets de Sagan
ont lieu quand ?

— Demain soir.

— Alors, demain passez chez moi vers onze heures. Ça
vous va onze heures ?

Nahon prit la main de Bernadette pour en baiser la
paume.

— Je ne vous demande pas d'entrer, reprit-elle, je suis
morte. La route m'a fatiguée... je vous en veux d'ailleurs
de m'avoir obligée à faire la course avec cette voiture anglaise. C'était d'un bête !

Sur la Corniche, Nahon avait stimulé Bernadette qui,
doublée par une petite Singer, l'avait prise en chasse, doublée à son tour en franchissant une bande jaune dans un
tournant qui présentait un risque certain. Poursuivie alors
par la Singer et bientôt rejointe, Bernadette avait, sur le
conseil de Nahon, accéléré pendant que la Singer doublait,
obligeant ainsi la voiture rivale à continuer sur la gauche de
la route une course qu'un tournant très proche rendait dangereuse. Effectivement les phares d'un camion étaient apparus brutalement et la Singer, dont le capot était à la hau-

141

teur de celui de Bernadette, avait dû freiner avec une clameur déchirante pour se ranger derrière elle.

— C'était bête, insista-t-elle. Ça rimait à quoi ? Nous ne connaissions pas ces gens et nous jouions avec leur vie comme si nous les haïssions. Pis que cela, comme si leur vie eût été indifférente, comme si ça nous était égal qu'ils meurent.

— Celle dont nous allons voir le ballet demain soir vous expliquerait mieux que moi qu'il y a un charme à risquer sa vie, et celle des autres, dans ce cinquième élément qu'est la vitesse.

— En Algérie, dès qu'on monte en voiture pour aller au marché ou dîner chez des amis on risque sa vie. Je suis la première à reconnaître que, si on a les nerfs solides, ça donne un piment à la route. Mais c'est un risque imposé. On est irresponsable. Si on est atteint, on sait qu'on est la victime d'un drame qui vous dépasse. Sur la Corniche de Monte-Carlo, on ne serait victime que de sa sottise. C'est drôle, je vous redis presque textuellement ce que Béverier me disait hier soir aux abords de Marseille...

— Encore Béverier ! gronda Nahon. Ce valet galonné du colonialisme !...

— Il ne faut pas me dire du mal de quelqu'un que j'aime bien. Ne soyez pas aussi maladroit que lui. Il a perdu toutes ses chances en me disant pis que pendre de Kléber Desaix.

— Oh ! celui-là aussi, si je me laissais aller ! Quand je pense que vous avez pu épouser ce type, ce Pied-Noir borné, ce...

— Vous ne le connaissez pas !

— A Evian, dans la librairie où Hanau dédicaçait, je ne l'ai pas vu peut-être ! Et le lendemain à Lausanne ! Un imbécile satisfait doublé d'une brute de droit divin, voilà ce qu'il est.

— Pierre, je ne supporte pas que vous disiez des choses pareilles.

Il mesurait sa maladresse. Il n'en était pas complètement navré. Il ne lui déplaisait pas, parmi les bassesses, les flagorneries qui tissaient ses entreprises, de mettre en valeur, pour lui-même, quelque acte désintéressé, quelque explosion de sincérité. Mais déjà il s'employait à en atténuer les effets.

— Je n'aime pas cet homme, je le dis, est-ce mal ? Vous,

142

Bernadette, je vous aime. Je le dis aussi. Pourquoi me croyez-vous plus facilement quand je me mets en colère, que quand je vous dis que je vous aime ?

Ses prunelles s'embuèrent, il usa de ses longs cils pour les voiler puis leur permit de reprendre tout leur éclat et dans le même temps amorça un sourire d'abord blessé puis étincelant. Il brusqua les choses la prit dans ses bras.

— Bonne nuit, ma belle.

Puisqu'il avait eu la chance d'obtenir de Bernadette qu'elle confirmât sa promesse, il ne devait pas prendre le risque d'une nouvelle querelle. Il fallait fuir.

Elle lui abandonna sa bouche. D'une main lente il caressa la robe, des épaules aux cuisses, puis s'éloigna le long d'un couloir désert tendu de rouge.

**

Dans sa chambre, Nahon trouva un petit bagagiste qui l'attendait, auprès de sa valise, dans l'espoir manifeste d'un pourboire. Ayant fouillé ses poches, Nahon fut agacé de ne pas trouver de pièce de cinquante francs, en tendit une de cent, ne répondit pas au remerciement, et considéra avec amertume l'étroitesse de la chambre que lui avait retenue son journal. Elle ne comportait pas de salle de bains. Enrageant il se lava les mains dans un petit lavabo. Il était victime. Son visage, qu'il épiait sournoisement dans la glace du lavabo, prit l'expression lamentable dont il se servait pour apitoyer. L'injustice du monde, en ce qui le concernait, le remplissait de chagrin. Dieu sait ce qu'il avait pu travailler, manœuvrer, depuis un an et demi ! Or, s'il était arrivé à loger finalement dans un palace, il n'en avait obtenu que la chambre la plus humble, tandis qu'une Bernadette, sans la moindre lutte, se prélassait dans une chambre dix fois plus belle — avec l'argent de Desaix. Sa haine pour Desaix atteignit son comble et du coup il se sourit dans la glace. Demain, il ferait l'amour à sa femme et dans un appartement dont cet imbécile de Pied-Noir paierait la note. Il se sentit vengé, et se trouva très beau dans la glace. Irrésistible. Du coup il sut qu'il ne pourrait pas dormir. Or s'il restait là il ne pourrait s'empêcher d'aller attaquer Bernadette, risquant de tout compromettre par cet assaut nocturne.

143

Brûlant, agité, il sortit de sa chambre. Il prenait la fuite. Malgré l'heure tardive il venait de décider de filer à Nice. Il passerait la nuit avec Marie-Louise Demeilhan dont le père, chargé d'une enquête par le C.N.R.S., partageait avec elle depuis trois mois un petit appartement rue Paul-Déroulède.

Arrivé dans le hall, Nahon mesura l'imprudence quelque peu délirante de son entreprise. Il allait débarquer à deux heures du matin dans un appartement où un père renfrogné, qu'il aurait arraché au sommeil par son coup de sonnette, se hâterait de le jeter dehors. Aussi, quand Nahon s'adressa au concierge, ce fut sur le ton de quelqu'un qui espère une réponse négative.

— N'est-ce pas, il n'y a plus de train ni de car pour Nice à cette heure-ci ?

Un remous s'empara de lui. Il perdit le contrôle des événements et se retrouva assis dans une vieille et superbe Buick dont le chauffeur, un ami du concierge, lui faisait fièrement les honneurs. Ce chauffeur, qui venait de conduire des Anglais, avait aussitôt accepté, plutôt que de rentrer à vide, de faire un prix modeste à Nahon.

Celui-ci, le poignet mollement soutenu par la lanière de velours, les jambes croisées, regardait miroiter la mer au-dessous de la route que la voiture suivait avec une lente majesté. « Ma vie est marrante » pensa-t-il.

La panique ne le reprit qu'au 17 de la rue Paul-Déroulède, entre le deuxième et le troisième étage. C'était un escalier étroit, aux marches sonores. Après avoir hésité il appuya pourtant sur le bouton — comme à la roulette russe, il eût appuyé sur la gâchette.

Il y eut à l'intérieur le choc d'un objet renversé, des frôlements feutrés, l'hésitation d'un pas. Ce fut Marie-Louise, en pyjama, qui ouvrit la porte.

— Tu es complètement fou ! chuchota-t-elle.

Dans son affolement, il fit un pas pour entrer. Au même instant s'éleva la voix du professeur Demeilhan :

— Qu'est-ce que c'est, Marie-Louise ?... qu'est-ce qu'il y a ?

— Rien, prononça la jeune fille avec froideur, j'avais cru qu'on avait sonné. Je m'étais trompée.

144

Elle adressa à Nahon un signe énergique qu'il ne comprit pas et lui referma la porte au nez.

Il redescendit en se demandant si, son père endormi, elle viendrait le retrouver dans la rue, ou si elle l'avait purement

Il attendit sur le trottoir, d'autant plus désolé que son paquet de cigarettes était vide. Il attendait sans espoir mais avec passion. Du coup la présence de Marie-Louise lui était devenue souhaitable comme un bien essentiel alors qu'il n'était parti vers elle que pour occuper sa nuit, se donner l'impression de vivre à plein régime.

Quand la jeune fille apparut il poussa un cri, son cœur battit avec violence, il se jeta sur elle.

— Complètement fou ! répéta-t-elle lorsqu'elle eut réussi à libérer sa bouche de la sienne.

— Je viens d'arriver... Je ne pouvais plus attendre. J'ai essayé de me raisonner, mais tu vois...

Il scrutait le petit visage faiblement éclairé par un réverbère lointain. C'était un visage d'une pâleur presque bleue. Les lèvres blêmes de Marie-Louise esquissèrent un sourire dont la lenteur à se former émut davantage Nahon.

— Qu'est-ce qui t'a pris ? demanda-t-elle. Il y a des mois que tu ne m'écris plus.

Il se laissa emporter par son imagination avec un tel élan qu'il en croyait ce qu'il disait :

— Je t'ai écrit des lettres que je ne t'ai pas envoyées ma belle ! J'essayais de te chasser de ma pensée. Tu me fais trop souffrir !... Je ne peux pas supporter que tu appartiennes à un autre.

Alors elle sourit franchement sans qu'il sût si elle doutait de sa déclaration ou se moquait du conventionnel des phrases qu'il venait de prononcer.

— Comment as-tu réussi à sortir ?

— Il s'est rendormi tout de suite. Son genre, c'est de laisser entendre qu'il passe des nuits blanches à méditer, en fait, il dort comme un sonneur. Il ronfle même. L'appartement est si petit que je me suis acheté des boules Quies. Heureusement, je ne les avais pas encore mises.

Cet « heureusement » fut très doux pour Nahon. Il embrassa de nouveau Marie-Louise, cette fois avec une tendresse certaine.

Ils firent quelques pas en silence pendant que passait un garde vigile poussant sa bicyclette. Au loin, sur la Promenade des Anglais, crépita le moteur d'une voiture de sport.

— Je vais remonter, dit Marie-Louise.

— Pas question.

— Pas question que j'attrape la crève ! Je suis gelée... J'avais peur que mon père n'entende. J'ai tout juste passé une robe et ce manteau qui n'est pas chaud. Je n'ai pas voulu que tu sois venu pour rien, mais je ne veux pas non plus attraper quelque chose. On me soigne les bronches, tu sais, en ce moment. Alors, on prend rendez-vous ?

— Non. Allons quelque part où il fera chaud. Je sais où.

Il se repéra, entraîna Marie-Louise, sans difficulté, jusqu'à l'avenue de la Victoire, contourna un Uniprix et, dans une rue latérale, arriva devant une petite porte muette qui s'ouvrit automatiquement. Ils gravirent un demi-étage dont les marches étaient revêtues d'une mosaïque agressive.

— C'est pour la nuit ? demanda une matronne mal éveillée qui surgissait d'un réduit situé en contrebas du palier.

— Non, pour une heure ou deux.

Elle ouvrit la porte d'un ascenseur qui les enleva jusqu'au troisième étage. Une femme de chambre les introduisit dans une pièce presque entièrement envahie par un lit recouvert de satin rouge et par le paravent chinois qui essayait de cacher lavabo et bidet. Quand Nahon eut réglé il se retourna vers Marie-Louise qui, appuyée au radiateur, examinait avec un dégoût visible la longue glace ornementée qui surmontait le lit et les deux gravures libertines qui lui faisaient face.

— En tout cas, dit Nahon, il fait chaud. Non ?

— Il faisait encore plus chaud dans mon lit. Je me demande pourquoi tu es venu, Nahon. Nous ne nous aimons pas.

— Parce que tu l'aimes toujours, coupa-t-il, ton Adbelkader ?

— Entre Adbelkader Faoucine et moi il n'y a pas seulement de l'amour. Il y a un lien que tu ne peux pas comprendre.

Il lui avait retiré son manteau et, assis sur le bord du lit, face au radiateur, l'avait attirée sur ses genoux. Elle appuyait ses deux pieds nus aux lamelles du radiateur. C'étaient des pieds maigres, ivoirins. Nahon les observait avec intérêt, aimant qu'ils fussent aussi cambrés, aussi bombés, que la

146

plante s'en creusât avec autant d'élan. Ayant lui-même les pieds plats, c'était sa façon de s'en consoler.

— Qu'est-ce que je ne peux pas comprendre, Marie-Louise ? Dis-moi un peu ce que je ne peux pas comprendre !

Sa voix était si câline qu'il en avait roucoulé. C'était trahir sa réelle indifférence pour la jeune fille et ses amours. Il n'aurait pas dû poser une question aussi aiguë sur ce ton charmeur. Il s'était comporté comme une personne qui, ignorant une langue étrangère, en lit une phrase avec une intonation contraire à sa signification. Marie-Louise, sans chercher à se dégager, lui adressa un regard méprisant.

— Avant qu'on vienne à Nice, observa-t-elle, tu ne cherchais déjà plus à me rencontrer. Veux-tu que je te dise quand tu t'es défilé ? En juin. Je t'ai proposé d'entrer dans mon réseau de soutien du F.L.N. Tu as eu une sacrée frousse. Tu te voyais déjà arrêté par un inspecteur, avec une bombe dans ta valise.

Elle rit avec des notes grêles, en cascade, qui semblaient ne pas devoir s'arrêter et s'arrêtèrent net.

— Tu es sans indulgence pour moi, ma belle, dit Nahon. Tu es vachement dure. Ça me va. Ça prouve que tu m'aimes.

Il caressait les mollets nus de la jeune fille. Celle-ci ne broncha pas quand la main se glissa sous sa robe. Elle poursuivit d'une voix égale :

— Même si je n'aimais pas Abdelkader, même s'il n'y avait pas entre nous cette terrible fraternité clandestine...

« Ça, pensa Nahon, c'est une phrase qu'elle a dû fignoler. Elle doit se la servir souvent. » En même temps, il caressait. Elle n'avait pas menti en lui disant qu'elle avait tout juste passé une robe.

— Même s'il n'y avait pas Abdelkader, continuait-elle, ce n'est pas toi que j'aimerais.

— Tu sais qui ?

— Je sais.

— Je connais ?

— Non, il est à Alger. C'est un officier. Un ennemi. J'espère qu'il se fera envoyer au tapis un de ces jours.

— Tu l'aimes autant qu'Abdelkader ?

— Je souhaite qu'il crève.

Cependant Nahon avait fait passer par-dessus la tête de

147

Marie-Louise sa robe, étendit le corps nu de la jeune fille en repoussant les flots de satin rouge.

— Et il crèvera, acheva Marie-Louise. Ce qui m'irrite, c'est qu'il crèvera en croyant toujours qu'il a raison.

Elle paraissait réfléchir, la tête posée sur l'oreiller et suivant d'un regard absent les gestes rapides de Nahon qui se déshabillait devant elle. Quand il monta sur le lit elle écarta posément les jambes sans que sa physionomie exprimât autre chose que de l'indifférence pour ce qui se passait entre elle et lui et de l'intérêt pour les préoccupations intérieures qu'entraînaient les paroles qu'elle avait prononcées. Elle ne se désintéressait pas pour autant du déroulement concret de leur étreinte, car elle dit une fois : « moins vite » et une autre fois, le croyant sans doute proche du terme : « prends des précautions, hein ? »

Nahon se dépensait. La froideur d'une fille qui lui laissait son corps en pensant à autre chose le stimulait. Il voulait lui arracher un geste ou une plainte de capitulation. Il n'y parvint pas. Lorsqu'elle fut brusquement assaillie par le plaisir elle ne le marqua que par un grondement presque haineux contre lequel d'ailleurs elle lutta en serrant les dents, ce qui lui donna une expression de véritable méchanceté.

Et quand il voulut la suivre derrière le paravent, elle le repoussa d'un coup de poing. Elle lui enjoignit de se rhabiller rapidement, ce qu'il fit. Puis il s'empressa, lui passant sa robe, la chaussant. Elle ne repoussait aucune de ses marques d'attention, mais n'en tenait non plus aucun compte.

Dans la rue, elle se mit à marcher très vite. Le coup de vent glacé qui les accueillit, avenue de la Victoire, la poussa à se presser contre lui ; elle précisa que c'était pour bénéficier de sa chaleur.

Devant sa porte, elle tendit la main à Nahon qui se pencha pour l'embrasser. Elle se déroba, frappa du pied.

— Mais comment peux-tu manquer de tact aussi complètement ?

Pris de court, dépassé, il en bredouilla. Il ne voyait vraiment pas en quoi il manquait de tact.

— Mais Nahon, dit-elle posément, comme si elle parlait à un jeune garçon dont elle eût été le professeur, comment ne t'es-tu pas encore rendu compte que je me sers de toi ? Tout comme Abdelkader Faoucine, au hasard d'un voyage, se servira d'une putain ? La première fois que je t'ai utilisé, c'était pour effacer un autre homme, pour mettre entre son corps et celui d'Abdelkader un corps neutre, le tien. C'est drôle qu'il faille tout t'expliquer comme si tu étais bête !

— Et maintenant, demanda-t-il, coléreux, à quoi m'utilises-tu ?

Elle haussa les épaules, se glissa dans l'entrebâillement de la porte et, avant de disparaître, lui envoya du bout des doigts un baiser qu'il estima railleur.

D'un pas lent il remonta vers l'avenue de la Victoire qui déjà s'animait. Sous un ciel encore noir des ouvriers passaient à bicyclette, des cars éclairés, aux vitres embuées, se croisaient. Aidé par la fatigue Nahon jouait à être malheureux : les femmes se servaient de lui comme d'une putain, tel était son triste sort. Feignant d'omettre que le donjuanisme était pour lui le seul mobile qu'il jugeât prestigieux, il se persuadait qu'il était fait pour la tendresse d'une femme unique que le destin lui refusait.

Un car le déposa, avec le jour, à Monte-Carlo. Il s'octroya, dans la salle de bains commune de l'étage, un long séjour dans une eau brûlante destiné à effacer les fatigues amoureuses de sa nuit et à le préparer à celles qui l'attendaient.

Rasé, une chemise fraîche sur le dos, il se sentit de nouveau gaillard. Le plateau qu'un valet lui apporta pour son petit déjeuner comportait un petit pot de miel dont il se régala. Encore que sa fenêtre donnât sur une cour étroite, il percevait, à un certain éclat de l'air derrière la vitre, que la matinée était radieusement ensoleillée.

*
**

Marie-Louise avait monté l'escalier pieds nus, sans utiliser la minuterie. A tâtons, le souffle suspendu, elle avait ouvert la porte. Le couloir, elle l'avait suivi à petits pas furtifs, s'immobilisant parfois plusieurs secondes dans la crainte d'un craquement, se fiant à une certaine épaisseur de l'air à proximité d'un meuble pour l'éviter. Elle avait repoussé la porte de sa chambre avec tant de précautions que son cœur en avait palpité ; vigilante, évitant le moindre froissement d'étoffe, elle s'était dévêtue et glissée dans son lit sans prendre le risque de rechercher son pyjama dans les ténèbres de la chambre. Puis, tout en mordillant son drap, elle avait écouté le silence de l'appartement.

La chaleur du lit l'enveloppait lentement. Elle laissa son corps se détendre, s'étaler. Le battement qu'elle attendait préluda à l'extrémité de son ventre, puis s'élargit en ondes plus rapides. Les bras en croix, les doigts agrippés au drap elle serrait les dents comme pour lutter contre ce retour du plaisir qu'elle avait pourtant attendu et presque sollicité. Ce supplément de volupté, elle le considérait comme l'élément le plus précieux de sa vie amoureuse mais il l'effrayait aussi et, chaque fois, la même phrase se formait dans sa tête : « C'est bien plus extraordinaire que les tables tournantes ». Ses mâchoires cédèrent, sa bouche s'ouvrit pour proférer une plainte silencieuse. Elle avait l'impression d'émettre des ultra-sons. Elle se donnait et ce n'était pas au néant mais à une indéfinissable confusion.

Sa plainte se matérialisa en un cri de vraie terreur. Dans la lumière qui venait de jaillir du plafonnier, son père apparut en robe de chambre.

— Tu ne m'as pas entendu venir, dit-il. Moi aussi, je sais marcher sur la pointe des pieds.

Il ajouta : « que ce n'était pas bien malin », et sourit. Son sourire maladroit, hostile, découvrit ses gencives trop rouges plantées de dents jaunies par le tabac. Sa barbe, poussée pendant la nuit, salissait son visage, moutonnait sur ses rides. Drapé dans sa robe de chambre, il avait croisé les bras sur sa poitrine.

— Je t'ai entendue partir et je t'ai entendue rentrer. Tu es restée absente presque deux heures. Qu'est-ce que tu as fait ?

Marie-Louise avait d'autant plus de mal à reprendre ses esprits que le scandale l'habitait. Il lui était intolérable que son père eût pénétré dans sa chambre, l'ait regardée au visage au moment précisément où elle baignait dans un monde radicalement étranger à celui que ce père représentait. « Je ne lui pardonnerai jamais ça » pensa-t-elle. Elle savait pourtant qu'il n'avait rien remarqué, tout entier occupé de son enquête, mais la présence d'un père devant un lit qui, quelques secondes plus tôt, était l'abri de la volupté, lui parut si monstrueuse que deux larmes sèches lui vinrent aux yeux.

— Tu les revois, n'est-ce pas ? Tu recommences ! Quand j'ouvre un journal et que je lis les attentats de la veille, trouves-tu normal que j'en sois à me demander si c'est toi qui as transbahuté l'arme, ou le projectile ?

Il allongea la main et la posa sur le pommeau de cuivre qui surmontait l'une des extrémités du lit. Ainsi campé, il évoqua pour sa fille ces lions statufiés qui posent gravement une patte sur une sphère. Elle le regardait en grimaçant. Son corps, déserté par le plaisir, était droit comme une épée. Elle était prête à la bagarre.

— Tu m'as entendue sortir, et tu ne m'en as pas empêchée ! C'est drôle...

Il hurla :

— Mais vas-tu me répondre, nom de Dieu !

Elle sursauta, lui en voulut de ce pouvoir masculin de lui faire peur à si peu de frais, en poussant un coup de gueule. Elle désira l'insulter. Il lui en fournit l'occasion :

— Je n'ai pas été dupe un seul instant. On a sonné. C'était un émissaire, ou plusieurs. Ils t'ont remis un ordre. Quand je t'ai interpellée, tu m'as répondu que ce n'était rien, tu as fait semblant d'aller te coucher. Aussitôt après tu es ressortie en douce, mais je ne perdais pas un seul de tes mouvements !

— Je vais te dire, moi, pourquoi tu n'es pas intervenu. Les gars que tu croyais dans l'escalier, les émissaires, ils te flanquaient les jetons !

— Oh ! non, psalmodia Demeilhan d'une voix lasse, beaucoup plus grave, et presque belle, ils ne me faisaient pas peur. J'en arrive à le souhaiter qu'un de tes bandits me fasse la peau ! Voilà où j'en suis, ma chère.

Il répéta :

— Voilà où j'en suis.

D'un ton changé, très net, très petite femme pratique, elle proposa :

— Et si tu cessais de t'occuper de moi, tu ne crois pas que ce serait une solution ? Je louerais une chambre à Paris. Beaucoup de filles de mon âge, des étudiantes par exemple, vivent comme ça. Alors supposons que je fasse une connerie, qu'on m'arrête encore une fois, tu n'y serais pour rien.

— Alors, j'avais raison, murmura-t-il, tu as remis ça !

— Cette nuit, non, tu as tort. Tu interprètes de travers. Mais sur un plan plus général, c'est exact.

— Un plan plus général ! Ça veut dire quoi ce jargon ? Tu travailles de nouveau avec eux ?

— Oui.

Son « oui » avait été timide, mais pour corriger cette timidité elle avait en même temps redressé la tête, de sorte que le drap découvrit ses épaules nues. A la pensée que sa fille était nue dans son lit, Demeilhan rougit brusquement et se dirigea vers la porte d'un pas si rapide que Marie-Louise, uniquement consciente de la réponse qu'elle venait de lui faire, s'écria avec angoisse :

— Où vas-tu ?

— Dans le cabinet de toilette, répondit-il avec sévérité.

*
**

Des taches de soleil illuminaient le tapis à la hauteur de chacune des fenêtres du couloir. Et par les fenêtres, Nahon, qui marchait d'un pas d'une nonchalance étudiée, apercevait chaque fois une portion de ciel très bleu. « J'ai rendez-vous, rendez-vous, rendez-vous... » scandait-il. Puis sur le même air il martela : « j'suis dans le coup, dans le coup, dans le coup ». Il se sentait dans le coup sexuellement et politiquement.

En frappant à la porte de Bernadette, il prit peur. Son trouble empirait à mesure qu'il frappait sans obtenir de réponse : pour se dérober, elle avait filé au petit jour ! Il était à ce point sûr que la porte était fermée à clef qu'il perdit l'équilibre au moment où, comme il appuyait sur la poignée, le battant s'écarta devant lui. Il avança, dans une petite entrée obscure, vers une seconde porte entrebâillée sur une zone ensoleillée.

— Non, disait Bernadette, je l'ai à peine vu, Béverier, mais j'ai déjeuné avec sa femme !

Au bout d'un instant elle coupa :

— Allô, je t'entends mal...

Puis :

— Je t'entends mieux.

Puis :

— Il fait aussi beau qu'à Alger, ce matin... J'aimerais que tu sois là. Est-ce que tu connais Monte-Carlo ?

Après un long silence, elle observa avec une gêne qui fut perceptible à Nahon :

— Pas seule vraiment, j'ai retrouvé le... fiancé de Jean. Tu sais ?... Mais oui, tu l'as vu à Evian le jour où...

Nahon, qui avait très peur de faire craquer le plancher sous la moquette, prit appui contre la cloison et réussit à se trouver une position à la fois confortable et silencieuse. Bernadette poursuivait une conversation embarrassée au bout de laquelle, tout à coup, elle reprit du poil de la bête :

— Mais ce n'est tout de même pas parce qu'il me ferait la cour que tu devrais te mettre martel en tête !

Nahon, par l'entrebâillement de la porte, entrevoyait, sur le tapis de la chambre, le téléphone, et par instants la main de Bernadette. Il souriait, charmé. La matinée qui l'attendait allait être délicieuse à vivre.

— La France n'est pas le Sersou, exposait Bernadette. Vous autres, vous êtes arabisés. Ici, ce n'est pas la même chose : Nahon se croit obligé de me faire la cour, ne serait-ce que par politesse. Mais tu ne risques rien, va : il me dégoûte... et il te déteste.

Il sortit une cigarette de sa poche, machinalement, mais renonça à l'allumer. Il était tout oreilles :

— Je suppose qu'il ne t'aime pas à cause de tes idées, de ta situation, de ton caractère. Vous êtes deux types d'hommes antagonistes.

Elle prononça ensuite un mystérieux :

— Bien sûr, voyons.

Puis :

— Tu ferais mieux de remarquer comme je te tutoie facilement au téléphone, Kléber.

Il mesurait, au trémoussement du fil téléphonique, la nervosité de la jeune femme qui, finalement, murmura :

— Oui, je crois qu'on va nous couper. Je t'embrasse, Kléber... Je t'embrasse encore... Oui, mon chéri, oui, au revoir, à bientôt.

Le déclic de l'appareil, puis le pas étouffé de Bernadette parvinrent à Nahon, qui frappa à la seconde porte avant de la pousser.

— Bonjour !...

— Bonjour, dit Bernadette avec calme.

Seulement vêtue d'un maillot de bain noir, elle était

allongée sur le tapis, devant la fenêtre entrouverte, dans un étroit rectangle de soleil. Pour tendre la main, elle se souleva sur un coude, cambrant les reins et, debout au-dessus d'elle, la dominant, il put embrasser d'un seul regard ce corps que le maillot ne déguisait guère, n'étant pas de ces costumes élastiques baleinés, qui imposent leur propre forme à un corps. Aux battements de son cœur, Nahon sut qu'il était ému. Il était accouru sur un champ de bataille pour remplir son devoir, gagner le pari qu'il s'était fait de bafouer un homme qu'il détestait, et il découvrait qu'en plus, « par-dessus le marché », il se régalerait. « Ce qu'elle est femelle ! » pensa-t-il.

Il avait gardé la main de Bernadette dans la sienne, et pendant quelques instants il aida au soutien de ce corps arqué, un peu déséquilibré, qui ne reposait sur le tapis que par un coude et une fesse.

— Vous êtes en retard, dit-elle, je ne vous attendais plus. C'est pour ça que je suis en maillot. Je prenais un bain de soleil.

Sans lâcher la main de Bernadette, il se laissa tomber auprès d'elle, à la force des jarrets. Il fut si satisfait de la grâce de ce mouvement qu'il sourit. Ce sourire était réussi, il en fut persuadé. Ravi, il promena son regard comme une caresse sur le visage de la jeune femme. Elle le regardait en retour. Il se vit beau dans ce regard. Sans hâte, comme un acteur à qui le metteur en scène a conseillé de compter cinq secondes pour la durée de son mouvement, il approcha sa bouche de celle de Bernadette, et, changeant de style à la dernière fraction de seconde, s'en empara fougueusement.

Puis il s'allongea auprès d'elle. Ils demeurèrent étendus, silencieux. « Ça commence très bien », pensait Nahon, les yeux mi-clos. Au-dessus d'eux il apercevait un ciel très bleu frappé d'un léger nuage blanc. Il était sûr maintenant de gagner la partie et, plus encore que la chair de Bernadette allongée contre lui, c'était l'idée de duper la jeune femme, de la rouler, qui l'excitait physiquement. Séduire, pour lui, c'était mentir victorieusement. Il découvrait, tout en continuant de contempler le ciel, que le vocabulaire était d'accord avec lui dans la mesure où il assimile absolument le fait de posséder une femme et de la tromper. « Avoir » une femme, c'est lui faire l'amour, mais « avoir » quelqu'un c'est en même temps l'escroquer. Qui a été dupé par un marchand dira : « il m'a eu ». Il dira encore : « il m'a possédé » ; ou encore : « il m'a baisé » ; ou encore : « je me suis laissé prendre ». Que ces mots : *prendre, baiser, posséder, avoir,* s'appliquassent en même temps à la séduction d'une femme, comblait Nahon. Il interrompit sa recherche, se pencha sur Bernadette, et, avec une gravité pudique qu'il trouva très bien jouée lui souffla :

— Je suis heureux...

Elle le regarda si calmement de ses larges yeux bleus que, tout à coup gêné, il eut peur d'avoir joué faux.

**
*

Après le départ de son père, Marie-Louise s'habilla avec angoisse. Pendant toute une minute elle fut certaine qu'il était allé la dénoncer. Puis, pendant un quart d'heure, se moqua de cette crainte : il en était bien incapable ! L'inquiétude la reprit quand elle s'imagina qu'il pourrait bien avoir cherché un compromis et s'être confié à un de ses anciens élèves, magistrat du parquet de Nice. Mlle Demeilhan était douée d'une imagination violente et courte. Violente, parce qu'elle ressentait aussi vigoureusement qu'elle eût ressenti une réalité le moindre phantasme qu'elle venait de se forger ; courte, parce que ce délire n'allait jamais très loin. Mettait-elle face à face son père et le magistrat en question, le fait qu'ils fussent face à face la touchait avec intensité, mais les suites de cette rencontre se perdaient dans le brouillard.

Savonnée, lavée, poncée, elle erra nue, foulant la mosaïque glacée de la maison. Elle pensait à Nahon et plus encore à Abdelkader Faoucine. Des certitudes l'envahirent : durant l'histoire du monde la vérité, la justice, avaient eu sans trêve des porteurs célèbres ou clandestins. Elle était sûre qu'en ce moment Abdelkader et elle faisaient partie des porteurs de la justice et de la vérité.

Le plus frappant dans le cas de Marie-Louise c'est qu'elle pensât à Abdelkader sans embarras.

Elle avait passé la nuit dans les bras de Nahon et s'en souvenait. Le fait était qu'elle ne ressentait aucun remord. Ce qui s'était passé avec Nahon ne concernait pas Abdelkader. Et si, devant son amant de la nuit, elle avait fait allusion aux libertés qu'Abdelkader pouvait prendre de son côté, cette allusion n'avait eu d'autre motif que de retirer à Nahon l'illusion d'une supériorité quelconque sur celui qu'il pouvait croire avoir contribué à tromper. Au total, grâce à la nuit qu'elle avait passée, la jeune fille se sentait un corps plus dispos et, bien en selle, ne rêvait que d'en faire profiter la Cause. Ah ! qu'on lui demande quelque chose de difficile, de terrible, d'impossible !

La disposition de l'appartement l'obligea à aller chercher ses vêtements dans un placard qui était situé dans la chambre de son père. Elle y pénétra toujours animée de sombres remous, toujours nue, et ce fut devant les deux pipes et le calumet qui reposaient sur le bureau qu'elle éprouva un choc. Le corps qu'elle avait prêté à Nahon la nuit précédente n'était pas à sa place face à ces outils masculins et paternels. Elle ne fut pas tout à fait sensible à ce qu'il y a d'imprévu à éprouver des remords non à la pensée de l'homme aimé, mais à celle d'un père, sans chercher toutefois à se dissimuler l'importance du trouble qui l'assaillait. Les yeux fixés sur ce calumet, elle pensa : « je vis avec ce vieil homme, pourquoi ? ». De nouveau elle se demanda s'il était allé la dénoncer à la police. Tout habillée elle se le demandait encore. Elle en vint à se poser la question : « Au fait, pourquoi me dénoncerait-il ? ». Du même coup, elle s'aperçut qu'elle ne cherchait jamais à motiver les actes de son père. C'était pour elle des actes obscurs, des tâtonnements même plus que des actes.

Le coup de sonnette la fit sursauter. Son père ayant une clef, elle ne douta pas une seconde que le visiteur ne fût Nahon. Il revenait ! Elle admettait qu'il fût beau et lâche, mais ne toléra pas qu'il devînt encombrant. Elle marcha vers la porte avec énergie : pour le chasser.

Le visage du visiteur, elle n'eut pas le temps de l'apercevoir. Elle se retrouva une lettre à la main. Elle l'ouvrit. En haut de la lettre, un petit croissant à l'encre verte suffit à la renseigner sur l'origine du message. Elle lut : « Aujourd'hui, 12 h 15, place Garibaldi, devant l'agence Havas, tu seras en pantalon et tu porteras une botte de fleurs. Ce qu'on te donnera, tu le transporteras au café « Le Carnot », impasse Carnot. On t'y attendra. Fraternellement. »

Depuis des mois, depuis son arrivée à Nice, Marie-Louise

156

dépérissait parce qu'*on* ne l'employait plus. *On* craignait sans
doute qu'elle ne fût brûlée. Tout en dégrafant sa jupe pour
enfiler un pantalon de lin clair, un peu léger pour la saison,
elle conçut sa joie : *on* recourait de nouveau à elle ! Elle
n'aurait même pas eu besoin de Nahon pour retrouver son
équilibre ! Un message comme celui-ci, c'était une semaine
de santé. Elle descendit l'escalier en valsant.

*
**

Demeilhan, embusqué au fond du *Café de la Gare*, écoutait son vieil ami Abbelin discourir devant le zinc. Ils avaient
rendez-vous ensemble mais Abbelin ne s'était pas encore
aperçu de sa présence.

Depuis plusieurs années, ils ne s'étaient pas rencontrés.

Abbelin, professeur au lycée de Nice, lui avait écrit avec
une certaine verdeur, un an plus tôt, lorsque Marie-Louise
avait été arrêtée et que le bruit s'était répandu dans l'Université que Demeilhan protégeait un réseau de fellagha. Dans
la mesure où le professeur avait été atterré par les sympa-
thies que cette calomnie lui avait acquises dans les milieux
universitaires, il avait reçu avec joie les reproches de ce
camarade d'enfance. Dès son arrrivée à Nice il s'était promis
de lui faire signe. Plusieurs mois avaient passé néanmoins
avant qu'ils pussent prendre rendez-vous. Et ce rendez-vous
débutait mal : Abbelin était arrivé quelques minutes après
Demeilhan, ne l'avait pas vu, et s'était établi devant le zinc.
Avant que Demeilhan eût réussi à dominer le tumulte du
café pour lui signaler sa présence, Abbelin avait commencé,
en collaboration avec le patron et le garçon, un tel numéro
que Demeilhan, pétrifié, n'osait plus l'interrompre.

A peine accoudé au zinc, Abbelin avait pris les deux
hommes à témoin de « la dernière canaillerie de son éditeur ». Du même coup, Demeilhan s'était rappelé qu'Abbelin
publiait des livres sur l'Europe du XVIIIe qui tenaient davantage de l'érudition mondaine que de l'histoire sérieusement documentée. Et Abbelin, coiffé d'un feutre noir, à bord
rond, genre artiste, vêtu d'une gabardine claire, la face
congestionnée, exposait à ses deux interlocuteurs que sur les
cartes illustrant son dernier ouvrage les noms de villes ger-
maniques avaient été reproduits non avec leur orthographe

du XVIIIe, mais telle qu'elle existait aujourd'hui. Pis : le cartographe avait trouvé bon de donner aux noms qui n'avaient pas varié l'orthographe allemande, et non celle que l'usage avait établie en France.

— München, pour Münich, vous imaginez ça ! Qu'est-ce que vous auriez fait à ma place, monsieur Bernardo ?

Le patron, vêtu d'une chemise à rayures roses sur laquelle ses initiales s'étalaient en vert, se grattait la nuque, perplexe, paraissant vraiment se demander quelle décision il eût prise si un cartographe infidèle eût compromis l'exactitude d'un de ses ouvrages. Le garçon lui-même, tout en essuyant machinalement ses mains à son tablier bleu, semblait chercher de quelle manière il eût répliqué à pareil affront. Mais Abbelin ne leur laissa pas le temps d'établir leur plan de combat. Il entreprit la narration du coup de téléphone qu'il avait adressé au directeur de la collection. Ce récit, il le hurla. Demeilhan, bien qu'aucun consommateur ne pût deviner ses relations avec ce braillard, en rentrait la tête dans les épaules. Éperdu, il écoutait son vieux camarade débiter vantardises et lieux communs : « Avec le père Abbelin, ça ne traîne pas ! J'ai mauvais caractère peut-être, mais comme me disait mon premier proviseur, j'ai du caractère. Un peu trop même au goût de certaines gens ! Dès que j'ai eu mon gaillard au bout du fil, je ne lui ai pas mâché ses vérités. Au début il essayait de faire le loustic. Il minimisait l'importance de la saloperie dont j'étais victime, et feignait de considérer comme des détails de toponymie les scandales que je lui signalais. Il m'a promis de rectifier, mais vous pensez si je suis rassuré ! Cette équipe-là est capable de tous les sabotages. Je le lui ai dit d'ailleurs... » De temps en temps, le patron demandait :

— Et qu'est-ce qu'il répondait ?

— Des platitudes d'abord, des insolences ensuite. Mais je me suis fâché. Quand j'ai vu qu'il était à la limite de l'impertinence, tout directeur de collection qu'il est, je lui ai parlé comme à un merdeux, comme je ne vous parlerais pas à vous !

Le garçon se rengorgea et posa une question qu'il avait déjà essayé de placer plusieurs fois :

— Mais quel intérêt ils avaient à vous saboter, monsieur Abbelin ?

— La haine, l'inculture, la sottise ! Je leur fais peur, peut-être, mais je les sais prêts à tout. Ce sont des impuissants, des asexués, des métèques, des pédés qui veulent ma peau, alors que si on les écoutait, ce serait moi l'emmerdeur monté sur ses grands chevaux.

Comme le garçon était venu prendre une commande à l'autre extrémité du zinc, près de la table de Demeilhan, celui-ci entendit un client s'enquérir :

— Il est soûl ?

— Mais non, répliqua le garçon avec humeur. Ils lui ont chié dans les bottes à cet homme, qu'est-ce que vous voulez !

L'autre, pendant ce temps, braillait :

— Il faut s'en tenir, pour la terminologie, au texte des grands traités qui sont rédigés en français. Sinon, où irions-nous, je vous le demande ?

— A l'anarchie, suggéra le patron.

— Mon Europe sera telle que je la veux ! criait maintenant Abbelin en frappant sur le zinc. Ils sont capables de tout ! Quand je leur ai demandé comment ils m'enverraient les nouvelles cartes que j'exigeais, ils ont eu le front de me répondre : par la poste, elle est faite pour ça !

— C'est dégueulasse, dit le patron tout en faisant ses comptes.

— Mais je leur en remontrerai ! J'en ai vu, vous savez ! Je ne suis pas tombé de la dernière pluie... J'ai fait la guerre.

Du bout du comptoir, le client qui soupçonnait **Abbelin** d'être soûl questionna :

— Laquelle ?

— Toutes ! répondit **Abbelin**.

Demeilhan avait un **souvenir** si précis de son camarade Abbelin, agile candidat à l'agrégation, qu'il ne pouvait supporter le spectacle du vieil Abbelin racontant sa vie à M. Bernardo en sifflant des « guignolet-cassis ». Il amorça sa fuite. Cette tentative lui fut fatale : épinglé par Abbelin il fut poussé jusqu'au comptoir, présenté au patron avec des louanges hyperboliques, puis à une dame entre deux âges qui survint, sortant visiblement d'une séance chez le coiffeur, couverte de franges et de colifichets comme un cheval de cirque, minaudante, gaffeuse. Sans doute chapitrée par Abbelin, elle avait préparé un compliment, louangeur jusqu'à l'absurde. Elle assura au professeur Demeilhan qu'elle avait lu tous ses livres, qu'elle l'admirait d'avoir su si bien rendre les mystérieux charmes de l'Orient. Qu'eût pu répondre Demeilhan à cette dame sinon qu'il avait précisément consacré sa vie à dissiper ces mystères ! Qu'il y eût réussi était un autre problème mais que, en historien comme en géographe, il se fût perpétuellement appliqué à comprendre et faire comprendre un monde que trop d'écrivains avaient exploité en ce qu'il avait de poétiquement incompréhensible, cela était aussi évident que l'entêtement de son interlocutrice à faire de lui un émule de Loti ou de Fromentin. En dépit de l'encrassement de son cerveau Abbelin le comprit car il coupa court aux protestations de la dame pour demander à son vieil ami quel sujet d'études lui avait été confié par le C.N.R.S.

— Il s'agit, expliqua Demeilhan, de contrôler les études antérieures sur les traces ethniques et linguistiques laissées par les Arabes entre les Pyrénées et Nice. Elles sont d'ailleurs très faibles.

— Vous devez être déçu alors, lança, infatigable, la dame.

— Pour un esprit scientifique, grogna Demeilhan avec un début de colère qu'il sentait lui-même ridicule, il est exactement aussi intéressant de prouver l'existence que l'inexistence de quoi que ce soit. Le fait d'avoir démontré que la quadrature du cercle est impossible est tout aussi positif que l'eût été la démonstration contraire.

— C'est que Mme Angeli, exposa Abbelin d'un ton satisfait, n'est pas du tout une scientifique. Vous seriez plutôt une poétesse, hein, Madeleine ?

— Oh ! si peu ! s'écria-t-elle avec enthousiasme.

Et tous deux, se coupant la parole, apprirent à Demeilhan qu'elle avait publié quelques recueils de poèmes dont on lui énuméra les titres.

— Sans compter les contes pour enfants, conclut Abbelin.

Et, ayant réglé les consommations et serré une dizaine de mains, il entraîna Demeilhan dans la rue tout en lui narrant comment Mme Angeli avait remis ses contes, cinq ans plus tôt, à un éditeur parisien qui les avait refusés mais...

— Mais attendez la suite ! annonça Mme Angeli d'un

air fin. L'année dernière, sur quoi suis-je tombée, par hasard, dans une librairie ? Sur les contes d'un monsieur Tartempion qui avait froidement plagié les miens !

— Juridiquement, on ne peut rien faire, renchérit Abbelin, mais le doute n'est pas permis. Madeleine avait créé le personnage d'une petite souris qui, en guise d'yeux, avait des dominos.

— Pas des dominos, cria Mme Angeli, qu'est-ce que vous racontez ! Ses yeux étaient de petites cartes à jouer qui variaient selon ses humeurs, un as de pique quand elle était en colère, un as de cœur quand elle était tendre...

— Et non seulement le Tartempion en question avait repris ça en le changeant à peine, mais sa petite souris avait un tablier de dentelle, comme la petite souris de Madeleine.

Le soleil illuminait l'avenue de la Victoire. Demeilhan, le regard fixé sur les pavés du trottoir, se demandait, avec un vrai désespoir, combien d'heures il allait encore être obligé de supporter l'ami de sa jeunesse et sa maîtresse. Il s'en voulait de ne pas savoir s'amuser d'eux et de prendre leur bêtise au tragique. Son cerveau était décidément un appareil limité, tournant sur trop peu d'engrenages. A partir de ces deux êtres Demeilhan remonta à des idées générales : par quels vices les humanités formaient-elles si souvent des êtres dépourvus de goût et de jugement ?

Assis dans le restaurant-crémerie trop clair où les deux autres l'avaient entraîné, Demeilhan, tout en mâchant des carottes râpées dont la niaiserie le chagrinait aussi, dut subir une mercuriale de son vieil ami concernant la négligence qu'il avait montrée en ne s'élevant pas publiquement contre les interprétations qu'on avait données de sa conduite à Alger.

— Tu sais que j'ai failli le croire moi-même que tu étais devenu un salopard !

La dame intervint :

— Il n'y a pas de problème algérien. L'Algérie est un département français. C'est un fait. Et un fait qui clôt la discussion !

Par curiosité Demeilhan eut envie de lui demander comment elle exerçait sa police d'esprit pour qu'y puissent voisiner la croyance en les poétiques mystères de l'Orient et la certitude que l'Algérie n'était qu'un département, comme celui du Loir-et-Cher. Il se tut, pensa à sa fille. Pour une fois elle lui était un secours. Il avait besoin d'elle pour équilibrer par d'autres extrémités celles, accablantes, de ses interlocuteurs.

*
**

Or Demeilhan, s'il avait levé la tête, aurait pu au même instant distinguer, au-dessus du rideau de nylon blanc qui courait le long de la vitrine, la silhouette de sa fille empruntant un passage clouté à l'autre bout de la rue.

Marie-Louise portait une valise de faux porc, assez lourde pour qu'elle s'arrêtât et changeât de main régulièrement. L'homme qui la lui avait remise, place Masséna, devant les locaux de l'agence Havas, était un jeune musulman inconnu d'elle, comme lui était inconnu celui vers qui elle se dirigeait, comme restait secret le contenu de la valise. La jeune fille avançait avec ivresse. De sa main libre, elle tenait la maigre botte d'anémones destinée à la faire reconnaître. Par ce matin d'hiver éclatant de lumière, cette fille aux mâchoires serrées, porteuse d'une trop grande valise et d'un trop petit bouquet attirait les regards. Des hommes se retournaient pour l'observer encore de dos : le pantalon allait bien à cette silhouette maigriotte et pure ; arrondissant ce que ses formes avaient d'excessivement raide, il improvisait d'émouvantes fesses de petit garçon. Elle fut interpellée plusieurs fois. Ces fugitifs assauts qui d'ordinaire l'exaspéraient au point de lui donner envie de griffer, de déchirer réellement les visages de ces séducteurs de la rue, l'amusaient ce matin. C'est qu'elle les prenait de haut.

« Le Carnot » était un petit café occupé par un vaste comptoir et ne comportant que trois ou quatre petites tables encastrées entre un poêle et un juke-box. A l'homme qui, aussitôt, se leva elle tendit la main, comme elle l'avait fait place Masséna, avec familiarité. Ensuite elle tressaillit, car si elle avait dû jouer la familiarité avec l'homme de la place Masséna, celui qui se tenait en face d'elle y avait droit : elle l'avait connu étudiant à Alger qu'il avait quittée après la grève universitaire sans qu'elle sût jamais rien de lui.

La valise fut glissée sous la table, le bouquet posé entre

162

les deux pastis et Cherif, en riant, offrit à la jeune fille une Bastos qu'elle alluma, émue de retrouver ce détail oublié de la vie algéroise.

*
*

— A quoi pensez-vous ? demanda Nahon.

— Imbécile !

Devant son air peiné, elle rit, l'embrassa sur la joue. Ils étaient étendus sur le lit. Le soleil avait poursuivi sa course ; il éclairait maintenant les cimes des palmiers laissant la chambre s'enfoncer dans une pénombre encore jaune, encore ardente.

— Quelle heure est-il ? demanda Bernadette.

Nahon exécuta alors une manœuvre qui lui avait déjà réussi en plusieurs circonstances. En lutte avec une femme qui refusait de se laisser déshabiller, sa tactique était de se déshabiller lui-même, ce qu'il fit.

Etonnée, muette, Bernadette le regarda se dépouiller de son polo bleu, de son pantalon bleu pétrole, et de ses longues chaussures noires de style italien. Il éplucha ses chaussettes, également noires, d'un geste souverain, et remonta sur le lit.

— Vous avez trop chaud ? dit-elle.

Mais elle souriait, intéressée. Leurs poitrines se frôlèrent, puis se pressèrent. Quand la respiration de Bernadette eut perdu sa cadence, qu'essoufflée, les lèvres entrouvertes sur des dents serrées, elle eut suffisamment secoué son trouble, il lui prit la main, et la dirigea vers le creux de son propre corps. Il lui confiait son plaisir. Pour l'encourager, il se mit, du bout des doigts, à caresser la hanche qui était à sa portée, puis les rondes cuisses qui, bien que serrées l'une contre l'autre, lui laissèrent un passage jusque sous le tissu du maillot.

Au faîte du plaisir, il ferma les yeux, la bouche grondante, mais les rouvrit aussitôt pour rencontrer les yeux de sa compagne.

Il l'attira alors furieusement contre lui, d'une main lui pétrissant les seins, de l'autre caressant sa croupe jusque sous la languette du maillot de bain. Pour la première fois elle s'abandonna complètement à son étreinte, soit que ce

163

qui s'était passé entre eux l'eût vaincue, soit qu'elle restât assez rusée pour être sûre qu'en ce moment précis elle ne risquait guère l'assaut d'un séducteur épuisé.

— Avez-vous faim ? demanda-t-elle posément au bout d'une minute.

— Oui ! ça, je la saute ! répondit-il avec un élan sincère.

Elle se souleva, remontant son maillot, et, assise sur le bord du lit, bien qu'elle fumât rarement, tira une cigarette du paquet que Nahon avait abandonné sur la table de nuit, à côté de sa montre. Il s'étira pour lui chercher du feu.

En respirant sa première bouffée, elle l'examina d'un coup d'œil sournois. Il fut content qu'elle se livrât à cette inspection parce qu'il s'estimait beau, un peu trop maigre mais assez liane, élancé, le ventre creux, les cuisses fuselées et les épaules plus musclées, plus pleines qu'on aurait pu le croire quand il était habillé.

— Seulement, dit-elle, avant que je sonne le maître d'hôtel, rectifiez un peu votre tenue.

Elle s'était levée et passait une robe de chambre par-dessus son maillot tout en le regardant, souriante.

— Elle n'est pas bien ma tenue ? demanda-t-il, coquet comme une femme, faisant son œil de velours.

Elle se dirigea vers le téléphone, demanda le maître d'hôtel. En même temps qu'elle parlait, elle faisait signe à Nahon de se dépêcher. Il hésita tel un général qui, avant gagné du terrain, est fâché de l'abandonner : se rhabiller, c'était reculer. Mais l'éclair d'agacement qui traversa le regard de Bernadette le dompta. Il se jeta sur ses pieds et empoigna ses vêtements. Il était prêt quand on frappa à la porte.

Le cérémonial du repas ne lui déplut pas. Après les avoir guidés dans l'examen du menu le maître d'hôtel disparut et ne revint que précédé d'acolytes zélés qui disposèrent une table drapée de blanc, ornée de fleurs, sur laquelle bientôt assiettes et verres miroitèrent.

Ce déjeuner était une parenthèse. Tous deux bavardaient librement. Il n'y avait plus ni chasseur, ni gibier.

Bien que le garçon frappât chaque fois qu'il venait desservir, il les surprit plusieurs fois la main dans la main. Nahon pressait cette main qui venait de connaître son corps de si près avec une familiarité impérieuse, une tyrannie possessive contre laquelle les petits doigts ronds ne cherchaient pas à se rebeller.

*

Quand Marie-Louise et son compagnon débouchèrent devant la mer, la lumière avait blanchi. La mer et le ciel étaient aveuglants, mais moins bleus. La jeune fille portait toujours à la main sa botte d'anémones, quant à la valise, elle avait disparu. Tous deux étaient allés la déposer, en taxi, à l'hôtel où le jeune homme habitait. Ils avaient poursuivi leur chemin à pied pour aller déjeuner chez Reynaud.

— Mais ce doit être très cher ! s'exclama Marie-Louise, devant la terrasse richement entoilée du restaurant qui n'était séparé de la mer que par la largeur de la route et du quai.

— T'inquiète pas, on peut y aller, répliqua Cherif avec un rire assez glorieux.

Elle ne se rappelait plus le nom de son camarade, mais seulement son prénom. Elle retrouvait la sympathie qu'elle avait dès l'abord éprouvée pour lui ; c'était un garçon à la peau assez claire, aux cheveux châtains, de type plus berbère que sémite. Il s'habillait de tweed, de gros lainage, aux tons neutres ; il était tout le contraire d'Adbelkader dont les dents éclatantes, le poil sombre, les agressifs complets bleu pétrole, les souliers effilés comme des sabres, avaient toujours déplu à Marie-Louise. Car, Abdelkader, elle avait commencé par l'aimer comme camarade de combat, tout en réprouvant son aspect et ses attitudes. Puis, lui ayant fait cadeau de sa virginité par pure bonté d'âme, en copains, dans le style « militant », elle avait été bien étonnée, au bout de quelques semaines, de se découvrir une passion physique pour un corps et un visage qu'elle réprouvait. La passion physique s'était atténuée et, de nouveau, Marie-Louise ne s'était plus sentie liée à Abdelkader que par la solidarité du combat. Mais ce qui la faisait rêver tout en pénétrant sous la terrasse de Reynaud, c'est que le genre physique et vestimentaire d'Abdelkader qu'elle décriait volontiers, qu'elle appelait « le genre sidi », quitte à se faire donner une bonne gifle, l'avait suffisamment marquée pour lui devenir nécessaire. Pierre Nahon était un Abdelkader à peine parisianisé.

— Oh ! mais dis donc ! reprit-elle en examinant l'intérieur du restaurant où brillaient les cuivres, les palmes vertes, les glaces. Je suis drôlement fringuée pour entrer là, tu sais ! Avec mon pantalon, ce chandail...

— Ça se fait beaucoup. Reynaud, c'est une étape pour les gens qui s'amènent en bagnole sur la Côte. Ils descendent habillés n'importe comment. Va...

Il la poussa ; un maître d'hôtel les canalisa vers une table bien située d'où ils voyaient le ciel et les mouettes. Ils commandèrent des huîtres et deux loups.

— A Alger, dit Marie-Louise, tu étais plutôt fauché, non ?

— Plutôt fauché. Maintenant, ça va.

Et il changea de conversation, alors qu'en pareil cas Abdelkader ou Nahon se fussent vantés et eussent cité des chiffres. « En somme, pensa Marie-Louise, mes instincts animaux me dirigent vers le type Abdelkader, mais je n'aurai jamais d'amitié cordiale que pour des types du genre Cherif » — un genre qui n'était pas tellement éloigné de celui de Wasseau.

Entre les huîtres et le loup, Cherif observa :

— Ce que tu as changé !

Elle tressaillit, très intéressée parce qu'on lui parlait d'elle.

— Changé en quoi ?

Elle attendait un jugement qui portât sur son corps. Depuis son arrivée en France elle avait « repris du poids ». Si maigre qu'elle fût encore, elle se savait des seins moins légers, des fesses plus rondes. Au lit, Nahon l'avait confirmée dans cette opinion.

— Tu es gaie comme un pinson ! ajouta Cherif. A Alger, tu avais toujours un petit air tragique, crispé. On aurait dit que tu jouais le rôle principal dans un film de brumes, genre « Le Baron Fantôme ». Tu étais sauvage. Tiens, je me rappelle que Charreycaud, tu te le rappelles ? il était entiché de théâtre, te voyait en héroïne d'Anouilh. Tiens, il est mort, Charreycaud.

— Charreycaud ! De quoi !

— Il est parti faire son service en Kabylie et il n'a pas eu de chance. Dommage, parce que c'était un bon gars.

166

Alors, toi, qu'est-ce qui t'est arrivé ? Pourquoi as-tu changé comme ça ?

— Oh ! ça dépend des jours ! Tu m'aurais vue hier, j'étais sinistre. Je crois que ça m'a fait plaisir ce matin de transporter la valise. Parce que, depuis des mois, *on* me laissait rudement de côté.

— Ça valait peut-être mieux.

— Pour qui ? Pour moi ? Je n'ai pas peur...

— Ecoute, franchement au début *on* s'est un peu méfié de toi. C'est normal. Tu étais allée en tôle.

— En tôle, je n'ai pas parlé !

Elle était devenue toute blanche.

— Possible, répondit Cherif avec embarras, mais avoue, tu t'en es si bien sortie ! L'instruction a retenu tout ce qui pouvait arranger tes affaires... et pas le reste.

— A cause de mon père. Mon père a une situation, des amis...

— D'accord. Seulement, *on* a beaucoup dit que le lieutenant Wasseau et toi...

— Et même si c'était vrai ! lança-t-elle, les dents serrées.

— Ne revenons pas là-dessus. Tout ça, je comprends très bien. Nous autres, les hommes, si on avait la chance d'être arrêtés par des lieutenantes de paras, ou des inspectrices de la D.S.T., ça serait un plaisir, pourvu qu'elles ne soient pas trop moches, de s'en sortir avec cette méthode-là.

Elle faillit, par défi, lui assurer que ce n'était nullement pour arranger ses affaires qu'elle avait cédé à Wasseau, mais parce qu'elle en avait eu envie. S'interrogeant, elle se demanda si tout de même, dans cette envie, n'entrait pas une attirance pour la souveraine protection que Wasseau pouvait en effet lui accorder. Elle regardait le vin blanc briller dans son verre.

— De toute façon, reprit Cherif avec gêne, tu étais trop en vue. On pouvait craindre que la police t'ait à l'œil. Il valait mieux se méfier.

Ce fut à la fin du déjeuner seulement qu'il laissa entendre à Marie-Louise qu'elle aussi devait se méfier. La jeune fille sentit son cœur battre sans savoir si elle avait peur ou si elle était excitée par ce danger indéterminé. Elle ne voulut pas demander d'explication. Elle dit simplement :

— Ah oui ?

Il y eut entre eux un moment douteux. Visiblement Cherif se demandait s'il allait s'expliquer ou se contenter de cette mise en garde. Comme sa réflexion était longue, Marie-Louise l'interrompit avec une fausse désinvolture :

— Et toi alors, qu'est-ce que tu as fichu depuis un an ?

— Après la grève des Facs, je suis monté en France. *On* m'a indiqué de m'inscrire à la Fac de Toulouse. Fini le travail clandestin, les valises, les boîtes aux lettres, le coup de sonnette à une porte qui, en s'ouvrant, risque de dégorger un para... *On* m'a employé en tant qu'intellectuel. J'ai été chargé des contacts avec le P.S.U. et avec l'U.N.E.F.

— L'U.N.E.F. ?

Il acquiesça. Avec un mélange d'ironie et d'enthousiasme, il lui décrivit ses relations avec les chefs de cette association d'étudiants français qui, peu à peu, se vouaient à la cause du F.L.N.

— L'U.N.E.F. C'est vieux. C'est une association qui remonte à plus loin que 1910 ! Tu vois le genre ! Pendant près d'un demi-siècle elle s'est limitée à l'action syndicale. Elle prétendait obtenir, pour les étudiants, des avantages matériels et moraux. Finalement, elle les a obtenus en grande partie, il y a trois ans, en 1955 : sécurité sociale, gestion des fonds mis à sa disposition pour ses œuvres, etc. De sorte que les nouveaux dirigeants de l'U.N.E.F. ont moins de revendications sociales à formuler. Alors ils se sont trouvés disponibles pour l'action politique. Grâce au travail de leurs prédécesseurs, ils bénéficient, aux yeux des étudiants, d'une autorité certaine due aux avantages que leurs membres retirent de l'U.N.E.F. Moyennant ces avantages, ils entraînent l'université dans une action politisée. Les types les suivent à l'aveuglette. Et certains de leurs chefs se sont quasiment mis à notre disposition. Quand on y réfléchit, c'est invraisemblable... mais c'est comme ça ! Dans les années à venir cette orientation prendra encore plus de poids. Il est capital, tu comprends, que dans les congrès internationaux où les étudiants français ont un grand prestige, c'est un fait, ils ne prennent la parole que pour vanter la Rébellion, vilipender l'armée française. Ça fait un effet bœuf ! Comment en sont-ils arrivés là, les étudiants métropolitains, ça m'échappe un peu. Mais on ne m'a pas placé dans le coup pour que je me creuse la tête ni pour que je sonde la leur. Je leur ai refilé des mots d'ordre, un point c'est tout. Et si tu les avais vus ! Ils crevaient de fierté d'avoir un contact avec la Rébellion. La Rébellion, c'était moi. Je me marrais bien.

Il se pencha vers elle, sérieux :

— Ces gars-là, nous les utilisons sur deux plans. D'une part, l'action politique universitaire, les congrès nationaux et internationaux, les pétitions, les protestations, les articles aux journaux, etc. D'autre part, nous avons choisi certains d'entre eux qui n'occupent pas des postes trop importants, des types de deuxième plan, pour les lancer dans l'action directe, à l'intérieur même d'une de nos katibas. Ceux-là, ils nous servent, comme toi aujourd'hui, à porter des valises. Voilà, c'est pour ça que je t'ai demandé de te méfier. Je ne suis pas dans le secret des dieux, mais j'en sais assez pour te certifier que les gars que nous utilisons pour porter des valises de tracts ou de grenades, nous n'en avons pas un besoin urgent.

— Alors pourquoi les prenez-vous ? Pour leur faire plaisir ?

— Non, pour les faire piquer un jour. De temps en temps, au compte-gouttes, nous laissons et nous laisserons des jeunes de la Métropole, des étudiants de préférence, se faire épingler par les flics, une valise à la main. Pour la presse, c'est un scandale assez croustillant, tu comprends. Elle le met en valeur. D'ailleurs, nous avons suffisamment d'appuis dans la presse pour l'en persuader si elle hésite tant soit peu. Autrement dit, nous avons intérêt à ce que les petits gars au visage pur, étudiants de bonnes familles, se fassent piquer à notre service de telle sorte que le monde entier apprenne que la jeunesse française pensante est à nos côtés. Voilà pourquoi, Marie-Louise, je te dis de faire attention. Avec l'histoire que tu as déjà eue à Alger, si on t'encriste une seconde fois, tu risques de ramasser cinq ans. Pour une fille, c'est embêtant. Tu aurais mauvaise mine en sortant. Et puis, tu comprends, toi, tu es de là-bas, alors ça me ferait mal au ventre que tu te fasses racler avec ces petits ballots de francaouis ! Ouvre l'œil.

— C'est de ça que je dois me méfier ?

Il lui tapota l'épaule. Elle resta aussi raide, aussi rebelle. Elle ne chercha pas son regard.

— Oui, dit-il, de ça. Ça serait trop bête.

**_*
*

Marie-Jeanne portait un tailleur gansé de noir, d'une étoffe miroitante. Assis à ses côtés, mais assez loin d'elle, contre l'autre portière de la voiture, Béverier, le visage toujours marqué par un pansement, fumait. La voiture passa entre la mer et le restaurant Reynaud, puis s'engagea sur la Corniche.

— J'ai vu, dit Marie-Jeanne, dans un numéro d'*Historia*, que son entourage appelait Napoléon « l'inamusable ». Mon cher, vous êtes l'inamusable.

— Allez, ça va, grogna Béverier.

— La preuve...

Elle avait commencé sa phrase avec élan, comme si elle comptait surmonter la mauvaise humeur de Béverier, puis la phrase s'était arrêtée net. Elle renonçait. Toutefois, elle affecta d'appliquer toute son attention au doublage d'un car de Marseille, de sorte qu'elle laissait son mari libre de croire qu'elle ne s'était interrompue que pour s'absorber dans sa conduite.

En fait, il ne s'y trompa pas. Il goûta d'abord le plaisir de la voir découragée mais le plaisir de la polémique fut le plus fort. Il prit l'offensive :

— Parce qu'il faudrait que je m'amuse ? demanda-t-il.

Sa blessure ne le faisant pas souffrir, il se sentait disponible pour la colère. Il s'y abandonna :

— L'entreprise à laquelle nous nous livrons, Marijuana, vous la trouvez sans doute follement drôle, moi pas !

— Entendons-nous bien, prononça-t-elle posément mais d'une voix un peu tremblante, vous m'avez fait un grand numéro de mélancolie, Alain, sur le thème de la rareté de vos séjours en France, de la médiocrité de ces séjours, du chagrin que vous éprouviez, par exemple, à ne pas pouvoir reprendre contact avec la vie parisienne, et vous avez fini par estimer que si, du moins, vous aviez pu assister au ballet de Sagan qu'on crée à Monte-Carlo...

— J'ai dit ça comme ça !

— Vous avez dit ça avec passion !

Il ne l'écouta plus. Il était étonné de l'avoir appelée « Marijuana ». C'était un nom d'amitié qu'il avait donné à

Marie-Jeanne quand, après la campagne Rhin et Danube, il était revenu en France. En réfléchissant il se souvint qu'il n'était même pas l'auteur de ce sobriquet. Il l'avait trouvé tout fait en arrivant. Des amis de Marie-Jeanne le lui avaient donné parce qu'elle raffolait d'une nouvelle collection policière, la Série Noire, dont les accessoires étaient volontiers, outre le colt et le whisky, la marijuana. A cette époque, quand ils faisaient l'amour et que le regard de Marie-Jeanne se voilait, élargi comme celui d'une droguée, Alain murmurait « Marijuana ! » « Me trompait-elle déjà ? » se dit-il.

Il interrompit les propos de sa femme pour demander :

— Croyez-vous vraiment que vous vous êtes donné le mal de nous trouver des places pour ce ballet parce que je l'avais cité au hasard de la conversation ou parce que... Allez-y ! Ayez au moins le courage de formuler votre pensée !

— Est-ce nécessaire ? Le mieux est de la boucler et de regarder le paysage.

— Vous vous fichez du paysage !

— Oh ! oui !

— Alors ?

Imperceptiblement, elle fut plaintive pour la première fois :

— Alain, je fais tout ce que je peux !

— Vous en faites trop ! répliqua-t-il. Je ne vous ai pas demandé de m'aider à revoir Bernadette. Si j'en avais envie, j'étais assez grand pour le faire seul. Il est répugnant que vous vous y prêtiez.

Il cria :

— Qu'est-ce que vous voulez me démontrer ? Que vous avez les idées larges ? Et par conséquent que je dois les avoir aussi ?

— Vous l'aimez ?

— Je... n'en sais rien.

— Et moi ?

Cet « et moi » le frappa. Il en demeura la bouche ouverte. A travers trop de mots un être venait de lui rappeler qu'il existait. « Et moi ? »

Entre ses cils, Béverier se laissa fasciner par la répétition des tournants qui, devant le capot, s'enchaînaient les

171

uns aux autres au-dessus d'un abîme de rocs et d'eau également lumineux.

***
***

Etendu en travers du lit, une main sous la nuque, un pied dans le vide, Pierre Nahon savourait sa gloire. C'est agréable le succès. La banalité de cette proposition ne lui échappait pas, pourtant elle lui semblait d'une nouveauté insolente. Qu'il n'y eût rien de plus agréable qu'une victoire, telle était la certitude dont il se délectait en se surveillant du coin de l'œil, dans la glace de l'armoire. Bernadette était sa cinquante et unième victoire. Mais de même qu'un capitaine distingue entre ses grandes et petites victoires, Nahon, après réflexion, classa celle-ci parmi les très grandes. Il passa la main avec gratitude sur son corps en sueur, ce vaillant qui, la bataille une fois gagnée, gisait en corps glorieux.

Bernadette sortait de la salle de bains. Ses cuisses, encore humides, luisaient. Elle s'agenouilla devant une commode où elle cueillit, avec des intervalles de réflexion, divers dessous.

— On se rhabille ? demanda-t-il.

— Oui. On sort !

— C'est marrant, observa Nahon, l'air satisfait, les autres, après, savent toujours où mener les filles. Moi, jamais.

— Mais, voyons, s'exclama Bernadette, on va au ballet de Sagan ! C'est l'heure !

Les bras chargés de vêtements, elle disparut dans la salle de bains. Il n'avait pas perdu un seul de ses gestes, fasciné par ce corps dont il se répétait qu'il l'avait eu. Et à cela on ne pouvait plus rien changer. Les victoires du séducteur sont définitives, alors que celles d'un grand capitaine peuvent être corrigées, même annulées dans la même semaine par une autre bataille, perdue celle-là. Si la vue de Bernadette comblait d'aise Nahon c'est qu'il avait l'amour de l'absolu. Il se répétait qu'aucune puissance au monde ne pouvait rien contre le fait qu'il avait conquis et possédé Bernadette. Cette certitude ne serait même pas entamée par les suites toujours hasardeuses d'une liaison puisque demain Bernadette et lui se sépareraient. Il resterait seul avec une victoire inaltérable.

Il s'étira et la glace renvoya de lui une image enchanteresse. Sur sa peau polie, les cheveux et les poils sombres, d'un tracé très net, étaient délimités comme sur un tableau de Matisse. Il admira l'étroitesse de sa taille, la rondeur de ses petites épaules musclées, la longueur infinie de ses jambes, presque glabres, aussi élancées que des jambes de danseuse. Là-dessus il se mit à plat ventre, comme on se retourne en prenant un bain de soleil. Il regardait la glace par-dessus son épaule qui lui offrit la chute cambrée de son dos ; ses omoplates, peu visibles, étaient moelleuses à l'œil ; ses fesses, petites, pleines, serrées. La maigreur qu'on lui supposait quand il était habillé n'était ici sensible qu'aux hanches où les os saillaient, et sur le thorax qui révélait le dessin des côtes, mais le révélait à peine. Cette maigreur-là était parfaite — celle d'un pur sang.

Décidé à se rhabiller il agit vite, avec des gestes précis, soigneux, et de fréquentes inspections dans la glace.

Quand Bernadette réapparut en robe tunique de lamé rouge, très coiffée, les lèvres légèrement rougies et les yeux faits, sa petite bouche ronde, de raillerie, s'arrondit davantage.

— Vous n'êtes pas prêt ?

— Je me suis admiré dans la glace, répondit-il froidement. Je me trouvais si beau que j'avais du chagrin de me rhabiller.

— Si beau que ça ?

— Bernadette, sans blague ? vous ne me trouvez pas vraiment très beau ?

Avec la paume de ses mains il lissait sa chevelure. Ses gestes étaient ceux d'un virtuose.

— Pour le corps, oui, très beau, répondit Bernadette avec sérieux. Mais pour la tête ça dépend de l'angle, à cause du nez. Vous êtes bien le premier garçon avec qui j'ai de pareils sujets de conversation. Avec des filles, souvent. Et vous avez une manière de vous bichonner qui fait très « pépée » aussi. Jacques Bossac prétendait que la différence entre hommes et femmes c'est que celles-ci se sentent étrangères à leur corps. Elles le considèrent comme un bien, un objet si vous voulez, dont elles sont propriétaires, qu'elles

173

se doivent de surveiller, de mettre en valeur, et de ne
prêter aux hommes que dans certains cas. Eh bien, vous,
vous me donnez l'impression d'être propriétaire de votre
corps, comme une femme.

— Il y a du vrai. C'est intéressant ce que vous dites.

— Comme une femme ! vous voilà ravi que je vous parle
de vous.

— Pourtant je vous ai montré que j'étais un homme,
vous l'avez senti, vous le sentez encore ? chuchota-t-il en
saisissant Bernadette. Hein, ma belle ?

Les joues de Bernadette rosirent. Son regard soutint énergiquement celui de Nahon pendant quelques instants, puis les
longs cils basculèrent.

— Oui, Pierre.

— Ce sera un secret entre nous n'est-ce pas ? Quand
nous nous rencontrerons, nous penserons certaines choses,
nous verrons certaines choses, et les autres ne sauront pas...

Elle rompit brutalement le charme en frappant du pied.

— On va être en retard ! Grouille-toi !

— Ah ! non ! cria-t-il d'une voix grinçante, aiguë, où il
y avait presque de la haine. Non ! nous n'allons pas nous
tutoyer maintenant. Qu'est-ce que vous croyez ? Qu'on va
jouer aux bons copains ! On pourrait se donner des tapes
dans le dos aussi.

Il connaissait bien cet élan de mécontentement envers
les autres et lui-même. Dans cet état, il ne pouvait plus que
penser : « tout est gâché » et avoir envie de se rouler par
terre comme un enfant se roule par terre parce que tout
est perdu. Ces accès lui venaient à propos d'apparentes futi-
lités, il avait d'autant plus de mal à les justifier, et tout
apaisement d'autrui tombait forcément à côté.

— Vous m'avez vexée, dit sérieusement Bernadette.

— Je veux que vous respectiez ce qui s'est passé de
grave entre nous, gémit-il.

« Un vrai séducteur, pensait-il, soucieux de préserver totalement sa victoire, devrait fuir dans les minutes qui suivent celle-ci pour ne garder que le souvenir d'une femme
encore gisante et vaincue. Je ne fuirai que demain, c'est
trop tard. Bernadette, sur ses deux jambes, aura eu le temps
de reprendre du poil de la bête. »

Il l'empoigna et frémit de joie parce qu'il la sentit ployer

174

aussitôt. Elle perdait même l'équilibre. Il la soutint de tous ses muscles. Il l'avait obtenue en une seconde, sans le moindre effort, tant l'acte qu'ils avaient fait était capital et lui avait donné un rapide pouvoir sur les nerfs de la jeune femme. Exalté, ravageant de sa langue la bouche de Bernadette, non par désir, mais par principe, il revivait la victoire qu'il avait gagnée sur elle, sur le colonialiste du Sersou, sur tous les colonialistes, sur toutes les femmes.

Libérée, elle se plaignit doucement des dommages causés à son maquillage. Il l'entraîna dans la salle de bains et lui repeignit lui-même les lèvres, avec des gestes câlins.

Il poursuivit ses prévenances pendant qu'ils descendaient. Encore que l'ascenseur ne dominât le plancher du hall que de deux ou trois centimètres, Nahon offrit sa main à Bernadette pour l'aider à en sortir. A travers le hall, il continua à la combler de galantes attentions ; au moment où ils franchissaient le seuil du bar il lui soutint le bras bien qu'aucun obstacle, nulle marche, ne se présentassent à eux. Il voulait que tous ses gestes proclamassent qu'ils étaient ceux d'un homme envers une femme.

Poussant doucement Bernadette devant lui, il en vint à ne plus se concevoir que comme un être sexué, seulement sexué. Il en étouffait. Pourtant tout à l'heure, étendu sur le lit, quand il avait pensé si fortement que le seul plaisir était de vaincre, ne lui était-il pas fugitivement apparu que cette appréciation du monde était contraire à ses positions politiques ? Il comprenait maintenant pourquoi : en acceptant le primat du sexe, il acceptait qu'il y eût deux espèces sur terre, l'une dominante, l'autre dominée, et trouvait bon de tirer le sel de sa vie de cette domination. Non seulement il participait à l'oppression d'un genre par un autre, oppression aussi choquante que celle d'une classe par une autre, d'une race par une autre, mais il tirait de cette injuste situation des jouissances dont la violence le surprenait. Par son érotisme, il rejoignait les féodaux, les colonialistes, la Droite. Il fut si content de se découvrir une contradiction intéressante qu'il en sourit d'aise, heureux en même temps que Bernadette, qu'il soutenait toujours par le coude, s'abandonnât à lui, la démarche aussi trébuchante sur ses longs talons aiguille qu'une geisha aux pieds atrophiés, bref, tînt à la perfection son rôle de femelle. Il l'installa devant un guéridon tout en poursuivant l'analyse de ses contradictions intimes. « Un homme partagé entre sa vocation sexuelle et ses convictions politiques, se disait-il, il y a quelque chose à écrire là-dessus ; ça n'a jamais été sorti, ça. »

Ayant hélé un serveur qui tardait à se rendre à son invite, il se mit à penser à Hanau et à l'envier. Depuis qu'il le connaissait il l'admirait moins, mais à meilleur escient. Hanau n'avait pas de génie mais semblait ne rencontrer aucun obstacle pour s'exprimer. Combien de fois, alors que Nahon s'empêtrait dans des formules qui couraient plus à la recherche de sa pensée qu'elles ne l'exprimaient, Hanau, d'un ton uni, sans effort, comme s'il se bornait à résumer les remarques essoufflées de son interlocuteur, n'avait-il pas prononcé la phrase simple, juste, suffisante, celle qu'il fallait ?

— Vous prenez un scotch, je suppose, Bernadette ? Et vous le faites durer le temps que je monte enfiler mon smoking.

— Si j'en juge par la lenteur avec laquelle vous vous êtes rhabillé tout à l'heure, protesta-t-elle dans un chuchotement, je suis bonne pour trois doubles whiskies.

— Je vous en prie, non, ne faites pas de folie. Moi, je vais établir un record. Je serai l'homme capable de revêtir un smoking en un quart d'heure. Vous allez voir ça !

Il avait souri à Bernadette en s'éloignant, mais son sourire était nuancé de mélancolie. Il était la victime d'une injustice du sort si Hanau pouvait s'exprimer sans à peu près, sans mollesse et lui non. Son manque de don littéraire lui parut singulièrement inique dans un moment comme celui-ci, où il se sentait quelque chose à dire. Aussi contempla-t-il son visage dans la glace haute, ourlée de plantes vertes, qui avoisinait l'ascenseur devant lequel il s'était arrêté, avec la fierté solitaire d'un homme qui sait que s'il exprime la tristesse, cette tristesse est noble. Nahon avait croisé d'autres visages sombres dans le hall et celui que lui offrait le garçon d'ascenseur en s'effaçant devant lui avait une expression de vacuité désespérée. Il les méprisa globalement, certain d'être le seul à sécréter une tristesse d'une origine aussi élevée.

⁂

Au moment où tombait la nuit, le professeur Demeilhan, qui était rentré chez lui, s'aperçut qu'il rêvait. Or, toute sa vie, le rêve lui avait fait horreur comme un marais. Il aimait que les Français, à peine arrivés dans le Maghreb, eussent tenté de hisser des vergers là où il y avait de petits saharas, mais il leur savait surtout gré d'avoir asséché les marais, et qu'il y eût tant de lieux en Algérie, dont l'étymologie indiquât qu'ils avaient été pestilentiels, alors qu'ils étaient aujourd'hui sains, nets, solides. Il repoussa le rêve et alluma la petite lampe qui était posée sur son bureau.

Du même coup, le livre (*Les Arabes d'hier à demain*) qui se taisait dans la pénombre, s'adressa à son regard. Les lettres dansaient, parce que le regard de Demeilhan était fatigué : « *Tout en nous, et autour de nous, peut prendre signification, dès lors que chose, geste ou parole échangent plus ou moins leur consistance vulgaire contre l'accès à plus profond et à plus ample. Le symbole prend même d'autant plus de force que l'échange s'avère inégal...* » Demeilhan pensa : une faute de français ! tant mieux ; il est bon qu'un texte marécageux ne puisse rester français. « *... s'avère inégal. L'infirmité de l'instrument, son inadéquation à rien de conscient...* » Ce jargon !

Les marais inspiraient à Demeilhan un sentiment de crainte et d'horreur. Lorsque, dix ans plus tôt, il avait remonté le Nil depuis l'Afrique Noire, il n'avait pu traverser le Bahr-el-Ghazal qu'avec une excitation panique. Le Bahr-el-Ghazal est ce marécage grand comme la moitié de l'Italie, que le Nil traverse en s'éparpillant et où les bateaux peuvent pénétrer grâce aux quatre années de labeur d'un régiment anglais. Sur quatre cents kilomètres s'allongent, plantées sur un sol pourri, les falaises de papyrus hauts de quatre mètres, d'un vert fiévreux. Parfois, au faîte des papyrus, au niveau de leurs couronnes en forme d'ombrelles, un incendie crépitait : ainsi la tige croupissait encore que déjà la tête flambait. « Je fixais des vertiges » s'était dit, après Rimbaud, le professeur Demeilhan. Or les vertiges l'écœuraient. Il en réprouvait la facilité nauséabonde.

« *...à rien de conscient ou de pratique, une sorte de cristallisation enfin, lui confère l'essentiel de sa puissance.* »

Cette prose que lisait Demeilhan était pour lui comme un Bahr-el-Ghazal. Elle était aussi bourbeuse, mouvante, que la pensée orientale qu'elle prétendait exposer. « *Justement,* poursuivait l'auteur, *en arabe le ramz se définit par une signification presque exempte de base matérielle : un chuchotement, un mouvement silencieux des lèvres ou des paupières, une allusion, une inflexion. Selon l'ambiguïté caractéristique de la langue, ce mot profond en arrive à prendre les colorations les plus diverses, rythmées par une sorte d'alternance entre le bien et le mal. Qu'est-ce que, par exemple, la rammaza, ou la ghammaza, car les deux mots sont employés dans le même sens ? C'est la femme qui se fait comprendre d'une façon non articulée, qui n'emploie pas le langage, mais, par exemple, bat des paupières pour convier ou acquiescer. Ce peut être la femme galante, celle qui répond par une pression de doigts, ou de toute autre façon, mais qui, en tout cas, n'emploie pas l'opération du langage, véhicule de rigoureux interdits et de dangereuses puissances. Mais exactement aux antipodes de ces valeurs d'émotion, un rajul ramiz al ra i, c'est le sage dédaigneux du discours, s'exprimant par sentences allusives et peut-être simplement par un silence sapiential, ou de quelque autre façon encore, par sa figure ou sa démarche.* » Ayant repoussé le livre hors de la région lumineuse de la table, Demeilhan s'étonna une seconde de la sévérité qui, en quelques mois, lui était venue à l'égard de la pensée orientale et surtout des Occidentaux qui s'en font les commentateurs déférents. A partir du moment où, ayant admis le succès de la Rébellion, il avait renoncé à tenir pour possible la victoire de ce qu'il avait lui-même défini dans ses ouvrages « l'une des vocations historiques du Maghreb », la vocation occidentale, c'est-à-dire une vocation berbère qui n'eût conservé de son imprégnation orientale que des condiments — de ces condiments fructueux qui font encore merveille aux marches de l'hexagone français — à partir de ce moment, il avait tenu pour réel le nationalisme algérien, mais avait perdu toute tendresse pour ce que l'Algérie a d'oriental. Il s'était réfugié en Occident. Et, revivant sans discontinuer l'histoire de l'Occident, il en était venu à haïr les influences orientales qui avaient failli le perdre. Or, ce qu'admirait l'auteur du livre qu'il venait de repousser, c'était justement la diarrhée allégorique, le délire symbolique dont l'Orient a entretenu le péril pour l'Occident depuis le premier siècle. Avec une véritable animosité, Demeilhan se prit à évoquer l'école d'Alexandrie et sa croyance que tout écrit est susceptible de plusieurs interprétations. Il piétina Origène qui a appliqué le système des trois interprétations, littérale, morale, mystique, aux ouvrages chrétiens, plus encore ses abominables vulgarisateurs de saint Hilaire à saint Ambroise, et même saint Augustin qui, s'il lui est arrivé de soutenir — et comme un brillant paradoxe — que le sens littéral des Ecritures ne devait pas être trop négligé, n'en a pas moins défendu obstinément tous les à-peu-près fétichistes du symbolisme : David ramassant cinq pierres, et ces cinq pierres préfigurant les cinq Livres de la Loi ; la Loi renfermant dix préceptes, ce qui explique pourquoi David chantait avec un instrument à dix cordes ; et s'il ne lance que l'une de ces cinq pierres, c'est en hommage à l'Unité, et parce que l'Unité c'est la Charité ; s'il a puisé ces cinq pierres dans le fleuve, c'est parce qu'un fleuve est inconstant et représente donc le peuple juif ; et s'il transporte les pierres dans le vase qui lui a servi à recueillir le lait de ses brebis, c'est bien évidemment parce que la Grâce, qui a la douceur du lait, est le terme auquel David veut élever la Loi. « Merde ! pensa Demeilhan, entre cette saloperie parfumée au miel et au jasmin et les odeurs fauves des barbares du Nord, nous l'avons échappé belle en Occident ! »

Il s'offrit un hymne à la gloire de ceux qui avaient reculé l'échéance du Moyen Age, de ceux qui avaient engrangé assez de valeurs antiques pour ravitailler les hommes pendant la traversée du Moyen Age. Il s'attendrit plus particulièrement sur Justinien. Que cet homme immense ait rassemblé les traditions et les compilations romaines en un code dont la survivance a fait germer le droit moderne ; qu'il ait été l'un des plus grands conquérants de l'Histoire, puisque, monté sur le trône d'une Byzance réduite à elle-même, il est parvenu à reconstituer le « mare nostrum », et qu'en Afrique ses généraux ont poussé jusqu'au Sahara ; qu'en même temps il ait construit Sainte-Sophie... Et que les historiens modernes le traitent par-dessous la jambe, voilà qui alimentait l'excitation de Demeilhan. Pas un historien qui ne dédaignât l'œuvre de Justinien sous prétexte qu'elle avait eu lieu « à contre-courant de l'Histoire ». Or, que signifiait le courant de l'Histoire des peuples civilisés au VI⁰ siècle ? Il signifiait : indolence, lâcheté, mauvaise conscience, abandon. Que déclarait Justinien précisément : « Dieu nous a donné d'amener les Perses à conclure la paix, de soumettre Vandales et Maures, de recouvrer l'Afrique entière et la Sicile. Nous avons bon espoir que le Seigneur nous accordera le restant de cet empire que les Romains d'autrefois étendirent jusqu'aux limites des Deux Océans et qu'ils perdirent par l'indolence. » Mieux, les historiens soulignent la brièveté de l'entreprise de Justinien. D'après eux, à peine les Byzantins eurent-ils reconquis Carthage qu'ils en furent chassés. Or, ils y sont restés un siècle et demi. « Quelle entreprise peut-on me proposer aujourd'hui, se dit Demeilhan, qui prétende durer jusqu'en l'an deux mille cent ? Et si, au bout d'un siècle et demi, cette œuvre s'est abîmée, sera-ce en raison du sens de l'Histoire ou parce que l'abandon de mes contemporains à ce prétendu sens aura empêché l'avènement d'un nouveau Justinien ? La haine de Justinien pour l'Orient m'enchante... Il allait jusqu'à interdire le grec, où il discernait un graphisme oriental. Le brave homme ! Il s'est débattu contre l'esprit mystique, l'allégorie, l'amour des mots pour les mots qui étaient en train de ruiner la philosophie et les sciences héritées du monde antique. »

Depuis que Demeilhan subissait ces crises antiorientales, son seul remords se résumait en une phrase : « Si mon vieux maître William Marçais entendait ça ? » L'honnêteté de pensée du professeur Demeilhan était telle qu'il n'eût pas songé, pour sa défense, vanter les travaux auxquels il se livrait. Car, bien qu'il prît des crises de nerfs contre l'Orient, Demeilhan n'en poursuivait pas moins des études qui tendaient à alléger la responsabilité des conquérants arabes dans la stérilisation du Maghreb. A l'imitation de Dauzat démontrant par la toponymie que le perpétuel assèchement de la Beauce, depuis le début de l'ère chrétienne, a été l'œuvre d'une modification climatique, il établissait qu'une modification identique avait desséché le Maghreb. Sans doute, la haine des Arabes pour l'arbre et la charrue avait-elle largement concouru à la calcination du Maghreb, mais en France, pendant la même période, des villages ou des lieux porteurs de noms indiquant la présence d'une forêt ou d'un étang, s'étaient trouvés situés sur des sols ras et secs.

Attirant à lui un dossier, Demeilhan s'était patiemment remis au travail. Parfois, comme un chien qui s'est apaisé après avoir beaucoup aboyé pousse encore un petit grondement, il était assailli par une bouffée d'hostilité contre les Orientaux de la Méditerranée, ces hommes sans générosité, aux idées vaseuses, qui ne savent être que pillards ou mendiants. Il oubliait qu'il avait consacré sa vie à l'étude de la leur. Il ricanait. Parfois aussi il s'inquiétait de Marie-Louise. Qu'est-ce qu'elle fabriquait celle-là ?

**
*

Notes prises par Nahon sur son calepin :

Ballet banal. Indignation des spécialistes : il paraît que les danseurs ne dansaient pas, qu'ils marchaient. Ça indigne donc les spécialistes dans la mesure où cela enthousiasme les « happy fews ». Je suis au nombre des « happy fews », n'oublions pas.

Autre sujet de scandale : un bidet figurait sur le décor. Moi, ça m'a plu. Ça, ça ne passera pas dans mon canard. Ça m'a d'autant plus plu que ma voisine ne l'avait pas remarqué. Elle me disait : « Où ça ? Où ça ? ».

La présence dudit bidet a été pour moi d'autant mieux charmeresque qu'elle m'a permis de rêver à ce qui nous était arrivé.

Jacques Chazot m'a confié que la Principauté a exigé à la dernière minute une coupure. Il faut que je sache à tout prix quel détail choquant a été coupé.

J'ai beaucoup bu. Je prends ces notes sur le pont du yacht de Mme Abydossis.

Après le ballet, j'ai réussi à interviewer plusieurs personnes, d'abord Jacques Chazot qui ne me lâche pas d'un centimètre (il sera sur toutes les photos, celui-là !), Françoise Sagan, ensuite Ayala, l'ambassadeur de Cuba, Marie Bell, Touchagues. Je croyais qu'il y avait Maurois, mais ce n'était que son fils, Gérald. Pas la peine que je note leurs réponses, c'était de la bonne routine.

Toute une cohorte allait prendre un verre à bord du yacht Abydossis, je m'y suis joint. J'ai gardé Bernadette avec moi. En cours de route, nous sommes tombés sur mon ami Béverier « et sa dame ». Il n'avait pas obtenu de places pour le ballet. Il me regardait beaucoup.

AGITÉS D'ALGER
========

Ce yacht est divin ! Françoise Sagan aurait dit en arrivant : « C'est honteux cette richesse ! » Je ne me prononce pas. Qu'est-ce qui est le plus « dans le train », d'adopter une attitude de réprobation démagogique devant le luxe, ou au contraire, de familiarité approbative ? Il faudra que je me fixe une position là-dessus ! Car j'ai entendu d'autres personnes dire : « — C'est sublime ! — Moi, j'adore ça ! — C'est tout ce que nous aimons ! »

Dommage que mon reportage ne soit pas sur le yacht Abydossis plutôt que sur le ballet. J'aurais de sacrés décors ! Déjà, quand on est sur la passerelle, on sent bien qu'on passe d'un monde dans un autre ! En effet : sur le gaillard d'arrière, piscine en céramique, piste de danse. Après le salon : une main courante en ivoire sur laquelle est ciselé le voyage d'Ulysse. Il paraît que les tabourets sont en peau de sexe de baleine, et les appuie-pieds, en dents de morse. C'est fou ! Un bar miniature pour les enfants ; une salle à manger décorée par Vertès ; un salon chinois tout en nacre avec un bouddha de jade, des yeux de laque, une langue en rubis, qui bouge. Chaque cabine a le nom d'une île grecque. Dans l'appartement de Mme Abydossis, il y a une madone du Titien. Autour d'une rotonde, des niches avec les navires anglais qui ont coulé le plus de navires français. Mme Abydossis est un tanagra brun et potelé ; son mari est aussi noir qu'elle, râblé, petit, le nez à la turque, une grande bouche, de petites mains, des verres fumés. Un buffet fabuleux !

Bernadette me tanne. Elle veut aller se coucher. Peut-être n'est-elle habituée ni au luxe du lieu ni à la célébrité des visages et se sent-elle un peu péquenaude ; ou encore, affecte-t-elle d'en avoir marre pour se donner l'air blasé et me faire croire qu'elle n'est pas snobée le moins du monde. Je ne sais que penser d'elle. A certains moments, je lui trouve l'allure un peu boniche, un peu Kermesse de *l'Humanité* à Garches. Pourtant elle a plu au marquis de Ayala. Du coup, ça m'a regonflé.

A ma gauche, réflexion d'un type très pédé, beaucoup d'allure, qui remonte l'escalier : « Ce n'est pas si mal que ça, je trouve ! On m'en avait dit pis que pendre, mais les gens exagèrent toujours... C'est de mauvais goût, d'accord, mais d'un mauvais goût assez heureux. » Donc, troisième position face à la somptuosité : la critique indulgente. C'est sans doute la plus forte. Le type en question s'éloigne avec un vieux à tête d'académicien qui lui répond que le luxe n'existe plus et lui décrit le yacht sur lequel César et Cléopâtre ont descendu le Nil : à l'intérieur, paraît-il, des jardins, des grottes et des jets d'eau.

Beaucoup de gens ont cassé du sucre sur le dos de Sagan. Sa robe était miteuse... Il paraît qu'elle avait mal remonté sa fermeture éclair et qu'on apercevait un soutien-gorge douteux. Bernadette a été révoltée par ces propos. Moi, pas : si tout Paris racontait que mon maillot de corps est sale, ça prouverait que tout Paris s'occupe de moi. Je n'aurais pas à m'en plaindre.

Je vais demander quelques tuyaux à Jean-Pierre Dorian, puis je ramène Bernadette. Je la collerais bien dans mon reportage sous les traits d'une de ces Eves stupides et piquantes dont se servent les chroniqueurs. Jean me fera une scène de jalousie. Ce qui me tente : m'établir dans sa chambre et travailler à mon article à côté d'elle endormie.

Détail à noter : dans le salon du yacht, un remous de la mer ayant fait osciller le lustre, une dame qui bavardait avec Touchagues s'est écriée : « Mon Dieu ! un tremblement de terre ! »

*
**

Nahon s'effaça. Bernadette entra. Il voulut la suivre.

— Allez donc dormir, dit-elle.

— Mais *je vais* dormir.

— Tout seul !

— Pourquoi ?

La femme de chambre avait allumé la lampe de chevet dont l'abat-jour rougissait la pièce. Le lit était ouvert. Les draps, très blancs, brillaient.

— Ça fait, je ne sais plus, douze ou quinze heures, dit Bernadette, que nous ne nous sommes pas quittés. J'ai envie d'être toute seule un peu... s'il vous plaît.

Gentiment elle s'appuya contre lui et lui donna sa bouche.

— Couchez-vous, ma belle. Je ne vous embêterai pas. Je vais jouer la comédie d'un monsieur qui serait habitué à vous voir vous déshabiller devant lui tous les soirs.

Elle obéit et il prit un certain plaisir à la voir agir avec naturel. Pour la première fois elle se dévêtait sous ses yeux sans coquetterie, sans combat. Il en éprouva tant d'agrément que, fidèle à sa parole, il la borda, lui souhaita bonne nuit, et s'enfuit.

Il ne regretta son départ qu'en arrivant à la porte de sa chambre. Sa fatigue fut brusquement telle que, les nerfs exaspérés, il se sut incapable de se mettre au lit. Même, il avait peur de se retrouver dans sa chambre, seul. Lentement il continua de longer le couloir, croisant un couple d'Américains qui riaient avec une telle violence qu'il en serra les dents de douleur.

*
**

Ce rire, Béverier l'avait entendu au moment où il entrait dans la chambre de Bernadette.

Comme il refermait la porte, la voix de la jeune femme s'éleva :

— Non, Pierre ! Ne soyez pas assommant. Allez-vous-en !

Béverier s'arrêta devant le lit.

— Je ne suis pas Pierre, dit-il, donc je ne m'en vais pas.

Elle ne tressaillit pas en découvrant son erreur.

— Allez-vous-en aussi, dit-elle lentement.

— Je ne peux pas.

Il précisa :

— Il serait fou que je m'en aille. Si je le faisais, ma vie serait fichue.

— Oh ! mais j'en ai assez ! gronda-t-elle. On ne peut pas être tranquille. Je dors. Foutez le camp !

Elle parlant elle avait éteint sa lampe de chevet.

— Bernadette...

— Bernadettte vous emmerde ! Et pas seulement vous, tous les hommes. Si vous restez ici une minute de plus, je ne vous reparlerai de ma vie. Je veux être tranquille ! Tranquille !

Elle changea brusquement de ton et geignit :

— Demain matin, mon petit Alain. Téléphonez-moi vers neuf heures et demie. Vous voulez bien ?

— Non. Je suis sûr de certaines choses, Bernadette. C'est ma vie et c'est la vôtre qui vont se décider maintenant.

— Vous me raconterez ça demain.

— Ce que je veux, Bernadette, c'est cette nuit, tout de suite.

— Alain ! Vous êtes assez naïf pour croire que si on couchait ensemble maintenant, votre vie en serait changée ?

— Vous verrez bien.

— Je ne verrai rien du tout.

Sa voix s'infléchit prenant une fragilité imprévue.

— Alain ! J'étais gaie, j'allais m'endormir gaiement. Ça ne m'arrive pas si souvent.

— Et cette gaieté, vous l'attribuez à quoi ?

— A mes bêtises, j'en ai faites.

— On peut savoir lesquelles ?

— Ça n'en vaut pas la peine... J'ai fait un match avec Pierre Nahon. J'ai gagné la première manche. Il a gagné la seconde. Nous sommes quittes.

— Comment avez-vous gagné la première manche ?

— En employant la méthode des jeunes filles américaines, le petting.

— Mais la deuxième manche, celle que vous avez perdue, vous l'avez perdue comment ?

Bernadette s'était redressée dans son lit, les paupières mi-closes, la moue provocante.

— Mon Dieu, dit-elle, il n'y a pas, que je sache, tellement de façons pour une femme de perdre sa seconde manche.

Elle ajouta :

— C'est formidable, il y a un quart d'heure je m'endormais, et maintenant je suis éveillée comme un cabri. Voulez-vous me donner une cigarette ?

Il lui en tendit une, la lui alluma, le regard vide.

— Expliquez-moi, dit-il.

— Oh ! là là ! ça n'a pas besoin d'explication.

Sous son regard, elle changea de ton :

— Eh bien, oui, quoi !

L'étonnant, pour Béverier, était qu'il fût si rapide, si facile, de cesser de désirer et d'aimer quelqu'un. Il avait trop rêvé de Bernadette pour ne pas avoir édifié leur destin sur une union physique. Et voilà qu'il ne la souhaitait plus, ne se demandait même pas si, un jour, il pourrait la souhaiter de nouveau. C'était fini. Or, bien qu'il fût parfaitement conscient de cet écroulement, il continuait de porter son attention sur les contradictions anodines du récit de la jeune femme.

Celle-ci, ayant envie de se raconter, venait de lui distribuer des détails sans qu'il lui posât la moindre question. Elle prétendait avoir voulu se refuser à Nahon mais l'avait accueilli en maillot de bain ; elle avait assuré qu'il faisait admirablement l'amour pour, une seconde après, dénoncer la méthode qu'il employait comme ne lui convenant pas à elle ; ce qui ne l'avait pas empêchée d'ajouter que la fin avait été formidable. Béverier se disait qu'il ne saurait jamais la vérité profonde de cet événement, mais aussi que cette vérité n'existait pas ; qu'entre ce qu'elle avait ressenti et ce dont elle se souvenait, il y avait déjà un fossé vertigineux ; que pour appréhender la vérité, il eût fallu connaître aussi ce qu'elle avait été pour son partenaire, ce qu'elle était devenue au bout de quelques heures. Béverier se repentit d'avoir rugi et frappé, lors d'interrogatoires, des suspects incapables de lui fournir une de ces belles vérités qui collent avec la réalité comme le muscle avec la peau.

La douleur qui veillait sur sa pommette se rappelait à lui par éclairs irréguliers. Il faillit sourire à la pensée qu'il était doté, grâce à la lésion de ce nerf, d'un système capable d'évaluer la douleur morale. Il lui trouva un nom : la taxalgie.

Il faisait bonne figure, continuait d'écouter Bernadette, lui donnait la réplique avec calme. S'y trompant complètement, elle poursuivait le récit de son après-midi. Qu'elle pût se leurrer à ce point acheva de la séparer de lui. Si elle pouvait croire au visage impassible qu'il lui présentait, c'est qu'il n'y avait jamais eu d'accrochage physique entre eux. L'animation de Bernadette, en proie aux confidences, était un verdict.

— Il est affreusement tard, dit-il en se levant. Je vais vous laisser dormir.

*
**

Quand Nahon se retrouva dans le hall il fit quelques pas, au hasard, sur les tapis qui étaient épais et moelleux et qui l'entraînèrent comme un courant le nageur. Arrivé à l'extrémité du hall, il hésita. Allait-il se trouver un moyen de transport pour gagner Nice et débusquer Marie-Louise, comme la nuit précédente ? Or, éreinté, il manquait totalement de l'audace ou de l'inconscience nécessaires pour aller sonner à la porte du professeur Demeilhan en pleine nuit. Nahon se jouait la comédie de l'hésitation : sa décision d'aller dormir était prise. Mais cette comédie était si bien jouée qu'un chasseur, croyant qu'il cherchait le chemin du casino, le lui indiqua — et si fermement que Nahon obéit.

Il se trouva donc engagé dans un tunnel qui faisait communiquer l'hôtel aux salles de jeux du casino. Des tapis, des tentures, quelques sièges prétentieux y prolongeaient le décor du palace. Pourtant ce souterrain, que des ascenseurs, sévères comme des monte-charge, entrecoupaient, n'était pas sans évoquer le métropolitain. Les joueurs qui le suivaient, fussent-ils en smoking ou en robes du soir, portaient sur leurs visages des expressions de travailleurs nocturnes, de prolétaires levés à l'aube. Nahon n'aurait pas été étonné si le petit homme en habit qui le suivait, et qui tenait son cigare comme un outil, avait de l'autre main poussé une bicyclette par le guidon, et si sa compagne, en tunique rouge, avait été coiffée du bonnet de police et harnachée de la sacoche d'un facteur. Quelques noctambules rêvaient, assis sur les banquettes qui jalonnaient ce parcours insolite. Ceux-là semblaient attendre le dernier ou le premier métro.

Nahon avait fini par s'asseoir. Il était satisfait des impressions que déclenchait en lui le spectacle de ce souterrain pour milliardaires. Stimulant lui-même son imagination, il en vint à comparer ce lieu à un tunnel sous la Manche inventé par Jules Verne et peuplé de personnages de Proust. Il avait atteint le degré de fatigue qui, semblable à l'alcool ou aux stupéfiants, vous donne l'illusion d'être génial. « Je suis le premier, admirait-il, à mélanger le monde de Proust et de Jules Verne. » Il prononça à mi-voix :

— Je dois écrire.

En un an, sa carrière avait été remarquable. Un sourire charmé aux lèvres, il se rappela que, dix-huit mois plus tôt, il était content de rédiger n'importe quoi dans « Le Léman Littéraire ». Depuis il avait publié ses « Entretiens sur l'Algérie » avec Hanau, avait mené avec lui un débat en quatre épisodes à la radio, exécuté les commentaires d'un court métrage qui n'était pas encore sorti. C'était très bien.

Mais dans les instants où Nahon se sentait travaillé par le génie, il lui semblait urgent de s'atteler à une œuvre qui lui fût absolument personnelle. Il s'imaginait alors dans une pièce meublée de deux petites tables, lui, étant assis à l'une, devant le manuscrit de son roman, une fille travaillant à l'autre ; tous deux se lisant mutuellement leurs œuvres. Naturellement cette fille ne pouvait être Jean, qui ne serait jamais bonne qu'à rédiger de petits reportages minutieux pour de grands magazines. D'ailleurs, la fille ne serait pas forcément sa maîtresse. Volontiers il imaginait que, pendant leurs poses de travail, ils se raconteraient leurs aventures. Eprouvant de la jalousie pour cette inconnue, il décida qu'elle serait lesbienne. Ce serait plus commode. Il en était là quand l'homme qu'il regardait avancer à grands pas en direction de l'ascenseur, lui fit un signe de tête. C'était Béverier.

Ils se trouvèrent face à face sans l'avoir voulu, et très embarrassés, avec de légers sourires sur des visages fatigués.

— Vous alliez au casino ? demanda Nahon.

— Oh ! non ! Je me dérouillais les jambes. Et vous ?

— Je n'ai pas sommeil.

Nahon précisa :

— Ce n'est pas que la nuit dernière j'aie fermé l'œil.

— Une insomnie ? demanda Béverier avec naïveté.

— Pas précisément.

Le sourire glorieux qui avait éclairé le visage du jeune homme édifia Béverier, mais l'induisit en erreur : « Elle m'a menti, pensa-t-il, ça s'est passé la nuit dernière. » Il eût été bien en peine de démontrer en quoi il eût été plus grave que cela se fût passé quelques heures plus tôt. Une expression toute faite convenait à la manière dont il regardait Nahon : il le buvait des yeux. Il l'examinait en détail, sachant que cet examen ne le rassasierait jamais : ces yeux de velours étaient ceux qui avaient vu le corps et le visage de Bernadette abandonnée. Cette longue bouche, un peu lippue, s'était écrasée sur la bouche ronde de Bernadette, avait prononcé des mots qui l'avaient fait rougir jusqu'aux épaules. Fasciné, Béverier ne savait comment retenir auprès

de lui un être qui lui procurait une souffrance aussi intéressante.

— J'ai toutes les raisons de dormir, insistait Nahon avec
fatuité, mais je ne dors pas.

— Il y a une espèce de boîte, tout près d'ici, qui ne
ferme pas de la nuit, ou très tard. On pourrait y prendre
un verre ?

Ils remontèrent le souterrain côte à côte, sortirent de
l'hôtel, traversèrent un jardin glacé, planté de hauts palmiers. Tous deux marchaient vite, ne se parlant que du
froid. Ils éprouvèrent la même impression de bien-être en
pénétrant dans l'air chaud et lourd du minuscule cabaret.

Le « Typee » était composé d'une petite salle et d'une
scène infime, en forme de demi-lune, adossée à un piano.
Béverier n'avait connu l'existence de ce lieu nocturne que
par un propos de Marie-Jeanne. Il ne doutait pas qu'elle
fût venue là en compagnie masculine. Il n'en doutait pas
mais n'arrivait pas à le voir. La trahison de sa femme l'avait
atteint avec des armes très différentes de celles que la trahison de Bernadette utilisait contre lui. Alors qu'il pouvait
imager cruellement ce qui s'était passé entre celle-ci et
Nahon, il avait seulement été frappé — mais frappé sans
rémission — par ce que la conduite de Marie-Jeanne avait
eu d'*inconcevable*. De la sorte, cet événement se rattachait
à un souvenir qui avait marqué son enfance : un après-midi,
sa mère, qui faisait des emplettes dans un grand magasin,
avait été arrêtée par une sorte de détective qui l'avait conduite dans un bureau secret où l'on avait fouillé son sac et même ses vêtements. L'affaire avait eu des suites : l'inspecteur
avait été obligé de venir présenter ses excuses dans l'antichambre de l'appartement, et la direction du magasin avait
envoyé à Mme Béverier l'une de ces fabuleuses corbeilles de
fleurs qu'on réserve d'habitude à une star en voyage ou à
une jeune aviatrice qui vient de battre un record. Ni les
fleurs ni les excuses n'avaient atténué l'effroi du petit garçon. Il avait essayé d'imaginer sa mère entraînée par
l'inspecteur au milieu de la foule, sa mère livrée à une
fouilleuse, mais il n'y était pas parvenu dans la mesure où
il était *inconcevable* qu'on prît sa mère pour une voleuse.
Les yeux fermés et les poings écrasés sous les yeux, il avait,
pendant des mois, tenté d'obtenir quelque image dont il

189

attendait un soulagement — mais on n'illustre pas l'inconcevable. De même, quand il ne lui avait plus été permis d'ignorer la conduite tenue par Marie-Jeanne pendant qu'il était en Indochine, il s'était heurté à la même impossibilité et la même notion de l'inconcevable l'avait emmuré.

— Pardon.

Tous deux avaient voulu ensemble saisir la bouteille de Perrier et leurs doigts s'étaient touchés. Béverier, avide, essaya de maintenir présente la perception qu'il avait eue d'une peau brûlante, moite. Il fixa son regard sur les ongles du jeune homme qui, au bout de longs doigts spatulés, étaient courts, rectangulaires, comme fichés dans la peau, pareils à ces tuiles qui couronnent certains murs, serties par du ciment. Il imagina très bien le travail de ces doigts sur la chair de Bernadette. Merveilleusement soulagé par l'agilité de son imagination il en souriait avec, dans son sourire, la trace de douleur du coureur victorieux, encore essoufflé, qui parle au micro.

— Vous connaissez le mari de Bernadette, je crois ? s'enquit Nahon.

Béverier n'eût pas osé prononcer ce prénom, ni même espéré le faire prononcer par Nahon. Son cœur battit et, avec quelques secondes de retard, un élancement naquit au centre de sa joue blessée. Inquiet, il en guetta les pulsations qui s'éteignirent. Il avait répondu :

— Oui. Il a sa ferme dans mon secteur.

— Je ne comprends pas qu'elle ait épousé un pareil con.

— Ça m'a surprise aussi.

— Au fond, c'est une fille qui a eu une crise de cafard et qui a voulu se ranger, faire une fin à tout prix.

— Elle a eu ses raisons sûrement, mais...

— Deux raisons. Bossac, le type qu'elle aimait, l'avait plaquée, et le métier de professeur en province l'empoisonnait. Mais elle aurait tout de même pu trouver mieux que ce Desaix ! Physiquement elle n'est pas mal. Elle ne plaît pas à tout le monde, elle est un peu lourde, mais moi, je ne sais pas pourquoi, elle m'a toujours intéressé. Et elle n'est pas bête ! Elle a même une espèce de charme qui lui vient d'un art de rester secrète. Dommage qu'à la longue, à force de vivre dans ce patelin invraisemblable, au milieu d'une bande de cloches, elle soit complètement sortie du coup. C'est une mémé qui, d'ici quelques années, aura tout de la bonne dame de province.

Béverier se demanda si le ton dépréciatif de Nahon était sincère ou inspiré par le désir d'être discret et de donner le change par une désinvolture excessive. Il préférait la seconde hypothèse, d'abord parce qu'il n'était pas doué pour croire à l'infamie de l'adversaire, tenté au contraire de lui prêter des qualités avec une complaisance qu'il n'eût pas eue pour un ami, ensuite parce qu'il s'identifiait assez à Bernadette pour ne pas souffrir plus qu'elle d'un jugement dépréciatif.

— Le consolant, reprit Nahon, c'est qu'avec elle, ce sale imbécile en verra de toutes les couleurs.

— Quel sale imbécile ?

— Desaix.

« Si j'insiste tant soit peu, jugea Béverier, ce type va me jeter au nez qu'il vient « de se la taper ». Il se demanda quelle attitude prendre. « Si je lui ratatinais la gueule ? » Il vida son verre et considéra, prêt à frapper, la gueule en question. C'était un coup d'œil professionnel. Ses fonctions l'avaient si bien habitué à prendre les mesures d'un prisonnier, comme un tailleur celles d'un client, qu'il prévoyait fictivement sur quel pan du menton son coup atteindrait Nahon, de quelle manière celui-ci verdirait, sur quel ton il implorerait pitié. Mais Nahon savait peut-être qu'il aimait Bernadette ? Du même coup tout acte de violence lui était interdit. En trahissant sa rage et son désespoir, il eût donné par là à son adversaire les plaisirs de la victoire. Il souhaita donc que Nahon lui crût de l'indifférence et, avec difficulté, articula :

— Vous savez, moi, Bernadette je ne la connais pas tellement. Je l'ai retrouvée par hasard à Marseille et puis je suis retombé sur elle ce soir.

Il lui fut alors évident que si la goujaterie de Nahon l'avait blessé, la négligence qu'il venait de montrer avait touché son interlocuteur.

— Il me semble, répliquait Nahon, que par rapport aux bonnes femmes du Sersou, elle doit être tout de même assez sensationnelle.

— Oui, approuva Béverier mollement, c'est une des mieux, peut-être même la mieux.

Pendant une seconde leurs regards se croisèrent, coléreux. Pour une fois, Béverier fut visité par une intuition : « Il se demande si je l'ai eue, moi aussi. »

— Il est vrai, avait repris Nahon, qu'il faut avoir des points communs avec quelqu'un pour l'apprécier. Or Bernadette est beaucoup trop fine, trop cultivée pour ce milieu de colons et j'ajouterai, sans vouloir vous vexer, de militaires.

— Elle a préféré ce milieu au vôtre finalement.

Un instant, Bernadette avait repris de l'ascendant sur eux : elle était devenue leur juge.

— Disons qu'il est féminin de se tromper... et elle le sait, qu'elle s'est trompée, poursuivit Nahon.

— Elle vous l'a dit ?

— Elle me l'a prouvé !

Béverier n'avait été sensible qu'au grincement nasillard de la voix de son interlocuteur. Avec retard, il frémit : son bulletin de victoire, Nahon venait de le lui jeter en pleine figure. « Se doute-t-il que je me suis traîné à ses pieds sans rien obtenir ? » Il entreprit de se rassurer : « aucune raison pour qu'elle lui ait parlé de moi à ce point ».

— Il est vrai, ajoutait Nahon nonchalamment, qu'avec les femmes rien ne prouve jamais rien. Il suffit de leur plaire un peu, de les prendre de court, ou alors d'être patient... en tout cas de savoir y faire.

Béverier avait envie de lui dire : « Vous vous amusez à jouer les modestes, d'un ton faux, et vous auriez pourtant raison d'être modeste, plus profondément. Il est probable que si elle vous a cédé et non à moi, c'est qu'elle vous considérait comme anodin. C'est parce que je l'intéressais plus que vous, parce que je l'élevais plus que vous, qu'elle s'est mieux défendue. Vous croyez avoir vaincu Bernadette et peut-être m'avoir vaincu, moi, et c'est l'inverse. »

Mais il ne dit mot et se borna, comme Nahon cherchait en vain dans ses poches son briquet, à allumer la cigarette du jeune homme. Ce mouvement rapprocha leurs visages. Béverier dissimula un soupir. Il renonçait à sa prétendue victoire morale. Il ne croyait plus aux victoires morales. Il se rappelait, en Indochine, le speech d'un colonel qui, dans l'espoir de les ragaillardir, au moment de l'évacuation, leur avait affirmé qu'ils étaient les véritables vainqueurs puisque moralement supérieurs aux valets du marxisme qu'étaient les Viets qui les chassaient et aux politicards de Paris qui, les ayant trahis, se réjouissaient de leur rembarquement. De même, quand l'inconduite de sa femme s'était avérée, un vieux prêtre de Neuilly, ami de sa famille, soucieux de « ressouder le ménage » lui avait assuré que la plus belle victoire qu'un homme, un homme au sens le plus plein du terme, pouvait remporter, c'était celle, toute morale qu'il gagnait contre lui-même en parvenant à pardonner. Et demain, quand après avoir donné sa parole de toujours rester l'Armée évacuerait l'Algérie, à coups de communiqués, de solennités, de trompettes, de drapeaux brandis, elle réussirait sans doute à se convaincre que, faute d'une victoire temporelle, elle aurait remporté, ce qui valait encore mieux, une victoire spirituelle. Il en avait marre. Les victoires morales et spirituelles, il en avait son compte. Secouant ses vains lauriers il scruta, éclairé par la flamme du briquet, le visage du vainqueur matériel, du seul vainqueur.

Un rideau de velours rouge en se soulevant avait découvert l'étroite scène sur laquelle, par intermittence, avait lieu un numéro mal préparé que le public, clairsemé et sceptique, regardait à peine. Une grande blonde, tout en dansant à peu près à la cadence du piano devant lequel un triste fonctionnaire ensommeillé s'était assis, avait entamé un strip-tease dépourvu de conviction. Elle n'avait pas été longue à écarter son manteau de fourrure, puis à le jeter dans les coulisses qui, autant qu'on pouvait en juger, étaient en même temps les cuisines, mettant dans ce geste qu'accompagnait un sourire enjôleur une suprême désinvolture, comme si, embusquée dans les cuisines, une meute de serviteurs ou d'adorateurs eût été là pour se disputer l'honneur de recevoir le manteau, alors qu'on entendit le soupir mou qu'il poussa en s'affalant sur le plancher. Puis, seulement vêtue d'un collant noir à larges mailles et d'un maillot également noir, elle entreprit, tout en commençant de baisser celui-ci, une danse sur place, à intentions lascives, le menton haut, le regard accommodant à l'infini.

« Le vainqueur de *ça*, c'est celui qui culbute et prend son plaisir, un point c'est tout. » Dans le même instant il se demanda si sa femme, en tentant de lui remettre Bernadette dans les pattes, n'avait pas souhaité lui offrir l'occasion d'être vainqueur. Alors qu'il avait résumé ainsi son plan : « elle veut, en protégeant mes amours avec Bernadette, me convaincre de tolérer les siennes avec ses « jules », la vérité était peut-être différente et Marie-Jeanne, ayant deviné qu'il était atteint d'une maladie qui s'appelait la défaite, lui avait voulu une victoire pour, en le guérissant, le changer.

— Elle est plutôt tocarde, dit Béverier, non qu'il le pensât fortement, mais parce qu'il crut se rehausser aux yeux de Nahon en jouant les amateurs difficiles.

— Oh ! on en a baisé de plus moches, hein !

La fille avait en effet une belle peau, des seins agressifs, ses défauts ne tenaient qu'à des cuisses trop creuses et des genoux épais. Davantage que son corps, c'était son jeu que Nahon reprochait à cette fille. D'abord, elle allait trop vite, ensuite ses vêtements destinés au spectacle ne procuraient pas le dixième de l'émotion dont eussent été chargés des dessous courants.

Un sourire erra sur ses lèvres et Béverier, les poings serrés, crut qu'il allait lui raconter par quelles savantes progressions il avait obtenu Bernadette. Il brûlait d'écouter les détails, se demandant en même temps ce qu'il adviendrait de lui après les avoir écoutés.

Comme Nahon, rêveur, passait sa langue sur ses lèvres, Béverier décida qu'il y avait probablement encore dans la bouche de cet homme une trace de la salive qu'il avait prise à Bernadette. Et il eut si peur, dans l'état où il se trouvait, que Nahon lui fournît les fameux détails, qu'il lui fut réellement reconnaissant de détourner la conversation sur l'Algérie.

Très vite, Nahon fut agressif. Béverier faisant preuve d'une complaisance imprévue, se gardait de le contrer. Il ne se sentait pas assez fort pour briser là et s'en aller. Malgré le ton de Nahon il tenait à sa présence. Nahon était si étroitement lié, pour lui, à Bernadette qu'il avait besoin de le regarder, de l'écouter respirer, qu'il en était plus ému que de la présence réelle de la jeune femme.

Les propos de Nahon finirent pourtant par l'atteindre autrement que sous la forme d'une voix dont il se disait qu'elle avait séduit la femme qu'il aimait. Son attention se porta sur les termes mêmes du discours.

194

— Vous ne croyez pas que vous y allez un peu fort ? demanda-t-il soudain.

— Oh ! non ! Je m'estime modéré quand j'affirme que ce qui me frappe le plus dans cette guerre, c'est l'imbécillité française. Plus précisément, l'imbécillité de la droite française. Car c'est tout de même une affaire de droite, bien que les socialistes s'y mouillent les doigts de pieds. Et une affaire qui peint le caractère de la droite, son attachement inconditionnel au passé, son ignorance des caractères spécifiques de son époque, son incapacité à prévoir, son indifférence pour la justice.

— Je ne me classe pas à droite, dit Béverier...

— Naturellement, coupa Nahon, pour trouver un homme de droite qui se place à droite, il faut marcher longtemps. La mode maintenant est de feindre de s'interroger sérieusement sur le problème : au fond, la droite et la gauche existent-elles ? et cætera. Un de mes meilleurs amis, dont vous connaissez peut-être le nom, il s'appelle Hanau, me disait l'autre jour...

— Hanau, l'écrivain ?

— Oui, vous l'avez lu ?

— Bien sûr...

Béverier s'étonna de laisser passer sans commentaires un nom qu'il avait appris depuis des années à vilipender. Il découvrit que, conscient de sa situation de « vaincu sur toute la ligne », il reconnaissait à Nahon une supériorité intimidante.

— Et c'est Hanau, poursuivait l'autre, qui m'a dit l'autre jour : l'homme de gauche c'est celui qui apprenant qu'un de nos territoires d'outre-mer s'est libéré de notre joug, bondit de joie, même s'il ignore les détails de cette libération, même si cette libération est contraire aux intérêts immédiats de la France, même si elle a été sanglante, même si le sort des indigènes est loin d'être assuré et risque momentanément de s'aggraver, alors que l'homme de droite c'est celui qui, apprenant la même libération, et sans plus de détails, s'en afflige. Cette distinction, Hanau l'a tirée je crois d'une conversation avec Roger Stéphane.

Tous deux tournèrent machinalement la tête parce que le rideau s'était de nouveau levé sur une rousse gainée d'un fourreau à paillettes. Ils l'abandonnèrent à son sort, et Nahon en revint à son propos :

— Je vous disais que l'Armée et les colons étaient frappés d'imbécillité, de la fameuse imbécillité de la droite, ça vous a fait tiquer...

« Ce garçon manque de tact, décida Béverier. C'est peut-être le secret de sa force dans la conquête des femmes. » Il lui vint un mépris des femmes, et plus singulièrement de Bernadette, qui répandit sur lui une onde de calme. Il respira mieux.

— Cette imbécillité, elle est facile à démontrer. Les colons ont été imbéciles depuis des dizaines d'années parce qu'ils ont cru, à un contre dix, pouvoir garder le contrôle d'une population dont ils ne faisaient rien pour diminuer les humiliations ni la rancune. Ils ont été des imbéciles parce qu'ils se sont opposés à toutes les réformes. Et quand l'Algérie leur a explosé sous les pieds, ils ont de nouveau été imbéciles, parce qu'au lieu de chercher un compromis pendant qu'il en était temps encore, ils ont accepté la guerre. Et que cette guerre, ils la continuent, alors qu'elle est perdue d'avance. Depuis que la Tunisie et le Maroc ont leur indépendance, celle de l'Algérie est inévitable. Quant à l'Armée, je lui reproche d'avoir été imbécile dans la mesure où elle s'est jetée à corps perdu dans cette bataille perdue d'avance, alors qu'elle sortait d'une expérience indochinoise qui aurait tout de même pu lui ouvrir les yeux. Car le colon, stupidement accroché à ses privilèges et à sa terre, a l'excuse de défendre son bien, mais l'Armée, elle, n'avait pas à tomber dans le panneau. Au lieu de sauter sur l'espoir d'une revanche, elle aurait dû utiliser ce qu'elle avait appris de la guerre de subversion, et préparer un compromis rapide. Au lieu de dépasser ses fonctions en acceptant celles de la police, elle aurait dû les laisser soigneusement, ces fonctions, à ceux à qui elles revenaient. Et même, voyez-vous, l'Armée est encore plus impardonnable que ça. Elle s'est fichue de l'Algérie comme de la France, dans cette histoire. Mais elle voulait sa revanche à tout prix ! Pourtant elle le savait bien que même si elle remportait un succès, ce succès ne pouvait être qu'éphémère étant donné le mouvement démographique de l'Algérie ! Dans vingt ans les musulmans seront je ne sais pas combien, vingt millions, alors à quoi bon ! A la vérité, ni les colons ni l'Armée n'ont été capables d'une analyse de la situation. Ils se sont laissés aller à un réflexe de classe. De la sorte, s'ils ont retardé de quelques années le processus historique en Algérie, ils risquent de l'accélérer en France et de provoquer une prise de conscience des masses populaires qui hâtera le socialisme. C'était une véritable conférence que je vous ai faite, mais ce que je vous ai dit, il y a longtemps que j'avais envie de le dire à un officier...

Nahon qui, depuis un moment, parlait les yeux baissés sur son verre, plongea son regard sombre dans celui de Béverier.

— ... à un officier de votre âge, de votre grade, pour voir ce qu'il me répondra.

Béverier, depuis qu'il avait pris le parti de mépriser son interlocuteur, éprouvait un bien-être qui lui permit de sourire.

— Vous vous intéressez à l'Algérie ? demanda-t-il.

Il arrêta la confirmation véhémente de Nahon :

— Et vous parlez de l'imbécillité de l'Armée ? Ce que je trouve imbécile, moi, c'est qu'ayant devant vous quelqu'un qui est mêlé depuis deux ans étroitement, quotidiennement à la guerre d'Algérie, vous ne songiez pas à l'interroger, à l'écouter. Vous avez préféré me faire un discours. Vous m'avez prouvé que vous manquiez totalement de curiosité.

— Oh ! je vous vois venir ! Votre argument, je le connais. On me l'a déjà servi. Selon vous, pour comprendre ce qui se passe là-bas, il faut l'avoir vécu. Eh bien, non ! Il y a des gens qui auront vécu sur place toute l'affaire algérienne et qui, faute d'avoir su l'analyser, n'en auront pas compris un traître mot.

— Le seul drame, répondit Béverier, c'est que cette guerre soit conduite de Paris et par des gens qui, comme vous, croient à l'analyse abstraite d'événements vivants. Ce fut la même histoire au XVIIIᵉ, pour le Canada.

— Ah ! non, ne me ressortez pas les « quelques arpents de neige » et tout le tremblement, je vous en prie ! Vous êtes un homme intelligent et vous ne me servez que des lieux communs.

— Alors pourquoi vous obstinez-vous à penser que je sois intelligent ?

Nahon rapprocha son siège de celui de Béverier.

— Ne jouez donc pas la carte des Ultras, murmura-t-il sur le ton de la confidence chaleureuse. Vous avez mieux à faire.

En France, nous avons besoin de gens comme vous. Les jugements lucides que nous portons sur l'Algérie paraîtront de parti pris tant que les progressistes seront seuls à les formuler. Il faudrait que des nationalistes, des officiers, comme vous, acceptent le débat avec nous. Si vous marchiez, au lieu d'être un capitaine entre des milliers de capitaines, promis à l'amertume de la défaite, vous pourriez devenir une personnalité en vue.

— Quand vous ai-je dit, s'exclama Béverier en riant, que j'avais envie de devenir une personnalité en vue ?

Un maître d'hôtel s'inclina devant leur table et leur présenta la note : le « Typee » s'apprêtait à fermer. Nahon laissa calmement payer Béverier, et ils se retrouvèrent dans la rue.

Une brume qui montait de la mer avait amorti le froid. Ils ne se dirigèrent pas vers l'hôtel de Nahon, ni vers celui de Béverier. Ils erraient. Ils passèrent sous un pont de chemin de fer, regardèrent une machine haut-le-pied qui projetait des étincelles sur les palmiers. Sur le port, ils furent accueillis par une brume plus dense qui blanchissait la nuit. Ils ne voyaient pas les yachts dont ils entendaient crisser les amarres.

— Votre permission est-elle longue ? demanda Nahon.

— Encore vingt jours, c'est une permission de convalescence.

— Ah ? Qu'est-ce que vous avez eu ?

Béverier porta la main à sa joue puis, son geste n'étant guère explicite dans les ténèbres, il le commenta :

— Une légère blessure au visage.

— C'est pour ça que vous avez un pansement ? J'avais pensé que c'était un furoncle. C'est une balle ? C'est dans une opération que vous avez attrapé ça ?

— Non, sur la route. Il paraît même que c'est ma faute. Et que si un soldat a été tué à côté de moi, c'est aussi ma faute.

— Dites donc, c'est intéressant ! Racontez-moi !

— Pas grand-chose à raconter. Nous étions plusieurs voitures, la nuit, sur la route. Nous avons aperçu des hommes. Après le couvre-feu, personne ne doit circuler dans le djebel. Comme les bas-côtés de la route étaient peu accidentés j'ai lancé ma jeep à la poursuite des gaziers. Ils ont tiré.

— Et en quoi est-ce votre faute ?

— Ma foi, j'aurais dû appliquer le règlement et tirer le premier.

198

— Et pourquoi ne l'avez-vous pas fait ?

— Parce que, dans les cas de ce genre, il y a toujours un doute. Si vous voulez il y avait quatre-vingts chances sur cent pour que ces gars-là fussent des fellagha, des tueurs en pleine action, mais vingt chances aussi qu'ils fussent tout simplement des péquenauds qui aient pris du retard en rentrant du marché ou qui soient sortis à la recherche d'un médecin.

— Et c'était des tueurs ?

— Oui, l'événement m'a donc donné tort. Mais voyez-vous, quand je suis certain d'avoir affaire à l'ennemi, je suis impitoyable. Seulement, quand il y a doute, je flanche. Ces trois types, c'était d'abord, pour moi, trois Français, trois amis.

— Alors, on vous l'a reproché ?

Béverier hésita, puis acquiesça.

— On pourrait écrire une tragédie, reprit Nahon, sur les problèmes qui se posent à vous là-bas. Savez-vous ce qui serait passionnant ?

Il fit encore quelques pas avant d'énoncer sa proposition :

— Après-demain je compte aller voir Hanau qui passe l'hiver dans sa propriété à Tolone, au-dessus d'Aix-en-Provence. Vous, vous habitez Marseille ?

— Oui.

— Et vous avez une voiture ?

— Oui.

— Allons-y ensemble ! Hanau aimera un échange de vues avec un officier, même si vos vues divergent. J'ai un magnétophone. Cet entretien pourrait être assez sensationnel. On le publierait dans un journal, ou en plaquette. Moi, je serais juste l'animateur, je relancerais les questions, je vous ramènerais tous les deux sur le sujet... Réfléchissez.

Béverier, précisément, réfléchissait. Il suivait les progrès de la défaillance qui l'avait incité à confier à cet ennemi de l'Armée le différend strictement militaire qui l'avait opposé à son chef. Tout s'était passé comme s'il avait voulu se donner une allure libérale, humanitaire, pour plaire à un garçon qui était l'ennemi de sa caste, qui était son ennemi personnel ; qui souhaitait la défaite de sa caste, et qui venait d'obtenir une première victoire par le truchement d'une femme. Sa conduite, Béverier ne s'en étonnait pas outre mesure. Il connaissait la présence, dans son caractère, d'une fêlure. Il

199

savait que les événements capitaux de sa vie s'étaient produits le long de cette fêlure, comme les éruptions volcaniques se produisent le long d'une certaine fissure de l'écorce terrestre.

L'espace d'une seconde il retrouva pourtant son sentiment de solidarité avec ses camarades de l'armée, et même avec les Français d'Algérie, et même avec un Desaix. Il sut que ce n'était pas lui que Bernadette avait trahi, mais Desaix, et que Nahon était en train d'obtenir, petit à petit, qu'à son tour il trahisse.

Comme le jeune homme cherchait du feu, Béverier, de nouveau, tendit son briquet et considéra, au bout de la flamme, le visage du tentateur.

Le lendemain, Bernadette ne s'éveilla qu'à midi. Encore le téléphone dut-il crépiter longtemps avant de la faire sursauter. Elle prit l'appareil et d'abord balbutia, à demi endormie, n'identifiant pas la voix faible qui parlait trop vite. C'était Desaix.

Une fois levée elle commença sa toilette machinalement mais l'interrompit pour s'asseoir devant le secrétaire et écrire à Bossac.

Le secteur postal qu'elle mentionna sur l'enveloppe était celui d'Adrar, dans le Sahara.

La lettre, après plusieurs pauses à Marseille, à Oran, fut chargée à Colomb-Béchar dans un bruyant Junker, au fond d'un sac, entre une machine à coudre et des cageots de carottes. Elle revit, au bordj d'Adrar, la lumière du jour, une lumière aveuglante, pour replonger aussitôt dans un autre sac. Son destinataire en effet avait changé d'unité et se trouvait à l'autre bout de l'Algérie. Par Alger et Telergma elle gagna Souk-Ahras, près de la frontière tunisienne. Là, elle attendit. Elle ne pouvait atteindre Jacques Bossac dans son poste d'Al Djoub que par convoi ou hélicoptère. Les convois étaient rares tant les pistes étaient minées. La lettre atterrit finalement en hélicoptère sur le tertre herbeux qui séparait le poste du village de regroupement. Le vaguemestre la remit à Bossac avec trois autres lettres, une de sa mère, et deux de Livia.

TROISIÈME PARTIE

SAKHIET

— Qui est-ce ?

— C'est Ali.

Aïcha, enveloppée dans une grosse robe de chambre à carreaux, trotta jusqu'à la porte qu'elle déverrouilla. Ali entra en se frottant frileusement les mains.

— Il ne fait pas chaud.

Il avisa dans la cuisine une casserole de chocolat fumant.

— J'en prendrai une tasse aussi.

Aïcha remplit les deux tasses sous l'ampoule électrique festonnée de mauve qui brillait, envoyant son image dans les vitres de la fenêtre derrière laquelle les premières clartés du matin bleuissaient la façade de l'immeuble, de l'autre côté de la cour.

— Ce matin, tu portes un message.

— Tu es fou ! protesta Aïcha. Les autres fois j'ai profité de mes jours de sortie. Aujourd'hui, tu sais bien que je travaille.

— Ça va. C'est arrangé. Je leur ai téléphoné en venant. J'ai dit que tu étais souffrante. Pour une journée d'absence tu n'as pas besoin de certificat médical, donc...

— Et si le docteur Garcia passait me voir ici ?

Ali s'assit devant la petite table et trempa un morceau de pain d'épice dans sa tasse de chocolat.

— Ce que tu es raisonneuse ! Maintenant que je te connais mieux, je suis persuadé que je n'aurais jamais réussi à te convaincre. Avec toi, la méthode que j'ai employée était la seule. La petite volée, elle a fait merveille, hein ? Depuis, combien as-tu fait de missions ? Le surlendemain tu as transporté un P.M. Et puis il y a eu le couffin de grenades. Tu as organisé cinq ou six réunions du groupe féminin. Tu as dédouané l'argent que le collecteur avait laissé à la droguerie de la rue de la Lyre, et tu as déjà fait trois voyages de liaison à Bordj Menaïel. Ce matin, tu vas faire le quatrième.

Comme il n'y avait qu'une chaise dans la cuisine, Aïcha mangeait debout à côté de son compagnon.

— Dépêche-toi, dit-il, ton car part dans quarante minutes.

— Alors, laisse-moi me laver !

— Okay, dit Ali en se levant pour passer dans la chambre d'un pas nonchalant.

Il s'allongea sur le lit d'Aïcha. A travers les persiennes fermées quelques jets de lumière matinale filaient, enflammant la glace. Le fracas de la douche sur l'émail résonna. De l'autre côté de la cloison, il y eut le giclement de l'eau dans une cuvette puis le début d'une mélopée chantée en arabe par une voix masculine.

Le jeune garçon attendit, presque sans faire un mouvement, le retour d'Aïcha qui apparut enfin, enveloppée dans une grande serviette-éponge orange. Elle ouvrit sa penderie.

— Je m'habille comme les autres fois ?

— Evidemment. Pourquoi poses-tu toujours des questions inutiles ? Fissa ! Fissa ! je ne te regarde pas.

Ali détourna en effet la tête vers le cosy-corner pendant qu'Aïcha, que les alarmes de sa pudeur rendaient maladroite, enfilait précipitamment la vaste robe-pantalon de soie blanche, puis, se débarrassant de sa serviette-éponge, passait successivement un maillot de corps en jersey et un chemisier blanc. Quand Ali se retourna vers elle, elle avait déjà attaché sur son visage le masque brodé et s'était enveloppée dans son haïk. Elle sauta dans les souliers à talons qui l'attendaient au pied du lit et annonça qu'elle était prête.

— Ça va, dit Ali, voici le message, mets-le dans ton sac.

Les yeux d'Aïcha, sous le masque, avaient gagné du mystère et de la langueur. Une grimace tordit la bouche d'Ali :

— Tu es une vraie femme comme ça. Tiens, on en mangerait... Si les soldats t'interrogent, tu sais ce que tu as à répondre ?

— Oui. Mon fiancé qui est goumier, je vais le rejoindre... Je ne l'aime pas tellement cette histoire. Je chercherai autre chose pour la prochaine fois.

— Et tu sais où me retrouver ? Comme d'habitude...

Changeant de ton, Ali qui s'était levé, les mains posées sur les épaules d'Aïcha, demanda :

— Tu n'es pas fière d'établir la liaison entre le réseau et la Wilaya ? Il y a un mois, qu'est-ce que tu étais ? Une petite dinde tout juste bonne à faire des piqûres de pénicilline. Toutes tes journées se ressemblaient... Maintenant, tu peux te dire que tu sers davantage la libération de ta patrie que beaucoup d'hommes. Hein, Aïcha ?

Elle prononça un petit « oui » très sec qu'elle essaya d'adoucir par le regard, et se dirigea vers la porte. Ils descendirent l'escalier ensemble, mais Ali la laissa sortir seule.

Rue de l'Isly, elle sauta dans le trolley et prit place sur la banquette au milieu d'autres femmes voilées. Les façades ensoleillées, adoucies par les buées du matin, défilèrent derrière le treillage antigrenades qui doublait la vitre. Elle descendit devant la grande poste dont elle gravit précipitamment les marches. Peu habituée à être vêtue en musulmane, elle se battait avec son haïk et conservait une précipitation européenne qui collait mal avec la nonchalance de son costume. Enfin, blottie au fond d'une cabine, elle entendit la voix de Wasseau.

— Je prends le car pour Bordj Menaïel, il part dans cinq ou six minutes... Je ne pouvais pas vous prévenir plus tôt... Bon.

Elle redescendit les marches plus lentement et se dirigea vers l'emplacement des cars du même pas que les autres musulmanes. Mais au lieu de monter, elle flâna autour du véhicule. L'heure du départ était arrivée. Alors l'imprévu qu'elle attendait se produisit : une jeep chargée de paras s'arrêta devant le capot du car dont le conducteur fut aussitôt hélé par un sergent-chef.

— Inspection de bagages.

Impassible, le conducteur, un gros jeune homme à moustache brune vêtu d'une blouse blanche, grimpa sur le toit du véhicule en compagnie du sergent et de deux paras. Quand

203

une valise était fermée le conducteur glapissait tantôt en arabe, tantôt en français, un passager redescendait, tendant une clef ou fournissant des explications, poussant des plaintes.

Enfin Wasseau apparut, descendant de sa Peugeot. Il passa une première fois auprès d'Aïcha en la frôlant. Elle comprit, et quand il revint vers elle avec la démarche d'un voyageur qui se détend les jambes avant le départ, elle lui glissa au passage le feuillet dactylographié que lui avait remis Ali. Puis, du coin de l'œil, elle le surveilla. Il alla s'asseoir sous les arbres, à cinquante mètres. Bien qu'il fût de dos, il était visible pour Aïcha qu'il lisait et prenait des notes. Sur le toit du car la perquisition continuait. Wasseau arrêta la comédie d'un signe de tête adressé à l'un des paras resté dans la jeep. Celui-ci monta aussitôt sur le toit du car prévenir le sergent-chef. Pendant ce temps Aïcha avait discrètement récupéré la feuille de papier et s'était hissée à la place voisine du conducteur.

— On part avec dix minutes de retard, annonça celui-ci. Les vitres du car tremblèrent.

— Moi, dit Aïcha, vous me déposerez un peu avant Bordj Menaïel, s'il vous plaît. Vous savez où ?

D'un signe de tête le conducteur, tout en démarrant, acquiesça. Il savait où.

Il était l'un de ces millions de musulmans qui, sans être Moussabiline ni Moulahidjine, sans figurer sur les rôles d'aucune wilaya, sans dépendre d'aucun réseau de la zone autonome, donnait *à l'occasion*, par soumission, par peur ou par enthousiasme, un petit coup de main à la Rébellion. C'était le frère du paysan qui, en rentrant du marché, au fond d'un panier de figues, a transporté des tubes d'antibiotiques ; du cantonnier qui, une nuit, a scié un poteau télégraphique ; de l'épicier qui a accepté de garder en dépôt les fonds de collecteurs ; de la femme de ménage à qui on a dit de ne pas aller regarder si elle entend du bruit dans l'escalier, et qui n'est pas allée regarder quand elle en a entendu. Pendant six mois la fameuse phrase : « un peu avant Bordj Menaïel, vous savez où » n'était plus parvenue aux oreilles du conducteur. Il s'était mis à conduire son car avec espoir : l'espoir de la paix. Il pourrait de nouveau se promener la nuit et rigoler. Et voilà que, trois semaines plus tôt, la femme voilée avait prononcé de nouveau les mots fatidiques. Il avait

pensé : « Ça reprend. Il y aura d'autres bombes à Alger. »
Il s'était dit : « Tant pis, la paix n'est pas pour maintenant ». Il avait été content que ça cesse, puis content que ça
reprenne ; un peu mélancolique aussi que ça cesse, un peu
angoissé aussi que ça reprenne.

Le pied plus vif sur l'accélérateur, il prit son virage vers
la route moutonnière. Les paras avaient dû avoir vent de
l'affaire puisqu'ils avaient visité les bagages, mais en pure
perte, la femme était montée au moment de leur départ.
C'était une toute jeune femme. Il le vérifia du coin de
l'œil. La trépidation du car agitait le masque brodé qui découvrait par instants un petit menton rond et l'amorce d'une
lèvre enfantine.

Deux heures plus tard le car, qui s'était en partie vidé,
se remplit d'ouvriers de la Tabacoop à Isserville. Il reprit de
la vitesse à travers le moutonnement des orangers bordant
la route. Le conducteur aperçut de loin les trois ou quatre
maisons qui annonçaient Bordj Menaïel. La première était un
ancien café de chasseurs et de routiers, blottie sous un treillis
antigrenades, et fermée depuis plusieurs mois. La seconde
maison était la bonne. Le conducteur freina, actionna la portière qui s'ouvrit. Il affectait de ne pas assister à la descente
de sa voisine, la tête détournée, comme par pudeur. Mais il
tressaillit en entendant un autre pas, un autre froissement de
voiles : une seconde femme voilée était descendue derrière
la première. Désireux de ne pas en savoir plus il démarra
de toute la force de son moteur, poussant sa première jusqu'à
ce qu'elle en gémît.

Aïcha ne fut pas moins surprise. Elle fit quelques pas le
long de la route, puis, par-dessus son épaule, en feignant de
rajuster son haïk, elle jeta un regard :

— Aïcha, n'aie pas peur, c'est moi !

— Cheriffa !

— Ali m'a réveillée ce matin. Je suis chargée de te suivre
pour prévenir s'il t'arrivait quelque chose. Il a téléphoné
que je serais absente à l'hôpital Mustapha.

— Oh ! s'exclama Aïcha aussi scandalisée qu'amusée,
mais il ne va plus rester une seule infirmière à Alger pour
peu qu'Ali ait continué sa tournée !

— Son irruption, à cette heure-là, ça a fait un drôle
d'effet à la maison. Ça a réveillé ma mère. J'ai été obligée

205

de raconter qu'Ali était le frère d'une de mes compagnes, qui était très malade, et que, comme sa famille était traditionnaliste, j'étais obligée de me mettre en haïk.

Les jeunes filles étaient entrées, par un portillon de bois, dans un potager mal entretenu au milieu duquel s'élevait une maison à toit de tuiles dont les murs pistache étaient presque complètement délavés. Un chien, tout au fond du potager, aboya.

— Il est attaché, dit Aïcha.

Et elle frappa à la porte. Comme elle frappait de nouveau, Cheriffa s'impatienta.

— On peut nous voir de la route, tu sais. Pousse, c'est peut-être ouvert.

— J'aime mieux frapper avant. La dernière fois, je suis tombée sur un bonhomme entièrement nu qui se lavait dans une lessiveuse.

— On en voit d'autres à l'hôpital !

— Oui, mais dans une maison ce n'est pas la même chose, répliqua Aïcha avec entêtement.

— Oh ! toi et la pudeur ! Ça t'obsède... Tu me rappelles Virginie, tu sais, de *Paul et Virginie*, plutôt que de retirer sa robe et de nager, elle fait naufrage avec le bateau. Qu'est-ce que tu aurais dit ce matin à ma place ! Ali était tellement pressé de m'expédier au car qu'il a fallu que je m'habille devant lui.

— Moi aussi. Mais il faut reconnnaître, il est très discret. Il n'embête pas les filles.

— Mais toi, tu m'embêtes avec ta porte, coupa Cheriffa en appuyant sur la poignée.

Elles longèrent un couloir humide, contournèrent la lessiveuse qu'avait évoquée Aïcha, parvinrent à une porte entrebâillée derrière laquelle trois hommes, assis autour d'une table, discutaient.

— Que Dieu soit avec toi, dit Aïcha en arabe à l'un des hommes qui, vêtu d'un pantalon bleu et d'un chandail à col roulé noir, était assis à califourchon sur une chaise de paille.

— Que Dieu te donne biens et santé !

Les deux autres hommes dont l'un, assez ridé, portait une djellaba d'où dépassait une combinaison de mécanicien, alors que l'autre était vêtu d'un complet bleu marine, un trench-coat jeté sur les épaules, répétèrent mollement la phrase de bienvenue.

— Tu as bien compris, Djouder ? Tu réunis les cinq responsables chez toi pour une partie de cartes, samedi. Et tu leur donnes les consignes. C'est tout simple, tu leur lis les journaux d'Alger et de Paris d'aujourd'hui. Ce sont les Français eux-mêmes qui le disent : à côté de Sakiet, les Frères de l'Armée de la Libération ont attaqué une compagnie française. Ils ont tué quinze hommes. Ils en ont blessé soixante. Ils se sont repliés en Tunisie après en emmenant cinq prisonniers. Et l'armée française a eu peur de les poursuivre en Tunisie. L'armée française a peur de Bourguiba. L'armée française a peur de l'armée algérienne stationnée en Tunisie !

Les deux filles étaient restées debout près de la porte. A voix basse, Cheriffa qui, fille d'un Cadi, connaissait un peu l'arabe littéraire mais aucunement l'arabe parlé, s'enquit :

— Il est en colère ?

— Non, au contraire ! murmura son amie. Il est content parce que les Français ont eu une défaite à Sakiet.

L'homme en djellaba s'était levé. Après avoir serré les mains, il s'esquiva presque sans bruit.

— Asseyez-vous, mettez-vous à votre aise, dit en français l'orateur au col roulé, agissant en maître de la maison. Vous pouvez parler devant Khaled Zelrafa, c'est un frère.

Elles s'étaient assises, avaient rejeté leurs haïks, défait leurs masques. Cheriffa avait de gros beaux yeux ronds, une grande bouche très charnue, un cou mince et long qui contrastait avec la robustesse des épaules révélées par un chemisier de soie crème à pointillé rose. Elle avait perdu toute timidité, prit une cigarette dans le paquet qui traînait sur la table, l'alluma avec un briquet d'or qu'elle tira de son sac et, reculant sa chaise, croisa les jambes avec une désinvolture que sa robe-pantalon, fermée aux chevilles, rendait agressive.

— Je m'appelle Akli Ferkous, déclara l'homme au col roulé. Vous êtes nouvelles dans le réseau ?

— Oui, expliqua Cheriffa. J'ai été contactée il y a quinze jours par une amie, une préparatrice en pharmacie. Et puis j'ai eu l'étonnement de retrouver Aïcha. J'ai été au lycée avec elle et elle est infirmière comme moi.

— Qu'est-ce qu'on dit à Alger de l'accrochage de Sakiet ?

questionna Khaled Zeralfa tout en se lissant les ongles de la main droite sur la paume de la main gauche.

— Nous sommes parties très tôt, répondit Aïcha. Qu'est-ce qui s'est passé ?

— Ce matin, les journaux et la radio ont annoncé qu'un combat avait eu lieu à la frontière tunisienne. Une section française a été accrochée avec des pertes qui sont même probablement supérieures à celles qu'on a indiquées ; ensuite nos troupes se sont retirées paisiblement, sans que les Français osent poursuivre.

— Pourquoi ? demanda Cheriffa. Ils ont vraiment peur ?

— Je suis sous-lieutenant de réserve de tirailleurs, annonça Khaled Zeralfa. Je peux dire que s'ils l'avaient voulu, en trois heures ils étaient à Tunis. Mais c'est quand même la peur qui les retient. Ils ont peur de l'opinion internationale. Mieux que ça, ils ont peur de leur propre opinion. Vous avez lu le dernier numéro du *Canard Enchaîné* ?

Pendant ce temps, Akli Ferkous avait pris la feuille dactylographiée que lui avait tendue Aïcha. Pendant qu'il la parcourait, la jeune fille avait machinalement mis ses lunettes, comme si elle avait à lire aussi.

— Tiens, regarde ça, dit Ferkous en posant le feuillet sur la table devant Zeralfa.

Ayant lu, celui-ci observa :

— Tchach ! Plutôt bien, ça se présente tout ça ! Ali a compris une bonne chose... deux bonnes choses. La première, c'est que pour ne pas se faire niquer son réseau doit se rattacher directement à la Wilaya Trois, et la seconde, c'est qu'il ne doit employer que des gens nouveaux. Seulement, il emploie trop de filles. Ce n'est plus un réseau, c'est un bassoum ! Je veux des hommes un peu là-dedans.

Zeralfa regardait Aïcha et Cheriffa en riant. La première le toisa sèchement à travers ses lunettes, alors que Cheriffa lui rendit son rire, amusée qu'il se moquât des filles, heureuse d'en être une, provocante. A son tour, Ferkous se mit à rire, posant sur la jeune fille un regard enflammé.

— Je dois rapporter un message, intervint Aïcha d'une voix nette. S'il vous faut du temps pour le préparer, dépêchez-vous. Il est onze heures et demie. Le conducteur du car m'a promis de s'arrêter ici à deux heures et quart.

— Il y a trois questions auxquelles tu ne peux pas répondre, ni moi non plus, remarqua Zeralfa en s'adressant à Ferkous. Je serai ce soir à Azazga. J'aurai la réponse demain. Elle sera ici après-demain...

— Si le message n'est pas trop volumineux, je l'expédierai par la poste, tout simplement. Sinon, je le ferai passer dimanche, c'est le jour du marché de l'Alma et la route n'est guère contrôlée. Tu t'en vas ?

— Je déjeune à Tizi Ouzou et je prends le convoi pour rentrer à Azazga.

Il enfila son trench-coat, salua à la ronde d'un geste de la main, entrouvrit la fenêtre, enjamba la barre d'appui et s'éloigna sous les arbres en écartant les branches chargées d'oranges amères.

— Il a laissé sa voiture sur l'ancienne piste d'une plantation de tabac, expliqua Ferkous.

Ils se tenaient tous trois devant la fenêtre ouverte. Un soleil étincelant écrasait les sommets des orangers, ne parvenant qu'en flaques mobiles sur une herbe très verte. Au bout d'un moment, ils entendirent ronronner au loin le moteur.

— La cuisine est là, dit alors Ferkous. Vous y trouverez un reste de couscous, du thé, et si vous aimez ça, du vin. Il y a même du vin de rouïba. Moi, je rentre à mon atelier. Je mets au point toute la paperasse. Vous direz à Ali qu'il recevra la suite dimanche... Et je reviens avant l'heure du car. Je n'attends la visite d'aucun frère. Donc, si on frappe n'ouvrez pas. Au cas où des soldats vous débusqueraient, prenez les allures de deux petites putains. Je viendrais arranger les choses. Mais, y'a rien à craindre.

Sur le seuil de la porte, il se ravisa.

— J'ai une petite mission pour vous, dit-il.

— Pour moi ? demanda Aïcha.

— Non, pour Cheriffa.

La jeune fille le suivit dans le couloir. Il souleva une échelle qui était allongée à côté de la lessiveuse, l'appliqua à la cloison et fit signe à Cheriffa de monter.

— Je la tiens, n'ayez pas peur... Bon, vous voyez un placard devant vous... Appuyez.

Cheriffa obéit et aperçut devant elle un étroit grenier obscur.

— Allez-y, je vous rejoins.

Il escalada vigoureusement l'échelle et retrouva la jeune fille courbée en deux par la pente du toit dont quelques tuiles manquaient, laissant passer des rais de lumière. Sur le plancher poussiéreux, il étala un petit morceau de tapis et prit Cheriffa par la taille pour la faire s'accroupir.

— Oh, oh ! souffla-t-elle, je crois, mon cher, que je ne vais pas rester longtemps ici.

— Chut ! Ne parle pas trop fort, tu pourrais le réveiller.

— Qui ?

— Mon ami Abdellazir. Il a 25 ans. Il est adjoint à un chef de katiba. Les Français l'ont pris dans une embuscade près de Dellis. Ils se demandaient s'ils allaient le tuer, ou le torturer, ou l'envoyer dans un camp de prisonniers. Pas du tout : la chance, il a eue. Ils ont discuté avec lui. Jusqu'à un général qui s'est mis dans la tête de le convaincre. Il a fait semblant de marcher. Les officiers étaient tellement contents qu'ils l'ont fait photographier par un reporter du *Bled*. On lui demandait des interviews. Il signait des autographes. Pour finir, ils n'ont rien trouvé de mieux que de le conduire à Alger. Ils voulaient le faire parler à la radio. En passant dans le coin, entre Isserville et ici, il a sauté de la voiture. Une sacrée foulure, il a ! Il faudra bien qu'il attende quatre ou cinq jours avant de reprendre le djebel pour rallier sa katiba. Il ne s'en fait pas : il dort.

Avec cette sorte de souplesse qui est fascinante dans un corps lourd, Ferkous s'allongea, tendit le bras et capta le pan d'un rideau, fait d'une toile à sac, qui barrait le grenier.

— Regarde-le...

Dans la pénombre, Cheriffa entrevit la nudité d'un jeune homme musclé endormi sur un matelas. Les couvertures étaient éparses autour de lui. Pour tout vêtement, il portait un chech noué autour du front et un pansement autour d'une cheville. Déjà Cheriffa avait détourné les yeux. Son recul avait été instinctif, mais elle mit ensuite une affectation rieuse à se poser les doigts sur les yeux.

— Tu es infirmière. Masse-lui le pied. Refais son pansement.

— Mais Aïcha aussi est infirmière !

Ferkous avait laissé retomber le rideau.

— Ah ! ce que je te préfère à Aïcha ! annonça-t-il avec emphase. Et lui aussi, ce qu'il te préférerait à Aïcha !

Elle cessa de cacher des yeux qui aussitôt brillèrent.

— Aïcha, poursuivit-elle avec malice, est meilleure infirmière que moi.

— Ça, y faut pas le dire ! C'est après, que mon ami Abdellazir décidera si tu es une bonne ou une mauvaise infirmière.

— Après quoi ?

— Après que tu l'auras soigné. Je te laisse avec lui.

— Non, non, non ! jeta-t-elle, toujours gaie, mais très ferme apparemment dans sa décision d'atteindre le premier barreau de l'échelle.

— C'est pourtant le devoir, je croyais, pour la sœur de soigner son frère... Non ?

Et pour la retenir, Ferkous la prit à bras-le-corps. Elle luttait pour se dégager avec de petits gloussements. Vaincue, les épaules au tapis, elle murmura avec une petite moue de sa grande bouche :

— Si je comprends bien ce n'est pas un frère que j'aurai à soigner, mais deux.

— Non, je te laisse avec lui. Moi, je n'ai pas de foulure. Moi, je peux cavaler. Tandis qu'Abdellazir, le pauvre !... non seulement cavaler, il ne peut pas, mais je n'ose pas lui amener quelqu'un. Un berger kabyle, je connais, qui attrape la foulure et aussi sec, il l'enlève, plus de foulure. Mais il bavarde. Et les demoiselles que je pourrais trouver pour distraire Abdellazir, elles se racontent tout dans l'étuve du bain maure. Et comme tu comprends, si les militaires, ils repiquaient Abdellazir, ce coup-ci, ils ne lui feraient pas la conversation !

Son visage s'éclaira d'un sourire brusque et rayonnant :

— Tu vois, il n'y a que toi !

— Sans blague, son pied, je veux bien le soigner, déclara Cheriffa toujours allongée sur le tapis, les bras en croix, son chemisier gonflé par des seins dont les pointes étaient visibles à travers le tissu, mais je ne veux pas lui soigner le reste.

— C'est un cœur vaillant, Abdellazir. Si tu lui soignais le reste, tu fais la bonne action. Il n'a pas son pareil entre Dellis et Tigzirt. Trois fois il a été blessé en un an. Il a sauté sur une mine même ! C'est un grand héros. Les grands héros ont besoin d'être caressés.

— Mais dites donc, protesta-t-elle, moi aussi je lutte pour la libération ! Je suis un soldat. Pourquoi est-ce que j'irais servir de distraction à un autre soldat ?

— Il est beau.

— Je ne l'ai pas regardé, prononça fièrement Cheriffa.

— Tu as bien vu qu'il était beau comme un acteur de films de cinéma !

Elle se redressa, s'assit en tailleur sur le tapis en faisant bouffer la soie du vaste pantalon et demanda, d'un ton qui trahissait le reproche :

— Pourquoi vous donnez-vous tant de peine pour lui, et aucune pour vous ? Vous l'aimez tant que ça ? ou bien ça vous amuse ?

Il la prit par l'épaule, l'attira contre lui, caressa son visage.

— Moi, je t'ai dit que je pouvais cavaler. Lui, il est triste d'être enfermé, il pense à ses frères qui sont dans la forêt. C'est un lion, tu sais. Et c'est vrai aussi, ça m'amuse d'offrir une brebis belle comme toi à un lion tel que lui.

Il éleva la voix :

— Abdellazir ! Abdellazir !

De l'autre côté de la tenture parvint un long grognement.

— Le lion rugit, lança Cheriffa avec un sourire moqueur, et la brebis se sauve.

En même temps, d'un coup de reins, elle avait essayé d'atteindre le bord de l'échelle. Ferkous, plus rapide, coupa son élan en la saisissant au vol et en la rejetant comme un paquet vers la tenture. Puis il se laissa glisser le long de l'échelle au moment où, entre les deux pans de toile, comme un gorille, courbé en deux et sautant à cloche-pied, surgissait le jeune homme nu.

Ferkous, dès qu'il eut pris pied sur la terre battue du couloir, rabaissa l'échelle en sifflotant. Il écouta le choc sourd des deux corps roulant sur le plancher du grenier, puis poussa la porte et traversa le potager d'un pas rapide, les paupières plissées par la violence de la lumière. Au portillon il cueillit sa bicyclette par le guidon, la tira jusqu'à la route et se mit en selle. Il examina le toit rouge de sa maison comme si, à travers les tuiles, il eût pu percer la

212

pénombre du grenier. Et il riait tout seul en pédalant, d'un rire un peu rauque qu'il apaisa pour adresser des signes amicaux à un gros homme, coiffé d'un fez, qui débouchait en sens contraire sur une Vespa.

Ils s'arrêtèrent et, longuement, en arabe, s'informèrent des nouvelles de leurs familles.

— Dans le journal, tu as vu ?

— Oui, j'ai vu. Les Français ont eu peur.

Le gros homme se pencha vers Ferkous.

— Si les Français ont peur de Bourguiba, ils auront bientôt peur de Ferhat Abbas et bientôt ils partiront. Ce matin, j'ai vu mon fils qui est harki à Haussonvilliers. Avec deux camarades, ils ont l'intention, si Dieu le veut, de rejoindre ceux de la montagne.

Bien qu'ils fussent seuls sur la route, il se pencha encore plus vers l'oreille de Ferkous :

— Ce matin un instituteur du côté d'Abbo a rendu gloire à Bourguiba. Regarde...

De la poche intérieure de son manteau il sortit une liasse de papiers, pour la plupart officiels et ornés de multiples coups de tampons, en tira une demi-feuille de papier quadrillé sur laquelle Ferkous put lire : « Bourguiba est fort. Comparatif : Bourguiba est plus fort que Lacoste. Superlatif : Bourguiba est le plus fort. »

Ils rirent.

— C'est bien, constata Ferkous. Mais n'oublie pas que les Français n'ont pas eu peur seulement de Bourguiba. Ils craignent aussi l'armée de nos frères qui est à Sakiet. Ce papier, ne le montre qu'à des amis sûrs. Ensuite, brûle-le. Pour ton fils, s'il a besoin d'aide, viens me voir à l'atelier.

— Je viendrai. En même temps tu regarderas mes freins, si tu veux bien.

— J'attends ta visite, dit Ferkous en montant sur sa bicyclette. Que Dieu te garde !

— Il n'y a que Dieu qui soit Dieu.

Ferkous prit de plus en plus de désinvolture à mesure qu'il approchait de la voiture militaire arrêtée à l'entrée du bourg. Il tenait son guidon d'une main, de l'autre s'amusait à se rouler une cigarette, de sorte qu'il eut l'air bien embarrassé quand il voulut adresser un superbe salut militaire à un gros capitaine qui se tenait près de la voiture, sur le

bord de la route, en compagnie d'un jeune homme en canadienne.

— Bonjour, monsieur Ferkous, répliqua le capitaine d'une
voix sonore.

L'ayant suivi un instant du regard avec tendresse, l'officier se retourna vers son compagnon :

— Tenez, ce gaillard-là, au début des événements, il a
été compromis assez gravement. Il a même fait un petit
séjour dans un camp. Et puis il a compris où était le véritable intérêt de l'Algérie. Dans votre journal, vous devriez
décrire des cas de ce genre. Nous avons fait confiance à
Ferkous. La mairie lui a avancé de l'argent. Il a un petit
garage maintenant. Il répare les bicyclettes, les motos, les
voitures même. Moi, je lui demande souvent son opinion
sur le moteur de mon V.L. Si vous le voyiez ! il est fier
comme Artaban. Ces gens-là, le tout c'est de savoir les
prendre.

Le jeune homme en canadienne prit quelques notes sur
son calepin en approuvant :

— Justement, j'aimerais faire quelques portraits de musulmans que je disperserais à travers mon reportage. Les métropolitains sont très mal informés. Il est urgent de leur
montrer que tous les Arabes ne sont pas des fellagha.

— En tout cas, celui-là, s'exclama le capitaine avec un
grand rire, il en a une peur bleue des fellouzes. C'est pour
ça qu'il ne trompe sa femme que le jour.

De malice, les yeux du capitaine s'amincirent à l'infini
dans son visage rubicond. Le journaliste sourit d'un air entendu et discrètement interrogateur.

— Oui, comme beaucoup de musulmans, Ferkous est un
luron. Mais sa femme est une tigresse, elle...

— Il n'en a pas plusieurs ?

— Celle-là lui suffit, je vous jure ! On raconte même
qu'elle le bat. L'autre jour il avait les mains et le visage
griffés. Mais Ferkous est un malin. Il a acheté une bicoque
à deux pas d'ici, après le tournant. C'est là qu'il donne rendez-vous à ses fatmas. Il raconte à sa femme qu'il y fait
des recherches pour fabriquer une motocyclette sans essence.
Tenez, en ce moment il doit être rendu chez lui. Je la vois
d'ici lui demander s'il a bien travaillé, alors qu'on m'a
justement signalé que deux petites moukères étaient venues

passer la matinée avec lui. Vous trouverez peut-être que je
suis cancanier, mais voyez-vous, dans une guerre comme celle
que nous menons, ce qui prime, c'est le renseignement... Venez, avant de déjeuner j'ai encore le temps de vous montrer
la maison natale de Bellounis.

***

Comme beaucoup de postes improvisés ou renforcés au
début de la rébellion, et choisis en raison de la présence
d'une route ou d'une source, le poste d'Al Djoub présentait
l'inconvénient d'être dominé, au sud-est, par des crêtes. En
revanche, vers le nord, il avait une vue assez étendue sur un
plateau faiblement ondulé, fait d'éboulis et d'herbages ; surtout il commandait directement le débouché d'une vallée
qui se prolongeait en Tunisie. Al Djoub, situé à une quinzaine de kilomètres au sud-ouest du poste de Sakiet, n'était
à vol d'oiseau distant de la frontière tunisienne que de six
ou sept kilomètres. Mais cette distance était accrue par un
relief tourmenté, alors que le poste de Sakiet, lui, n'était
séparé du bourg tunisien du même nom que par une étroite
rivière, constituant donc une cible idéale pour les fellagha
qui se trouvaient sur l'autre rive.

Le poste d'Al Djoub proprement dit s'élevait au sommet
d'un épaulement de terrain. Les légionnaires en avaient
construit le bâtiment central en pierre. Le reste s'était formé
progressivement en un mélange de béton, de briques, de
rondins. Là se trouvaient une cinquantaine d'hommes com-
mandés par un capitaine. Au-dessous, à cent mètres, s'étalait
le village des Repliés. Ce village d'Al Djoub ne comptait au
début de la guerre qu'une quinzaine de maisons de torchis
auxquelles, au fur et à mesure, s'étaient ajoutées une cinquantaine de maisonnettes et une douzaine de tentes. A
l'ouest, le village était flanqué par une S.A.S. et à l'est,
par une gendarmerie.

***

Bossac se promenait de long en large sur la terrasse qui
dominait le poste, entre les deux canons bâchés, en compagnie de l'adjudant commandant la petite artillerie d'Al Djoub.

215

Sombre et violet à l'est, le ciel formait à l'ouest une falaise de brume rouge où s'enfonçait le soleil. Secrétaire du capitaine Laleu, Bossac était le confident des sous-officiers, et il entendait toute la journée la même rengaine :

— Ça n'est pas du travail ! Ça ne peut pas continuer comme ça !

L'adjudant Bliaut ajouta :

— Maintenant, c'est les hommes qui en ont marre, et ils ont raison.

— Non, ça, y'a pas, répondit Bossac, cette situation, elle ne peut pas s'éterniser.

Jacques Bossac était assez fier d'être le seul à avoir remarqué que ce que le poste prenait pour des conversations ou du bavardage constituait la répétition de quatre ou cinq thèmes toujours formulés en des termes exactement identiques. Bien qu'il eût depuis longtemps abandonné son journal, il avait repris la plume et, sur du papier de l'armée, avait essayé de rendre le ronronnement immuable des paroles prononcées par le poste. On eût dit un pastiche de Queneau. Cette œuvre, en l'obligeant à fixer son attention, lui avait donné une connaissance telle de l'esprit du poste qu'il pouvait prévoir les répliques parfois avec une avance de deux ou trois minutes. Il savait que l'adjudant Bliaut dirait ce qu'il dit en effet :

— Le Contingent est épatant. Moi, devant ces gens-là, je dis : chapeau. Mais il ne faudrait pas en abuser.

— Et on en abuse ! répliqua Bossac qui savait que la réplique s'imposait, et que l'adjudant s'exclamerait :

— Je veux !

Bliaut se tourna vers l'ouest dont le rougeoiement se ternissait et prononça aussitôt la phrase sacramentelle :

— C'est la mauvaise heure.

A quoi Bossac répondit par une expression du capitaine :

— L'heure des loustics.

L'heure des loustics se situait entre chien et loup. Tous les deux ou trois jours, depuis les crêtes du sud-est, un tir avait lieu. Les fellagha employaient soit le fusil mitrailleur ou la mitraillette, soit le mortier. Les coups de mortier étaient plus rares, mal ajustés, peu efficaces, mais faisaient sensation. Les rafales n'étaient guère plus dangereuses puisque depuis trois mois qu'elles étaient devenues rituelles, elles n'avaient atteint qu'un musulman et deux soldats du poste, les blessant légèrement. Ce harcèlement, si peu meurtrier qu'il fût, occupait les esprits. A la chute du jour, il gouvernait les gestes de ceux qui étaient appelés à traverser la cour, à veiller sur la terrasse, à emprunter le chemin qui reliait le poste au village. Même dans les chambrées, ou dans le bureau, on étudiait sa position par rapport à celle de la fenêtre. Aussi les deux hommes, avant d'avoir évoqué nommément l'heure des loustics, avaient-ils déjà pris soin de limiter leur promenade à un angle mort formé par la double masse d'un canon et d'un rempart de sac de terre.

— Et leur coup fait, ils ne se cassent pas la tête, les gaziers. Ils repassent la frontière pour aller se faire biser sur le front...

— ...par le papa Bourguiba, acheva, comme il convenait, Bossac.

Les deux hommes s'étaient accoudés au canon bâché. Ils scrutèrent les crêtes sombres hérissées d'arbousiers.

— Vous ne faites pas un tir, ce soir ? questionna Bossac.

Certains soirs, un tir réglé était déclenché par l'adjudant. Quelques obus s'en allaient, en tonnant, projeter dans les airs des colonnes opaques de poussière et de terre étoilées de branchages. Le lendemain, un détachement partait « au résultat ». Résultat toujours décevant, ce qui n'empêchait pas le poste de frémir d'aise les soirs où son énorme voix éclatait, répercutée par les parois de la vallée jusqu'en Tunisie.

— Non, grommela l'adjudant Bliaut, s'il n'y a rien de spécial, je ne tirerai pas ce soir. A quoi bon !

Il avait pris l'intonation lasse d'un artiste incompris. Il répéta :

— A quoi bon !

De la main il désigna, déjà enténébré, le débouché de la vallée sur la Tunisie.

— Que voulez-vous faire contre des lascars qui, dès que ça chauffe un peu pour eux, n'ont qu'à aller s'abriter derrière la talanquère tunisienne. En somme, la Tunisie n'arrête pas de lancer des commandos contre nous, et nous, nous répliquons par des notes diplomatiques. Nous nous déshonorons. Nous nous déshonorons aux yeux des musulmans et à nos propres yeux. On a honte de commander à des hommes dans une région comme celle-ci. Le jeu est truqué. Paris l'admet. Et des gus se font descendre.

Sa colère atteignit tout à coup une extrémité où elle devint profondément sincère.

— Ce qui s'est passé l'autre jour, bredouilla-t-il, ça dépasse tout ce qu'on pouvait imaginer. Quand on pense qu'un capitaine est sorti de Sakiet avec ses bonshommes pour patrouiller, qu'il s'est fait accrocher par des fellouzes, qu'en un rien de temps une de ses sections a eu quinze de ses gaziers au tapis et que, quand les renforts sont arrivés, ils n'ont plus eu qu'à se mettre au garde-à-vous parce que les fellouzes avaient repassé la ligne idéale de la frontière, en prenant bien leur temps pour se poser le cul sur les banquettes des camions de la garde civile tunisienne, quoi, ça fait mal aux tripes ! Et qui plus est, les fellouzes embarquaient cinq prisonniers de chez nous. Mais Bossac, imaginez un peu, sacré nom de Dieu de bordel de Dieu ! Imaginez un peu ce qu'ils ont pu penser, les cinq gars, quand ils ont vu leurs camarades cesser de courir à leur secours sous prétexte de respecter une frontière que les Tunisiens ne respectent pas, mais imaginez !

Il avait saisi Bossac par sa veste, le secouait :

— Mais vous croyez qu'en voyant ça, les cinq gars, ils n'en ont pas pleuré du mazout !

Bossac se laissait secouer, le regard braqué sur la crête dont il croyait avoir vu bouger l'une des dentures. En dépit de cette obsession, il écoutait les propos de l'adjudant. Bien qu'il connût par cœur l'argumentation, le vocabulaire, jusqu'aux idiotismes de son interlocuteur, il ne demeurait pas non plus indifférent à la teneur de son discours. « Il est bien évident, pensait-il, que si l'armée française, sans la moindre provocation, harcelait l'armée tunisienne sur son propre territoire, les journaux que je lisais quand j'étais étudiant s'indigneraient sans répit. De l'U.N.E.F. à la Ligue des Droits de l'Homme, les protestations solennelles s'élèveraient ; des comités d'intellectuels feraient circuler des pétitions. Ces cinq hommes, enlevés à une armée trop respectueuse d'une frontière pour aller les récupérer, sur quel ton s'inquiéterait-on de leur sort à Paris si au lieu d'être des soldats français du Contingent, ils étaient tunisiens ! » Bossac vivait maintenant depuis trop longtemps en Algérie pour ne pas considérer Paris comme le lieu étrange d'où l'on s'obstinait à continuer une guerre en prenant soin de ne pouvoir la gagner et en le sachant. Paris était devenu à la fois pour lui, selon l'occasion où il en prononçait les syllabes, le temple d'une molle déraison où se reflétait l'agonie occidentale et le paradis, qui, pour peu qu'un nom propre ou une odeur le lui rappelassent, lui faisait crier en tapant du pied : « la quille, bon Dieu, la quille ! »

— Le capitaine, reprit Bliaut, le sait bien lui-même. Il le reconnaît que les gars du Contingent ne comprennent pas. Vous savez, Bossac, ce que je lui réponds ?

Comment Bossac l'eût-il ignoré ! Mais, soumis aux usages du poste, il se tourna vers l'adjudant en feignant la curiosité.

— Je lui réponds, articula énergiquement Bliaut : mon capitaine, le Contingent ne comprend pas parce qu'il n'y a rien à comprendre. Qui pourrait comprendre que nous soyons quotidiennement attaqués par des rombiers qui, leur coup fait, repassent subito presto en Tunisie, sans que nous ayons le droit de les y poursuivre ? Et des fois, de Sakiet ou Mraou, ils nous tirent directement de Tunisie, les pieds dans leurs pantoufles, comme à la foire. Et quand ça leur plaît de tirer en l'air, ils tirent sur un de nos avions ! Ou bien la Tunisie est neutre, et nous la respectons, ou elle est cobelligérante, ce qui est le cas, alors nous n'avons pas à nous gêner pour aller nous balader chez elle comme elle se balade chez nous, ni pour poursuivre, de l'autre côté de la frontière, les rombiers qui viennent nous canarder. Je lui ai dit au capitaine : celui qui pourrait comprendre ça, moi, je le propose ipso subito à la réforme.

— Oui, mais le capitaine, qu'est-ce que vous voulez, mon adjudant, il n'y peut rien.

— Ça, bien sûr. Il n'y aurait que lui et moi, libres aux entournures, on aurait vite fait de leur coller au train et d'aller leur foutre leur raclée, aux fellouzes, Tunisie ou pas.

Cette déclaration enthousiaste, qui élargissait les poitrines et gonflait les biceps, mettait en général un terme à la première phase d'un débat sur la situation. Elle était formulée aussi bien par l'adjudant que par les deuxièmes classes. Seul, le capitaine, par souci de dignité devant ses subordonnés, ne la prenait pas absolument à son compte, mais l'accueillait d'un hochement de tête compétent.

— A propos de capitaine, enchaîna Bossac, il serait peut-être plus prudent que je redescende au bureau si je ne veux pas me faire secouer les puces.

— Allez, pas d'histoires ! récita Bliaut en lui serrant la main, le capitaine, il vous a à la bonne, et même à la meilleure.

Sur cette phrase strictement traditionnelle, Bossac dévala le petit escalier de ciment, accéléra sa course quand il se trouva à découvert, à l'entrée de la cour puis quand, poussant la porte du corps de bâtiment principal, il sut qu'il se découpait en ombre chinoise sur le rectangle de la lumière électrique déjà allumée.

Dans le bureau, le capitaine Laleu lisait, assis sur le lit de camp où il dormait la nuit. C'était un petit homme pâle, à la chevelure pauvre, déjà grise, aux mains soignées.

— Vous avez vu l'adjudant Bliaut ? Il se charge de la note pour l'artillerie ?

— Oui, mon capitaine.

— Rien de nouveau ?

— Non, mon capitaine.

— Ils n'ont pas l'air de vouloir tirer ce soir...

— Ça n'a pas l'air.

Bossac attendit l'observation rituelle du capitaine. Elle vint :

— Après tout, si ça les amuse de gâcher des munitions, grand bien leur fasse ! Ça ne nous occasionne guère de pertes et ça entretient l'esprit combatif des hommes.

— Il n'y a pas de doute, mon capitaine.

— Ce matin, c'est Sakiet que nous avons entendu. J'ai eu la confirmation. Ils se sont encore fait tirailler par les Viets.

— Ça ne peut pas s'éterniser, cette situation, proposa Bossac.

— Les hommes, poursuivit Laleu, ne comprennent pas que nous n'exercions pas notre droit de suite. Dans une certaine mesure, ils n'ont pas tort. Mais les ordres ne viennent pas. Pourtant, nous ne sommes pas les seuls à déguster. Les Viets, depuis la Tunisie, font des cartons en ciel français sur nos avions. C'est quand même fort !

— Oui, dit Bossac, docile, ça ne peut pas durer.

— L'autre jour, quand les paras sont venus grenouiller par ici, j'ai cru que c'était pour aller donner un coup de matraque de l'autre côté. Et puis, oualou !

Bossac s'était rassis devant la table qui, placée en longueur, formait un bureau commun au capitaine et à lui. Il vérifiait les feuilles de prêt quand la voix de Laleu s'éleva de nouveau :

— Dites-moi, Bossac, en cherchant la note psychologique j'ai dérangé vos papiers. J'ai vu une lettre qui vous est adressée et que vous avez peut-être égarée car elle n'est pas ouverte.

— Merci, mon capitaine, je savais qu'elle était là.

Furtivement, le regard pâle de l'officier signifia : « et vous ne l'ouvrez pas ? » puis revint se poser sur son livre.

— Et Louchadière, demanda brusquement le capitaine, vous l'avez vu ?

— Non, pas encore.

— C'est urgent. Il n'est pas possible que la S.A.S. continue à fournir un recensement de la population différent du nôtre.

— Mon capitaine, il y a quelques familles fluctuantes. Elles vont et elles viennent.

— Je m'en fous. D'ailleurs, ces va-et-vient sont interdits. De toute façon il faut se mettre d'accord sur un chiffre.

— Bon, j'y vais. Je comparerai mes états avec les siens.

Bossac s'était déjà levé, heureux d'aller se dérouiller les jambes, quand, après deux coups timides frappés à la porte, l'adjudant commandant la gendarmerie entra. Rouge de visage, ventru, vaste, il se figea au garde-à-vous, puis tendit son énorme main au capitaine et à Bossac.

Celui-ci s'apprêtait à filer vers la S.A.S. quand il rencontra le regard animé de Laleu qui lui désignait sur la table, servant de presse-papiers, un morceau de schiste. Bossac comprit la supplication muette du capitaine : depuis près d'un mois les thèmes rigides du poste s'étaient enrichis d'une variante qui avait pour origine les malheurs de la gendarmerie pendant la nuit de Noël. Ce soir-là, des dindes et des huîtres hélico-portées étaient venues embellir le réveillon. Les gendarmes avaient déposé leur tas d'huîtres par terre devant la petite maison de briques qu'ils occupaient. Un vieux paysan, que la guerre avait déjà privé de ses trois chèvres et de son figuier, leur servait d'ordonnance. Il avait trouvé la pile d'huîtres, s'était emparé d'une pelle et, plein de bonne volonté, s'était employé à rejeter les huîtres, devant la gendarmerie, sur un tas de cailloux qui en effet leur ressemblait. Le spectacle de gendarmes cherchant, avec des lampes électriques, des huîtres dans un tas de cailloux, avait enchanté le poste qui, depuis, accablait les malheureux de plaisanteries qui se renouvelaient peu. Précisément le capitaine, deux heures plus tôt, s'étant avisé de la ressemblance du presse-papiers avec une huître, avait conspiré avec Bossac. Celui-ci, comme convenu, tendit le morceau de schiste à l'adjudant :

— On sait que vous aimez ça, mon adjudant.

Le renouvellement du thème passionna l'adjudant qui se voyait déjà en train de conter l'anecdote à ses camarades. En effet ceux-ci, tant les événements étaient rares, prenaient à évoquer l'affaire des huîtres un plaisir égal à celui de leurs persécuteurs.

— Acceptez sans façon ! conseilla Laleu.

— Avec un peu de citron ? demanda Bossac.

— A votre place, j'opterais pour la vinaigrette.

L'adjudant étouffait de rire et Bossac qui, malgré qu'il en eût, n'était pas insensible à ces plaisanteries de pensionnaires, sortit le sourire aux lèvres. Il quitta la cour du poste, emprunta le chemin contournant le mamelon herbeux qui servait à l'atterrissage de l'hélicoptère, s'avança rapidement entre les petites maisons obscures du village, puis entra dans un bâtiment plus vaste, celui de la S.A.S.

— Regardez ça, lui annonça triomphalement Louchadière, j'ai reçu mon poste !

Le gros garçon aux traits mous, ancien séminariste qui, après son service en Algérie, avait rengagé dans les S.A.S., accroupi devant le petit poste noir, le manipulait. L'appareil grésillait. Il mugit tout à coup en morse, puis leur offrit un morceau de silence sonore.

— Si vous aviez vu la tête de l'adjudant Muizon ! raconta Bossac. Le capitaine et moi, nous lui avons offert mon presse-papiers en lui demandant s'il voulait du citron ou s'il préférait de la vinaigrette.

Ravi, Louchadière entreprit de rire un bon coup et ne

s'arrêta net que parce que son poste s'était mis à parler :
« El Jezaïr appelle Croissant un... Croissant un, me recevez-
vous ?... Allô, allô, je vous reçois. Cinq cinq, je vous reçois
cinq cinq. Parlez El Jezaïr... El Jezaïr à Croissant Un, opération remise, rentrez... »

— C'est les fellouzes ! s'exclama Louchadière. Crevant !
La première fois que je me sers de ce poste, je tombe sur
les fellouzes !

L'un des émetteurs avait brusquement changé de ton :
« Pourquoi ? Qu'est-ce qu'il y a, je n'y comprends rien ?...
Vous n'avez pas besoin de comprendre ! Nous revenons par
l'itinéraire de la vallée. Descendez vers nous et n'attirez pas
l'attention... Ah ! c'est toujours la même chose !... Ici, El
Jezaïr. Exécutez l'ordre Croissant Un... Allô, allô ; Croissant
Un, oui j'écoute...

— On va courir chez le capitaine, décida Louchadière
en se remettant sur ses jambes. Croissant Un, c'est sûrement
le groupe qui vient nous tirailler d'habitude, et « El Jezaïr »,
ça doit être une grosse bande qui fait mouvement par la
vallée vers la frontière tunisienne. L'adjudant Bliaut va
pouvoir nous jouer un morceau d'orgue.

Louchadière était de ces officiers S.A.S. qui gardent un
goût prononcé pour le baroud. Une heure plus tôt, il était
navré de n'avoir pas reçu le second tableau qu'il avait ré-
clamé pour son école, et de n'avoir obtenu que les deux
tiers des vaccins requis pour ses gosses. Sa seule passion maintenant était l'accrochage de la bande.

Il courait mais, le souffle court, s'arrêtait tous les dix pas
pour adresser quelques mots à Bossac d'une voix essoufflée :

— On a une chance de les avoir... Ça me ferait plaisir
qu'il y en ait tout de même quelques-uns à ne pas se retrouver en Tunisie dans une heure... Parce que ça peut
pas durer comme ça, hein ! Ils ont encore tiré Sakiet tout
à l'heure... Ou alors qu'on nous replie derrière la ligne Morice une bonne fois !... Ce coup-ci, je crois qu'on va les
accrocher !

Quand ils débouchèrent dans le bureau, l'adjudant Muizon était en train de montrer au capitaine une photographie
de femme nue que le vent avait fait échouer sur le terrain
d'atterrissage. Cette conversation fut interrompue par la
nouvelle qu'apportait Bossac mais celui-ci eût été capable de

reconstituer les phrases manquantes, « les bonnes femmes » fournissant aux habitants d'Al Djoub des considérations aussi rituelles que notre coupable indulgence envers la Tunisie.

*
**

Les hommes, à deux ou trois mètres les uns des autres, descendaient lestement à travers le taillis. La colonne ne s'arrêta qu'au fond de la vallée. Hamed Kitab, l'aspirant qui la commandait, rassembla d'abord ses hommes sur les pierres de la berge, devant l'étroite rivière qu'ils traversèrent ensuite en sautant de rocher en rocher. Puis ils coupèrent la piste Al Djoub-Sakiet, les uns derrière les autres, se méfiant des mines que leurs camarades avaient posées mais dont ils ignoraient les repères. De nouveau, la troupe pénétra dans le taillis. Les arbres, au fond de la vallée, étaient plus élevés, et les ténèbres totales. Hamed Kitab ordonna à son radio de signaler à la katiba leur position.

— Nous sommes derrière eux. Nous devons avoir dix minutes de retard. Nous les aurons rejoints avant une demi-heure.

Quelques instants plus tard le radio rattrapa l'aspirant pour lui annoncer que la katiba n'avait pas répondu.

« C'est complet, pensa Kitab, non seulement ils m'ont empêché de faire mon travail, mais encore ils sont fichus de nous prendre pour des paras et de nous tirer dessus. » Kitab était un ancien adjudant de tirailleurs, blessé en Indochine qui, depuis un an, poursuivait sa carrière dans l'armée de libération. D'un naturel méticuleux, il aimait remplir des missions restreintes et bien définies. On l'avait peu à peu spécialisé dans le harcèlement du poste d'Al Djoub, et rien ne lui faisait plus plaisir, de retour à sa base, que de rédiger son compte rendu opérationnel. Il en élaborait en moyenne trois par semaine qu'un de ses soldats tapait à la machine. Il employait le plus classique vocabulaire de l'armée française et, assez souvent, songeait que les comptes rendus de son adversaire, le capitaine Laleu (dont il connaissait le nom par les indicateurs des villages musulmans), devaient fort ressembler aux siens. Vêtu d'un treillis foncé et chaussé de pataugas, comme ses soldats, tête nue comme eux, ne se distinguant que par l'étoile qui blanchissait son épaule, il marchait d'un pas égal à celui de sa troupe malgré une jambe gauche qui était sortie raidie de l'hôpital de Saigon.

— Rien ? demanda-t-il au radio.

— Je crois que je les entends, mais directement, pas dans le poste. Ecoutez.

La queue de la katiba en marche s'étirait en effet à cinq cents mètres d'eux. Les hommes y prenaient moins de précautions, se sachant couverts par des éclaireurs sur les deux crêtes et, devant eux, par toute la longueur d'une katiba déployée en file indienne.

Le capitaine Omar Benboulaïf marchait dans les derniers. Il portait un trench-coat gris qui pouvait aussi bien passer pour militaire que civil, d'où émergeaient des pantalons de skis serrés autour de souliers de montagne. Il marchait à quelques pas du Dabet Awwel Mekrissa commandant la katiba. Celui-ci portait une veste et un pantalon de treillis à boutons de métal comme ses soldats, et un énorme pull-over bleu marine de grosse laine. Sous son bonnet de police orné d'une étoile blanche et d'une étoile rouge il avait glissé un passe-montagne qu'il avait retroussé derrière les oreilles pour mieux entendre. Le visage bleu par une barbe de deux jours, la moustache courte, très noire, la face large, légèrement empâtée, mais le nez busqué et le front haut, le Dabet Awwel gardait en permanence une expression de railleuse insolence.

— Est-ce qu'on a pris contact avec les guetteurs ? interrogea Benboulaïf.

La veille, en passant en sens inverse, ils avaient laissé un groupe pour surveiller la portion de terrain découvert qui s'étendait entre les arbres ultimes de la vallée et le ravin aboutissant en Tunisie.

— Ça va, répondit le Dabet Awwel, sur un ton qui signifiait : « Ça me regarde. Je suis assez grand. Ne vous creusez pas la tête inutilement. »

— Et la section de l'aspirant Kitab ?

— Ne vous inquiétez pas, elle doit être sur nos talons. Elle nous couvre.

— Vous êtes sûr qu'il a obéi ? Il avait grande-envie d'allumer le poste.

— Bien sûr qu'il a obéi ! Sans ça, le barouf, on l'aurait entendu. Ils ont du retard sur nous, c'est tout ! Ils nous rattraperont dans le ravin.

— Quelle est votre impression d'ensemble ? s'enquit Benboulaïf, après qu'ils eurent contourné, comme le reste de la colonne, les ruines d'une maison forestière.

— Ce soir, je ferai un rapport. Je vous le donnerai. Elle est mauvaise, mon impression. Vous comprenez, il y a deux problèmes : l'approche du barrage, et le passage du barrage.

Le capitaine Omar Benboulaïf poussa un soupir qui tenait à des causes multiples : il était très fatigué ; ses souliers neufs le faisaient souffrir, surtout le droit ; l'entreprise dans laquelle il était lancé l'angoissait ; enfin, bien qu'il fût officier de réserve, le style militaire du Dabet Awwel lui donnait sur les nerfs. Il imaginait déjà celui-ci aux prises avec une machine à écrire, et pondant quinze pages dont les deux grandes divisions s'intituleraient : « Approche du Barrage », « Franchissement du Barrage ».

« C'est à croire, pensait-il avec une hargne que stimulait sa douleur physique, que les Français nous auront passé et laissé leurs plus fâcheuses habitudes : la passion du rapport en style administratif, le découpage d'une question en une multitude de divisions dont la plupart sont des fausses fenêtres destinées à créer une factice harmonie. Ça, pour les militaires. Pour les civils... »

Pour les civils, l'influence française se manifestait aussi sous une forme militaire, une partie des chefs civils de la Rébellion étant, tel Belkacem, d'anciens sous-officiers. Une colère de Belkacem dans le salon d'un hôtel de Tunis, c'était une gueulante d'adjudant dans une cour de caserne. Quant aux civils purement civils, ils avaient fidèlement transposé à Tunis le ronronnement verbeux du parlementaire français et la grandiloquence rusée de l'avocat. Ce qui sauvait peut-être les Français, ce qui les avait empêchés de perdre jusqu'ici, c'est que la France face au G.P.R.A. était face à son reflet. « Qu'on ne me fasse pas rigoler avec l'Orient » pensa Benboulaïf. Les chefs de la Rébellion étaient juristes, tatillons, coléreux, vaniteux, légers et amateurs de faux cartésianisme, exactement comme les gens du Palais-Bourbon, de l'Ecole de guerre, de la cour d'appel, du Conseil municipal. Benboulaïf pourtant n'était pas allé jusqu'à clairement penser que si, après avoir traîné le djebel pendant six mois, il s'était trouvé si à son aise à Tunis, c'était que ces défauts français qu'il reprochait au personnel du G.P.R.A., il les partageait. Avec ses camarades, et avec les Français, il partageait même la passion de critiquer des habitudes auxquelles on tient et dont on sait qu'on ne changera pas : « Nous crevons sous la paperasse », gémissaient les chefs du F.L.N. tout en dictant des rapports. En face, les colonels français poussaient les mêmes gémissements et dictaient à la même vitesse.

Benboulaïf sauta, rejeta la tête en arrière, puis s'accroupit. Jamais il ne s'était habitué au bruit du canon. Si le claquement des armes automatiques l'irritait au contraire, lui prêtait une brusque combativité, le brouhaha du canon l'écrasait. Surprise, la colonne s'était couchée. La voix coléreuse du Dabet Awwel Mekrissa se fit entendre :

— Debout ! En marche !

Une sorte de caporal ou de sergent, un peu plus loin, répéta le commandement en arabe. Les hommes obéirent.

Le rugissement du canon se poursuivit. Chaque explosion était escortée d'un fracas qui ressemblait à des applaudissements. Il était facile d'y distinguer la chute bruyante d'un arbre de l'éclatement d'un rocher.

— Ne courez pas ! ordonna le Dabet Awwel. Bon Dieu de merde ! Est-ce que vous allez rester les uns derrière les autres, oui !

Benboulaïf le rejoignit.

— Dites donc, j'ai l'impression que ça se rapproche.

— La vallée fait une courbe. Ici, nous sommes dans un angle mort.

— Mais au mortier...

— Tout de même, vous vous rendez compte, mon capitaine, que c'est du canon, pas du mortier. C'est les deux canons d'Al Djoub. Ils arrosent la branche de vallée que nous avons quittée il y a dix minutes. Vous avez bien remarqué qu'après la maison forestière, la vallée tournait ?

Mekrissa lui avait donné son titre pour faire sentir à Benboulaïf l'injustice d'une situation qui faisait de lui son supérieur. On savait que Benboulaïf était resté plus longtemps à Tunis que dans les djebels et, quand il invoquait son expérience militaire de 44, on lui rétorquait facilement que, comme dentiste, il n'avait pu comprendre grand-chose à ce qui se passait.

Inopinément, le Dabet Awwel ordonna la halte. L'ordre

démarra et, à voix basse, se propagea le long de la katiba en
marche.

— On va attendre les autres, expliqua-t-il à Benboulaïf.
Eux, je ne connais pas leurs positions. Ils ont peut-être dé-
gusté.

Il s'adressa au radio :

— Ils ne disent rien ?

— Non, mon capitaine.

— Ils doivent cavaler !

Le tir reprit, mais cette fois cessa vite. Le Dabet Awwel
Mekrissa agitait les doigts dans les ténèbres. Un bruissement
de papier de soie apprit à Benboulaïf qu'il était en train de
rouler une cigarette. Il ne l'allumerait pas, mais la garderait
longtemps dans sa bouche jusqu'à ce que le papier, trempé
par sa salive, s'amalgamât au tabac et se déchirât.

Omar Benboulaïf avait posé ses pieds sur une souche
qui les soutenait le plus agréablement du monde. Il n'en
souffrait presque plus. Il réfléchissait à sa situation. L'été
précédent, chargé d'escorter des jeunes qui allaient se faire
instruire en Tunisie, il avait pérégriné sur ce lent chemin
orienté vers l'est comme celui de La Mecque. Pour une fois
on lui avait laissé une responsabilité : il commandait. Il
avait exécuté un passage difficile auprès de Sétif ; il avait
sorti sa troupe d'une embuscade tendue par des goumiers
près de Laverdure, puis bifurqué par la mer, presque jusqu'à
La Calle, et franchi enfin la frontière tunisienne. Un monde
nouveau, presque son ancien monde, l'avait accueilli à Tunis.
Il avait même eu une chambre dans un hôtel. Comme autrefois il s'était assis à des terrasses de cafés, buvant de
l'anisette et grignotant, avec des bouts d'allumettes, de noirs
chipirons. On l'avait reçu dans des bureaux qui eussent pu
se trouver à Alger, Marseille ou Paris. Il avait même eu un
assez long entretien avec Ferhat Abbas qu'il tutoyait et
qu'il aimait bien. On savait, à Tunis, qu'il n'avait pas rejoint
la Rébellion par un élan du cœur. On ne semblait pas lui
en vouloir. Maintenant, il se demandait quelle gaffe il avait
commise. La principale avait été évidemment de prôner avec
trop d'entrain les nécessités de négocier avec la France. Il
avait mis beaucoup de temps à comprendre qu'à Tunis
c'étaient ceux-là mêmes dont l'intransigeance était publique
(« nous ne négocierons que si au préalable l'indépendance de

l'Algérie est admise ») qui entretenaient avec Paris, tant avec le gouvernement qu'avec des officieux ou des personnalités privées, un dialogue incessant. Puis, versé dans l'Intendance, il y avait été desservi par son honnêteté naturelle. Dès qu'il ouvrait un dossier, il avait le don d'y découvrir une malversation. Les achats effectués tant en Tunisie qu'en Italie, en Yougoslavie, en Allemagne représentaient des cas particuliers parce que chacun était conclu sous la pression de circonstances singulières. Or Benboulaïf avait eu l'art de mettre d'emblée le doigt sur des achats scandaleux. On ne lui en avait pas su gré. Sa maladresse verbale et son zèle administratif lui avaient fait en peu de mois assez de tort pour qu'il rêvât de se retirer d'une action qu'il n'avait pas choisie. Il avait obtenu de faire venir à Tunis sa femme que sa servante ne quitta pas. Elles descendirent, voilées toutes deux, d'un avion d'Air France. Leur départ d'Alger s'était passé tranquillement : bien que la police n'ignorât pas la présence du mari dans la Rébellion, elle avait fourni toutes les pièces nécessaires au voyage. Les détails de ce genre faisaient toujours rire à Tunis. Ils témoignaient, selon les uns, du gâtisme des Français, selon les autres, de la complicité de leurs cadres avec la Rébellion. Benboulaïf avait pensé seulement : « Ah ! c'est bien français ça ! » Il en avait éprouvé une fierté à la fois railleuse et attendrie. Pendant un instant il s'était de nouveau ressenti vrai Français se moquant affectueusement de la France. De même, quand on ricanait devant lui parce que la femme d'une des personnalités du G.P.R.A. était institutrice en France, qu'on lui laissait faire son cours, qu'elle venait même d'avoir de l'avancement, il éprouvait la légère irritation d'un Français réactionnaire et la fierté d'un Français libéral, regardait de travers les rieurs, et s'interrogeait sérieusement : la nation qui était respectueuse de l'individu au point de laisser le soin de former ses enfants à une femme dont le mari s'employait à faire égorger leurs aînés se condamnait-elle à mort, ou gagnait-elle son droit à survivre ?

Allongé à terre, les pieds plus hauts que la tête, Benboulaïf était tombé dans une torpeur que le brusque remous de ses compagnons fut assez long à dissiper. Enfin il se mit sur ses jambes, le pied droit encore plus douloureux qu'avant et, au nombre de silhouettes qui se découpaient entre les arbres,

il comprit que la section de l'aspirant Kitab venait de prendre contact avec eux.

— Il s'est fait buter, lui annonça le Dabet Awwel en revenant vers lui d'un pas rapide.

— Qui ?

— Kitab.

— Le bombardement ?

— Evidemment.

Le vieil aspirant n'était pas mort. Deux soldats le portaient
sur leurs fusils croisés. Ils le déposèrent pendant que deux
autres couraient chercher le brancard de toile, en tête de la
katiba. En arabe, le Dabet Awwel s'expliquait avec l'aspirant
Kitab qui parlait assez distinctement. Le bombardement
s'était produit sur un rectangle de deux cents mètres de long,
et cinquante mètres de large que la section finissait de
traverser. La malchance avait joué sur cinq minutes. La
queue de la section s'était planquée. Kitab, qui était en
tête, était revenu sur ses pas pour obliger les hommes
à se relever, à bondir hors de la zone du bombardement.
La manœuvre s'était très bien passée et Kitab croyait
l'affaire réglée, quand un dernier obus avait fracassé un chê-
ne-liège dont une branche l'avait assommé. Après un bref
évanouissement, il était revenu à lui. Il avait même pu marcher seul. Puis il avait chancelé. On l'avait hissé sur deux
fusils. Pendant plusieurs minutes il n'avait pu articuler un
mot. Après avoir vomi, il s'était de nouveau senti très gaillard. Sa tête saignait sans qu'il fût possible d'évaluer la nature de la blessure.

— Je crois que je suis bon pour l'hôpital, répétait-il, allongé sur son brancard.

Benboulaïf marchait à côté de lui. S'apercevant que le
blessé vomissait toujours, il diagnostiqua la lésion du cerveau.

— C'est bien ma chance, observait Kitab en français. Me
faire envoyer au tapis par une branche ! Oh ! peut-être que
ça ne sera rien, si Dieu le veut. Ça me contrarie : j'aime bien
le secteur. Le poste d'Al Djoub, je l'ai déjà allumé vingt-huit
fois. Jamais une perte. C'est à cause de vous autres, c'est à
vous autres qu'ils en avaient. On n'aurait jamais dû lier ma
mission et la vôtre. Ah ! le bordel que c'est, je vous dis !

Il ne paraissait pas souffrir beaucoup. De temps en temps
il se remettait à parler. Il s'inquiétait de savoir dans quel

230

hôpital on l'enverrait. Sans relâche il regrettait son secteur. Depuis trois mois il avait harcelé Al Djoub et réussi deux embuscades.

— La victoire, dit-il, c'est bien agréable. On a été assez vaincus comme ça. Ça fait plaisir quand la chance tourne.

— Où avez-vous été vaincus ? s'enquit Benboulaïf avec curiosité.

— En Indochine, parbleu ! Qu'est-ce qu'on s'est fait mettre ! Oh ! remarquez, on a eu de bons jours aussi. Des fois, on leur en a filé de ces giclées aux Viets !

Pour atteindre l'aspirant Kitab, les Français avaient tiré quinze coups de canon, ce qui représentait une dépense de deux millions. Dans le même temps, ils montaient pour les enfants de Kitab des maternités, des écoles, des dispensaires qui coûtaient des centaines d'autres millions. Benboulaïf se demanda si certaines époques n'étaient pas frappées de folie, tout comme certains individus.

Le sous-bois était fini. Après une brève transition de maquis, la colonne s'avança à découvert sur un sol alternativement boueux et herbeux. Le moindre dérapage d'un pataugas, le choc d'une arme, la respiration même, cessant d'être contenus, envoûtés par les arbres, les taillis et les parois de la vallée, prenaient un essor menaçant. C'était à se demander si l'on n'était pas entendu de Sakiet ou de Mraou. De Mraou précisément parvint un braiment entêté. Malgré ses pieds meurtris, Benboulaïf avait instinctivement accéléré l'allure, laissant derrière lui le brancard sur lequel mourait le vieil aspirant qui mêlait si paisiblement les combats qu'il avait livrés avec l'armée française et contre elle. Pourtant Benboulaïf savait les risques infimes. La nuit ne permettait ni aux avions ni aux postes de les repérer, aucun groupe de paras ne fonctionnait dans le coin, et les autorités locales, pour s'opposer au passage d'une katiba aussi importante, eussent été obligées d'opérer un mouvement si ample qu'il eût été aussitôt détecté. « Dans dix minutes, la Tunisie, donc la sécurité » pensa Benboulaïf. Et dans quarante minutes, il retirerait ses chaussures.

*
**

Dès qu'elle fut en Tunisie, la compagnie perdit sa formation. Cessant de se suivre silencieusement, à deux mètres

les uns des autres, les hommes s'agglutinèrent. Des rires reten-
tissaient, des cigarettes s'allumaient.

Le Dabet Awwel Mekrissa, qui en avait gagné la tête,
remonta à travers champs jusqu'à une route où il attendit la
bande pour la faire mettre en colonne par trois.

Toujours en tête de sa katiba, il arriva à un carrefour
que les phares d'une jeep éclairaient. A mesure que les hommes parvenaient à hauteur de la jeep et qu'ils reconnais-
saient, à l'intérieur, un officier et trois soldats de l'armée
tunisienne, les plaisanteries fusaient, les gestes de dérision,
peu variés d'ailleurs, se répétaient.

— Je le connais, confia le Dabet Awwel à Benboulaïf, ce
petit con de lieutenant. On a déjà eu des histoires ensemble.
Ah ! il ne nous aime pas ! L'armée de libération, s'il pouvait
l'envoyer au Kamtchatka, il n'hésiterait pas. C'est un ancien
élève de Coëtquidan.

Le Dabet Awwel Mekrissa était tellement sensible aux sentiments d'hostilité qu'il prêtait à l'officier tunisien que, pendant le dernier kilomètre qui les séparait du camp, il revint
là-dessus, essoufflé par l'indignation.

— Vous avez vu ça ? Les gars en passant lui ont fait de
tout, le bras d'honneur, le « je te nique ». Impassible il est
resté. Il aurait su que vous étiez officier dans l'armée française, du coup, il ne vous aurait plus méprisé. Quand j'ai eu
affaire à lui, il ne m'a pas salué. Il ne m'a pas donné mon
grade. Cette putain d'armée tunisienne, je vous dis ! J'espère
qu'on l'aura, l'occasion de la déculotter.

Le camp était situé entre la route et un petit bois de pins
et de chênes-lièges, sur une pente faiblement inclinée. Il était
constitué par une ligne de camions, en partie camouflés par
les arbres, qui faisait angle droit avec une enfilade de tentes,
elles-mêmes perpendiculaires à quelques maisons de bois ou
de briques hâtivement construites. Il se prolongeait, sous
bois, par des terrassements comportant plusieurs soutes à munitions. Le vaste terrain central servait à l'entraînement des
recrues et au football. Un mât y avait été planté mais le
drapeau vert de la Rébellion n'y flottait que très rarement,
à la demande expresse des Tunisiens qui ne tenaient pas à
ce qu'il fût aperçu par des journalistes en visite, ou par une
quelconque commission internationale en train d'enquêter.

Le colonel Azazgane commandait ce camp, un second situé plus près de Sakiet, et les entrepôts de munitions installés à Sakiet.

Sauf en cas d'opérations, Azazgane ne couchait pas au camp : il préférait rentrer à Tunis. Aussi Mekrissa et Benboulaïf marquèrent-ils une légère surprise quand, pénétrant dans leur baraque, ils y trouvèrent leur chef qui, vêtu d'un complet bleu marine, semblait les attendre. Le Dabet Awwel voulut rendre compte de l'opération, de la blessure de l'aspirant qu'un médecin était en train d'examiner dans la baraque voisine, mais, très pressé, le colonel l'interrompit pour s'adresser à Benboulaïf.

— Je t'attends. Si tu veux, je te rentre à Tunis.

— Pourquoi ?

— Les ordres sont arrivés en ce qui te concerne. Tu as suffisamment tâté le terrain. Maintenant, tu vas prendre le départ avec une katiba...

— Maintenant ? Mais je suis éreinté !

— Non, demain soir ou après-demain soir.

Agacé, le colonel avait fait un geste vague. Le visage rasé, les cheveux en brosse, les yeux très rapprochés l'un de l'autre, la bouche épaisse, Azazgane, même vêtu en civil, trahissait une allure militaire. L'année précédente, il était encore capitaine dans l'armée française et très lié avec Brahim Benboulaïf. Fidèle à ce souvenir, il avait tout de suite pris son frère Omar sous sa protection.

— J'ai pensé, reprit-il, que tu aimerais dire au revoir à ta femme. Le Barrage, ça n'est pas de la rigolade. Quand tu l'auras franchi, tu ne seras pas prêt de nous revenir. Ce qui tombe bien, c'est que ta fille est arrivée en avion cet après-midi. Elle m'a joint au bureau.

— Samia !

Il rougit aussitôt. Il s'était bêtement donné en spectacle et il avait gêné Azazgane qui baissa les yeux. Puisque Samia était morte, la visiteuse ne pouvait être que Meriem.

— Elle est venue avec son mari, précisa Azazgane. Allez ! en route.

A peine dehors ils se heurtèrent à un médecin en blouse blanche venant leur apprendre que l'aspirant Hamed Kitab avait rendu son dernier soupir. Hémorragie interne.

Azazgane se mit au volant d'une traction qui l'attendait
le long de la route. Assis à côté de lui, Benboulaïf se chan-
geait. Il passa son complet bleu marine, mais garda sa chemise kaki. « Sans Samia, pensait Benboulaïf, je n'aurais pas
fini de me poser des questions. Si je ne m'en pose plus, si
je sers sans réserve l'armée de libération nationale, c'est
parce que les Français ont tué Samia. De même que si mon
frère Brahim est resté dans l'armée française, c'est que les
rebelles lui ont blessé son fils. Les faits possèdent une évidence plus efficace que les idées. »

La nouvelle de la mort de Samia lui était parvenue quatre mois plus tôt. Un après-midi brûlant de septembre il
avait été convoqué aux environs de Tunis, à Gammart, par
Azazgane qui ne commandait pas encore les katibas opéra-
tionnelles du « bec de canard », mais dirigeait un service
de renseignements installé à la « Villa de Cordoue ».

La « Villa de Cordoue » dominait Gammart, la plage et
la mer et devait son nom au souvenir d'un village fondé là
vers 1505 par des musulmans de Cordoue chassés d'Espagne
par la reconquête des rois catholiques. Belle maison blanche, assiégée de bougainvillées, la villa cachait fort bien ses
secrets. Le colonel Azazgane avait reçu Benboulaïf dans une
grande pièce ornée de mosaïques et encombrée de classeurs
verts. Sur son bureau il remuait de minces feuillets dactylographiés. Il avait biaisé pendant une minute, puis foncé :

— Ta fille Samia a été tuée.

Tout en conduisant, Azazgane avait dû suivre le courant de pensée de son compagnon. Alors, comme on offre
sa propre peine en cadeau à celui qui souffre, il dit brusquement :

— Réjouis-toi de la venue de Meriem. Oublie un peu
Samia. Tu vois, mon malheur à moi c'est que je n'avais
qu'un fils. Il a été recalé au bachot. Alors il a tenu à s'engager. Il voulait faire Saint-Maixent. Il a été tué en Indochine.

Benboulaïf ferma les yeux. Il laissait le temps s'écouler
en lui. Il ne les rouvrait que quand un coup de frein ou
un coup de volant éveillaient son attention.

— La Croix-Rouge suisse, annonça Azazgane en dépor-
tant la voiture vers la droite pour faire place à de lourds
camions qui tenaient le milieu de la route.

Un peu plus loin, la voiture faillit faucher une colonne de fellagha en treillis kaki dont seuls les boutons dorés brillaient dans l'obscurité.

— Depuis ce matin, remarqua Azazgane, toutes les katibas du secteur Sakiet-Gardimaou se replient, sauf celle de Mekrissa.

— Pourquoi ?

— Parce qu'une opération française est imminente. Je suppose que, dans les quatre ou cinq jours qui viennent, des paras seront hélico-portés autour de Mraou et de Sakiet, passeront la frontière et, en guise de représailles, feront un rezzou. C'est fatal. Nous avons trop tiré sur la corde, il faut qu'elle pète. Tu remarqueras d'ailleurs qu'à Tunis, les grosses légumes du C.C.E. ont mis les voiles.

Au bout d'un moment, Benboulaïf interrogea :

— Mais dis donc, les ordres concernant mon passage avec une katiba sur le Barrage, est-ce qu'ils sont antérieurs aux ordres de repli ?

— Oui. Oh ! Je te vois venir ! Tu voudrais profiter de Meriem. Ecoute, je crois que tu as ta chance... mais pour le moment rien n'est changé officiellement. Donc, prépare-toi à partir demain. Dans la matinée, un commissaire te donnera les dernières instructions ainsi que de l'argent pour la Wilaya Trois. Si c'est décommandé, je te préviendrai cette nuit.

La voiture filait maintenant sur une route plus large qui traversait de gros villages éclairés. Benboulaïf n'avait pas appris à sa femme la mort de Samia estimant que, déjà dépaysée par Tunis, bouleversée par la rupture de ses habitudes, elle n'avait guère besoin d'une épreuve supplémentaire. Il n'avait pas prévenu non plus Meriem. Or, ce soir, il faudrait lui dire la vérité. Pour la première fois il s'interrogea sur l'ordre d'attachement qui avait pu lier ces deux sœurs toujours en querelle et si différentes. Il en vint à se demander si le chagrin de Meriem ne serait pas superficiel. Il souffrait d'avoir à partager avec elle une mort dont le secret était devenu pour lui un trésor.

Dans les faubourgs de Tunis, les Jeunesses Néo-Destouriennes manifestaient derrière un drapeau. A l'entrée de la ville la voiture doubla une file de camions des gardes civiles. Puis des gendarmes l'arrêtèrent pour contrôler les papiers. Dix minutes plus tard, la Citroën, après s'être frayée un chemin à travers une lente foule nocturne dont les voiles étaient mollement agités par le souffle tiède de la Méditerranée, s'arrêtait rue Abdelkader, ex-rue du Dr-Lorillot.

— J'aurais aimé voir ta fille, dit Azazgane, mais je suis très pressé. S'il y a un contrordre, je te préviendrai. Compte sur moi.

En pénétrant dans le petit appartement aux tristes mosaïques vertes que quelques tapis épais n'arrivaient pas à dissimuler, le premier mot de Benboulaïf, recevant sa fille dans ses bras fut :

— Mais tu as grandi !

— Oh ! Papa, en voilà une idée ! Papa...

Il retrouvait l'ample voix gaie de Meriem qu'il n'avait pas entendue depuis le matin où, dix-huit mois plus tôt, il avait quitté l'appartement de la rue Michelet pour monter dans le car de Palestro. La jeune fille était partie d'Alger en août pour se marier à Roubaix. Depuis elle avait toujours annoncé, puis reculé sa venue.

— Richard ! Tu entends ! s'exclamait-elle, Papa qui trouve que j'ai grandi... Au fait, Papa... c'est Richard.

Les deux hommes se serrèrent la main. Mme Benboulaïf était une mère si agitée par le retour de sa fille qu'elle courait à travers la pièce, ouvrait des placards, puis disparaissait pour aller retrouver à la cuisine la vieille servante.

— Nous sommes ici en campement, s'excusait Benboulaïf. J'ai été obligé de quitter mon appartement d'Alger en raison de...

— Mais Richard sait tout ! Je ne lui ai épargné aucun détail.

— Croyez bien, Monsieur, prononça Richard, que je comprends parfaitement votre attitude. J'étais très jeune sous l'Occupation, mais mon frère aîné est parti pour Londres, et l'un de mes cousins a servi dans les F.F.L.

— La vérité, proclama Meriem, c'est qu'il se fiche éperdument de la politique. Il ne s'intéresse qu'à moi, à son travail, à sa voiture et à la chasse. C'est à cause de la chasse que nous ne sommes pas partis plus tôt. Tu vas nous avoir huit jours sur les bras, ensuite nous filons en

236

Sicile. Parce que tu sais, c'est notre voyage de noces que nous faisons... avec un peu de retard.

Elle portait un tailleur droit qui convenait à sa minceur et était du même gris que ses yeux. Ses cheveux châtains s'étaient encore éclaircis. Ils étaient plus clairs même que ceux de son mari. Les deux jeunes gens avaient une allure fraternelle. « Quelle salade ! pensa brusquement Benboulaïf, comme s'il venait de découvrir la situation. Voilà qu'en plus, j'ai une fille française. »

— Et cette folle de Samia, raconte-moi un peu. Tu as des détails sur ce qu'elle fabrique ?

Pour la première fois, la ferveur de Benboulaïf pour la jeune morte fut sans faille. Il adora son intransigeance passionnée ; il méprisa le bonheur de Meriem.

— Elle va bien, dit-il.

— Toujours dans son maquis ?

— Oui.

— Elle est infirmière sans doute ? s'enquit aimablement Richard.

— Oui, oui, répliqua Benboulaïf.

Repris par ses devoirs d'hôte, il chercha dans le buffet une bouteille de Cinzano qu'il posa sur la table. Ni sa femme, ni la domestique n'auraient consenti à entreprendre cet acte coupable, mais elles apportèrent des morceaux de glace dans un bol. Ereinté, les pieds toujours douloureux, Benboulaïf avala avec avidité le contenu de son verre. Puis il tenta un nouvel effort de politesse :

— Comment avez-vous trouvé Tunis ?

— Une ville charmante, admit Richard.

— Qu'il est bête ! s'écria Meriem. Il n'ose pas te dire que Tunis l'a un peu déçu. J'essaie de lui mettre dans la tête que Tunis, ça n'est pas chez nous, qu'il peut en dire autant de mal qu'il voudra.

— Tunis, observa Benboulaïf, ne ressemble pas du tout à Alger. Elle ferait plutôt penser à Bône ou à une ville de la vallée du Rhône.

Pour la première fois, la mère de Meriem intervint.

— Alger, vous, il faut connaître, il faut ! La belle ville ! Ici, rien du tout.

— Oui, Madame, répondit poliment Richard.

On dîna après que Benboulaïf eût été changer de chemise et de souliers. La conversation se poursuivit, sans ardeur, par un parallèle entre Tunis et Alger qui n'intéressait vivement que le maître de maison. Celui-ci entreprit de démontrer que le site de Tunis était plus beau que celui d'Alger ; que la ville, et surtout ses environs, comportaient plus de monuments arabes, arabo-espagnols qu'Alger ; que les ruines romaines en étaient plus proches ; que Tunis était somme toute plus fleurie qu'aucune ville algérienne.

— Demain, dit-il à son gendre, allez faire un tour à Sidi-Bou-Saïd. C'est à une vingtaine de kilomètres. La route longe un lac qui ne sent pas très bon, mais vous trouverez à Sidi-Bou-Saïd un pur village arabe avec des murs blancs, des volets bleus, des buissons fous de géraniums et de jasmin. En revenant, arrêtez-vous à La Marsa dont les palais, les pavillons, vous donneront des impressions d'Orient que vous ne trouverez pas à Tunis. Car, pour en revenir à Tunis même, si elle vous a déçu c'est que les Français l'ont conçue comme une sous-préfecture, alors qu'ils avaient conçu Alger comme une capitale.

Richard évoqua alors le Sud tunisien où un de ses frères avait fait son service, près de la frontière libyenne : le désert, la mer, les ksars en ruines, les marchés couverts de mouches, la misère tragique du Sud !

— Peut-être, ajouta-t-il poliment, Bourguiba a-t-il amélioré la situation des gens qui habitent là-bas...

— Ce n'est pas un magicien, Bourguiba, répliqua Benboulaïf avec humeur. Les Français ont ébranlé l'économie magrébine, qui était encore médiévale, en apportant des produits manufacturés qui ont blessé à mort l'artisanat. Ils ont intensifié l'agriculture, oui, mais aux dépens des petits propriétaires. Surtout, ils ont soigné les gens, donc augmenté la population sans prévoir de débouchés pour ce matériel humain. Si l'on veut bien ajouter à cela la stérilité du Sud tunisien, il est facile de comprendre que ce pays vive en état de crises économiques perpétuelles. Il faudra du temps pour y remédier. Ce n'est pas la Tunisie libre qui y remédiera plus vite que la Tunisie sous protectorat.

Il se tut, fâché de s'être laissé entraîner à discuter du Magreb avec des gens qui ne pouvaient le comprendre.

— Ce qui est drôle, annonça Meriem, c'est qu'à Roubaix, à Paris, les gens que nous voyons, Richard et moi, savent bien que je viens d'Alger mais ils me croient de souche européenne. Ils me parlent des Arabes. Ils me demandent où en sont nos rapports avec eux...

— Ce qui les étonne le plus, quand ils savent, précisa Richard, c'est d'abord le physique de Meriem, et ensuite son nom. Elle prétend que le Meriem arabe est un équivalent du Marie chrétien...

— Eh ! oui, grogna Benboulaïf, de même que notre Yousef correspond à Joseph ; de même que la religion chrétienne et la religion islamique sont deux branches de la religion juive. Ce qui est curieux...

Furieux de se surprendre de nouveau en flagrant délit de conférence explicative, Omar Benboulaïf s'interrompit. Puis comme Richard, la tête inclinée, semblait attendre la suite, il se crut obligé de reprendre :

— Les orientalistes soutiennent que l'islam a le goût de l'absolu et ils n'ont pas tort. L'islam n'est pas né dans le désert pour rien. Le principal grief que, dans une université coranique, on adresse aux chrétiens c'est d'être « Ceux qui ont donné des associés à Dieu ». Nous sommes monothéistes. Votre Dieu escorté de son fils, du Saint-Esprit, de la Vierge Marie, évoque pour nous le paganisme. Pour nous il n'y a que Dieu qui soit Dieu. Vous devez avoir vu que cette expression, en arabe, est même une de nos formules de politesse. Au contraire, en Europe, le monothéisme de la Bible... Je vous explique ça très mal, je ne suis pas un uléma, je ne parle même pas l'arabe. J'ai fait mes études au lycée français et à la faculté, mais en gros voici ce que je crois : en Europe, le monothéisme des Juifs s'est altéré, formant une nouvelle mythologie parce que les dieux grecs et romains n'ont cédé que progressivement la place à celui de la Bible et des Evangiles. Il y a eu un paisible mélange. Au contraire, le Sud et surtout le Sud-Est de la Méditerranée s'ils n'ont pas su trouver la vapeur ont su trouver la religion. La religion est une production locale. Le monothéisme, qui est à la pointe du progrès religieux, y a été assimilé à merveille. Mais ce que je voulais vous expliquer à propos de l'étonnement de vos amis sur la parenté de Meriem et de Marie c'est que, si épris d'absolu qu'ils soient, les musulmans savent que leur religion est parente de la religion chrétienne. Et cela, les chrétiens ne l'admettent pas. Les chrétiens, encore qu'ils se méfient de la Bible...

— Surtout les catholiques, intervint Meriem, parce qu'à Paris, j'ai une amie protestante...

— Laisse-moi finir, dit Benboulaïf. Je disais que les chrétiens admettent la religion biblique comme fondatrice de la leur, et nient toute légitimité à la religion de l'islam. Les musulmans, au contraire, considèrent les religions juive et chrétienne, comme fondatrices de la leur. De même que le christianisme se voit comme un progrès sur Israël, l'islam se voit comme un progrès sur Israël et sur le christianisme. Les chrétiens, en récusant la religion des musulmans, agissent donc exactement comme des Juifs récusant le christianisme.

Comme Meriem dissimulait un bâillement, son père conclut avec humeur :

— Vous comprendrez ainsi que Marie, qui est pour nous la mère du prophète Jésus, prédécesseur du prophète Mahomet, soit fort bien considérée. Aussi beaucoup de petites filles s'appellent-elles Meriem. A Alger, il est fréquent que les musulmanes se rendent à la cathédrale pour faire leurs dévotions à Marie.

— Oui, oui, je vois, dit Richard, encore que son regard ne témoignât guère qu'il vît quoi que ce soit de particulier.

Benboulaïf le toisa avec hostilité. Dire qu'il y avait des Français de France d'une si merveilleuse curiosité intellectuelle, des hommes comme Demeilhan, et que cette idiote était allée épouser un grand costaud du Nord aussi abêti que le pire pied-noir. Sa colère se mua en ironie :

— Je vous déçois sans doute dans la mesure où, affamé de pittoresque, vous cherchez plus ce qui distingue le Magreb de l'Europe, que ce qui les rapproche. Ne vous inquiétez pas trop. Vous le trouverez le pittoresque. Demain, en allant à Sidi-Bou-Saïd, arrêtez-vous dans l'un des multiples cafés maures qui bordent la route. Ils sont remplis d'hommes en djellabas et seulement d'hommes. Pas une femme.

— Non ? s'exclama Richard.

— C'est très frappant, ajouta perfidement Benboulaïf, surtout si l'on prend soin d'oublier que ce trait est commun

240

au pourtour méditerranéen tout entier, tant islamique que chrétien. La ségrégation des sexes sévit tout autant dans les cafés du Pirée, dans ceux d'un petit port italien ou espagnol et même, dussiez-vous vous en étonner, dans les cafés du Roussillon.

Déconcerté, le brave Richard cligna des yeux.

— Ne m'écoutez pas, dit Benboulaïf, je vais vous gâcher votre voyage. Vous êtes un homme d'Occident de passage en Orient. Vous tenez à faire des découvertes étranges. Si vous me laissiez aller, je vous prouverais trop vite la ressemblance de la Tunisie, où vous voici, avec la Sicile où vous vous rendez — une si fraternelle ressemblance que la transition est ménagée par l'îlot de Pantellaria qui est italien, chrétien, mais parle arabe. Au fond, pour éprouver des impressions fortes en voyage, il faut accepter de s'abêtir. Ici, j'achète des bouquins français sur les pays arabes, des bouquins d'économistes distingués, de bons historiens, de savants linguistes. Les principales émotions qu'ils ont tirées de leurs voyages sont dues à ce gâtisme propre au touriste et qui féconde sa vision. L'un se pâme de stupeur parce qu'il a vu une maison préfabriquée passer sur la plate-forme d'un camion à la hauteur d'une masure en torchis. L'autre n'en revient pas parce qu'il a vu se croiser un antique chameau et un jeune car. Et le dernier, celui que je lisais avant hier, tenez...

S'étant levé de table, il avait cueilli sur une pile un livre qu'il ouvrit à la page où était resté le coupe-papier.

— Tenez, voilà ce qu'il raconte : « Toutes les villes de l'Orient sont citadelles de la mémoire en ce sens qu'elles exaltent le sordide, profanent l'auguste et le sacré... Ainsi Bagdad est une ville où le passé à la fois témoigne et se mutile. Et nos yeux peuvent embrasser tour à tour d'exquises céramiques de Samarra sur les étagères et, tout proches, les piliers de fer et le ciment armé d'un capitalisme emphatique. » Naturellement, ces types-là, avant d'écrire ces sottises, n'ont pas pris le temps de penser. On peut voir à Paris le cheval d'un laitier croiser une Ferrari, en banlieue un building s'édifier auprès d'une cabane et, place du Panthéon, l'architecture métallique voisiner depuis fort longtemps avec une église médiévale. Ces hommes-là partent et publient des livres pour s'étonner que les hommes des endroits où ils

sont allés aient deux narines et s'en servent pour se moucher.
Le progrès des moyens de transport n'a pas débarrassé les
voyageurs du devoir de nous surprendre par leurs récits...
ni surtout du plaisir de s'étonner eux-mêmes. Je suis donc
une grande bête de chercher à saper vos émerveillements.

Changeant de ton, Benboulaïf, comme on attaquait des
beignets dont Richard vantait la saveur, fronça les sourcils
en regardant sa fille.

— Tu as fait une petite grimace. Où en est ta première
molaire ? C'est elle qui vient de réagir au sucre, hein ?

— C'est vrai, vous êtes dentiste ! se récria Richard sur
un ton d'excitation qui signifiait à peu près : quelle bizarrerie ! être à la fois arabe et dentiste !

Il eut, après que la servante eut servi le café, la même
expression de surprise et de curiosité quand, la conversation
étant tombée sur le capitaine Brahim Benboulaïf, son frère
s'enquit de lui avec affection auprès de Meriem qui en avait
des nouvelles datant de la semaine précédente.

— Et, pourtant, observa Richard avec embarras, vous
êtes de deux bords opposés.

« Cet animal, pensa Benboulaïf, va ranger notre cas au
titre : énigme de la famille orientale ».

— Pendant la guerre, grommela-t-il, vous aviez un frère
à Londres, un cousin dans les F.F.L., m'avez-vous dit, et sans
doute aussi un autre parent dans l'Armée ou dans l'administration de Vichy ?

— Oui, en effet... une de mes tantes était mariée à un
sous-préfet.

— Est-ce qu'ils se haïssaient ?

— Non, non, pas du tout ! Simplement, je croyais la
lutte algérienne d'une férocité inexpiable.

— Elle l'est dans certains bleds où le sang coule entre
les clans. Il n'en est pas moins fréquent qu'un harki déserte
pour passer dans l'A.L.N. puis un beau jour, par humeur,
pour une raison personnelle, s'en retourne chez les harkis,
quitte à repasser un peu plus tard au maquis. La lutte est
surtout inexpiable dans les secteurs terroristes ou au niveau
des grands chefs. Il est évident qu'aucun arrangement ne sera
jamais possible entre Belkacem Krim et le bachaga Boualem.
Mais dans le cas de mon frère, le jour où il lui plaira

de venir nous rejoindre, il recevra aussitôt le commandement d'une katiba.

Une demi-heure plus tard, Omar Benboulaïf, tout en
descendant l'escalier, éprouvait le remords d'avoir quitté si
vite sa fille. Mais lorsque celle-ci avait manifesté le désir,
devant l'exceptionnelle tiédeur de la nuit, d'aller faire un
tour dans Tunis avec son mari et son père, celui-ci en avait
ressenti à l'avance une telle fatigue, un tel agacement, qu'il
avait invoqué un rendez-vous urgent.

En fait, son départ n'était pas purement gratuit : il allait
aux renseignements, avide de savoir si son départ avec la
katiba était ou non remis.

Au moment où il débouchait dans la rue, Meriem riait
dans la petite chambre que sa mère lui avait arrangée, à
l'extrémité de l'appartement.

Elle riait de l'émerveillement de Richard. Le jeune homme, agenouillé devant la malle, brassait la soie. Cette malle
faisait partie des innombrables bagages que Mme Benboulaïf avait fait amener par bateau quand elle avait quitté
Alger pour rejoindre son mari à Tunis. L'une d'elles contenait uniquement « les affaires de Meriem ». Il y avait là
la poupée qu'elle avait tant aimée à cinq ans, les aquarelles
qu'elle avait peintes à douze, un album de photographies
consacré à elle et à Samia, sa trousse de couture, de même
que des robes et des chandails qu'elle avait abandonnés en
partant pour la Métropole. Ce qui fascinait Richard, c'était
la tenue musulmane de Meriem que sa mère avait pris soin
de joindre aux vêtements européens. Il finit par étaler sur
le lit le séroual de soie gris perle, la ceinture de soie tressée
et les lourdes blouses de satin. Il agitait le petit masque
brodé.

— Mets-le.

— Ce n'est pas carnaval, rétorqua Meriem, la voix sévère
et les yeux rieurs. Tu m'imagines masquée et en tailleur ?

Tout en joignant sur le lit aux autres vêtements le lourd
haïk brillant, Richard, qui jubilait, demanda :

— Alors à Alger, tu étais habillée comme ça ?

— Il est trop niais, ce garçon ! A Alger, je m'habillais
comme à Paris, comme à Vichy quand tu m'as connue.

Richard était de ces hommes qui aiment à s'élever au-dessus de leurs voisins, mais de peu. Il avait toujours fumé

des Gitanes, bu de la bière danoise en bouteilles, ce qui
lui avait permis de dominer la foule des fumeurs de Gau-
loises et des buveurs de bière à la pression, sans toutefois
se détacher vraiment d'elle. Sa première voiture avait été
une Simca, mais il avait choisi le modèle de luxe, le plus
rapide, la Montlhéry. Certes, il était tombé sincèrement
amoureux de Meriem, mais ce genre d'accident lui était déjà
arrivé. S'il était cette fois allé jusqu'au mariage, malgré
une molle résistance familiale, c'est que Meriem possédait,
sur les jeunes filles de sa connaissance, la sorte de supériorité
qu'il appréciait, celle qui vous situe si peu à l'écart des
autres que l'on est encore à l'abri de leur chaleur tout en
les dominant un brin. Or, Meriem jouait au tennis et à la
canasta, pratiquait le ski nautique, avait lu le dernier Gon-
court, achetait *Elle* et de temps en temps l'*Express*, tout
comme n'importe quelle jeune fille de la bonne société lil-
loise. Elle s'habillait comme elles, dansait comme elles, préférait les mêmes marques de whisky et courait voir les
mêmes films. Néanmoins elle présentait deux légères parti-
cularités. D'abord quand, après beaucoup de difficultés, elle
lui avait cédé, il se révéla qu'elle était vierge, ce qui, à
vingt-trois ans, n'est pas banal. Entendons-nous bien : Richard
eût été terrifié par un excès de vertu, par une quelconque
passion de la rigueur. Cette vierge, en cédant tout juste
avec un peu de retard, n'avait pas témoigné d'un ascétisme
inquiétant mais seulement d'un petit caractère singulier, bien
à elle. Ensuite, elle était musulmane. Certes, Richard n'eût
pas été s'encombrer d'une beauté voilée, parlant une langue
inconnue et pratiquant une religion exotique, ni même d'une
Anglaise ou d'une Italienne, c'est-à-dire d'une *étrangère*.
L'avantage de Meriem, c'est qu'elle avait un passeport français tout en étant fille d'Islam ; c'est que, toute catholique
qu'elle fût, elle avait prié à la Mosquée. Parisienne d'aspect,
elle véhiculait l'Orient dans ses veines. Bref, en l'épousant,
il n'épousait pas la petite fille anodine dont s'étaient conten-
tés tous ses copains, (sauf Henri-Georges qui s'était trouvé
une presque championne de ski). Il faut toutefois noter à
la décharge de Richard qu'un appétit de singularité, même
limité au médiocre, n'est pas si répandu, ensuite qu'il avait
fait preuve d'un désintéressement total, dont il allait jusqu'à
être inconscient, en ce qui concernait la fortune de Meriem.

En outre, il avait affronté, sans même y prêter attention, une certaine réprobation moqueuse (on imagine facilement ce que la bourgeoisie du Nord, celle même de Paris, pouvait broder de spirituel autour de « Richard et sa mouquère ») et lorsque quelqu'un prenait le prénom de Meriem, à cause de sa ressemblance avec Myriam, pour une forme anglaise et un peu snob de Marie, il était le premier à rectifier.

— Allez, dit Richard, pour me faire plaisir...

— Quoi, pour te faire plaisir ?

— Habille-toi en mousmé.

— La barbe !

— Mais tu les as déjà mis ces vêtements ?

— Pas souvent. Pour aller voir de vieilles cousines de ma mère, pour sortir avec elle... pour lui faire plaisir, quoi !

— Tu ne veux pas me faire plaisir à moi !

— Elle, la pauvre, ce n'était pas pour rire ! Toi, tu veux me voir déguisée. Alors que pour Maman, c'est quand je suis en tailleur que je suis déguisée. Tu comprends la différence ?

— Mets-les... juste que je te voie avec.

— On devait aller faire un tour ! geignit Meriem, je voulais manger une glace dans un café.

— On ira après. Dis ? supplia-t-il.

Pendant qu'avec un soupir résigné elle faisait passer par-dessus sa tête son léger pull de cachemire, il dégrafa sa jupe, agenouillé devant elle.

— Minute, intervint sérieusement Richard, tu as des dessous que je trouve bien européens, moi.

— A Alger, je les gardais ! répliqua-t-elle avec indignation.

— Mais une vraie musulmane ? La bonne qui nous a servis à table par exemple ?

— Fatima ? Oh ! elle, bien sûr. Ni bas, ni rien du tout.

— Je te veux authentique !

Impatiente, elle se mit entièrement nue puis, au lieu de se rhabiller, bouda.

— Qu'est-ce que tu attends ?

— Je suis comme ça. Tu pourrais avoir d'autres idées en tête que de me déguiser.

— J'ai des idées en tête, mais pour après.

— Alors, récrimina-t-elle, fémininement insensible à la

contradiction, mon sorbet passera à l'as, c'est bien ce que
je disais !

Pourtant elle saisit le séroual qui provoqua les exclamations étonnées de son mari : comment cette pièce de soie,
si large qu'elle aurait pu habiller une bonbonne, et si peu
longue, pourrait-elle vêtir Meriem ! Celle-ci se mit à l'appliquer, et à mesure que la soie remontait le long de son corps,
enveloppant ses longues jambes aux mollets musclés, aux
cuisses déjà enrobées d'un peu de graisse, le miracle se produisit : ce qui était largeur se transmua mystérieusement
en longueur.

— Remarque bien, persifla Meriem, je ne suis pourtant
pas une vraie musulmane, sinon je serais rasée.

Ayant crié « Qu'à cela ne tienne ! » Richard courut à
sa valise, sortit sa trousse, tira de la trousse un rasoir qu'il
arma, un tube de crème, puis se précipita sur sa femme.

Celle-ci, jetée sur le lit, le séroual abaissé jusqu'aux
genoux, les jambes écartelées, protesta pendant toute l'opération avec autant d'humeur que d'amusement. Elle avait
surtout peur qu'il ne la blessât et grognait :

— Tu verras ! Ce sera gai quand ça commencera à repousser. Une vraie rape, je serai...

Éponge en main, il effaça la crème. Son visage avait rougi
et il respirait vite. Il se servit d'une houppette pour répandre
ensuite un peu de poudre à la demande de Meriem qui, enfin,
serra le séroual autour de sa taille avec la cordelette de soie.
Elle enfila ses chaussures à talons et s'examina dans la glace,
les reins cambrés pour faire ressortir de trop petits seins
en poire. Sous la blouse, à même la peau, elle passa le pull
de cachemire parce que « si cette comédie doit durer, je
finirai par prendre froid ». Quand elle eut boutonné la
blouse et se fut enveloppée du haïk, elle fixa Richard avec
des yeux que celui-ci déclara « foudroyants de mystère ».

Cette métamorphose l'avait comblé. Se rappelant les thèses du père de Meriem il se persuada que ce brave homme,
par des propos lénitifs, avait tenté d'escamoter le pittoresque
de l'Orient, probablement dans la crainte que son gendre
n'en fût effrayé. « Quel ballot ! » pensa-t-il. Comme s'il pouvait être effrayé de posséder une femme qui était à la fois
la plus classique des jeunes épouses de son milieu et, dans
l'intimité, la plus exotique des sultanes.

— Marche un peu, ordonna-t-il.

*
**

Au même moment, Omar Benboulaïf franchissait l'angle de la rue de Corse et de la rue de Paris. Encore qu'il ignorât à quel jeu complaisant sa fille était en train de se livrer, il lui faisait grief du bonheur stupide où elle se confinait, alors que le reste de sa famille subissait *l'épreuve* ; alors que Samia en était morte, que sa mère, dans cette ville étrangère, vivait égarée, que lui-même, recru de fatigue par une marche qui ne convenait plus à son âge, s'avancerait peut-être demain, sous les balles, à travers les fils électrifiés du Barrage. L'ordre posthume de Samia était facile à deviner et il aurait dû l'exécuter : chasser Meriem. Pour sa défense, il invoqua la peine qu'il eût fait à sa femme. Puis, plus sincère, comprit que l'on a un caractère et qu'on n'en change pas. Il était dans la nature de Samia de vivre aux extrémités comme il était dans la sienne de demeurer aux confins, dans la zone du compromis toujours possible.

Arrêté devant la porte d'une banale maison jaune clair, il appuya sur l'un des deux boutons du clavier, celui du premier étage, qui n'était surmonté d'aucune mention.

Il attendit. Il était sensible au grondement de chaque voiture derrière lui, au pas de chaque piéton. Ce lieu était un de ceux où la D.S.T. était censée envoyer des agents munis d'appareils photographiques camouflés pour repérer les agents de la Rébellion et les retrouver par la suite s'ils repassaient en Algérie.

Il appuya plus longuement sur la sonnette. Ce qu'il allait chercher au premier étage, c'était un tuyau sur les opérations du lendemain, violemment désireux que le départ de sa katiba fût retardé par la réplique de l'armée française. Il l'espérait parce que l'aventure à laquelle il était promis lui faisait peur. Ses pressentiments étaient sombres. Il se réconforta : « les Français ne peuvent plus attendre pour répondre aux provocations que nous leur adressons derrière la frontière tunisienne ».

La part qu'il avait en lui encore attachée à l'armée française s'indignait même de l'apathie que celle-ci montrait depuis des mois ; devenue honteuse depuis l'accrochage qui

avait tué un bon nombre de soldats français et permis le
rapt de cinq d'entre eux. Après la mort de Samia, Benboulaïf ne s'était plus posé de problèmes ; il luttait pour l'indépendance de l'Algérie, considérait que la légitimité de celle-
ci était au-dessus de la discussion. Néanmoins de tendres
liens le liaient à son passé français. Il enrageait s'il trouvait
dans un journal étranger une remarque méprisante pour la
France. Il avait failli se battre avec une espèce de Yougoslave
qui lui avait soutenu qu'un Russe était monté en ballon
avant Pilâtre de Rozier. Non seulement il ne cachait pas
son affection pour la France et, ce qui était plus grave, qu'il
se sentait encore Français, mais il avait remarqué que, dans
les milieux F.L.N. de Tunis, on ne lui en faisait pas grief.
Il n'était pas seul à nourrir ces sentiments ambigus. Il avait
vu de ses yeux, dans un bureau du C.C.E., Si Cheriff bouleversé, au bord des larmes, parce qu'un journal français
l'avait traité d'« officier félon ! »

Ayant resonné quatre ou cinq fois, Benboulaïf recourut
à l'astuce ordinaire qui consistait, quand le premier étage
ne daignait pas répondre, à appuyer sur le bouton du second,
lequel était surmonté de la mention : *Maître Favre, Notaire*.
En effet, au bout de quelques secondes, le notaire avait dû
appuyer sur la commande de la porte, car celle-ci s'ouvrit.
D'un pas que la fatigue freinait de marche en marche, Benboulaïf monta au premier, poussa une porte et se trouva
dans une grande pièce bordée par un comptoir sur lequel une
demi-douzaine de garçons en blue-jeans triaient ou empi-
laient des exemplaires du journal « Moujahid », cependant
qu'un autre, vêtu d'un complet clair rayé, celui-là, tapait
à la machine.

Contournant le comptoir, Benboulaïf avait fait un pas
vers la porte qui donnait sur le Saint des Saints mais l'un
des emballeurs, abandonnant son paquet qui retomba avec
un bruit sourd, marcha vers lui, la main tendue, en décrétant :

— Il n'y a personne.

Cette obstruction faisait également partie du rituel. Un
second emballeur, abandonnant à son tour son travail,
s'avança vers eux sans se presser.

— Pour lui, dit-il à son camarade, je ne sais pas. Des
fois il entre...

Et il ajouta :

— Des fois il entre pas.

A tout hasard, et malgré les bruits de voix qui leur parvenaient, le premier emballeur répéta :

— Personne, il y a. Tout le monde parti.

A cette seconde la porte s'entrouvrit, laissant apparaître le visage de Saïd Youcef.

— Amar n'a pas tout à fait tort. Tout le monde est parti sauf moi. Entrez donc, Benboulaïf.

L'impression déplaisante qu'éprouvait toujours Benboulaïf en pénétrant dans ce bureau tenait précisément à ce qu'il risquait d'y rencontrer, comme ce soir, son ancien mécanicien dentiste Saïd Youcef. Celui-ci, depuis Lausanne, avait sévi en Italie, au Maroc, et se trouvait maintenant à Tunis, occupant comme de coutume des fonctions mal définies, mais puissantes, dont l'une consistait à être l'un des porte-parole officieux du C.C.E., notamment vis-à-vis des journalistes français. Benboulaïf qui exécrait cet homme, le tolérant à peine quand il l'avait eu sous ses ordres, l'ayant haï à Lausanne, ayant démêlé par la suite quel rôle il avait joué dans l'affaire qui l'avait obligé à quitter Alger, n'en supportait que plus mal les prévenances dont certains journalistes entouraient Saïd Youcef. Il avait eu du mal à dominer son mépris quand il avait vu, au lendemain de l'incident sanglant des environs de Sakiet, un de ceux-ci aller jusqu'à lui porter sa serviette.

— Je m'en allais, annonça Saïd Youcef en introduisant Benboulaïf dans le bureau où un gros jeune homme en bras de chemise dictait à une jeune femme en robe rose. Mais je présume que vous venez aux renseignements ? Alors, asseyez-vous... A moins que vous ne me fassiez le plaisir de venir prendre un verre avec moi au bar du « Tunisia Palace » ?

Car les raisons pour lesquelles Omar Benboulaïf ne pouvait sentir Saïd Youcef étaient celles-là mêmes pour lesquelles Saïd Youcef, enchanté de jouer au caïd devant son ancien patron, raffolait de sa compagnie et se montrait envers lui d'une constante amabilité.

— Il est un peu tard... dit Benboulaïf.

— J'ai ma voiture.

Benboulaïf céda. Il sentait Youcef lourd de renseignements dont il ne lui ferait part que sur un tabouret de bar.

La voiture fila, coupant une avenue plantée d'arbres, bifurqua.

— Je m'arrête une seconde à l'hôtel Claridge, et nous sautons au « Tunisia Palace », assura Saïd Youcef.

***

A cent mètres de la voiture où attendait Benboulaïf, un couple passa composé d'un grand garçon vêtu d'une veste de daim et d'un pantalon noir et d'une jeune musulmane enveloppée dans son haïk.

— Richard, avertit la musulmane, si tu veux qu'on respecte vraiment la tradition, il faut que je marche respectueusement à quelques pas derrière toi.

— Ça se fait toujours ?

— Non, pas les jeunes gens, en ville... Richard, non ! Garde un air plus digne.

N'en pouvant plus, il la poussa dans l'encoignure d'une porte et, gravement, caressa son corps à travers les voiles. Leurs bouches se meurtrissaient.

Entendant un pas, ils reprirent leur marche. Ils coupèrent une rue où déambulaient des jeunes, dont beaucoup de petites musulmanes non voilées mais, faisant la queue derrière un autobus pour y monter, d'autres étaient enveloppées de leur haïk jusqu'aux yeux.

— Tu vois, constata Meriem, Bourguiba a décrété la levée solennelle des haïks. Seulement, il n'a été obéi que par les jeunes. Et pas par toutes. Au fond, c'est une idée d'Européen que le voile nous fait souffrir. Et le vêtement n'est pas désagréable du tout. Je te jure, c'est plus pratique qu'une jupe entravée.

— Tu crois que les gens me prennent pour un musulman ?

— Pourquoi pas ?

— Et alors, ils se figurent que tu es l'une des femmes de mon harem ?

— Oh ! que tu es con ! Est-ce que mon père a un harem ? Ça n'existe plus.

Dans un café, ils avalèrent la glace que Meriem n'avait cessé de réclamer. Pour la déguster elle dut écarter son haïk et, comme elle n'avait pas voulu mettre son petit masque qui, à la mode à Alger, eût été incongru à Tunis, elle révéla son visage. Cela faillit choquer Richard tant, en une heure, l'habitude lui était venue de considérer comme secrète cette partie du visage de sa femme. Elle-même, la dernière bouchée avalée, se renferma dans son voile avec une hâte pudique, comme si elle rabattait sa jupe. Elle avait à ce point retrouvé ses aises dans ce vêtement qu'elle en voulut à Richard d'avoir considéré comme une fantaisie de bal masqué un usage aussi vénérable. Sur le chemin du retour, elle le traita de « crétin amateur de pittoresque », lui fit observer qu'à Paris elle ne se moquait pas du vêtement des religieuses, ni à Boulogne-sur-Mer des coiffes portées par les vieilles femmes.

— Veux-tu te taire ! répliquait Richard. Une épouse musulmane est l'esclave de son mari.

— C'est ce qui te trompe ! Chez elle, l'épouse musulmane commande, et sur quel ton ! Et son mari, elle le griffe comme une panthère.

Elle ne s'adoucit que lorsque, de retour dans leur chambre, Richard l'eut empoignée. Il la mit torse nu, jouant à lui envelopper le visage dans le haïk. Progressivement, il rabattit le séroual le long du ventre rasé. Meriem aimait que le désir, chez ce barbare du Nord, se marquât par une inflammation soudaine des joues et des tempes.

*
**

Au bar du « Tunisia Palace », au même moment, avec un demi-sourire, Saïd Youcef confiait à Omar Benboulaïf :

— Peut-être que, demain, les paras seront à Tunis et qu'à cette heure-ci...

D'un geste large il désigna la salle du bar, la masse des consommateurs cosmopolites :

— ...et qu'à cette heure-ci leurs officiers boiront un verre à notre place. Du moins, c'est ce qu'on craint.

— Pour ça que les patrons sont au Caire ?

Comme Saïd Youcef ne répondait pas, Benboulaïf insista :

— Et c'est pour ça que nos troupes ont évacué Sakiet et les environs ?

Sans répondre directement, Youcef observa :

— Si les Français font ce coup-là, je me demande comment ça tournera. Ce sera l'épreuve de force. Il y aura sûrement un grand bordel international. Les Américains soutiendront Bourguiba. Si Bourguiba ne prend pas peur, et tient bon, il pourra peut-être y gagner des avantages substantiels... mais ça risque d'être à nos dépens.

— Mais en jurisprudence internationale, sont-ils fondés à exercer le droit de suite, les Français ?

— Je crois que oui. Seulement le problème n'est pas là. Au fond, tu vois...

C'était la première fois qu'il tutoyait son ancien employeur. Il appuya :

— Tu vois, ce qui sera capital, c'est la réaction des Français de France. S'ils approuvent une attaque contre la Tunisie, s'ils laissent les paras envoyer leurs coups de matraque aux fezans, si, à travers ça, notre armée est capturée, nos munitions balayées avant même qu'une action internationale puisse se dessiner... alors, ayant perdu la bataille d'Alger il y a six mois, perdant la bataille de la frontière aujourd'hui, nous serions dans de mauvais draps.

— Ce que je ne vois pas c'est ce que...

Benboulaïf déglutit avant de se résoudre à rendre le tutoiement :

— Je ne vois pas ce que tu veux dire quand tu parles de l'attitude des Français. Tu penses à l'opinion de là-bas ?

— Oui.

— Pourtant, rappelle-toi. Les Français ont perdu, à Suez, bien que leur opinion ait été unanime à soutenir l'expédition.

— A Suez, c'est autre chose. C'est l'opinion anglaise qui a flanché.

— Très juste. Alors, toi qui es en contact avec les journalistes français, les personnalités politiques, qu'est-ce que tu crois ?

Saïd Youcef laissa naître sur son visage un lent sourire puis, ayant rajouté un glaçon dans son verre, décréta :

— La presse est pour nous. Le capitalisme français aussi. Et les gouvernants, ils ne veulent pas d'histoires. Ils savent très bien que le système est trop ébranlé pour s'offrir le luxe d'un pastis international. Ce que je crois, c'est que les militaires, excédés, vont peut-être nous voler dans les plu-

mes, mais que Paris aura vite fait de les lâcher... peut-être
même de les désavouer.

Benboulaïf garda le silence. Le long du bar et aux tables
voisines une rumeur où se mêlaient le français, l'arabe, l'anglais, l'italien, se maintenait avec la régularité d'un moteur.

— Dans de pareilles conditions, il est peu probable, murmura enfin Benboulaïf, que nous montions ces jours-ci une
opération contre le barrage ?

— Une opération de grande envergure ?

— Oui.

— Parce que tu es de la prochaine opération ?

Benboulaïf fut assez respectueux du secret militaire pour
se refuser à acquiescer. Mais il n'alla pas jusqu'à nier.

— C'est pour ça que la politique t'intéresse tant, ce soir !
ricana Saïd Youcef. Alors que moi, tu vois, je pense à niquer.
Hier, j'ai levé, avenue de Carthage, une petite Marseillaise
qui est dactylo dans une banque. Une drôle de petite salope : je l'ai lu dans ses yeux. J'ai rancart à minuit ici...

Sur le même ton il poursuivit :

— N'aie pas trop peur, va ! Ton opération, je parierais
une Merquèse contre une Cadillac qu'elle sera décommandée.

— Je ne le souhaite, répondit dignement Benboulaïf, que
parce que ma fille est arrivée à Tunis, aujourd'hui, pour
quelques jours...

*
**

Le soleil levant modelait le flanc bourru des ânes, enflam-
mait les ballots d'étoffes, allumait des reflets sur les vieilles
camionnettes. A l'entrée de Sakiet, l'afflux des marchands
et des paysans se rendant au marché hebdomadaire entretenait un bruyant embouteillage que quelques voitures offi-
cielles coupèrent, se suivant en files vers la colline.

Quand parvint le lointain ronronnement de l'avion, les
paysans drapés dans leur djellaba, les fillettes en robes tur-
quoises qui couraient au milieu d'eux, les gendarmes occupés
à canaliser l'issue du marché levèrent machinalement le nez
vers le ciel.

Le pilote, par habitude lui aussi, scrutait, sur sa droite,
la Table de Jugurtha, ce socle de montagnes entourées de
quelques nuées qui lui servait habituellement de repère

quand il voguait dans la région et qu'il avait souvent survolé du temps où son escadrille était basée en Tunisie. Il
inclina son appareil pour mieux distinguer le sol : des prés
verts, un bouquet de pins alternant avec une ferme sans toit,
le reflet de l'oued, la plate-forme du poste de Sakiet, face au
village groupé autour de la tache blanche de sa mosquée. Il
vira légèrement vers le nord. Sur sa gauche, un djebel au
relief compliqué réapparut un instant, mêlé de nuages effi-
lochés entre lesquels brillait le poste d'Al Djoub. Le pilote
reporta son attention sur le village de Sakiet et la campagne
qui l'entourait.

— Ça y est, annonça-t-il en phonie. Ils nous tirent.

**

— Et même sacrément touché ! répétait Bossac.

— Oui, concéda le capitaine Laleu, mais il ne perd pas
tellement d'altitude, il me semble.

— Il en perd, cria l'adjudant Bliaut, mais il a assez
d'avance pour pouvoir se poser.

— A Telergma ?

— Il est trop gros pour se poser à Souk-Ahras ?

— On dirait qu'il remonte vers Bône.

Tous les yeux suivaient la retraite de l'avion qui répandait derrière lui un sillage de fumée noire.

— Les salopards ! gueulait Maillot, le cuisinier qui, en
treillis et pantoufles, mais un couteau sanglant à la main,
était, de tout le groupe réuni par le hasard et l'émotion sur
la plate-forme d'artillerie, le plus redoutable à voir.

L'avion ayant disparu dans un nuage, le capitaine Laleu
reprit sa voix neutre pour ordonner aux spectateurs de bien
vouloir regagner leurs postes. Bossac se dirigea vers son
bureau. Il entendait derrière lui l'adjudant Bliaut vociférer :

— Mais bon Dieu ! quand est-ce qu'on va me le donner
l'ordre d'envoyer une bordée sur la Tunisie ?

Le capitaine, qui était entré derrière Bossac dans le bureau, ne put se retenir d'observer :

— Pauvre Bliaut ! il risque de l'attendre longtemps, son
ordre.

Et il s'installa sur le lit de camp pendant que Bossac

se remettait à sa table, écartant son morceau de schiste pour retrouver la dernière circulaire de l'Intendance.

La porte s'ouvrit sur l'aspirant Lagardète, instituteur dans le civil et conférencier de vocation.

— Mon capitaine, déclara l'aspirant, les hommes sont exaspérés. Ils n'ont pas un goût particulier pour les aviateurs, mais cet incident, venant après ceux des jours passés, les a mis hors d'eux. C'est pourquoi je vous pose la question : ne serait-il pas valable de leur faire une causerie familière, n'importe qui pourrait s'en charger, moi par exemple, afin de leur expliquer les raisons pour lesquelles nous ne rendons pas les coups que nous recevons de la Tunisie ?

— Qu'est-ce que vous pourriez leur raconter ?

— Je commencerais par un bref aperçu de droit international, un aperçu sommaire, émaillé d'anecdotes pour détendre l'atmosphère. Puis je leur montrerais que si la France, bien qu'elle ait la force d'écraser la Tunisie, bien qu'elle ait le droit pour elle, a su conserver son calme jusqu'ici, c'est parce que...

— Je voudrais bien savoir pourquoi en effet ! Parce que le régime est pourri ?

— Ça, c'est une autre question. Je leur dirais simplement qu'au-dessus du droit il y a la morale. Je leur découvrirais la beauté d'une attitude qui n'est pas sans analogie avec le recul de dix kilomètres en 1914.

— Je ne crois pas que vous ayez beaucoup de succès, mon lieutenant, dit Bossac.

— Mon argumentation est spécieuse, je le sais bien, gémit Lagardète, mais enfin, il vaut mieux leur dire n'importe quoi que rien du tout ! Ces gaziers ne comprennent pas...

Bossac s'arrêta d'écrire, curieux d'entendre le capitaine répondre comme à l'accoutumée : « Ils ont raison de ne pas comprendre, parce qu'il n'y a rien à comprendre ». Or, sous le coup de l'émotion provoquée par l'attaque de l'avion, l'officier recourut à une variante :

— Je les en félicite, moi, de ne pas comprendre ! Vu que celui qui prétendrait y comprendre quelque chose, c'est qu'il serait mûr pour sucer une guérite.

— Certes, certes, mon capitaine, bredouillait l'aspirant. Toutefois, plutôt que de les laisser à leur exaspération, ne serait-il pas plus valable d'en discuter avec eux et...

— Si vous voulez qu'ils vous applaudissent, gronda le capitaine Laleu dans un accès de colère inattendue, racontez-leur tout simplement que nous avons à notre tête une bande de pourris dont l'adresse est Chambre des Députés, édifice qui, vu sa situation, est très facile à balancer dans la Seine... Et puis au lieu de me faire des discours, Lagardète, avez-vous envoyé un message pour signaler l'état de l'avion ?

L'aspirant n'eut pas le temps de répondre car deux petits coups furent frappés à la porte et, dans une bousculade tumultueuse, entrèrent Louchadière, l'officier S.A.S., l'adjudant de gendarmerie Muizon, et un grand musulman maigre, barbu, enveloppé d'une djellaba et portant son fusil à la bretelle. Ancien rebelle, il avait eu pour port d'attache un village voisin qui, lorsque le barrage électrifié avait été construit, avait eu le malheur de se trouver situé entre barrage et frontière, c'est-à-dire de faire l'objet à la fois d'un ordre d'évacuation français et d'un ordre de repli en Tunisie F.L.N. Une partie des habitants avait été entraînée en Tunisie, une autre sous les tentes d'Al Djoub. Le rebelle, soit qu'il fût amoureux d'une fille repliée à Al Djoub, soit qu'il ne lui plût pas de rejoindre une katiba organisée, était venu se rallier en apportant son arme, un Lebel. Sans doute un autre caprice le rejetterait-il une nuit dans les bras du F.L.N., mais pour le moment, il jouait les caïds dans le village d'Al Djoub où il assumait de multiples fonctions. Quand l'officier S.A.S. avait constitué un groupe de gouniers, il s'était fait embaucher comme moghasni, s'était affublé de galons, puis s'était improvisé maire du village, enfin avait levé une harka. Les soldats du Contingent l'avaient baptisé d'abord le sidi, puis en raison de son tempérament impétueux, le caïd. Ces deux surnoms s'étaient ensuite fondus en un seul : le Cid. Et Jacques Bossac qui, à l'occasion d'un certificat de philologie, avait vécu quelques années plus tôt une crise d'amour fou pour l'étymologie, se réjouissait d'avoir assisté pour la seconde fois au phénomène qui, un millénaire plus tôt, avait déjà transformé *Le Sidi* en *Le Cid*.

— Mon capitaine, avait, d'emblée, crié Louchadière, vous avez vu ça !

— Un moteur en flammes ! tonnait l'adjudant.

— Oui, oui, on a vu, grogna Laleu. Je croyais que vous aviez du nouveau.

Le Cid entreprit alors l'un des numéros dont il avait le secret. Il se campa devant le capitaine, claqua des talons, salua avec rigidité, et demeura quelques instants figé dans un solennel garde-à-vous. Puis, prestement, il se cassa en deux, releva sa djellaba sur ses reins avec une virtuosité obscène, offrit son postérieur, vêtu de kaki, aux regards de l'assistance, et marqua une pause. Quand il eut créé le suspense, tout en conservant la même posture il frappa la paume de sa main droite contre son poing gauche fermé en criant « niqué ! » d'un ton si victorieux que Bossac eut l'impression d'entendre parler un Grec de l'antiquité. Il se redressa alors, virevolta et se mit à faire des courbettes à un interlocuteur imaginaire. Les spectateurs avaient tous compris qu'il mimait l'armée française en train de se faire avoir par les fellagha de Tunisie et qu'il faisait maintenant des grâces à Bourguiba.

— Ah ! monsieur Bourguiba, que c'était bon ! Ah ! cinq-cinq, monsieur Bourguiba ! Je te dis, encore ! monsieur Bourguiba !

Changeant encore d'allure, il joignit ses mains sur son ventre, se rengorgea, se promena dans le bureau en dodelinant de la tête d'un air fat et protecteur. Cette fois, c'était Bourguiba lui-même. La chute du numéro fut saisissante de rapidité : le front bas, les mains serrées, l'air tragique, il décerna au chef de la Tunisie l'exclamation la plus admirative de son répertoire :

— Pas folle la guêpe !

Il avait prononcé : « pafoulliguep ». Il était bien évident qu'il n'eût pu détailler les mots contenus par l'expression et qu'on l'eût beaucoup étonné en lui apprenant qu'elle avait un rapport avec la folie et une guêpe. Bossac en profita pour méditer sur le charme secret des expressions toutes faites qui met les usagers de la langue dans le même état d'innocence que Le Cid, car même celui qui détache complaisamment le mot « guêpe » est loin de s'en représenter une au moment où il invoque sa folie.

Le capitaine Laleu, parfaitement satisfait du numéro du Cid, décida d'en rester là, déclara qu'il avait du travail, et invita ses visiteurs à vider les lieux. Lui-même n'arrivant toutefois pas à tenir sa place sortit, laissant un Bossac qui, occupé à additionner des paires de souliers, rêvait en même temps à la fumée noire qui sortait de l'avion.

La première explosion lui fit seulement lever le nez. Puis il écouta les autres, le regard stupidement fixé au mur sur lequel s'étalait une carte quadrillée de rouge et jalonnée de punaises multicolores. Enfin il courut à la porte et, en quelques bonds, se trouva dehors. L'épaulement du djebel lui cachait Sakiet mais le martèlement du bombardement qui ne cessait pas était révélateur.

— Ah ! tout de même ! hurlait le capitaine Laleu qui se tenait, les mains crispées, à quelques pas de là au milieu de la cour. Tout de même ! Ce n'est pas trop tôt !...

Dans le ciel montait un champignon de fumée au-dessus duquel se profilèrent les bombardiers en formation.

***

Dans la grande salle du Conseil Municipal de Bordeaux, l'électricité brille, allumant les hampes des drapeaux de 70 accrochés au murs, faisant reluire des bustes de marbre, les blasons des villes de la Gironde, les corniches dorées de la pièce, en concurrence avec le jour sourd qui pénètre par les vitraux.

— J'aimerais, énonce la voix à la fois sèche et tendre du maire de Bordeaux, Chaban-Delmas, que Monsieur le Rapporteur reprenne le premier paragraphe.

Ce matin, Chaban-Delmas ne se considère ni en tant que ministre de la guerre, ni en tant que critique du régime. S'il prend la parole, ce n'est pas pour dénoncer l'instabilité ministérielle ni les dangers d'un système qui transforme les ministres en mandataires de leur parti et permet à l'assemblée de se substituer à l'exécutif. Non. Il examine un problème d'autobus.

— L'achat de ces cent nouveaux véhicules, reprend le rapporteur dont l'accent du Sud-Ouest est arrondi par le style ronronnant des assemblées, se justifie enfin par...

D'un pas rapide un homme lourd, à carrure de bison, les lunettes en bataille, s'est glissé sur l'estrade. Il dépose une feuille de papier pelure, bleu sur quelques lignes par des caractères de machine à écrire.

— C'est une dépêche urgente, souffle-t-il.

Discrètement, distraitement, Chaban-Delmas jette un regard sur la feuille de papier. Il aperçoit d'abord un nom propre : *Sakiet*. Il lit. Aucun trait ne bouge sur son visage, mais il n'entend plus la voix qui pourtant poursuit :

— On ne saurait mésestimer cet autre avantage sur les trolleybus qui tient à ce que...

***

Roger Stéphane vérifia l'heure : midi et demi. Il remonta la rue Barbet-de-Jouy, entre de calmes façades anciennes et des amorces de jardins. Un rayon de soleil anima les moulures d'une maison Louis XVI. Des oiseaux chantaient. Stéphane ne se pressait pas. Il avançait avec majesté, le buste légèrement penché en arrière, démarche que lui avait peu à peu imposée son amitié pour de trop gros chiens qu'il lui fallait retenir en s'arc-boutant. Ses yeux brillaient derrière de rondes lunettes. Entre le pouce et l'index, il vérifia la bonne tenue de son nœud papillon, d'une petite tape corrigea la houppe de cheveux taillés en brosse longue puis, le sourire aux lèvres, sonna au portail de l'ambassade de Tunisie.

Quelques minutes plus tard, le sourire de Roger Stéphane s'était presque effacé ; il ne subsistait que dans une moue interrogative :

— Rien de plus grave que d'habitude ? demanda-t-il.

Face à lui, l'ambassadeur de Tunisie, M. Masmoudi, un petit homme, presque aussi trapu que son visiteur, le visage basané, les traits courts et écrasés comme ceux d'un boxeur, hocha la tête et répondit avec l'aisance verbale d'un ancien élève de Sorbonne :

— Les renseignements sont encore trop confus pour qu'on puisse en juger avec certitude, mais rien, en effet, ne permet de craindre que cette affaire soit plus grave que l'un des multiples incidents de frontière auxquels nous sommes habitués.

— Donc, pour le moment, vous ne prenez pas l'histoire au tragique ?

— Au tragique, non, mais au sérieux. C'est pourquoi j'ai cherché à vous joindre au téléphone pour décommander ce déjeuner.

— Le déjeuner, bon, dit Stéphane, mais vous me feriez

un sale coup si vous ne veniez pas au cocktail. Il est en votre honneur... et en celui de votre fils. Ça lui fait quel âge maintenant, à votre fils ?

— Deux jours un quart.

— Je ne veux pas que son père me manque de parole ! conclut Roger Stéphane avec un sourire. Venez le plus tôt possible. Sans blague.

Masmoudi acquiesça, raccompagna son visiteur jusqu'à la porte, et là le questionna, rêveur :

— L'homme d'Etat qui a dit qu'il ne fallait jamais rien prendre au tragique, mais tout prendre au sérieux, c'était qui ? Monsieur Thiers ?

Un crépitement du téléphone l'interrompit. Stéphane serra précipitamment la main de l'ambassadeur et descendit le grand escalier. Il était tout content que son entrevue avec Masmoudi se fût terminée par une citation qui, une fois de plus, confirmait l'appartenance des dirigeants de la Tunisie à la culture française. « Que peut-on demander de plus ? se disait Stéphane, sinon qu'ils parlent notre langue et nous aiment. »

Ce fut un peu après quatre heures que le valet de chambre, ouvrant la porte du bureau de Roger Stéphane, annonça M. Masmoudi. Celui-ci entra, l'air calme mais fatigué, un peu essoufflé.

— Vous voilà quand même ! s'exclama Stéphane. C'est gentil !

— Je n'arrive pas seul.

Le collégien qui était toujours présent en Roger Stéphane fit aussitôt des siennes. Il feignit de chercher la suite de l'ambassadeur, tantôt la main au-dessus des yeux pour scruter la pénombre de l'antichambre, tantôt, plié en deux, pour regarder sous son canapé Louis XVI.

— Ce sont des voix qui m'escortent, coupa Masmoudi. J'ai été obligé de donner votre numéro de téléphone et, je vous en demande pardon à l'avance, je crains qu'on ne m'appelle toutes les cinq minutes.

— Ça continue ? Les nouvelles...

— ... sont très mauvaises, acheva Masmoudi. Le bombardement de Sakiet n'est pas un incident de frontière, c'est une agression. Naturellement les détails manquent encore, ou sont sujets à caution, mais...

La sonnerie du téléphone les interrompit.

Gagné par la fébrilité de l'ambassadeur, Stéphane courut décrocher l'appareil dans la pièce voisine.

— Ne quittez pas, je vous le passe.

Un instant plus tard, il entendait la voix de l'ambassadeur répéter avec émotion :

— Deux cents morts ! On en est sûr ?

Quand il réapparut dans le bureau, son hôte ne put retenir sa question :

— J'ai entendu sans le vouloir. Vous avez bien dit deux cents morts ?

— Oui. C'est effarant.

— Mais quels morts ? Des Algériens, des F.L.N. ?

— Des Tunisiens. Des civils. Des femmes, des gosses... C'était jour de marché à Sakiet. Je ne comprends pas que l'armée n'y ait pas pensé.

Tous deux s'étaient assis sur le canapé, devant une petite table basse qui soutenait les boissons. Mais très vite Roger Stéphane dut se relever. Ce fut un appareil de téléphone posé sur son secrétaire qu'il décrocha pour le passer presque aussitôt à Masmoudi.

— Il paraît, dit celui-ci en revenant s'asseoir, que l'aviation française n'a pas fait le moindre effort pour limiter son action aux objectifs. Au lieu de bombarder en piqué, les appareils se sont baladés à l'horizontale.

Il ajouta, sombre :

— Je n'ai plus qu'à m'en aller.

— Vous ne pouvez pas ! s'exclama Stéphane. Nos invités ne vont pas tarder...

— D'accord, bon, je reste. C'est sans inconvénient puisqu'on peut me joindre ici. Et voyez-vous, j'aime mieux passer ces moments-là avec des Français. Non, ce que je voulais dire, c'est que mon Gouvernement va me rappeler. Je suppose que je prendrai l'avion demain.

Puis, par souci de courtoisie, mais sans pouvoir changer de ton, l'ambassadeur s'enquit :

— Avez-vous retrouvé votre chien ?

— Non. Pas encore. Mais ça ne fait que deux jours qu'il est perdu. Je ne sais pas si c'est un pressentiment, mais je suis encore plein d'espoir.

— J'aime que vous prononciez ce mot au **moment** précis où j'arrive, observa Hanau qui entrait, tout sourires.

Les deux hommes se levèrent, mais sans sourire.

— Ecoutez, dit Stéphane, ce matin, sur la frontière tunisienne, à Sakiet, il s'est passé quelque chose de bien grave.

Le visage d'Hanau changea.

La scène se reproduisit à l'arrivée de chacun des invités de Stéphane. Sauf Jean-François Chauvel, le reporter du *Figaro* qui « savait déjà », les autres faisaient leur apparition avec, sur les lèvres, un sourire ignorant que les deux cents morts de Sakiet suspendaient aussitôt. Après Hanau, étaient arrivés successivement Savary, le député de Seine-et-Oise ; Jean-François Chauvel, barbu, agité ; Olivier Guichard, « l'homme de confiance » du général de Gaulle, un énorme garçon dont la silhouette et l'expression évoquaient irrésistiblement le croquis qui, dans un manuel d'anthropologie, représente l'Homme à égale distance du pithécanthrope et de l'homo sapiens ; puis le colonel Barberot, au large visage à la fois calme et animé, à la bouche goguenarde faite pour tirer sur une pipe. Hector de Galard surgit le dernier, vêtu de sombre, la mine sérieuse en dépit d'une malice qui palpitait derrière ses lunettes, concourant à lui donner un style d'intellectuel méridional. Ce n'était pourtant pas strictement un cocktail d'hommes grâce à la présence de Mme Guichard, grande, brune, un peu sèche, si peu spontanée que chacune des expressions de son visage semblait se produire après une délibération intérieure, et de Mme de Galard, une longue jeune femme au cou élancé, aux yeux verts, au froid profil de médaille.

Le téléphone ne cessait de carillonner. Stéphane ayant renoncé à jouer les intermédiaires, l'ambassadeur se précipitait d'autorité vers l'appareil. Une fois pourtant il se retourna vers son hôte :

— C'est pour vous, dit-il avec presque de l'étonnement.

Ce n'était même pas non plus pour Stéphane. Au bout du fil on s'excusa et on lui demanda Hanau. Celui-ci, dès qu'il tint l'appareil, marqua de l'impatience. Enfin il raccrocha et, s'adressant à Stéphane :

— Vous m'aviez autorisé à amener un de mes amis...

— Ah ! oui, c'est vrai... l'officier ?

— Oui. Il fait une crise de timidité. Je lui ai dit de monter.

Hanau se tourna vers Masmoudi :

— Le garçon dont il s'agit, Monsieur l'Ambassadeur, est un de ces capitaines d'Algérie qui se posent des questions. Il m'a rendu visite à Tolone. J'ai été étonné de constater à quel point un homme comme lui était plus près d'entendre raison que certains paisibles bourgeois français, stupidement accrochés à l'Algérie. Nous ne sommes pas encore tout à fait d'accord, mais le cas de cet officier m'intéresse...

— Comment s'appelle-t-il ? demanda le colonel Barberot.

— Béverier.

Le colonel parut chercher dans ses souvenirs :

— Quelle arme ?

— Je ne sais plus bien... Dans les récits qu'il m'a faits, il y avait des automitrailleuses.

— Des A.M. dans l'armée, c'est comme le bon sens dans l'humanité, la chose du monde la mieux répartie. Il y en a dans tous les régiments. Où sert-il ?

— Il m'a parlé de régions que je connais mal, dont je risque d'écorcher les noms, le Sersou, l'Ouarsenou... Mais on sonne, ça doit être lui.

Ce n'était pas encore Béverier, mais Mme Barberot, une femme sémillante à laquelle on assena, sur-le-champ, les deux cents morts de Sakiet, puis un whisky.

— Où je ne vous suis pas très bien, intervint Barberot en se penchant vers Masmoudi, c'est quand vous paraissez certain que ces deux cents morts sont tous d'innocents civils tunisiens. La bêtise de l'Armée, en général, je la connais. Celle de l'Armée française en est un cas particulier. J'ai le droit de le dire puisque j'en fais partie. On a le droit de dire du mal de soi. Cela étant entendu, j'ai pourtant peine à admettre que l'Armée ait poussé la connerie jusqu'à effectuer un bombardement pareil sur un paisible village à seule fin d'en interrompre les travaux agrestes et les divertissements bucoliques.

— Il suffit d'un faux renseignement... hasarda Hanau.

— Un faux renseignement suffirait à tout expliquer, rétorqua le colonel Barberot, si Sakiet était niché dans une région éloignée, difficile à reconnaître, mais ce n'est pas le cas. Le village est situé face au poste français. Je connais le coin. Depuis le poste, vous voyez ce qui se passe dans Sakiet, sans jumelles. Le cours d'eau qui sépare les Français des Tunisiens n'est pas plus large que la rue du Bac. En outre, M. Masmoudi sait fort bien que, grâce aux nombreux Français restés en Tunisie, les états-majors regorgent de renseignements. Secundo, les incidents de frontière qui se multiplient autour de Sakiet depuis des mois ne sont pas tous imputables aux Français. Il est hors de doute qu'il y a des installations F.L.N. sur le territoire tunisien, des unités F.L.N. et des opérations F.L.N. Tertio, il y a trop longtemps que l'Armée demande à pouvoir exercer le droit de suite, c'est-à-dire poursuivre en territoire tunisien les bandes qui s'y réfugient pour que, prenant cette responsabilité, elle ait choisi Sakiet à la légère. Dans la mesure même où je réprouve cette brutale intervention de l'aviation, où je déplore le carnage de la population civile, j'ai le droit de livrer toute ma pensée : si l'Armée est intervenue, c'est qu'il y avait des fellagha à Sakiet, et s'il y en avait c'est un bien grand miracle qu'ils n'aient pas été atteints au moins dans la même proportion que les villageois.

— Je crois, admit Savary, qu'il est trop tôt pour juger des détails et que nous devons nous en tenir à juger du principe.

Mais les détails passionnaient plus que les principes et l'on continuait d'accabler l'ambassadeur de questions.

— Ce qui est possible, suggéra Chauvel, c'est que les forces du F.L.N. aient été prévenues de l'agression et se soient repliées à temps. Ce serait d'autant moins étonnant que, dans la région de Sakiet, la tension allait croissant depuis des mois, et surtout depuis quelques semaines.

— C'est exact, convint Masmoudi. A Tunis, beaucoup de chefs F.L.N. ont fait leurs bagages. La plupart sont au Caire. Ils craignaient, semble-t-il, une invasion de toute la Tunisie par l'armée française.

— Vous croyez, interrogea Stéphane, sceptique, que le gouvernement actuel oserait, en envahissant la Tunisie, risquer de ramasser un aussi joli camouflet qu'à Suez ?

— Ce n'est pas impossible, assura Galard. La France s'offre des gouvernements qui ont du mal à admettre que nous soyons devenus une petite puissance. De temps en temps ils se prennent pour l'U.R.S.S. ou les U.S.A.

— En début d'après-midi, confirma Masmoudi, certaines dépêches étaient alarmantes. On pouvait se demander si le bombardement de Sakiet n'était pas le prélude d'une marche sur Tunis. C'est pourquoi mon Gouvernement tient tellement à mettre l'opinion internationale au courant de la gravité de ce qui s'est passé. De la sorte, on peut espérer éviter un événement plus grave encore.

Béverier interrompit l'exposé de Masmoudi en effectuant une entrée embarrassée. Il était vêtu d'un costume trop clair pour la saison et tripotait une cravate démodée. Mis au courant, il dissimula mal un éclair de joie. Gêné, Hanau intervint :

— Le capitaine Béverier et moi, annonça-t-il, avons eu plusieurs conversations qui nous ont rapprochés. Il n'en demeure pas moins que nos vues divergent encore passablement.

Encouragé par cette réserve, Béverier essaya de dégager son point de vue :

— Je serais aussi révolté que vous, dit-il, par un bombardement qui n'aurait atteint que des civils tunisiens. Mais je ne l'admets guère. Il me semble plus facile à admettre que les autorités tunisiennes aient un peu arrangé et camouflé les cadavres. C'est de bonne guerre, d'ailleurs. Le résultat cherché c'est de déconsidérer l'Armée française aux yeux du monde. Tout en prouvant qu'il n'y avait pas de fellagha à Sakiet.

Cette observation jeta un froid. Seul, le colonel Barberot la releva :

— Il y a sûrement une bonne part de vrai dans ce que dit le capitaine. Mais ce n'est guère important. L'important, c'est que l'Armée est tombée dans un piège qu'on lui a tendu, ou qu'elle s'est tendu elle-même. L'important, c'est le parti qu'on en tirera...

— ... et dont dépend l'avenir des relations entre la France et la Tunisie, coupa Roger Stéphane.

— Il est sombre, dit l'ambassadeur.

— Il l'était déjà, observa Béverier. Si je comprends bien, autant vous trouviez normal que, de Tunisie, on tire sur l'Armée française, autant l'inverse vous indigne.

L'élan de la conversation avait étouffé l'objection de Béverier, mais cinq minutes plus tard, comme il descendait l'escalier en compagnie d'Hanau, celui-ci lui en fit grief :

— Il y a en vous un vieil homme dont les révoltes ont

la vie dure. Au fond, vous avez été ravi par la nouvelle du bombardement de Sakiet.

— Non. Intéressé.

— Si, au lieu d'être avec moi, vous étiez avec d'autres officiers, vous ne vous tiendriez pas de joie.

— Non. Voyez-vous, j'ai peur que l'Armée ait encore fait une sottise. Non pas tant qu'il fût absurde de bombarder Sakiet, mais il était absurde d'espérer que la Métropole comprendrait et que l'opinion internationale ne réagirait pas. Il y a un état d'esprit là-bas et il y a un état d'esprit ici. Paris et Alger tirent à hue et à dia. Moi-même, je ne pense pas de même quand je suis ici ou en Algérie.

Dans la rue, sous un réverbère, ils reconnurent Nahon.

— Je vous attendais, s'écria celui-ci en prenant la main d'Hanau. L'affaire de Sakiet, vous êtes au courant ? Il faut que vous fassiez une déclaration !

— J'y ai déjà pensé, répondit Hanau, mais je ne le ferai pas à la légère. D'ici quarante-huit heures, Paris et Tunis auront fourni des communiqués qui permettront d'y voir clair. En attendant...

— En attendant, s'exclama Nahon avec feu, il y a cent cinquante morts !

— Ah ! coupa Béverier en montrant l'immeuble d'où ils sortaient. Là-haut, on disait deux cents.

— Deux cents, ou cent cinquante, qu'importe ! répliqua Nahon. N'y en aurait-il qu'un ce serait un crime.

— Nous sommes d'accord, bougonna Hanau, je protesterai, mais après avoir examiné sous quelle forme ma protestation prendra le plus d'efficacité. J'attends donc d'y voir plus clair, en particulier de connaître les positions d'un certain nombre d'intellectuels à ce sujet. D'ailleurs, peut-être aurons-nous des détails nouveaux pendant le dîner.

Il se tourna vers Béverier.

— Nous allons être obligés de vous laisser, mon cher capitaine, car nous dînons, Nahon et moi, chez une amie — fort bien informée sur l'Algérie, d'ailleurs — puisqu'elle est la femme de Vignolet, le neveu de madame Hunter.

— Clotilde !

— Vous la connaissez ?

— Oh ! très bien.

Et Béverier s'enfonça les ongles dans la paume des mains

tant il craignait à la fois de se montrer indiscret et de se retrouver seul.

— Je la connais même assez, reprit-il d'une voix étranglée, pour vous accompagner... à moins que ma présence ne vous gêne ?

— Elle ne nous gênerait pas, loin de là, intervint précipitamment Nahon, mais c'est vis-à-vis de la maîtresse de maison que le procédé est... pourrait passer...

— ...pour cavalier. Mais j'en suis un, rétorqua Béverier en se redressant brusquement. Clotilde m'a encore répété le mois dernier qu'elle m'autorisait à tomber chez elle, soit ici, soit à Alger, sans crier gare.

— Franchement, grommela Nahon en examinant les vêtements de Béverier, vous faites un peu sport.

— Un voyageur a droit à des indulgences vestimentaires.

Béverier sentait l'hostilité de Nahon, la réticence d'Hanau. Il fut sur le point de se raviser et de leur dire au revoir, mais l'effroi qu'il ressentait en s'imaginant seul, dans cette rue pluvieuse, ressassant et sa situation sentimentale et tout ce qui, dans son évolution politique, lui apparaissait par instant comme une trahison à l'égard de ses camarades, était si poignant que, bouleversé par son manque de tact, mais d'une voix ferme, il conclut :

— Clotilde sera ravie, et moi aussi.

— Alors, en route, dit sèchement Nahon. La voiture est devant l'hôtel Cayré. Jean et Bernadette nous attendent dans le hall. Elles doivent commencer à râler, d'ailleurs.

— Bernadette en est aussi ! s'exclama Béverier avec un entrain qui le surprit.

Tous les trois suivirent d'un pas rapide la rue du Bac, sans parler. Puis, après avoir tourné dans le boulevard Raspail, ils pénétrèrent dans l'hôtel, cueillirent les deux jeunes femmes et s'entassèrent dans la voiture. Béverier s'assit à l'arrière entre Jean et Bernadette. Elles étaient parées, bien coiffées, animées ; pour gagner de l'espace, elles avaient passé chacune un bras autour de ses épaules.

Comme la voiture, boulevard Saint-Germain, stationnait devant un feu rouge, un piéton les dévisagea. Béverier pensa qu'il avait dû passer pour un homme heureux.

La voiture s'arrêta rue du Cirque, et la petite troupe, après avoir contemplé une seconde l'imposant portail verni,

s'enfonça sous la voûte. Nahon s'en détacha pour interroger
la concierge et les rejoignit en bas d'un vaste escalier à
l'épais tapis rouge. La cage de l'ascenseur était encadrée
par deux exubérantes plantes vertes, et face à elle, haut de
deux mètres, un Mercure de bronze semblait prêt à s'envoler
d'un coup de talon.

— Pas la peine de prendre l'ascenseur, dit Nahon, c'est
au premier.

Il jeta un coup d'œil circulaire, murmura :

— C'est vachement...

Il renonça d'autant plus vite à trouver une épithète que,
changeant de tactique, il décida de ne pas s'en laisser imposer par la solennité luxueuse de l'endroit.

— Ce que c'est pompier, décréta-t-il.

La méthode qu'il pratiquait à l'égard des films, des livres,
et qui reposait sur le fait qu'en critiquant une œuvre on se
place au-dessus, alors qu'en la louant on se place au-dessous,
lui parut aussi fructueuse pour l'appréciation des immeubles.
Il ajouta :

— Les cuisinières doivent avoir bonne mine quand elles
passent, avec leurs poubelles, devant Mercure.

— Tu fais l'idiot, ou quoi ? demanda Jean. Tu te figures
qu'il n'y a pas d'escalier de service.

Nahon fut très malheureux d'avoir commis une bévue
de cette taille en présence d'Hanau. D'autant qu'il savait
parfaitement qu'un appartement comme celui-ci comportait
un escalier de service, peut-être même avec ascenseur, monte-
charges, vide-ordures, mais il avait eu un instant d'inatten-
tion dû à une volonté d'être drôle, aisé, qui avait effacé à
ses yeux la réalité, d'autant plus que cette réalité qu'il avait
décidé de débiner lui en imposait davantage.

— Toi, dit-il à Jean, le jour où tu comprendras l'humour !

Il s'engagea le premier dans l'escalier. D'un geste machinal, à chaque marche, il astiquait le bout de son soulier
sur la moquette. Béverier, le remarquant, se mit à frotter à
son tour ses souliers, jaunes, tachés de boue, au tapis. Hanau
qui montait le dernier les surveillait avec rancune. « Tout
de même, pensa-t-il, je n'en suis pas à leur reprocher d'être
pauvres. Non, je leur reproche de ne pas savoir dominer leur
pauvreté. Ils manquent d'allure. Et ce n'est pas seulement
ça : ce que je ne leur pardonne pas, c'est de me sentir pareil

à eux, aussi étranger, aussi balbutiant qu'eux face à un luxe qui n'est pas du luxe, qui est de la richesse quotidienne et installée, et que je prends pour du luxe par manque d'habitude. » Seuls, Bernadette et Jean gravissaient gaillardement leur escalier comme si rien ne les étonnait. Elles portaient toutes deux de petits manteaux de velours, et l'écrivain s'inquiéta de leurs têtes découvertes. Dans les romans qu'il avait lus, enfant, dans Zola par exemple, une « femme en cheveux » appartenait à la plus basse catégorie prolétarienne. Il n'était pas sans avoir remarqué la disparition des chapeaux dans la journée, mais se demandait si le soir, pour un dîner qui avait lieu dans un immeuble aussi mondain, chez une femme aussi « importante », le chapeau n'était pas de rigueur. Du coup, il se demanda aussi, avec une certaine angoisse, si elles avaient su revêtir les robes qui convenaient.

Sur le palier Nahon fit le clown, faisant décrire à son index des cercles de plus en plus étroits jusqu'à ce qu'il appuyât sur le bouton. Au bout d'un moment pendant lequel les filles réajustèrent leurs cheveux et les hommes reboutonnèrent les uns, leurs manteaux, les autres, les déboutonnèrent, Béverier souffla :

— Vous n'avez pas appuyé assez fort. Ils n'ont pas entendu.

— Mais si, trancha Hanau avec indignation, ne resonnez surtout pas ! Ces appartements-là sont immenses. Il faut du temps à la bonne pour qu'elle arrive.

Il se reprocha d'avoir dit « la bonne », corrigea :

— Ou le valet de chambre !

De l'autre côté des battants de chêne sombre le silence était si parfait qu'Hanau le respecta : un silence de luxe. Il eût été impossible de se le procurer dans une maison ouvrière ni même dans la maison bourgeoise qu'il habitait, où les appartements coûtaient dix millions.

— Il y aura peut-être un vestiaire, dit Nahon. Je suis embêté, je n'ai pas de monnaie.

— Attendez ! s'écria Béverier en fouillant dans sa poche, je crois que j'en ai pour tout le monde... Ça me rappelle la messe.

— Attention... protesta faiblement Hanau, s'il y a beaucoup de monde, si c'est un vestiaire comme il y en a dans les cocktails, on peut donner aux domestiques, mais je ne sais pas s'il serait de bon ton au cas où on nous accrocherait normalement nos manteaux... Vous voyez ce que je veux dire.

La porte s'ouvrit. Au moment précis où Hanau imaginait un valet vêtu à la française apparut Aïcha qui, bien que vêtue d'une robe noire et d'un tablier blanc, arborait un foulard rose autour de la tête. A la vue de Bernadette elle resplendit d'un large sourire qui mit en vedette ses deux dents en or.

— Comment ça va ? demanda-t-elle en lui tendant la main.

— Aïcha ! s'exclama Bernadette.

Ce fut tout juste si elles ne s'embrassèrent pas. Elle les débarrassa de leurs manteaux. Ce fut en poussant la porte du salon qu'elle reconnut seulement Béverier.

— Ah ! mon capitaine.

Et elle lui fit, pour rire, le salut militaire. Ils avancèrent dans un trop grand salon, égarés.

— Dans ces trucs-là, observa Jean, je m'attends toujours à me heurter à ces cordes de soie qu'on tend dans les musées pour vous empêcher de grimper sur le mobilier historique. Vous savez, là où il y a des écriteaux avec « défense de toucher ».

— Ne crie pas, dit Nahon.

— Qu'est-ce qui te prend ? Je ne crie pas.

Ils étaient groupés au milieu du salon, mais Jean se détacha pour examiner des meubles, des bibelots.

— Ça, c'est horrible !... Ça n'est pas mal, mais à quoi ça sert ? Ça, je n'en voudrais pas. Oh ! ça ! Regarde Pierre comme c'est joli ! j'aimerais l'avoir chez moi.

— Tu n'aurais pas la place, chuchota Nahon. Et puis, ne gueule pas, on peut t'entendre !

Mais Bernadette inspectait de son côté :

— Elle est belle cette tapisserie, dit-elle. J'ai toujours été folle des tapisseries ! Quand j'ai su les prix, j'ai même été soufflée. Je croyais que ça valait dix fois plus cher.

— Ne parlez pas d'argent ici.

— Pourquoi ? demanda Bernadette avec une vivacité inattendue, il y a bien un Mercure dans l'escalier.

Forte d'avoir marqué un point, elle ajouta :

— Vous savez, Pierre, je connais assez bien Clotilde. Je ne vais pas changer mes us et coutumes quand j'ai le plaisir de bouffer chez elle ! D'autant que je me sens tout à fait chez moi depuis que j'ai retrouvé Aïcha... Là-bas, quand j'ai habité chez Clotilde, elle m'administrait des bains brûlants et me massait jusqu'au sang.

— Vous êtes tous là, c'est merveilleux ! s'écria Clotilde en entrant.

Elle embrassa longuement Bernadette, reconnut tout de suite Jean bien qu'elles se fussent seulement entrevues, sut marquer à Hanau son plaisir de l'avoir chez elle, admira la cravate de Nahon et sauta au cou du capitaine Béverier.

— Vous êtes le maître du suspense, avec Hitchcock ! J'ai dû frapper un peu fort du pied et cela vous aura fait jaillir du sol !

Nahon continua vaguement d'espérer que ses compliments fussent perfides. Dans l'escalier, il s'était diverti à imaginer une atroce scène mondaine où, par quelques propos feutrés et mortels, Clotilde eût fait savoir à Béverier qu'on n'avait pas à s'inviter chez elle. Force lui fut d'admettre qu'elle était sincèrement contente de la surprise que lui faisait l'officier. Celui-ci trouva, pour excuser sa vêture, des termes heureux qui déconcertèrent Nahon. Il se rappela l'étonnement du marquis de La Mole constatant : « Quelle rareté ! un provincial qui sait se moquer de lui-même. » Le double plaisir de s'être rappelé à propos une citation approximative de Stendhal et d'avoir, somme toute, réagi comme le marquis de La Mole, adoucit un peu sa déception.

Hanau était trop troublé pour suivre les péripéties de la présentation. Depuis qu'il avait franchi la porte du salon, il s'était mis en accusation. Alors que des bombes avaient écrasé quelques heures plus tôt le pauvre village de Sakiet, il avait commis contre la hiérarchie des valeurs un péché qui consistait à donner de l'importance à la manière dont ils avaient gravi l'escalier, dont ils rétribueraient le vestiaire, comme si les usages d'une aristocratie d'argent valussent la peine d'être examinés. Planté au milieu du salon, il avait requis son imagination de lui représenter Sakiet broyé par l'aviation française. Cette imagination tirait à hue et à dia. Elle cherchait ses illustrations à deux sources contradictoires qui étaient, d'une part, une iconographie orientale assez confuse où tenaient leur place une belle édition des « Mille et Une Nuits » que lui avait donnée un délégué asiate, au cours d'une rencontre pensante organisée par l'U.N.E.S.C.O., et les peintures murales du Sénat où s'empressaient des personnages multicolores, drapés, barbus, portant le bâton du berger ou la faucille du moissonneur, et d'autre part des photos d'actualité aperçues dans des magazines où les musulmans portaient casquettes, blue-jeans, et vareuses américaines. L'habitat s'entourait des mêmes vapeurs dans la mesure où Hanau ne savait comment répartir les arcs outrepassés des mosquées, les flèches des minarets, les gourbis des bidonvilles, les façades des buildings. Pour la première fois, il regretta de n'être jamais allé en Algérie. Il hésitait entre les flots d'étoffe, les flots de muscles dorés de Delacroix et les raideurs grises et blanches de Cartier-Bresson. De même, enfant, il s'était débattu avec une image de Dieu si contradictoire qu'il eût fallu un Bosch ou un Brueghel pour la faire « tenir ensemble ». Du Dieu représenté à l'église, il avait conservé la barbe, la toge, les bras nus aux biceps volumineux, l'escorte de nuages, mais lui avait ajouté la toque de fourrure du père Noël, la hotte chargée de jouets et les bottes blanchies par une neige tombée des nuages. Le problème s'était compliqué quand sa mère qui, très pieuse, était prise de scrupules à la pensée de ne pas élever son fils comme son mari l'eût fait, se croyait obligée de lui montrer une statuette de Jaurès et une photographie de Victor Hugo en précisant : « C'étaient les dieux de ton père. » Ce qui avait eu pour effet d'ajouter au dieu mi-hivernal, mi-estival, mi-germanique, mi-méditerranéen, demi-nu pour le soleil, coiffé et botté pour la neige, des lunettes, une lavallière et un manuscrit ouvert. Le souvenir de cette mère pauvre qui avait lutté pour l'élever sans qu'il ressentît cette pauvreté, pour qu'il acquît ce qu'elle croyait être les vérités de la religion sans néanmoins trahir ce que le mort avait vénéré, lui mit les larmes aux yeux. Sa mère n'aurait pas eu le moindre effort à fournir, pensa Hanau, pour imaginer l'agonie d'un petit garçon qui ne comprend pas pourquoi il meurt, parmi les gravats de Sakiet.

Il sentit sur lui le regard de Clotilde, prit conscience de ce que, pendant la parenthèse de sa méditation, elle lui avait présenté son frère, Riquet, se força à examiner le jeune homme et le jugea antipathique. Puis il comprit que son état d'absence avait été remarqué, qu'il y avait de l'ironie dans le regard de Clotilde :

— Pardonnez-moi, dit-il avec impatience, vous ne savez peut-être pas que ce matin, à Sakiet...

— Si, je le sais.

— A mon journal, dit Riquet, on a eu plusieurs fois Tunis au téléphone.

Hanau se souvint qu'en le présentant Clotilde avait annoncé qu'après avoir fait beaucoup de métiers son frère était maintenant photographe de presse.

— A Tunis, reprenait le jeune homme avec importance, ils n'en mènent pas large.

— A juste titre, répliqua Hanau. Ils sont douloureusement atteints par cet attentat sanguinaire. J'ai passé l'après-midi avec l'ambassadeur de Tunisie...

En prononçant cette phrase, il en sentit le ridicule. Il usait des mêmes procédés que ce jeune homme pour chercher à se donner de l'importance et aussi bêtement que lui. En même temps il s'aperçut que Clotilde avait fait asseoir ses invités et qu'elle n'était debout que pour l'inciter à en faire autant. Il perdit contenance, se laissa tomber dans une bergère et, son regard rencontrant celui de Béverier, il s'imagina aussitôt que l'officier pouvait croire l'avoir pris en flagrant délit de déformation de la vérité puisqu'il savait, lui, qu'Hanau n'avait pas eu avec l'ambassadeur de Tunisie le tête-à-tête que sa phrase donnait à penser. Hanau se troubla d'autant plus que son désarroi pouvait précisément être interprété par Béverier comme la confusion d'un hâbleur pris la main dans le sac. Pour s'en sortir, il balbutia :

— Le capitaine Béverier, qui était là, vous le dira comme moi.

— Nous dira quoi ? demanda Clotilde.

— Il vous dira... il vous dira, poursuivit Hanau qui préférait une banalité au néant, que l'émotion des Tunisiens, amis de la France, était très impressionnante.

— N'en doutons pas ! admit poliment Clotilde.

— Au journal, prononça Riquet, on dit deux choses. On dit, primo qu'ils ne l'ont pas volé, vu qu'ils nous tiraient dessus toute la sainte journée. On dit, secundo, que c'est une connerie parce que l'opinion internationale va s'en emparer, et que ça retombera sur la gueule du gouvernement.

— Et on ne dit pas, demanda Hanau avec colère, ce qu'il faut en penser du point de vue simplement humain ? Ce point de vue n'a sans doute pas cours dans votre journal ?

Aïcha, en apportant un plateau chargé de verres de whisky et de dry, apaisa l'atmosphère. La conversation, abandonnant Sakiet, se divisa. Jean, qui avait connu Riquet dans un journal sans le savoir frère de Clotilde, entama avec lui un débat sur leurs déboires professionnels. Hanau et Nahon s'entretinrent de la dernière pièce d'Ionesco (dont Clotilde avait lancé le nom), se parlant à travers Béverier qui, lui-même, évoquait avec Clotilde et Bernadette le Sersou.

— Plus d'un mois que vous êtes partie ! s'étonnait Clotilde. Alors vous n'avez pas su que le colonel est tombé dans une embuscade, en fin décembre ?

— Mais si ! j'étais encore là. C'est ce soir-là que Béverier a été blessé.

— Oui, que je suis bête ! Alors, vous savez aussi qu'on a arrêté l'extravagante bonne femme toubib ?

— Qui ? Vous ne parlez pas de madame Haldekch ? Je lui ai écrit ce matin.

— Le fait que vous lui ayez écrit ce matin, Bernadette, remarqua Clotilde, ne l'empêche pas d'être en cabane. Enfin, mon tuyau date de quinze jours. Elle a peut-être été relâchée depuis.

— Ça, je savais, dit Béverier. Un camarade me l'a écrit. Son arrestation est due à l'exploitation de renseignements fournis par le rombier que nous avons arrêté le soir de l'accrochage.

— Vous n'auriez pas pu me le dire ! lança Bernadette avec une telle émotion qu'elle exécuta un geste aberrant de la main en même temps qu'elle parlait.

— Je savais que vous l'aimiez bien mais je ne pouvais pas penser que cela vous passionnât à ce point, rétorqua Béverier avec une impatience qu'il adoucit en ajoutant : mais je crois que ce n'est presque rien, qu'on la relâchera très vite. On se bornera sans doute à l'assigner à résidence dans une autre région.

Bernadette parut un peu apaisée par cette hypothèse, mais comme un essoufflement persiste, son émotion resta visible dans ses yeux et sur sa bouche que Clotilde considéra d'un air perplexe dont elle ne se départit que pour accueillir Vise-Canisy.

L'ancien ministre était fort élégant. Il portait le menton haut et tenait un de ses bras replié derrière le dos dans une position artificielle qui, lorsqu'on la soutient longtemps, parvient à une forme sublimée du naturel. Ayant appris que Bernadette n'était autre que la petite protégée de Clotilde qu'il avait tirée des griffes des paras, un an plus tôt, il s'en autorisa pour la baiser sur les deux joues et l'escorter dans la salle à manger que deux battants ouverts venaient de découvrir. Il tenait la jeune femme par le coude et Clotilde par la main. Bernadette, mal remise de sa première émotion, rougissait. Enfin, tout le monde étant assis, on se fia à Vise-Canisy pour animer le dîner et éviter les écueils.

*
* *

Ayant dénoué son nœud papillon qu'il laissa pendre sur le plastron de sa chemise, Stéphane continuait de tourner à travers son bureau. La disposition des sièges, la présence d'un plateau chargé de bouteilles, témoignaient, à titre fossile, de la réunion maintenant terminée. Il ne restait plus que Jean-François Chauvel qui, assis derrière le secrétaire, se tiraillait la barbe.

— Ne nous creusons pas la tête, finit par grogner celui-ci. Puisque nous prenons l'avion demain matin, nous serons à Sakiet dans l'après-midi. Là nous serons à même de juger.

— Il ne s'agit pas de nous ! protesta vivement Stéphane, mais de l'avenir des relations entre la France et la Tunisie. Je ne peux pas m'habituer à l'idée d'une rupture des relations diplomatiques. Quand je pense que, demain, Masmoudi plie bagages, ça me met en rogne. C'est trop bête !

Il s'arrêta net :

— J'ai une idée !

— Pour sauvegarder les relations franco-tunisiennes ? s'informa ironiquement Chauvel.

— Oui, figure-toi ! Il faut qu'avant de quitter la France Masmoudi fasse un crochet par Colombey et soit reçu par de Gaulle.

— Tu es fou ! Masmoudi ne marchera pas... et de Gaulle non plus.

275

— Quelle heure est-il ?

— Onze heures trente-cinq.

— Je vais commencer par appeler Masmoudi.

— C'est une drôle d'heure pour appeler un ambassadeur !

— Pourquoi ? Ton père n'a jamais reçu un coup de téléphone à onze heures trente-cinq ?

En même temps Stéphane avait fébrilement formé les numéros sur le clavier de son téléphone. Quand il raccrocha, il arborait la sorte de grand sourire qui s'allonge jusqu'aux oreilles.

— Tu vois !

— D'accord, mais nous sommes loin de compte ! Tu ne vas pas prendre ton téléphone et appeler maintenant de Gaulle à Colombey pour lui assener : « Dites donc, mon général, je me suis permis d'inviter chez vous Monsieur Masmoudi pour demain dimanche. »

— J'appelle Olivier Guichard. Je le persuade. Ensuite, Olivier Guichard appelle le général de Gaulle, et le persuade.

— Allons ! Il ne le persuadera jamais ! De Gaulle, avec sa politique de grandeur, ne peut pas, en recevant Masmoudi, donner un démenti au Gouvernement français pour une fois que celui-ci joue les durs.

— Je t'ai déjà dit qu'on se trompe sur de Gaulle. S'il était au pouvoir, il négocierait avec le F.L.N. Donc il acceptera de recevoir Masmoudi, ce qui lui permettra de se distinguer de la masse des petits politiciens dépourvus de toute vue sur l'avenir.

Stéphane avait formé le numéro d'Olivier Guichard. Il attendait...

— Merde ! lança-t-il en raccrochant. Ça ne répond pas. Tant pis, je rappellerai...

**

Quand Clotilde donna le signal de repasser au salon, la conversation venait de retomber sur Sakiet.

— Le régime bat de l'aile, déclara Vise-Canisy en s'asseyant sur une mince chaise dorée. C'est même du plomb qu'il a dans l'aile. Comment digérera-t-il Sakiet ? Je le crois trop malade pour venir à bout d'un pareil festin. Après avoir avalé Budapest, les Soviets étaient frais comme l'œil. Pourtant l'envoi de l'Armée rouge contre des ouvriers était sans excuse morale, alors que Sakiet n'est qu'une réplique toute naturelle.

— Toute naturelle ! protesta Hanau.

— Mais oui ! (il s'amusait à prononcer *maisoui*). L'Armée était chatouillée depuis des mois au même endroit. Elle a fini par se démanger où ça la grattait. Des femmes et des gosses ont pris. Oui, mais des femmes et des gosses sont égorgés tous les jours en Algérie, sans qu'on en fasse une histoire. Les pertes de Sakiet sont très exagérées. D'après un coup de téléphone qui m'est parvenu de ce que nous appellerons des milieux autorisés... ou disons, des milieux habituellement bien informés, il y a entre cinquante et cent morts. Bon. Or, un commando algérien nous est venu droit de Tunisie, l'autre jour, et a bousillé une quinzaine de soldats français. Le même commando, ou son cousin germain, avait abattu une quinzaine de musulmans dans les quinze jours qui précédaient. Faites-moi confiance : si, ce matin, ce commando avait réussi à bousiller soixante-quinze personnes en territoire algérien, on n'en ferait pas une histoire. Rien dans cette affaire-là n'est une question de morale. C'est une question de publicité. Comment voulez-vous qu'un régime comme le nôtre puisse faire la sienne ? Et la faire où, d'abord ? Les U.S.A. sont à la dévotion des pays arabes et proclament sur tous les tons qu'il n'y a pas plus anti-colonialistes qu'eux. Leurs associations de vieilles filles vont nous traiter de buveurs de sang. En U.R.S.S., on est anti-impérialiste de naissance... ce qui n'empêche pas d'ailleurs de conserver les colonies tsaristes. En U.R.S.S., donc, on va flétrir les atrocités de l'aviation française. Les Anglais sont d'autant plus charmés de nous voir perdre le Maghreb que le pétrole ne les a jamais laissés indifférents. Les Espagnols nous souhaitent plus de mal que de bien. L'Italie, depuis qu'elle n'a plus de colonies, ne peut plus voir un colonialiste en peinture. Je vous fais grâce d'un tour du monde, mais il n'y aura guère que dans un journal portugais que vous aurez des chances de trouver une justification équitable de ce bombardement. La mauvaise conscience des pays surdéveloppés étant incurable, il serait vain de chercher à la soigner. Et même ici, plus de la moitié des Français auront l'impression d'avoir commis une mauvaise action.

— Pourquoi chercher si loin ? dit doucement Hanau. Vous

avez trouvé l'expression qui convenait. *C'est* une mauvaise action.

— Pourquoi ?

— Parce que des innocents sont morts.

Hanau avait corrigé la simplicité un peu mélodramatique de sa déclaration par le ton familier sur lequel il l'avait prononcée. Il poursuivit :

— L'autoroute de l'ouest n'est pas une mauvaise action. Air France n'est pas une mauvaise action. L'un et l'autre ont tué plus d'innocents que les bombardiers de Sakiet, je vous l'accorde. Ce qui me révolte dans Sakiet, c'est que c'est un geste inutile. Si l'autoroute et Air France ne servaient à rien, je m'insurgerais contre eux.

— Inutile, croyez-vous ? demanda Béverier.

— Puisque tôt ou tard le régime négociera avec le F.L.N., intervint Vise-Canisy et vraisemblablement par le truchement de Bourguiba, la seule utilité de Sakiet...

— Vous étiez déjà certain de cette négociation à Evian, Guy. Dix-huit mois se sont écoulés depuis, fit remarquer Clotilde.

— A Evian, je vous ai dit que ça serait plus dur que la Tunisie et le Maroc. C'est plus dur, voilà tout. La seule utilité de Sakiet, dis-je, serait de provoquer un remous international tel que le gouvernement serait justifié à ouvrir des négociations. Il pourrait dire : j'ai fait la guerre à outrance, voyez Sakiet, et ça n'a pas réglé la question, au contraire, puisque j'ai maintenant le monde entier contre moi.

— Mais alors, Bon Dieu ! éclata Béverier.

— Personne ne veut se charger de l'opération, voilà tout, poursuivait Vise-Canisy. Chaque gouvernement la repasse à son successeur. Je serais étonné que Gaillard se sacrifie. Il se laissera plutôt renverser. Nos hommes politiques sont du ressort des Potins de la Commère alors que l'abandon de l'Algérie relève de l'histoire de France. Pour l'Indochine, qui présentait des difficultés cent fois plus légères, nous sommes allés nous chercher Mendès, et nous l'avons renvoyé à peine avait-il terminé une besogne à laquelle il avait ajouté très gentiment la liquidation de la Tunisie et des comptoirs indiens. Je crois qu'il nous faudra trouver une majorité pour le rappeler et qu'il se charge du travail algérien. Ou alors, on peut prendre un inconnu. Il sera si content d'avoir la présidence qu'il acceptera de se mouiller. Ensuite, on le renverra à ses chères études.

— Je ne suis sans doute pas assez parisien, dit Hanau, pour goûter votre cynisme à son juste prix, Monsieur le Ministre.

— Mon cher Maître, prenez-vous un géographe pour un cynique quand il vous déclare que le désert de Gobi est inculte ? Il constate un fait. Moi aussi. C'est un fait que nous ne faisons la guerre en Algérie que pour habituer l'opinion à accepter la paix le jour où nous aurons trouvé un fantaisiste qui voudra bien exécuter le numéro. C'est un fait que Sakiet servira à préparer ce numéro. Vous devriez vous en réjouir. C'est peut-être six mois ou un an de gagnés.

— Selon vous, nous n'avons jamais eu aucune chance de gagner en Algérie ? interrogea anxieusement Béverier.

— Si. Pendant les premières semaines. Mais il y avait Mendès. Il avait si bien habitué l'opinion à la valse de nos territoires d'Outre-Mer qu'il lui aurait très bien fait avaler l'indépendance de l'Algérie. Seulement voilà, il a envoyé le Contingent.

— Mais depuis ?

— Depuis, nous sommes embringués dans une guerre que décemment nous devons mettre quelques années à perdre. Ça tire à sa fin, d'ailleurs.

— La question que je vous pose, insista Béverier, c'est : pouvions-nous garder l'Algérie française ?

— Non. Il eût fallu à la France une autre forme de gouvernement pour soutenir et gagner cette épreuve. J'irai même plus loin : c'est parce que la France avait cette sorte de régime que ses territoires ont souhaité se détacher. Si nous étions un pays puissant, énergiquement dirigé, on se battrait pour demeurer dans notre communauté, non pour en sortir.

— Et comment voyez-vous le problème saharien, Monsieur le Ministre ? demanda Béverier.

— Entendons-nous bien. Vous m'interrogez sur les oasis ou sur les pétroles ?

— Plutôt sur les pétroles.

— Je n'oserais pas vous faire un cours sur la guerre du pétrole en présence de notre hôtesse qui en sait plus long que moi sur la question. Elle est bien silencieuse, notre hôtesse ?

— Je ne suis pas silencieuse, dit Clotilde, je suis attentive.

— Ou endormie ?

— Sûrement pas endormie, protesta Riquet. Ma sœur a un cerveau politique. Ça la passionne. La semaine dernière elle était furieuse parce que je me suis débrouillé pour couper à un reportage sur l'Algérie. Vous comprenez, l'Algérie, ça n'intéresse pas tellement les gens, et moi personnellement ça me rase.

— Voilà de fières paroles ! déclara Vise-Canisy. Vous avez, Clotilde, un frère engagé dans le sens de l'Histoire.

Riquet perçut-il l'ironie ? Il n'en laissa rien paraître et renchérit :

— Ces histoires d'Asie et d'Afrique, c'est dépassé. C'est bon pour *Historia*. Moi, je ne veux pas en entendre parler. Tout ce que ça me rapporte, c'est de me faire de la bile quand Clotilde fait un séjour là-bas. D'ailleurs, les colonies n'ont jamais rien apporté à la France. Leur libération, ce sera la nôtre. Elles nous coûtaient de l'argent. Elles nous coûtent des vies humaines. Elles sont un puits d'emmerdements. Si c'est vous, Guy, qui nous débarrassez de l'Afrique, je vous sauterai au cou.

— Et vive l'Hexagone France, monsieur ! acheva Vise-Canisy en riant.

Clotilde dut sentir qu'après le numéro persifleur de Vise-Canisy et le numéro réaliste de Riquet, un malaise identique rendait muets Béverier et Hanau. Aussi relança-t-elle la conversation sur la reprise d'une œuvre de Montherlant à la Comédie-Française.

— De la grandeur ! commenta Vise-Canisy. La grandeur, c'est de ça que nous avons besoin. De plus en plus. « Le Maître de Santiago » sera un triomphe. Je vous garantis que lorsque nous en serons réduits à l'hexagone, notre théâtre deviendra exclusivement épique.

Clotilde veilla cependant à ce que la politique ne reprît pas droit de cité et si bien que la soirée tourna court. A peine Vise-Canisy se fut-il levé pour prendre congé, on l'imita.

Ce fut dans l'entrée que Béverier rappela à Clotilde qu'à

280

Alger elle lui avait conseillé de lire un ouvrage de Demeilhan
dont il avait oublié le titre.

— Je l'ai ici, dit-elle. Je vais vous le donner.

Du coup, après un moment de confusion où Béverier n'osa
pas demander aux autres de l'attendre, ni les autres ne se
décidèrent à le lui proposer, Clotilde et lui se retrouvèrent
seuls. Elle précéda son hôte à travers un long couloir d'où
ils débouchèrent dans une grande bibliothèque carrée. La
jeune femme inspecta du regard un rayon, puis :

— Il doit être dans ma chambre.

Béverier hésitait quand il lui sembla que le demi-regard
qu'elle jeta derrière elle était une invitation. Il se précipita
à sa suite et, après avoir traversé une galerie chargée d'une
cinquantaine de tableaux, il se trouva dans la pénombre rose
d'une chambre où seule la lampe de chevet était allumée.
Des voiles formaient alcôve au-dessus du lit. Sur le drap,
une chemise de nuit savamment disposée attendait le corps
de Clotilde. Il y avait un certain parfum dans l'air, un
certain satin dans la matière du lit, de la tapisserie, de
l'alcôve. Les poings de Béverier se crispèrent. Il était incapable de distinguer s'il était confus d'avoir, en suivant Clotilde, commis une indiscrétion, ou s'il était troublé par la
touffeur, féminine à l'excès, de la pièce. Clotilde entrouvrit
une bibliothèque de bois blond et revint vers Béverier, le
livre à la main. Tous deux se trouvèrent face à face. Il prit
le livre sans un mot. Il entendit Clotilde assurer :

— Vous l'aimerez.

Elle ne paraissait pas pressée de le chasser. Il s'étonna
d'avoir si vite oublié comment elle l'avait cueilli dans le
hall de l'Aletti, et invité à passer la nuit dans son appartement. En retrouvant à Marseille, et sa femme, et Bernadette, il était entré dans une crise qui lui avait totalement
fait perdre le souvenir de cette nuit où, il le découvrait
maintenant, Clotilde avait été provocante. « Que je suis
enfant ! » pensa-t-il. Combien de fois, dans sa vie, n'avait-il
compris l'offre d'une femme qu'un an trop tard ! A Alger,
il s'était conduit comme un benêt. Et maintenant, il avait
été à deux doigts de ne pas comprendre qu'en fait Clotilde
l'avait attiré dans sa chambre. Heureux de se sentir, pour une
fois, de plain-pied avec les événements, il jeta le livre sur le
lit et empoigna Clotilde.

Sa bouche ne se défendait pas. Béverier éprouva, non la sensation du bonheur, mais celle de la victoire. Il souleva la jeune femme, la déposa sur le lit. Elle portait une robe noire, décolletée, sur laquelle étincelait le gros diamant d'un clip. « C'est la femme la plus en vue d'Alger, pensa Béverier fasciné par l'éclat du bijou, c'est une des femmes les plus en vue de Paris, et elle est à moi ! »

Clotilde commit alors un geste inquiétant : elle tira sur sa robe pour cacher la naissance de ses cuisses que sa chute sur le lit avait dénudées. Puis elle prononça :

— J'ai trop sommeil pour vous reconduire, Béverier. Vous retrouverez votre chemin tout seul. Cette maison est compliquée, mais moins qu'un djébel... Bonne nuit. Téléphonez-moi un de ces soirs.

Après avoir traversé la galerie de tableaux, Béverier, se trompant de porte, se trouva au seuil d'un bureau que dominait un tableau abstrait représentant un enchevêtrement d'engrenages roses éclaboussé de gris. Il eut du mal à détacher son regard du tableau, puis tête basse, reprit son chemin à travers l'appartement sans rencontrer âme qui vive. Il dévala l'escalier, marcha encore plus vite quand il fut dans la rue.

Parvenu sous les arbres des Champs-Elysées dont de gros réverbères éclairaient les branches mouillées, il s'aperçut qu'il parlait tout seul. Il disait :

— Ma vie est intenable.

Et sans voix, il continuait : « Quand je fais la connaissance d'un être je ferais mieux de me demander d'emblée, non pas s'il me fera souffrir, mais comment il s'y prendra. Les moyens diffèrent mais le résultat est toujours identique. Je ne peux pas donner de l'amour, ou seulement de l'intérêt, à quelqu'un, sans m'y meurtrir. »

Il s'arrêta devant l'avenue des Champs-Elysées comme au bord d'un fleuve. Des voitures, peu nombreuses, roulaient vite. Il récapitulait l'histoire de son long échec dans les relations humaines. Des silhouettes défilèrent : son père et sa mère d'abord ; son professeur de première, Schwartz ; son grand ami de vacances, Coufiat, qui revenait du lycée avec lui et tournait pendant des heures en discourant autour d'un pâté de maisons ; les trois officiers avec lesquels il s'était lié d'amitié, l'un pendant la campagne d'Allemagne, les deux autres pendant celle d'Indochine ; ceux de ses chefs auxquels il avait vainement cherché à imposer une certaine notion de lui-même ; l'Indochinoise, et surtout Marie-Jeanne et Bernadette. Autant de relations manquées. Le plus frappant c'est que personne ne l'avait détesté, maltraité. Il s'agissait de relations qui s'étaient toujours dégradées pour la même raison : à un moment donné, il répondait de travers aux sentiments qu'on lui portait. Il y avait entre lui et les autres un décalage qui le condamnait à des actes inopportuns, tantôt en retard, tantôt en avance sur le cours mystérieux des relations. La grâce de taper dans le mille lui avait inexorablement fait défaut. L'un de ses oncles s'était longtemps plaint d'une malchance qui voulait que s'il achetait une action, elle baissât, s'il décapotait une voiture, il plût. Béverier savait que la malchance ne jouait pas en ce qui le concernait. C'était par une singularité de sa nature qu'il atteignait les autres à mauvais escient. De même que des gens ne s'entendent pas avec des objets — on les appelle des maladroits — de même il ne s'entendait pas avec les autres. Il gênait. Aucun régiment où il n'eût répandu autour de lui un malaise qui ne tenait pas à une divergence d'opinion ou de comportement, mais à une infime erreur de tir. « Je tombe mal, pensa-t-il. Ce n'est pas de la malchance, c'est du mauvais escient. Si une femme est amoureuse de moi, une nuit, à Alger, je la prends dans mes bras un mois plus tard à Paris. » Et l'affaire Clotilde était un résumé lumineux de l'affaire Bernadette.

Appelé par les lumières des Champs-Elysées, il avait d'abord monté vers le Rond-Point. Il vira, s'engagea de nouveau sous les arbres en direction de la Concorde. Il remarquait les petites charrettes des jardiniers, des kiosques, des bâtiments ronds qui étaient les restaurants où il n'était jamais allé. Il faillit s'asseoir sur un banc, mais le banc était mouillé. Il n'avait pas froid.

— Impossible ! Complètement impossible ! Vous n'y pensez pas !

— Cher Olivier Guichard, il est deux heures du matin.

Je vous appelle sans répit toutes les dix minutes depuis onze heures et demie. Depuis onze heures et demie, je ne pense qu'à ça...

— Mais enfin, réfléchissez ! Le général se ferait un tort irréparable dans l'opinion.

— Ça, mon vieux, ce n'est pas à vous d'en décider, c'est au général lui-même.

— Je l'appellerai demain matin, si vous y tenez.

— Tout de suite.

— Vous avouerez que c'est une drôle d'heure pour...

— C'est surtout un drôle de drame, et dans un drôle de drame, il n'y a pas d'heure.

*
**

Il toisa Mercure sur son socle, le buste avancé, un bras arrondi, prêt à l'envol. Son corps rond, rond aux épaules, aux mollets, aux genoux, rond aux cuisses, aux pectoraux, était un corps de femme auquel on eût ajouté une feuille de vigne, des ailes talonnières, et dont on eût un peu effacé les seins, à moins que ceux-ci eussent été naturellement peu bombés, du style œufs sur le plat. D'ailleurs, Mercure souriait avec le sourire des adolescents pédés de Saïgon qui racolent pour une fumerie.

Le tapis, c'était un morceau de rideau de théâtre tragique, c'était le bout d'une traîne et il manquait des pages pour le soutenir. « Est-ce que je suis ivre ? » se demanda Béverier.

Il se répéta les consignes : forcer l'ennemi dans ses retranchements. Haletant, il rédigeait des communiqués : l'escadron, encadré par surprise par un tir de mortier, a commencé son repli à minuit trente-cinq, puis, s'étant rassemblé et ayant reçu de nouvelles munitions, a repris sa progression à une heure cinquante. Il s'est présenté devant l'ennemi à...

Ayant consulté sa montre, Béverier prononça à voix haute :

— A deux heures sept !

« Forcer » était si exactement le terme convenable que Béverier en jubila. En forçant la résistance de Clotilde, il ne remporterait pas une victoire anecdotique, il forcerait cette muraille de Chine que les autres avaient élevée pour se séparer de Béverier. Le sort serait enfin conjuré. Béverier obligerait les autres à coïncider avec lui désormais. S'il gagnait cette partie, ses gestes et ses paroles, au lieu de tomber à côté, comme d'habitude, feraient mouche. Qu'il corrige la dissonance qui s'était produite entre Clotilde et lui, et par la suite il serait à l'unisson. Car il avait trouvé ce qui n'allait pas : il n'était jamais à l'unisson. Ni à l'unisson de ses camarades de l'escadron, ni à celui des intellectuels qu'il s'était trouvé pour amis en Métropole. Obtenir l'unisson, c'était obtenir la paix.

Il reculait. « Que lui dirai-je ? Je n'ai rien à lui dire. » Il s'apprêtait à redescendre quand, derrière la porte, des verrous cliquetèrent. Il se rappela que, déjà, il avait sonné.

Il marcha en avant. Exactement, il se porta en avant comme six mois plus tôt, dans l'Ouarsenis, quand le peloton avait enfin découvert la grotte, qu'un maréchal des logis avait voulu y jeter une grenade et que Béverier l'avait interdit : il y avait peut-être des prisonniers là-dedans. Il avait mis un pied devant l'autre, pénétrant dans le goulot ténébreux au fond duquel des formes s'étaient agitées — des musulmans enchaînés. Mais pendant quelques secondes c'était au-devant de la mort qu'il s'était porté, un pied devant l'autre, n'éprouvant pas de peur, n'éprouvant même aucun sentiment. Ce fut de cette manière qu'il aborda Aïcha, son madras autour de la tête, enveloppée dans une robe de chambre turquoise.

La première, Aïcha s'excusa. Les autres domestiques étaient remontés dans leurs chambres. Elle était la seule à coucher à cet étage. Elle avait entendu le coup de sonnette et n'avait pas pris le temps de s'habiller.

Le vestibule fut un rêve que Béverier traversa sans un mot. Au salon, il s'expliqua avec une aisance qui le surprit :

— Pardonnez-moi de vous déranger, Aïcha, mais j'ai perdu... un bouton de manchette. Oh ! d'aucune valeur ! mais c'est un souvenir auquel je tiens.

Prestement, il avait cueilli sous sa manche gauche le bouton de manchette, l'avait glissé dans sa poche, de sorte qu'il put agiter sous le nez d'Aïcha les bords béants de sa chemise.

— Où étais-tu assis ? questionna Aïcha, trop ensommeillée pour vouvoyer.

Clotilde les trouva agenouillés parmi les fauteuils.

— Allons bon ! Béverier a encore oublié quelque chose ?

Décidé à prendre toute parole de Clotilde pour une parole injuste, il se redressa, le cœur battant.

— D'habitude, je n'oublie jamais rien !

— Ça va, Aïcha, ordonna Clotilde, va te coucher.

Elle portait, sur sa chemise de nuit, un peignoir de satin crème dont les larges manches plissées s'arrêtaient à mi-bras. Elle avait passé de petites mules argentées. Rien dans son apparence ne trahissait l'inquiétude, ou seulement le désordre d'un réveil en sursaut.

— Eh bien ! qu'attendez-vous ? Cherchez !

Hébété, il introduisit une main dans le sillon d'un canapé qu'il sonda soigneusement.

— Cherche ! Cherche ! répéta-t-elle sur le ton qu'on emploie pour encourager un chien.

Puis elle s'enquit :

— Qu'est-ce que vous cherchez au juste ?

— Un bouton de manchette.

— Et vous ne pouviez pas attendre demain matin ?

Elle le dispensa de répondre en ordonnant :

— Venez dans ma chambre, j'imagine que c'est là que nous le retrouverons.

La chambre de Clotilde n'avait pas changé, sauf le lit dont les draps étaient largement ouverts, et l'oreiller creusé par l'empreinte d'une tête.

— Levez les mains, dit Clotilde.

Affectant de ne pas entendre, il balbutia :

— En effet, il est très probable que je l'aie laissé tomber ici.

— Levez les mains !

Bien qu'il n'eût pas obéi, elle commença de le fouiller comme s'il eût vraiment été un suspect aux bras levés. Elle visita rapidement la pochette, les poches de sa veste, lui tâta les flancs, enfonça une main dans la poche de son pantalon. Ses doigts, de la hanche aux cuisses, frôlèrent le ventre du suspect et réapparurent, brandissant le bouton de manchette.

— J'aime, dit-elle doucement, qu'on soit magnifique, même dans ses ruses, je vous aurais pardonné cette comédie si vous aviez eu assez de fougue pour jeter ce bouton dans le ruisseau avant de remonter faire semblant de le chercher chez moi.

— Le bouton de manchette n'était pas prémédité. L'idée m'en est venue quand il a bien fallu que j'explique mon retour à Aïcha.

— Ah ! je n'aime pas non plus qu'on soit bête ! Que vous n'ayez pas prévu une réponse pour Aïcha n'arrange en rien vos affaires.

— Je n'ai pas pensé à vos domestiques. Je n'ai pensé qu'à vous.

Cette phrase venait du cœur. Elle frappa Clotilde. Immobile, contemplant le bouton de manchette qui brillait dans le creux de sa main, elle dit :

— Mon vieux, vous me faites de la peine. Qu'est-ce qui vous prend ? Vous étiez si paisible à Alger...

— A Alger, si j'avais voulu...

— Oui, peut-être.

En toute innocence il trouva la voix d'Henri Rolland jouant du Montherlant pour s'écrier :

— J'ai sauté deux fois sur une mine, mais je n'ai jamais sauté sur une occasion. Ce sport ne me concerne pas.

Alors se faisant, de bonne foi, de sa principale infortune un titre de gloire, il ajouta :

— Il y a des gens qui ont du nez, comme les chiens. Moi, pas. Qui arrivent au bon moment. J'arrive moi, à mon moment.

— La colère vous va bien, je ne dis pas le contraire ! Je l'avais déjà remarqué à ce dîner chez moi, dans le Sersou. Vous êtes incommode, encombrant, tyrannique et c'est assez charmant. Mais ce que vous souhaitez, ici, ça ne m'amuserait pas du tout.

La forme imprévue du refus déconcerta Béverier.

— Où habitez-vous ? demanda-t-elle, après un assez long silence.

— Chez un camarade qui me laisse une chambre. Face aux Buttes-Chaumont.

— Eh bien, non, dit Clotilde, je suis navrée, c'est très

bien les Buttes-Chaumont, mais je n'ai aucune envie de vous y accompagner.

D'achopper sur un détail le mit aux cent coups. Son désespoir lui fut un tremplin :

— Où alors ? Où voulez-vous ? gémit-il.

En réponse il attendait une phrase de ce genre : « Nulle part. Rentrez donc aux Buttes-Chaumont avec votre bouton de manchette. » Or, Clotilde répondit d'un ton posé :

— Je connais une adresse. Je n'y suis jamais allée. J'ai une amie qui ne jure que par cet endroit. C'est à côté de l'Etoile, rue de Presbourg. Vous avez une voiture ?

— Non, souffla-t-il, persuadé de nouveau que son rêve allait être brisé par un détail.

— Ça ne fait rien. Nous prendrons un taxi. Le taxi convient à ce genre d'entreprise.

En parlant, elle avait appuyé sur un bouton. Un panneau de deux mètres de large avait glissé, révélant une penderie. Elle y cueillit un manteau de fourrure. Un tiroir doublé de velours et éclairé bascula, elle y saisit une paire de souliers noirs. Béverier la regardait, sceptique. Il ne pouvait croire en sa victoire. Elle jeta sa robe de chambre sur son lit, fit passer sa chemise de nuit par-dessus sa tête. Sidéré, il se rappelait le refrain d'un de ses camarades en Allemagne : « Tu ne peux pas imaginer ! Ah ! quelle belle femme ! Devant elle, on était fier d'être un homme. »

Elle passa d'abord les souliers, et du coup ses mollets se cambrèrent, les muscles doux de ses cuisses s'allongèrent, sa croupe se serra.

C'est en se dirigeant vers la porte qu'elle enfila le manteau de fourrure.

— Pas de bruit, lança-t-elle.

Ce fut seulement dans la rue qu'elle lui dit :

— Je ne suis pas sortie en pareille tenue depuis dix-sept ans. C'était à Londres.

D'un bras elle s'appuyait sur lui, et de l'autre pressait le manteau de fourrure contre sa poitrine. Place Beauvau, il héla un taxi en maraude qui passait devant les deux factionnaires mélancoliques du ministère de l'Intérieur. Comme le véhicule effectuait un demi-tour pour venir à leur hauteur, Béverier profita de l'instant où le conducteur et les factionnaires n'apercevaient sa compagne que de

dos pour écarter largement le manteau, voir cette chair sans
défense qui contrastait si violemment avec l'écrin de pierre,
de fonte, de zinc, de goudron qui l'entourait.

Ils s'engouffrèrent dans le taxi, ils y tombèrent. En claquant sur eux la portière brisa les accents clairs d'une hor-
loge. Clotilde ne prêtait plus sa bouche, elle l'offrait. Le
manteau entrouvert, doux, tiède, Béverier le caressa autant
que la peau nue qu'il recelait. Clotilde chuchota.

— Je remets votre bouton de manchette où je l'ai pris.

Rue de Presbourg, ils descendirent, essoufflés. Clotilde
appuya elle-même sur le bouton doré d'une petite porte
verte. Dans la moquette du hall Béverier enfonça comme
dans de l'herbe. L'ascenseur les enleva sans un bruit, s'arrêta à un étage sans qu'ils l'eussent choisi. Une jeune femme de chambre en tablier blanc à dentelle, une coiffe
également blanche en équilibre sur ses boucles, leur ouvrit
la porte d'un minuscule appartement tapissé de peau de
panthère (ou d'une fourrure qui l'imitait) et meublé de
glaces : murs de glace, paravent de glace, table de glace.

— Gardez la monnaie, dit Béverier à la femme de
chambre.

Celle-ci jeta un regard perplexe mais intéressé à l'arri-
vante dont l'image renvoyée par les glaces se multipliait
lentement à travers la chambre, le manteau de fourrure
ouvert sur une peau bronzée. Du couloir, la main encore
sur la poignée de la porte, la jeune fille eut le temps, dans
une glace latérale, de voir sa cliente s'abîmer sur le lit de
telle sorte que son buste restait emprisonné dans la fourrure
alors que sa croupe et l'une de ses jambes en jaillissaient.

Rêveuse, elle regagna, à gauche de l'ascenseur, sa tan-
nière occupée par une chaise, une table, un cahier sur
lequel elle nota la location du 23, des aspirateurs, des piles
de draps, des bouteilles d'alcool et des verres. Elle étala
France-Soir devant elle, négligea les titres concernant l'Algérie, les rencontres internationales, se réserva un fait divers
pour plus tard, et attaqua, en dernière page, les Amours
Célèbres. Il était évident que cette Pauline Bonaparte était
bien capable de se promener dans la tenue de la dame.
Elle-même, en avait-elle envie ? L'idée ne lui déplaisait pas,
mais elle avait découvert que certaines idées très séduisantes
à remâcher **pouvaient** prendre en se réalisant un tour fâ-

cheux. Par exemple, avec une de ses amies, elles s'étaient
confiées en riant qu'après tout il ne devait pas être désagréable de se faire violer, mais quelques jours plus tard, comme
un toquard l'avait brutalement attaquée dans un couloir désert du métro et qu'elle avait imaginé ce qui eût pu arriver,
elle en avait été malade au point de ne pas déjeuner.

Elle se leva pour appeler l'ascenseur à l'intention du couple du 18 qui venait d'apparaître, l'homme et la femme se
lissant les cheveux. Ça l'intéressait encore, bien qu'elle fût
employée dans la maison depuis déjà deux mois, de regarder
un couple avec la certitude que quelques minutes plus tôt
il faisait l'amour. Elle referma la porte de l'ascenseur, le
renvoya, fit quelques pas dans le couloir. Au début, elle
avait eu peur et passait son temps embusquée dans son petit
cabinet ; au bout d'une semaine, elle s'était mise à écouter.
Aux heures de pointe, derrière chaque porte naissait un
obscur message : des soupirs, une plainte, une tout autre
sorte de plainte, de petits rires, et surtout des mots, des
mots banaux ou des mots imprévus, insensés, prononcés par
des voix insolites. Elle s'arrêta devant la porte du 23 et,
sans distinguer les phrases, sentit que la conversation qui s'y
poursuivait était normale, une conversation d'êtres verticaux.
Elle regagna son gîte et s'absorba dans *France-Soir*.

Peu de minutes plus tard, elle quitta son siège, entendant
s'ouvrir une porte. Ce ne pouvait être le 23, ou alors ils
étaient aussi rapides que des canards. Elle fut stupéfaite de
voir déboucher le manteau de fourrure. Elle appuya sur le
bouton de l'ascenseur. L'homme et la femme évitaient de se
regarder, silencieux. L'ascenseur apparut, ils y montèrent, et
d'une pression la jeune fille les expédia vers les ténèbres
extérieures.

Pourtant elle eut la curiosité d'entrouvrir la fenêtre,
d'écarter le volet pour regarder marcher dans la rue une
dame nue sous un manteau de fourrure. Vue d'un troisième
étage, la dame était banale. Elle se dirigeait vers la station
de taxis de l'avenue Marceau d'un pas rapide. L'homme marchait un peu en retrait et parlait, scandant ses discours de
gestes. Ils grimpèrent dans un taxi noir.

A peine dans le taxi, Clotilde s'était résolue à sourire.

— Allez, soyez beau joueur !

— C'est abominable !

— Mais que me reprochez-vous !

Elle baissa la voix bien qu'ils fussent séparés du chauffeur par une vitre.

— Vous m'avez voulue, vous m'avez plu, j'ai accepté, je vous ai suivi dans cette maison. J'avais très, très envie de vous. Bon. Vous, vous avez eu une panne, qu'y puis-je ! A moins que vous ne m'en rendiez responsable. Je vous ai peut-être déçu ?

— Ne dites pas d'idioties !

— Nous n'allions tout de même pas attendre des heures que l'inspiration vous revienne. C'était une petite folie que je m'offrais mais... grave. Demain, je me serais posée des tas de problèmes. Votre défaillance m'a privée de ma folie et de mes problèmes.

Le taxi vira au Rond-Point, s'engagea dans l'avenue Matignon.

— Clotilde, articula Béverier, vous ne pouvez pas me laisser sur cet échec. J'en crèverai !

— Même à Stendhal, ça arrivait... et à beaucoup de messieurs très bien. Vous avez rompu le charme, que voulez-vous.

— Clotilde, d'un point de vue amical, je vous supplie...

— L'amitié n'a rien à voir là-dedans. Nous étions au niveau du sexe et du charme exclusivement. C'est loupé, tant pis. Quand on ne s'aime pas, les relations sexuelles sont une joute.

Le taxi s'était arrêté devant la porte cochère. Elle sauta à terre.

— J'ai bonne mine, moi, dit-elle à mi-voix, avec ma tenue perverse...

Il entendit claquer la portière, ferma les yeux. Il sentit que le taxi reprenait de la vitesse, puis virait. Le chauffeur passa en seconde. Béverier n'admettait pas la fatalité. Le chauffeur se mit en prise directe. Ce n'était pas par la fatalité qu'il pouvait expliquer pourquoi il était frappé aux mêmes points, dans le même style. Le moteur tournait régulièrement, à l'aise. « Si je suis malheureux, c'est que j'ai commis au départ une erreur sur moi. » La voiture se déporta sur la gauche, puis s'arrêta ; les vitesses cliquetèrent. « J'étais un intellectuel et j'ai voulu être un homme d'action ; un clerc, et je me suis exigé chevalier. » Avec un soubresaut la voiture démarra ; la première fit place à la seconde. « Si j'avais abordé les événements comme un clerc, les événements, donc les gens, j'aurais été à leur niveau. » La troisième passa avec un bref aboiement. Les yeux toujours fermés, Béverier supposa que la voiture suivait la rue de la Paix. « Parce que je n'étais pas à niveau, je me suis donné tort, cru inférieur : j'étais différent. » La voiture freina sur un assez long champ. « Le vilain petit canard d'Andersen n'était un vilain petit canard que parce qu'il était beau jeune cygne. » La voiture parut devoir s'arrêter, mais elle reprit de la vitesse. La seconde passa puis, après un virage, la troisième. « J'ai été un soldat brouillon, alors que j'aurais été un intellectuel rigoureux. Si j'avais vécu à ma place je n'aurais pas dérangé les autres, y compris les femmes qui m'eussent prévu, jugé selon d'autres mesures. » Malgré un nouveau virage la voiture accéléra violemment. « J'ai supplicié mon cerveau. Je l'ai contraint à des exercices précis, mais sommaires, et je me suis interdit de comprendre à ma manière ce qui m'entourait. » La voiture s'était installée dans les grandes vitesses et le moteur, heureux, tournait en silence. « La vérité, c'est que dans mes discussions avec Hanau, je ne me retiens d'adhérer à des thèses qui me séduisent que par attachement à des valeurs dépassées. Est-ce qu'il est trop tard pour prendre le tournant ? Est-ce qu'il est impossible de tenter une synthèse entre le soldat que je me suis entêté à être et l'intellectuel libéral que j'ai étouffé ! Est-ce qu'en la tentant... » La voiture freina sec, puis réaccéléra sans changer de vitesse. « Est-ce qu'en la tentant, je ne cours pas la chance d'être payé de tous mes déboires ? Si j'emboîte le pas à Hanau je peux devenir l'officier qui juge ses pairs, qui juge sa guerre parce qu'il est plus intelligent que ses pairs et cette guerre ? Ils diront « cette ordure de Béverier », mais je ne serai plus un petit gêneur : ils me considéreront. » Cette fois, la voiture s'était arrêtée après avoir chanté de toutes ses roues. Béverier ouvrit les yeux.

Le carrefour était éclairé par quelques réverbères qui blanchissaient les façades sous un ciel opaque. Un chat bondissait sur le trottoir désert.

***

Le docteur Jules Garcia, « Le Fils », était à la vérité un

neveu du fondateur de la clinique dont une nièce avait épousé un garçon qui s'appelait Garcia aussi, sans qu'il y eût aucun lien de parenté connu entre eux. Garcia le jeune, Le Fils, comme on disait dans le quartier, avait peu à peu pris en main la clinique où son oncle ne mettait les pieds qu'une fois par semaine.

L'oncle s'était acheté une villa à Tipasa, où il avait pris une demi-retraite depuis l'âge de quarante-cinq ans. S'il avait choisi Tipasa, ç'avait été pour le plaisir et l'honneur de s'assimiler aux hauts fonctionnaires romains qui, au troisième siècle, allaient finir leurs jours dans ce petit Nice. On disait à Alger que Garcia père « s'était beaucoup dépensé pour les fouilles ». En fait, il s'était borné à inviter généreusement architectes et archéologues dans sa villa, et à publier, tous les deux ou trois ans, une menue plaquette à compte d'auteur où il étudiait un détail de l'ancienne ville de Tipasa révélée par les fouilles. Ces études, imprimées sur vélin, n'apportaient rien de neuf aux spécialistes, colportant même quelques légendes séduisantes et erronées, mais donnaient au docteur une réputation d'érudit, de fin lettré, de maniaque éminent, dans le tout Alger. Dans les dîners, avant « les événements », il était de bon goût d'interroger le docteur sur les ruines du théâtre, de la basilique judiciaire ou des thermes. Le docteur s'empressait de renseigner son interlocuteur avec l'indulgence moqueuse d'un savant de bonne compagnie : « Erreur profonde, chère madame, les Romains avaient pour principe... » et il expliquait les principes des Romains. Lorsque les convives se récriaient d'admiration, le docteur, modeste comme tout esprit supérieur, se hâtait de crier bien haut qu'il n'était pas l'auteur de cette hypothèse ou de cette découverte, que le mérite en revenait au professeur Untel, lui-même s'étant borné à vérifier : « Il est vrai, ajoutait-il d'un air bonhomme, que cette vérification m'a donné de la tablature. Le professeur a vu juste, mais il a bien failli se tromper parce qu'il n'avait pas saisi toute la portée de sa trouvaille. » Ou encore, racontant un entretien avec l'un des historiens les plus célèbres du Maghreb, Garcia se bornait à signaler qu'après avoir écouté cette sommité, laquelle, à l'entendre, serait venue déposer ses œuvres à ses pieds, il avait simplement prononcé : « Croyez-vous ? » Le docteur n'en disait pas plus mais prenait un air si fin, la prunelle brillante, la paupière plissée, un sourire rétrospectif illuminant son visage, que ses interlocuteurs étaient persuadés que l'entretien avait tourné à la confusion du célèbre historien, mais que le docteur, avec sa gentillesse coutumière, ne le reconnaîtrait pas « pour un empire ». Enfin, si on l'estimait pour ses plaquettes, on le vénérait surtout pour des œuvres qu'il n'avait pas écrites, deux sommes qu'il préparait laborieusement depuis vingt ans et qu'il se donnait encore dix ans pour terminer, l'une consacrée à une Histoire de l'Art maghrébin étayée sur le Tombeau de la Chrétienne ; une stèle de Sila portant une inscription libyque et un personnage sculpté surmonté de deux cercles ; le théâtre de Tipasa, la comparaison d'un masque trouvé à Tipasa et d'un masque trouvé à Hippone ; le baptistère d'une basilique des environs de Tipasa sans compter un monument arabe dont il taisait le nom, ce qui laissait croire qu'il était le seul à l'avoir décelé ; l'autre aux crises religieuses de Tipasa : la crise alimiste à l'arrivée des Phéniciens, l'implantation des dieux gréco-romains, les martyrs du christianisme (Garcia avait déjà consacré une plaquette à une jeune chrétienne de Tipasa, culbuteuse d'idoles et martyre), l'explosion donatiste, la résistance berbéro-chrétienne à l'arianisme vandale, sa victoire et sa défaite devant l'Islam.

Le dimanche, le docteur Garcia, qui prétendait souffrir de l'envahissement de Tipasa par les Algérois venus se baigner au Chenoua, allait régulièrement prendre la garde à la clinique, ce qui libérait « Garcia Le Fils » et sa nièce.

Ce dimanche-là, le docteur Garcia, après avoir fait le matin une première inspection des malades alla déjeuner à la villa Ab-Del-Tif avec les jeunes peintres qui en étaient les pensionnaires et qu'il invitait lui-même souvent à Tipasa, ce qui lui valait de posséder de lui une cinquantaine de portraits que les journaux algérois reproduisaient fréquemment. Puis il était rentré à la clinique en se servant de l'ambulance, c'est-à-dire en faisant entrer ses frais d'essence dans les frais généraux de la clinique — d'où délicieuse impression de rouler le fisc.

Vers cinq heures, le docteur Garcia qui errait dans la clinique silencieuse repéra un bourdonnement de voix féminines dans une petite salle, trop humide pour être louée comme chambre de malade, longtemps inoccupée et devenue depuis

quelques années le « Salon de Détente des Infirmières ». Encore que, dans le quartier, on prît Jules Garcia pour son
fils et que, dans la société bien informée, on sût qu'il était
son neveu, le docteur avait adopté le parti de l'appeler son
gendre. « Mon gendre, répétait-il volontiers, n'a guère de
penchant pour l'Histoire, ni de goût pour les Belles-Lettres
ou les Beaux-Arts, mais qu'est-ce que vous voulez, c'est un
pionnier social. » L'utilisation de la chambre humide était
l'un des exemples qu'il donnait des réalisations sociales de
Jules. En fait, il savait fort bien que son neveu n'avait pris
cette initiative qu'avec le seul espoir d'empêcher les infirmières de bavarder dans les couloirs ou les escaliers, en les
canalisant dans une pièce inutilisable. Toutefois cette pièce
n'avait jamais plu aux filles ; elles s'y rendaient même si
rarement que le docteur fut choqué d'y entendre leur bavardage et leurs rires. Il s'approcha.

— Ce qu'il nous faudrait, c'est une bombe !

La porte s'était ouverte en même temps que la phrase
sortait gaiement de la bouche de Cherifa. Au visage du médecin, Cherifa, Aïcha et Zineb surent qu'il avait entendu.

— Oh ! docteur ! prononça précipitamment Aïcha, vous
allez nous départager ! Elles prétendent toutes les deux qu'un
soufflé est plus indigeste qu'une bombe glacée. Moi, je sou-
tiens le contraire.

Peu à peu, le visage du docteur Garcia retrouvait son
ordre naturel. Mais il n'était pas remis encore de son émotion et se taisait.

— J'ai lu, insista Aïcha avec pétulance, que dans la mesure où l'alcool du soufflé flambe, les éléments éthyliques
s'échappent.

— De quoi s'agit-il exactement ? balbutia le médecin.

— Nous donnons une petite fête de promotion. On éta-
blit le menu. Mademoiselle (elle montra Cherifa) qui travaille à l'hôpital Mustapha s'est chargée de l'organisation.
Et elle ne veut pas de soufflé.

Totalement rassuré, le docteur Garcia dodelina du chef.

— J'ai eu, dit-il, l'occasion de bavarder avec un grand
maître de la diététique. N'ayez pas peur, je n'entrerai pas
dans les détails savants de son exposé, mais, à la lumière
de mon simple bon sens paysan, je lui ai fait remarquer
un point qu'il avait totalement négligé tant dans ses ou-

vrages que dans ses communications. Je lui ai dit : Mon cher professeur, ça dépend comment c'est préparé ! Je vous en dirai autant, mesdemoiselles, en me permettant d'ajouter que ça dépendra aussi de votre appétit.

Et exécutant un demi-tour, il referma la porte derrière lui ; son pas décrut dans l'escalier. Elles poussèrent toutes trois le même soupir.

— Moi, dit Zineb, j'ai cru qu'il allait falloir le tuer. Je me demandais avec quoi. J'ai pensé aux instruments de chirurgie.

Cherifa agita convulsivement les doigts :

— Quoi ! Tu nous imagines toutes les trois en train de découper cette grosse tête chauve avec des bistouris !

— Si on n'avait pas pu faire autrement ! constata Zineb, l'air sombre. Heureusement, Aïcha a eu un drôle de sang-froid !

— Aïcha, tu as été formidable ! Le père Garcia, il te doit la vie.

— Méfiez-vous, dit Aïcha en baissant la voix, il est curieux comme une chatte. Il est très capable, d'autant qu'il n'a rien à faire, de se ramener pour écouter à la porte. D'ailleurs, il est l'heure d'aller rejoindre les « coqs hardis ».

La brasserie du « Coq Hardi » est située rue Charles-Péguy, au cœur d'Alger. Autour d'elle, dans un périmètre restreint, le colon de passage peut trouver tous les fournisseurs nécessaires à une vie mondaine ; la Marquise de Sévigné est à deux pas ; il y a des fleuristes dans la rue Ballaye, des chemisiers et des marchands de frivolités à l'orée de la rue Michelet qui poursuit la rue Charles-Péguy ; des libraires, rue Charras. La grande poste est toute proche, de l'autre côté du plateau des Glières.

Se dressant à l'angle de la rue Rouge, la brasserie se prolonge par une salle vitrée qui s'est développée à travers les arbres du carrefour, de sorte que les troncs de certains d'entre eux s'élèvent entre les tables et percent le plafond. Les trois jeunes filles retrouvèrent leurs amies assises entre un tronc et la paroi vitrée donnant sur la rue Rouge. Celles-ci parlaient bas, mais avec animation. Un mot revenait dans leurs bouches : Sakiet.

— L'horripilant, grognait Leïla, une infirmière brune aux

yeux bleus, attachée à l'hôpital Mustapha, c'est le bonheur des Pieds-Noirs. Ils sont fous de joie.

— Il n'y a pas qu'eux ! observa Cherifa. J'étais de service ce matin à Mustapha, et dans ta salle, ça devait être comme dans la mienne.

— Ça m'a frappée, moi aussi, soupira Zineb. Même des types convaincus, des gens que je croyais prêts à se faire tuer pour l'indépendance... Ils disaient avec admiration : « Ah ! l'armée française a tapé dur. »

— Ils s'attendaient tous, ce matin, à apprendre par la radio que les Français étaient arrivés à Tunis.

— Moi, rapporta Leïla, j'ai un type dans mon service, un receveur de tramway qui a eu un accident du travail. Il a de l'instruction. Je le connais de vue depuis longtemps parce que je prenais son tramway. Depuis un mois, on bavardait tous les jours. Il est à fond pour l'indépendance. Je suis sûre que c'est même un type qui a pris des risques. Eh bien, ce matin, il m'a sorti en rigolant : « Eh ! Eh ! ce Bourguiba qui se croyait plus malin que tout le monde ! »

— C'est pas croyable !

— Et remarquez, c'est un type qui me reprochait encore avant-hier d'aimer trop la France.

— Voilà que tu aimes trop la France !

— J'aime les idées de la France, expliqua Leïla. C'est au nom des idées de la Révolution que je me révolte, ce n'est pas au nom du fascisme de Nasser. Nasser, c'est un mal nécessaire. Le bien, c'est les idées, les sentiments de la France, mais pas de celle qui existe, d'une France belle et pure.

— Laissons les imbéciles bavarder à propos de Sakiet, coupa Zineb. Nous, nous sommes des filles d'action. Ce qu'il nous faut, c'est des bombes.

La vendeuse de la pharmacie de Maison Carrée, celle qu'Aïcha avait « contactée » lors de son premier transport d'armes, fit observer que les bombes « ça ne dépendait pas d'elles ».

— Nous ne sommes pas fichues d'en fabriquer. Elles nous claqueraient à la figure. Il faut qu'on nous les fournisse. Ça dépend d'Ali.

— A propos de bombes...

Et Cherifa entreprit de raconter avec des gloussements

comment le docteur Garcia avait été roulé par Aïcha. Elles étaient jolies, ou presque jolies, toutes. Elles portaient de petites robes de lainage gaies, des tailleurs mignons. Elles étaient terriblement à la mode. Leurs yeux brillaient. Pour les mâles esseulés du dimanche qui, ayant pris un verre au « Coq Hardi », allaient en prendre un autre, comme le veut l'usage, au « Bristol », le bar d'en face, elles composaient un bouquet en avance sur le printemps, un feu de joie féminin. Encore que presque tous les consommateurs fussent Européens, un jeune musulman s'approcha de leurs tables pour chanter de plus près le refrain de la chanson qu'il avait choisie au juxe-box. Il chantait en arabe en s'adressant plus particulièrement à Leïla qui, par de petits sourires courageux, réussit à l'écarter.

— Je l'ai soigné, expliqua-t-elle. Il s'était fêlé une jambe en jouant au foot. Dès qu'il me voit, il me chante ça.

— A cause de ton nom, dit Aïcha.

Leïla savait si mal l'arabe qu'Aïcha dut lui traduire les strophes :

— Leïla, pareille à la lune... parce que tu sais tout de même ce que veut dire ton nom ?

— Ça veut dire la nuit.

— Bon. « Leïla, pareille à la lune... tu fais rosir le laurier... pareille à tout ce qui est flou... Leïla, Ahalaala Leïla ! »

Cependant, comme Cherifa arrivait au bout du récit de leur aventure avec le docteur Garcia, Leïla s'exclama :

— Moi j'ai trouvé ! Les bombes, on se demandait dans quoi les mettre pour les coller dans les squares. C'est la bombe glacée qui m'y a fait penser. Chez Cousin, le pâtissier, ils emballent leurs glaces portatives dans des cartonnages très volumineux et que tout le monde connaît bien. On fout la bombe dedans et on l'abandonne derrière un banc.

— Ce n'est pas une mauvaise idée, déclara Ali en s'asseyant à califourchon sur une chaise. Vous parlez trop fort, mes mignonnes.

Il examina les verres de jus de fruits de couleurs différentes qu'elles avaient choisis, et demanda une glace :

— En l'honneur de l'idée de Leïla. Attendez-moi une seconde, j'ai un coup de téléphone à donner.

Son irruption avait produit l'effet habituel. Rétives, mais

dominées, les filles regardèrent le jeune garçon contourner le comptoir.

— Moi, je me demande s'il est normal, eut l'audace d'observer Cherifa. Regardez son blue-jean, il a des fesses de femme. Et il roule des hanches.

Apeuré, le troupeau féminin ricana mais se garda de prononcer un mot. Et quand Ali revint il les trouva toutes en attente, disponibles.

— Je vous comprends très bien, déclara-t-il en dégustant sa glace à petits coups de cuiller rapides, vous en avez assez des préliminaires, vous voulez passer à l'action. L'action commencera demain. Le réseau tient debout. Le matériel est à pied d'œuvre. Je vais vous donner des directives précises. Aucune de vous, avant que je commence, n'a d'informations à donner ?

— Si, dit Leïla, est-ce que tu t'es rendu compte que l'opinion musulmane a été atteinte par l'histoire de Sakiet — atteinte en mal ?

— On s'en fiche. C'est tout ? N'ayez pas peur de parler ! Je veux que, dans ce réseau, les responsabilités incombent aux femmes. Je veux arriver à une direction collégiale. Alors pas de timidité.

Un silence répondit à son invitation ; il enchaîna :

— Voici comment les tâches vont se répartir. Mais d'abord j'ai une mission pour l'une d'entre vous, une mission étrangère à la grande affaire — mais importante. Tiens, Aïcha, je te la confie. Viens, je vais t'expliquer ça en marchant... Vous, les autres, vous m'attendez.

Aïcha, sans enthousiasme, les sourcils froncés, sortit de la brasserie derrière Ali qui, la prenant par le bras, l'entraîna d'un pas lent vers le plateau des Glières.

— Voilà. Un gars de la Wilaya 3 s'est fait piquer il y a quinze jours. Hier, à sa grande surprise, le lieutenant Wasseau lui a offert sa liberté — à la condition qu'il porte un message à une personnalité importante de la Wilaya 3. Tu comprends, le gars leur a fait croire qu'il reconnaissait ses erreurs, qu'il était prêt à changer de camp. Alors, le lieutenant lui a dit : Tu vas nous prouver ton zèle en allant porter ce message en Kabylie. A peine sorti, le gars est allé dans un café qu'il connaissait où il a retrouvé un de ses amis qui, lui, travaille avec nous. Ta mission, c'est d'abriter le gars pour la nuit. Demain matin, tu l'amènes devant le cinéma « Le Claridge » à sept heures et demie. Une camionnette jaune l'attendra.

Ils remontaient vers le Forum à travers la lente foule du dimanche.

— Et moi, alors ? demanda Aïcha, où je dormirai ?

— Tu n'as rien à craindre. Je l'ai prévenu. Les hommes du réseau, les hommes en liaison avec le réseau, je les préviens. S'ils embêtent une de mes filles, c'est une balle dans la tête.

Il avait parlé avec une rage très douce. Aïcha en frissonna.

— Je veux, continua Ali, que les hommes se conduisent en frères respectueux, mais aussi que les filles soient pures. J'ai su comment, à Broj Menaïel, Cherifa, qui est une fille de grande famille, s'est envoyée en l'air avec un des gars. Elle n'a plus ma confiance. Il faudra qu'elle se rachète.

Il ajouta avec la même douceur furieuse :

— Tu dois comprendre que cette mission est importante. Je ne veux pas que tu agisses comme une automate. Nous sommes égaux. Rien dans la structure du réseau ne doit rappeler la hiérarchie de la colonisation. Le gars que tu vas abriter, il faut qu'il échappe à une filature possible des Français. Il faut qu'il puisse révéler à Amirouch que les Français entretiennent des relations avec l'un de ses plus proches lieutenants. Il faut que tu le caches pour que les Français n'aient pas le temps de se raviser, ou encore, qu'en le suivant, ils découvrent des relais en Kabylie. Tu piges ?

— A peu près.

— Alors, je te laisse. Tu trouveras le garçon dans le premier café à gauche, en entrant dans la rue de la Lyre. Il t'attend. C'est à lui de te reconnaître. Demain, tu rendras compte de ta mission par l'intermédiaire de Zineb. Je redescends, tourne à droite.

Aïcha tourna donc à droite et emprunta pendant cinq minutes un itinéraire qui la conduisait rue de la Lyre. Puis, après avoir regardé derrière elle, elle entra dans un café de la rue de l'Isly et s'enferma dans la cabine téléphonique. Elle en ressortit deux fois pour prendre d'autres jetons. Elle était énervée, mordillait le bout de petits gants de peau qu'elle avait pris parce que c'était dimanche. Enfin, elle s'assit à une table, commanda un coca-cola qu'elle but le regard braqué sur la pendule. Quand onze minutes se furent écoulées, elle se leva et gagna le trottoir à petits pas. Elle s'arrêta pour feindre d'examiner des chandails, à une devanture, se détourna, courut vers une voiture dont la portière s'entrouvrait. La voiture redémarra aussitôt.

— C'est imprudent, dit-elle à Wasseau. Si l'on me voit à côté de vous, je suis perdue.

Il lança la voiture dans un dédale de rues. Pendant le trajet elle rapporta au lieutenant la mission qui lui avait été confiée.

— Ça va, dit Wasseau. Je sais que ce type glandouille à Alger. S'il veut gagner la Kabylie par un trajet clandestin, ça m'est bien égal. Tu peux le prendre chez toi cette nuit, et le déposer devant sa camionnette demain matin. Y a pas de mal à ça.

Comme la jeune fille le regardait, le sourcil froncé, il rectifia :

— Vous pouvez. Je vous ai tutoyée parce que je quitte un camarade et que maintenant, tous les deux, nous sommes des camarades de Service Secret, tout comme dans un roman policier de Bruce, hein ?

— Ce que vous n'avez peut-être pas compris, exposa Aïcha d'une voix nette, sans répondre directement à Wasseau, c'est que ce type va dénoncer à Amirouch l'homme qui est votre correspondant là-bas.

— Il serait assez méchant pour faire ça ? demanda Wasseau en riant.

— Mais c'est sûr !

— J'ai peine à le croire. Je suis comme ça, moi : je ne peux pas croire au mal.

En empruntant un itinéraire singulier, la voiture était parvenue à El Biar. Elle accéléra dans un chemin cerné par les palmiers et les eucalyptus des villas.

— Je comprends, dit Aïcha.

— Quoi ?

— Vous voulez que ce type dénonce à Amirouch l'homme auquel vous l'envoyez. Vous voulez qu'Amirouch croie que cet homme est un de vos correspondants. Vous le voulez, **parce que vous ne l'aimez pas. De la sorte Amirouch suppri-**

mera, le croyant coupable, un de ses lieutenants qui est innocent.

— Mais vous êtes intelligente ! s'écria Wasseau avec un excès d'étonnement qui fit froncer les sourcils à la jeune fille.

— C'est facile à comprendre, répondit-elle avec une modestie indignée. Les fameuses purges d'Amirouch, alors, c'est vous qui les déclenchez ? Avec ce système, vous l'amenez à détruire lui-même une partie de ses forces.

— Ce n'est pas bête, hein ? grommela Wasseau fier de lui.

— Ce n'est pas bête du tout, mais ce n'est pas génial. J'aurais pu inventer ça toute seule.

— Aïcha, savez-vous que vous êtes redoutable ? Vous me faites peur, vous me rappelez Milady, en plus jeune, en bébé.

— Qui est-ce, Milady ?

— Vous n'avez pas lu « Les Trois Mousquetaires » ?

— Je n'ai pas le temps de lire des bêtises. Où me menez-vous ?

Achevant d'écarter les battants d'une grille avec le pare-choc de sa voiture, il s'enfonçait dans un jardin.

— C'est une villa à nous, dit-il. Personne ne la connaît encore. Vous ne risquez pas d'être repérée. D'ailleurs, nous bavarderons dans la voiture.

Celle-ci, après avoir décrit un demi-tour entre des massifs, s'arrêta le long d'un mur.

— Les autres filles, interrogea le lieutenant, qu'est-ce qu'Ali leur a donné comme mission ?

— Il m'a renvoyée avant de donner ses ordres. Mais cette fois-ci, c'est sérieux. Il s'agit de placer des bombes. Alors, moi, je vous donne mon avis : ça a assez duré.

— Non. Il faut que ça dure encore un petit peu.

— Ça me fait perdre du temps ! Je ne peux plus travailler. Je trouve ça idiot ! Surtout, je vous rappelle nos derniers accords. Il est convenu que je veux le bien des autres filles qui se sont lancées là-dedans. Si vous les laissez aller jusqu'à manier des bombes, vous ne pourrez plus leur éviter la prison. En vous attendant, tout à l'heure, j'ai réfléchi. Je veux que vous brisiez le réseau ce soir.

— Je veux ! gronda-t-il. Vous vous prenez pour le colonel Godard en personne !

— Avons-nous un pacte, oui ou non ?

— J'ai besoin que le réseau se démasque davantage.

— Vous en savez assez. Ou alors, vous voulez qu'il se démasque par des actes ?

— Faites ce que je vous dis.

— Si vous ne bloquez pas l'affaire ce soir, je dirai à Ali que vous savez tout.

— Malin. Il vous tuera.

— Je me débrouillerai pour lui faire savoir et me sauver.

— Vous êtes folle...

— Je ne suis pas folle du tout. Je trouve qu'à nos âges, nous les filles qui travaillons, qui apprenons un métier, nous avons autre chose à faire qu'à brandir des bombes. C'est pour ça que je me suis mise d'accord avec vous. Vous m'avez promis de protéger les filles de la bande si je disais tout. Tenez votre parole. Ce soir, vous perquisitionnez chez elles et vous les arrêtez. Moi aussi, vous m'arrêtez. Il faut qu'on reste en prison au moins un mois, pour que ça ne paraisse pas louche aux frères. Après, le F.L.N. ne nous embêtera plus. Il nous considérera comme brûlées. Vous, vous aurez découragé les terroristes en leur montrant que la résurrection d'un réseau de bombes était impossible. J'ai bien réfléchi, je vous assure. Nous nous y retrouverons tous les deux dans cette affaire.

Sans prononcer un mot, Wasseau joua longuement avec une cigarette non allumée. Il regardait courir un petit chien autour d'un cactus. Enfin, il dit :

— Bon. Entendu. Arrestations et perquisitions ce soir. Au fond, ce n'est pas mal. Le bombardement de Sakiet a impressionné la Casba. Elle apprendra presque en même temps l'échec du nouveau réseau.

*
**

En quarante-huit heures, le nom de Sakiet n'a pas seulement été formé par toutes les bouches du Maghreb : porté par les ondes, crépitant au bout des téléscripteurs, il a éclaté dans toutes les salles de rédaction du monde.

Les journalistes de multiples pays qui parcourent le bourg,

ce dimanche, à la tombée de la nuit, ont donc la certitude de visiter un site historique. Leurs voitures les ont débarqués dans la grand-rue. Ils sont allés à pied jusqu'à la place du marché, passant entre des maisons aux toits crevés, aux murs ouverts à travers lesquels apparaît le ciel. On leur a montré la gueule béante des anciennes mines de fer, sur la colline ; la grande tour carrée du poste de douane qui est demeurée intacte ; le siège de la garde nationale. Ils sont entrés dans l'école éventrée. Ils ont essayé de poser des questions aux gardes, aux commerçants rôdant, égarés, devant leurs échoppes écrasées — ces échopes de la taille d'un kiosque à journaux qui deviendront sous leurs plumes « quatre-vingt-cinq magasins détruits » — aux femmes blotties autour des fontaines :

— L'avion qui est d'abord passé vers neuf heures, c'est vrai qu'on a tiré dessus depuis ici ?

Des visages se ferment ; d'autres interrogés n'ont pas l'air de comprendre. Quelques-uns nient. La plupart approuvent :

— Bien sûr ! A la mitrailleuse ! Il s'est sauvé couvert de fumée.

— Admettons, constate un journaliste américain, mais est-ce une raison pour pilonner un village ? Et un village où se trouvaient des camions de la Croix-Rouge !

En fin de promenade, les journalistes sont un peu déçus par la découverte des camions de la Croix-Rouge, rangés sous un préau de telle sorte que les avions ne pouvaient pas voir leur emblème.

— Aucune importance, certifie un journaliste allemand, pour remonter le moral des autres. Si les Français avaient vu les croix rouges, ils ne se seraient pas gênés pour bombarder !

Les visiteurs contournent un car grillé jusqu'aux essieux. Le mince fichu rouge d'une fillette traîne à quelques pas, à demi carbonisé. Sur l'autre rive, on aperçoit les lumières du poste français de Sakiet.

Une demi-heure plus tard, une demi-douzaine de journalistes français se sont arrêtés à quelques kilomètres de Sakiet, sur le chemin du retour vers Tunis, dans un petit café. Roger Stéphane a étalé une feuille de papier sur la toile cirée. Impressionnés par les horreurs qu'ils viennent de contempler, les journalistes se taisent.

— Nous n'avons pas à juger ce qui s'est passé, expose Stéphane. Mais puisque la radio française a le culot de nier les faits, nous avons le devoir de les rétablir. Il faut que notre communiqué soit très court. Nous notons simplement que cinq journalistes français, s'étant rendus à Sakiet, ont constaté l'importance du bombardement, la destruction des bâtiments publics, des maisons privées, de l'école, d'un grand nombre de magasins.

Au bout d'une demi-heure, s'étant mis d'accord sur le texte, ils le signent puis remontent en voiture. Sur la route ils croiseront, entre Sakiet et Tunis, une longue colonne kaki. Jean-François Chauvel baisse la glace, lance des questions. On lui répond en français. Ce sont des fellagha.

— Tout de même... murmure Chauvel.

— Ça n'a rien à voir...

— Si. Ça a tout de même à voir !

— Tu ne vas pas recommencer ! Il y a quinze jours, quand on a enterré à Souk-Ahras les soldats français tués devant Sakiet, il paraît que tu as pleuré...

— C'était bouleversant...

— Seulement, quand tu as vu l'école aussi, tu as été bouleversé !

— Oui. Mon cœur souffre des deux côtés. Je crois que c'est normal...

Cette phrase, Chauvel la répéta au bar du « Tunisia Palace » pendant que Roger Stéphane attendait Paris au téléphone. Un téléphone dont il revint radieux.

— J'ai eu Guichard ! Tout s'est très bien passé. Masmoudi a été reçu par de Gaulle. Masmoudi lui a dit : « Tout est foutu avec la France ! »

— Et il a répondu quoi, de Gaulle ?

— Il lui a répondu : « N'insultez pas l'avenir. »

Stéphane se retourna, apercevant Saïd Youcef qui se frayait un chemin entre les petites tables.

— Celui-là, souffla-t-il à Chauvel, doit savoir beaucoup de choses...

Mais avant de parvenir au bar, Youcef se heurta à un homme corpulent vêtu de bleu marine, escorté d'un couple qui se tenait par le bras.

— Mais c'est mademoiselle Meriem ! s'exclama Saïd Youcef.

Il avait pris sur lui de tutoyer Benboulaïf mais, mis

305

brusquement en présence de Meriem, il n'avait pu s'empêcher de voir en elle « la fille du patron ».

— Il y a des manifestations anti-françaises à Tunis, estce que vous croyez...

Saïd Youcef ne permit pas à Benboulaïf de restaurer le vouvoiement. Il l'interrompit :

— Tu vois qu'avant-hier je t'avais bien renseigné. Ta croisière, elle a été décommandée.

— Oui, oui, tu avais raison... mais je m'inquiète pour ma fille et mon gendre. Des manifestations anti-françaises...

— Oh ! ce n'est pas bien méchant ! et ça vise surtout les militaires.

Il s'inclina devant Meriem.

— Et tous mes vœux de bonheur, chère amie.

— Allô ! Allô !... Non, Babylone 19-22.

Desaix criait à cause de la largeur de la Méditerranée. Il lançait sa voix de toutes ses forces pour qu'elle parvînt à Paris. Bachir, discrètement, referma son livre de comptes et, sur la pointe des pieds, quitta le bureau. Pour crier plus fort, Desaix s'était levé. Appuyé au classeur, un pied sur son fauteuil, il tenait vigoureusement l'appareil téléphonique, comme il eût tenu un marteau.

— Vous l'avez, glapit une standardiste. Parlez, parlez donc !

— L'hôtel Cayré ?

Une voix faible, pareille à celle d'un vieillard, murmura :

— Oui, monsieur, qui demandez-vous ?

— Madame Desaix.

— Voulez-vous ne pas quitter.

— Vous parlez ? hurla une autre standardiste à l'accent méridional.

— C'est toi ?

— Oui, bonjour ! tonitrua Desaix. Comment vas-tu ?

— Dis donc, ça va mal.

— Tu es malade ?

— Non, les événements.

— Quoi ?

— Les événements.

— C'est épatant, hein ? On est fous de joie !

— Mais Kléber, ici, tout le monde dit que c'est une catastrophe.

— J'en voudrais tous les jours des catastrophes pareilles !
Ça a drôlement regonflé les musulmans. Ils finissaient par
croire qu'on avait peur de Bourguiba, que Bourguiba était
plus fort que nous.

— Mais sur le plan international ?

— Quoi ?

— Vous parlez ?

— Vous l'entendez bien que nous parlons !... Allô... Allô,
Bernadette ?

Dans sa petite chambre aux murs coquille d'œuf, Bernadette écoutait les « allô » se croiser, assise sur son lit, en
chemise de nuit. Jean, moulée d'un petit tailleur tabac,
regardait, de la fenêtre, la pluie tomber sur le boulevard
Raspail.

— Allô ? dit enfin Bernadette. Oui... mais qu'est-ce que
tu veux, à Paris, les gens que je vois sont à bloc contre l'histoire de Sakiet... Oui, c'est bien possible. Mais naturellement
que je vais rentrer !... Oui, je vais demander une place d'avion
pour la fin de la semaine... Oui, ou au début de la semaine
prochaine... Non, je paierai par chèque.

Dès qu'elle eut raccroché, Bernadette se dirigea vers la
salle de bains d'un air maussade. Jean l'entendit pénétrer,
avec un clapotis rageur, dans la baignoire.

— Si je comprends bien, lança Jean, ton mari est fier
comme Artaban parce que l'aviation française a bousillé des
mômes et ratatiné une école.

— La barbe ! répondit Bernadette. Ne t'en mêle pas ! je
pensais justement que si je n'étais pas depuis un mois en
France, si j'étais là-bas, j'approuverais Sakiet. C'est ça qui
est démoralisant. Tu aurais épousé Kléber et vécu en Algérie,
ton opinion serait exactement l'inverse de ce qu'elle est. Moi
de même, si je vivais à Paris et avec Nahon. Quand on réalise ça, mon vieux, on n'a plus envie d'avoir la moindre
opinion.

Jean, adossée à la fenêtre, réfléchit un moment avant de
répondre :

— Ton raisonnement ne tient pas debout, parce que figure-toi que moi, je n'aurais jamais pu épouser Kléber.

307

— Mais si, mais si, bougonna Bernadette en réapparaissant, les pieds mouillés, enveloppée d'un peignoir. Si les circonstances s'y étaient prêtées, tu as beau considérer que Kléber est une cloche, tu aurais très bien pu te retrouver mariée avec lui — et fermière dans le Sersou. Moi, je suis plus lucide que toi. Nahon me débecte et je peux très bien imaginer que je suis sa maîtresse depuis deux ans.

— Pour donner le change, articula Jean d'une voix tremblante, tu es très forte. Le malheur, c'est que Nahon m'a tout dit. Samedi. En rentrant de chez Clotilde.

Nue devant la glace de l'armoire, Bernadette attachait son soutien-gorge. Lourdement campée sur ses jambes écartées, la tête rejetée en arrière, les deux mains jointes entre les omoplates, les seins soulevés, la bouche crispée par l'effort, elle ressemblait à une jeune suppliciée. Elle lâcha brusquement prise pour se retourner vers Jean. Elle avait rougi jusqu'au cou.

— S'il te l'a vraiment dit, il me débecte encore plus.

Jean avait retrouvé son calme. Elle contourna son amie, saisit les deux extrémités du soutien-gorge et le boutonna elle-même en observant :

— Que tu me trompes avec lui, d'accord, mais laisse-moi le privilège d'en dire du mal moi-même. S'il m'a tout raconté, je ne crois pas que ce soit par méchanceté. Il aime les scènes. Il a espéré que je lui en ferais une.

— Possible. Il en a attendu une de moi quand on s'est quittés à Monte-Carlo. Je l'ai déçu.

— A propos de quoi voulait-il que tu lui fasses une scène ?

— En me quittant, il m'a fait des aveux. Parce que pour m'avoir, il m'a raconté qu'entre lui et toi, c'était pratiquement fini, et je l'avais cru. Donc, il est venu me dire le contraire en feignant d'avoir des remords de son mensonge. Ce gars-là, c'est le Tartuffe de l'amour ! Il s'accusait. Il se mettait plus bas que terre. Je l'y ai laissé, moi, plus bas que terre, ça je te garantis... Alors il a commencé tout un cirque : lui, te quittait, moi, je divorçais, et nous partions ensemble je ne sais où. Sans y croire une seule seconde ! Ce qu'il voulait, c'est que je pleure. Je crois même qu'il aurait pleuré avec plaisir. Comme ça a loupé, il a remis ça avec toi en rentrant.

Rêveuse, avec un demi-sourire, Jean regardait Bernadette peiner de nouveau pour s'introduire dans sa gaine. Les cuisses jointes étroitement, de biais, comme une baigneuse surprise, elle tirait sur la gaine qui, avant de lui emprisonner la croupe, résista, soulevant et écrasant les vastes fesses.

— Tu as été satisfaite de ses services ?

— Les détails, il a dû se charger de te les donner.

— Et si j'ai envie de comparer ? Ecoute, je veux bien faire semblant de trouver que cette histoire est drôle, mais donne-moi un coup de main alors, au lieu de te renfermer dans ta dignité.

— Ma dignité ! soupira Bernadette qui, enfin emprisonnée par sa gaine, se redressa avec un mouvement heureux du corps qui contrastait avec l'expression de son visage. Je suis surtout furieuse de t'avoir fait de la peine, Jean.

Et elle embrassa au vol son amie sur la joue.

— Parfaitement ! Je mérite qu'on m'embrasse, qu'on me console. Et toi, tu mérites une volée.

Gaiement, Jean avait empoigné Bernadette qu'elle bourra de petits coups de poings jusqu'à ce que la jeune femme se laissât tomber sur le lit.

— Nahon, je le comprends ! s'exclama Jean avec attendrissement en contemplant la peau claire et pleine que soulignaient la gaine et le soutien-gorge noirs. On a des envies d'être garçon rien que pour te rentrer dedans. Ce salaud de Pierre ! Il a eu le toupet de venir me dire que tu étais la fille la plus femelle qu'il ait jamais rencontrée. J'ai très bien compris. C'est l'impression que tu m'as toujours donnée. Devant toi je me sens à moitié garçon. Sale petite femelle !

Jean avait donné une griffe légère à Bernadette qui retint sa main au passage et y déposa un baiser.

— C'est drôle, observa-t-elle avec sérieux, quand tu es venue dans le Sersou, on ne s'entendait plus. Et nous voilà de nouveau amies comme cochons parce que j'ai fait l'idiote avec Nahon.

— Raconte.

— Ecoute ! tu peux imaginer ça toute seule, non ?

— Je ne fais que ça : imaginer. Depuis hier je vous vois aux prises tous les deux. C'est marrant, d'habitude je n'ai aucune imagination visuelle.

— Oh ! là ! là ! tu sais comment je suis faite, comment il est fait. Ce n'est pas sorcier !

— Il s'est vaillamment comporté ?

Ce fut en fouillant dans la penderie, le nez dans ses robes, que Bernadette répondit :

— Le plus fort, c'est que si je te disais que non, tu serais déçue. Au fond, tu tiens à ce que ton Jules m'ait fait bonne impression.

— Exactement. Mais n'oublie pas que s'il t'a fait trop bonne impression, je peux aussi m'offrir une crise de nerfs.

— Je mets celle-là, hein ?

C'était une robe de jersey noire qu'elles avaient achetée ensemble la veille. Jean acquiesça, et, tout en aidant son amie à l'enfiler :

— C'est pour ça que tu étais si désagréable tout à l'heure avec ton mari ?

— Quoi, pour ça ?

— Parce que tu t'es offert Nahon ? Moi, c'est assez mon genre. Dans ces cas-là c'est à l'autre, la pauvre victime, que j'en veux.

— C'est plus compliqué. Ce qui me perturbe, c'est d'être tellement dépendante. Si Desaix ne m'avait pas quittée, je n'aurais pas subi le charme de Nahon et j'aurais considéré le bombardement de Sakiet sous un autre angle. Ça doit être sur ce plan-là que je suis femelle. Les opinions de Nahon sur l'Algérie n'ont pris d'empire sur moi que parce que son corps a commandé le mien... Pardon de te dire ça. Alors, ça m'agace de penser que même en politique je ne suis que le reflet d'un homme. Tu te rappelles l'époque Bossac ?

Jean avait pris un air perplexe.

— Moi aussi je subis un peu ça... moins que toi. Avec Nahon, je m'engueule sur tous les sujets. Mais quand même, s'il discute avec quelqu'un je souhaite toujours qu'il ait raison. Tu crois que nous sommes des animaux incomplets ? Nous n'avons pas d'âme, peut-être ?

Elles rirent. Elles protestaient contre leur condition mais s'en accommodaient fort bien.

— Entrez, cria Jean.

Nahon entra, vêtu de bleu sombre et de noir, l'œil également sombre. Bernadette, qui était en train d'attacher ses bas, se détourna pour rabattre sa robe.

— Ah ! non ! s'exclama Jean. Pas de simagrées entre vous parce que je suis là. Après vos horreurs de Monte-Carlo, épargnez-moi ce genre de comédie !

Le ton voulait être désinvolte, mais la colère perçait. Bernadette, conciliante, finit d'attacher son bas, mais les yeux baissés. Quand elle les releva, elle constata que Nahon était beaucoup plus confus qu'elle. Les bras ballants, le dos voûté, il essayait de leur faire les yeux doux à toutes deux, ce qui lui donnait l'air de loucher. Alors, ensemble, elles se remirent à rire. Leurs rires s'épaulèrent. Ils devinrent fous rires. La mine chagrine de Nahon entretenait leur hilarité qui, pendant une minute, leur conféra une supériorité écrasante sur le jeune homme. Pourtant elles rirent un peu trop longtemps, se fiant à l'élan acquis. Et leurs derniers éclats, dépourvus de conviction, furent ceux de fillettes niaises au bord de la crise de nerfs.

— Suffit, ordonna Nahon en s'asseyant et en croisant les jambes avec autorité. Vous vous êtes payé ma tête. Maintenant on peut passer au chapitre suivant. Ce matin Hanau m'a téléphoné de lui-même.

— Hanau ! Tiens, il m'était sorti de l'esprit celui-là, dit Bernadette.

Elles se regardèrent, et une nouvelle amorce de rires passa sur leurs visages.

— Ah ! non ! Vous n'allez pas recommencer ! Vous êtes réellement idiotes toutes les deux. C'est pourtant intéressant ce que je vous raconte ?

— Qu'est-ce que tu nous racontes ? questionna Jean.

— D'abord, Hanau m'a donné en exclusivité le texte du télégramme qu'il a expédié ce matin au maire tunisien de Sakiet. Il avait d'abord pensé l'envoyer à Bourguiba lui-même, ou à l'ambassadeur de Tunisie. Mais le maire, c'est beaucoup mieux, c'est une trouvaille.

— Vous êtes sûr qu'il y a un maire à Sakiet ? demanda Bernadette. Vous savez comment il s'appelle ?

— Aucune importance. L'effet international de ce télégramme sera considérable. Mais Hanau ne s'en tient pas là. Il a eu un long entretien avec Béverier à propos de Sakiet. Quelque chose de beaucoup plus poussé que ce qui s'est dit chez Clotilde.

— Tout de même, intervint Bernadette, Béverier, au fond, c'est le type qui rêverait de faire fusiller Hanau.

— C'est ce qui vous trompe, ma belle. Béverier, pour un militaire, n'est pas si mal que ça. Il a été la victime d'un milieu, mais il a su garder une disposition au libre examen qui m'a surpris moi-même. A Tolone, quand j'ai fait se rencontrer mon Hanau avec lui, ça a bien accroché tous les deux. Alors, ce que nous envisageons maintenant, c'est de mettre debout un dialogue enregistré entre Hanau et le capitaine — un capitaine tout droit venu d'Algérie, ça aura de la gueule. Je suis sûr d'avoir mes deux bonshommes sous la main puisque Béverier demande une affectation dans la région parisienne.

— Béverier lâche l'Algérie ? Non ! s'exclama Bernadette.

— Vous êtes déçue ? demande Nahon.

— Oui.

— Vous pensiez qu'il passerait sa vie à vous faire la cour dans le Sersou ?

— Non, je croyais que ce qu'il faisait là-bas l'intéressait.

Nahon s'aperçut que, depuis quelques instants, Jean ne suivait plus la conversation. Assise, elle regardait par terre d'un air abruti.

— Qu'est-ce que tu as ?

— Je veux dire deux mots à Bernadette. Va-t'en. On te rattrapera dans l'escalier.

Inquiet, il se garda d'insister et disparut.

— Ça t'embête que je déjeune avec vous deux, c'est ça, hein ? interrogea Bernadette.

— Absolument pas. Mais je me pose une question : est-ce que j'aime Pierre ? Toi, qu'est-ce que tu en penses ?

Bernadette gagna du temps en décrochant son manteau, puis :

— Oh ! je crois que tu l'aimes...

— Et que j'ai tort ? Mais la question n'est pas là. La question, c'est que si je ne l'aime pas ma vie ne rime à rien. Tu comprends, je me réveille la nuit quelquefois en me demandant : mais est-ce que je l'aime ?

— Je suis sûre que oui.

Elles franchirent la porte et, posément, Bernadette donna un tour de clef. Puis elle s'arrêta, le nez au plafond.

— Tu penses à quoi ? demanda Jean avec inquiétude.
— A rien... à Béverier.

*
**

A la même heure, avenue Victor-Hugo, le bureau de maître Biaggi, si vaste qu'il fût, se remplissait de fumée de cigarettes. Une demi-douzaine d'hommes étaient réunis autour du secrétaire Louis XV. Biaggi, qui les considérait derrière ses larges lunettes, observa :

— A quelques jours près, c'est il y a un an que nous avons tenu notre première réunion importante ici. De sorte qu'en vous attendant, je ne pouvais m'empêcher d'esquisser le bilan de nos activités d'une année.

— Il est positif, mon cher Maître, ou négatif, votre bilan ? s'enquit le colonel de Bordesoule.

Il y eut un bref silence pendant lequel les conjurés entendirent le roulement des voitures le long de l'avenue Victor-Hugo.

— Ni l'un, ni l'autre, dit enfin Biaggi. Notre affaire a un petit côté vaseux tel, que, selon l'humeur, il nous est permis de nous considérer soit comme de grands chefs, soit comme d'aimables amateurs.

— Pourtant il est indéniable... commença Bordesoule.

— Mon cher colonel, coupa Biaggi, je vous vois venir. A juste titre vous êtes satisfait des progrès obtenus dans votre secteur.

Ce ne fut pas Bordesoule qui répondit, mais le colonel Tomazo, comme lui en civil encore que son nez de cuir trahît de loin son identité.

— En ce qui concerne Alger, je parle de la ville d'Alger, et de la ville d'Alger à tous les points de vue, le bilan est sacrément positif !

Un personnage vêtu de noir, au corps rond, au visage rond renforcé par de rondes lunettes, mais dont la rondeur était percée, comme d'une flèche, par une longue cicatrice, renchérit :

— J'en reviens. Ça va. J'ai eu une dizaine d'entretiens d'abord avec Arnould, puis dans les milieux d'anciens combattants. J'ai pris la parole, au nom du Canac, en petit comité. Mon impression a été excellente. Soustelle m'avait

donné quelques adresses importantes. J'ai pris les contacts.
Je n'ai constaté aucune réticence mais, au contraire, une bonne
volonté que nous n'aurions pu espérer l'année dernière.

— Je vous certifie, appuya Tomazo, que quatre-vingt-dix
pour cent des U.T. d'Alger ont maintenant, sinon des vues
politiques exactes, du moins confiance dans nos mots d'ordre.
Le moment venu, ils nous suivront.

Bordesoule promena une main dans les airs avec une virtuosité de prélat.

— La situation, dit-il, se présente sous des auspices favorables. Le travail accompli par notre ami Delebecque, à la
tête de l'antenne de Chaban-Delmas, a porté ses fruits. Je
m'en réjouis d'autant plus que j'y ai contribué dans une
modeste part. Nous avons, sur Alger-Sahel, un groupe d'officiers supérieurs et généraux sur lesquels nous pouvons
compter.

— Laissez-moi rire, coupa Biaggi. Les militaires, je les
connais ! En parole, ils bouffent le régime, en fait, ils ont
une sainte trouille des autorités civiles. Ils finissent toujours
par se mettre au garde-à-vous, c'est automatique chez eux.
Je ne dis pas ça pour les militaires présents ici, naturellement.

— Ecoute, Biaggi, intervint Sanguinetti, j'ai été quelque
peu militaire. Dans ma famille, on a un tantinet porté l'uniforme. Eh bien, je te certifie que pour balayer ce régime
pourri, et sauver l'Algérie, tu trouveras des capitaines à la
pelle !

— Des capitaines, oui, répliqua Biaggi, mais je n'en ai
rien à foutre ! C'est des généraux qui m'intéressent, et quelques colonels à la rigueur. Vous me diriez que vous avez...

— Mais nous avons des généraux !

— ... en retraite, ça oui, nous en avons. Certains sont for-
midables mais ils n'apportent que leurs qualités personnelles.
Or, ce qui m'intéresse, moi, dans un général, c'est son autorité fonctionnelle. Vous me diriez que vous avez Salan et
Massu, ou seulement l'un des deux, je serais le premier à
admettre que le tour est joué.

Delebecque, qui était resté les bras croisés, intervint de
tout le poids de ses larges épaules :

— Ni Salan, ni Massu. Mais il nous est permis de penser
que si les masses algéroises passent à l'action, les militaires

ne s'opposeront pas à cette action. Ils ne feront pas tirer sur les foules. Et cela pour une bonne raison : ils sont à peu près d'accord avec elles.

— Ce n'est pas une bonne raison, répliqua Biaggi. Les uns et les autres, relisez donc votre histoire de France. Pour un Bonaparte faisant évacuer le conseil des Cinq-Cents, combien de Boulanger ! Surtout, combien de colonels et de généraux, pieux comme des bénitiers, qui ont accepté, lors de l'affaire des Congrégations, de vider les bonnes sœurs à coups de bottes dans le cul.

— Mon cher, rectifia Delebecque, il n'est pas question de demander à un militaire de prendre la tête du mouvement. Tout ce que nous pouvons attendre, mais cela suffit, c'est qu'ils ne s'opposent pas à ce mouvement. Je crois que nous pouvons compter sur leur inaction dans la mesure où, si les militaires ne veulent pas se mouiller, il ne leur déplaira pas que les civils se déchaînent à leur place. C'est votre avis, colonel ?

— Je précise, dit Bordesoule, qu'un civil qui fout le bordel n'encourt pas de risques très graves, alors qu'en levant le petit doigt, nous autres, nous risquons le conseil de guerre. Mais je suis de l'avis de Delebecque. Les militaires, je ne dis pas tous les militaires, je dis la majorité de ceux qui commandent à Alger, regarderont d'autant plus favorablement s'agiter les civils que, depuis un an, un fait capital a eu lieu, que la Métropole n'a pas enregistré : nous avons gagné une bataille à Alger. De tous les hommes qui, il y a un an, commandaient la « Zone Autonome » et semaient les bombes et les grenades, il n'y en a plus un seul aujourd'hui en liberté. Il y a un an, on pouvait donc se demander si, même avec un gouvernement qui mettrait toute la gomme, la guerre d'Algérie était ou non gagnable. Aujourd'hui, grâce à notre victoire d'Alger, nous la savons gagnable. C'est au point qu'à Alger même les musulmans qui en ont marre, et qui veulent la paix, sauteraient sur une occasion de basculer de notre côté. L'Armée le sait. Donc, l'Armée enrage. Donc, l'Armée laissera faire des civils en bagarre contre le régime.

— Au fond, résuma Sanguinetti, l'inaction nous est aussi utile que l'action. Que demandons-nous ? que le peuple d'Al-

ger se lève, que les militaires ne s'y opposent pas, et que la
Métropole reste tranquille.

— A Paris, exposa Biaggi, je fais le zèbre pour détourner l'attention sur moi, mais je me renseigne. La température est bonne. J'ai un rapport sur la police : elle est anti-
parlementaire à bloc. Je connais de petits jeunes gens qui
font lire *Le Courrier de la Colère* à droite et à gauche.
Il y a quelques mois, ça ne prenait pas. Depuis plusieurs
semaines, les gens choisis comme cobayes, d'opinions et de
milieux différents, lisent avec intérêt la prose de notre ami
Debré. Pourtant, Dieu sait si elle est violente ! Il accuse le
gouvernement de vouloir négocier avec le F.L.N., de trahir
les intérêts du pays, de préparer l'abandon de l'Algérie. Il
prône la désobéissance du citoyen à l'égard d'un gouvernement qui se placerait dans l'illégalité en liquidant un morceau de territoire français... Eh bien, cette violence ne
choque plus personne. Notre ami Blocq-Mascart a recueilli
des propos à peine plus nuancés dans des milieux habituellement officiels jusqu'au bout des ongles, ceux du Conseil
d'Etat et de l'Inspection des Finances. Bref, la désaffection
à l'égard du régime est totale. J'irai plus loin : ni le parti
communiste, ni les syndicats ne pourraient réunir une force
suffisante pour s'opposer à un changement de régime. Tout
le monde en a marre. Tout le monde en a marre, mais personne ne fera rien. Personne ne fera rien, mais tout le
monde laissera faire.

— Nous sommes donc d'accord, constata Bordesoule, sur
l'analyse de la situation. Il ne reste plus qu'à...

— ... qu'à provoquer l'étincelle ! lança Sanguinetti.

— La provoquer, corrigea Delebecque, ou l'attendre ?
Car dites-vous bien qu'elle va fatalement se produire. Ce
gouvernement qui ne sait ni faire la guerre, ni faire la
paix, ne peut manquer de commettre, dans les mois qui
viennent, un impair qui mettra le feu aux poudres. Déjà,
il se dégonfle sur Sakiet. Il se prépare à laisser les Américains arbitrer le différend tunisien. Il glisse sur la pente
de l'internationalisation. Faisons-lui confiance pour esquisser
les premiers pas d'un ballet de l'abandon qui fera bondir
les Algériens.

Biaggi se leva. Le reflet de ses lunettes se dirigea vers
le colonel de Bordesoule.

316

— Et Lacoste ?

— Il commence à s'inquiéter sérieusement. Il a peur d'un Dien-Bien-Phu diplomatique. Il sent parfaitement que le gouvernement Gaillard réprouve l'action de l'armée à Sakiet et qu'il est prêt à cafouiller dans les grandes largeurs. Il sait aussi qu'Alger bougera. Il attend...

***

La lampe de bureau faisait reluire du même éclat l'un des sept crânes qui était chauve, les quatre paires de lunettes et, dans la bibliothèque, le dos des ouvrages de la Pléiade, bien alignés.

— Alors, si vous le permettez, je vais vous relire le début du Manifeste.

— Oui, allez-y.

Une toux pour s'amincir la voix, et celle-ci reprit sur un ton volontairement sobre, aussi évidemment objectif que la mise en page du *Monde* ouvert sur le bureau :

— Profondément indignés par le bombardement de Sakiet, des professeurs du lycée J... D... tiennent à crier bien haut... etc.

***

Introduit dans une villa crépie de blanc, de style colonial, Roger Stéphane, le nœud papillon bien à l'horizontale, a gravi l'escalier jusqu'au premier étage, attendu devant une baie vitrée à travers laquelle se reflète la mer, puis, après avoir avancé entre des bustes de Bourguiba, il est parvenu jusqu'à l'homme lui-même qui, vêtu d'un complet sombre, véhément, les bras en action, les mains en action, les doigts en action, commente la situation :

— Depuis Sakiet, je n'ai plus confiance... Nous ne pourrons renouer avec la France que quand des hommes dignes de foi, de Gaulle, Catroux, Mendès-France, accéderont au pouvoir avec une vraie majorité.

Stéphane tente, après avoir flétri Sakiet, d'en établir les responsabilités.

— La dernière fois que nous nous sommes vus, Monsieur le Président...

— La dernière fois, nous étions en paix ! C'est un coup en traître que vous nous avez fait.

— Ne nous emballons pas trop ! proteste Stéphane. Vous devez quand même reconnaître que c'était une bien étrange frontière que celle qui permettait au F.L.N. de tirer sur l'Armée française et interdisait à l'Armée française de rendre les coups. Rappelez-vous, lors de notre dernier entretien, je vous avais demandé ce que vous pensiez d'une proposition somme toute équitable, celle de Maurice Schumann, tendant à organiser des patrouilles mixtes de part et d'autre de la frontière.

— Je ne veux plus entendre parler de l'Armée française... crie Bourguiba en se levant, en crispant ses deux mains au-dessus de son visage. C'en est fini de la coopération militaire avec la France ! Je ne veux plus voir de soldats français nulle part en Tunisie, même à Bizerte. Votre Monsieur Gaillard a dit : « Bizerte, c'est la France. » Depuis quand ? Sakiet permettra au moins de clarifier la situation...

— Mais il n'est pas méchant, Monsieur Gaillard !

— Le problème n'est pas de savoir si Monsieur Gaillard est gentil ou méchant. Ce qui est grave, ce n'est pas ce que raconte votre Président, ce n'est pas que Monsieur Tixier-Vignancour veuille coucher, botté, dans mon lit ; ce ne sont pas les propos de Monsieur Isorni. Ce qui est grave, c'est que ni les Français, ni la majorité du Parlement, une majorité faussée d'ailleurs puisqu'on n'y tient pas compte des voix communistes, c'est que tous ces pauvres diables ne veulent pas comprendre la signification des mots !

Les doigts désarticulés, les avant-bras battant à un rythme de jazz, le président Bourguiba fait le tour de son bureau et vient tomber sur un fauteuil de cuir, à un pas de Stéphane.

— Vous avez un génie particulier, vous autres Français, pour donner aux mots une signification décalée. Ce que vous appeliez « Protectorat », c'était la « Colonisation ». Vous vous complaisiez dans l'administration directe au point qu'on aurait eu du mal à voir la différence entre la Tunisie et le Sénégal. Ce que vous avez appelé « l'Autonomie interne », c'était enfin un vrai protectorat. Mais ce que vous appelez « l'Indépendance », ce n'est rien d'autre qu'une autonomie interne.

— Je suis très frappé, Monsieur le Président, par le fait que vous ne parliez plus de coopérer.

— Comment voulez-vous que je croie en la coopération, alors que votre Président du Conseil envisage la reconquête de la Tunisie.

— La reconquête de la Tunisie !

— Parfaitement ! Il est à prévoir que les Américains s'y opposeraient, du moins je l'espère, mais vous avouerez...

— Ce n'est pas sérieux ! Ce ne peut être qu'un bruit sans fondement...

— Sans fondement ? Sans fondement ? Je l'ai lu dans *le Monde*.

Sur son bureau, il cueille un exemplaire du journal et le tend à Stéphane.

— Lisez. Et vous voudriez que j'aie confiance !

***

Le colonel Jasson vira, quitta la route, passa en seconde et reprit de la vitesse dans l'allée qui conduisait à la ferme Desaix. Il avait plu toute la matinée, puis le ciel s'était violemment dégagé n'abandonnant de nuées qu'autour du sommet de l'Ouarsenis et faisant reluire, sous une brusque lumière printanière, les innombrables sillons du Sersou déjà hérissés d'herbes. Le lieutenant Sayat, le remplaçant de Béverier, se tenait assis à côté du colonel ; le chauffeur, son fusil entre les genoux, était installé derrière.

— Le colon que je vais vous montrer, poursuivit Jasson, est assez typique sous bien des rapports. C'est un homme d'instruction moyenne ; il a tout de même été au lycée d'Alger, et il a fait des séjours réguliers en France, ce qui n'est pas si mal, car vous découvrirez, quand vous connaîtrez mieux l'Algérie, que la Métropole, beaucoup de colons l'ignorent, sauf pour avoir fait la campagne de France. C'est un patron qui est assez correct avec ses gaziers, ce qui ne veut pas dire qu'il leur donne une vie décente... D'un autre côté, le Sersou est une terre où un hectare produit quatre fois moins qu'en Métropole, et exige autant de travail... Oh ! c'est compliqué l'économie algérienne, vous ne pourrez pas comprendre ça en une semaine.

Il ralentit, dépassa le perron de la ferme, et sauta à terre suivi de Sayat.

— Le Sersou, reprit-il en montant les marches du perron, est une invention française. Ce n'est peut-être pas une invention géniale. Autrefois, cette terre, couverte aujourd'hui de blé, était une steppe où les nomades du Sud remontaient en transhumance. Leur colère a d'ailleurs été bruyante quand ils ont trouvé leur aire de migration occupée par des Européens. Il y a eu des coups de fusil. Et puis les nomades ont capitulé. Des sédentaires se sont établis. On s'est obstiné à faire pousser du blé et à faire pousser des gens en dépit des impératifs économiques de ce territoire. Résultat : le blé pousse mal, et les gens ne vivent pas comme des Beaucerons.

Ils étaient parvenus dans le vestibule dallé. Le colonel Jasson poussa un soupir. Il venait de répéter le cours que son prédécesseur lui avait fait à son arrivée, deux ans plus tôt : même comparaison entre le Sersou et la Beauce ; même visite à la ferme Desaix. Il accrocha son calot à la même place. Dans quinze jours, il aurait repassé les consignes à un autre colonel qui, en visite, accrocherait son calot ou son képi à cette applique de cuivre. Dans quinze jours, il prendrait son nouveau commandement à Alger. Il avait dit « oui » au colonel de Bordesoule malgré la phrase inquiétante : « Maintenant que Paris nous a gâché Sakiet, tu n'as plus à te poser de problèmes. C'est du simple bon sens que de ne pas défendre jusqu'à la mort les fossoyeurs de la Nation. »

Une servante les aida à retirer leurs trench-coats, leur ouvrit la porte du salon et s'enfuit.

— Desaix, reprit Jasson, est un de ces colons couverts de dettes, ne tenant le coup que grâce aux banques et aux prêts officiels, et à travers tout ça, vivant largement. Il est un de ceux qui s'entendent le mieux avec les musulmans parce que son grand-père, avant de finir sa vie en Kabylie, a dirigé cette ferme avec beaucoup d'ascendant sur les paysans... et aussi parce qu'il a un intendant qui résout ses problèmes...

Entendant un pas dans l'escalier Jasson continua sa phrase en baissant la voix :

— ...un intendant nommé Bachir, qui ménage la chèvre et le chou avec virtuosité. C'est l'intendant qui entretient de bonnes relations avec le F.L.N., bien que sa femme d'ailleurs ait été égorgée par les fellagha, et c'est Desaix qui se charge des relations avec l'Armée et la sous-préfecture — relations qui demeurent bonnes dans la mesure où nous fermons les yeux sur les activités de l'intendant. Je vous signale à ce propos que Béverier, l'officier qui vous précédait, était un O.R. un peu trop pointilleux. Par exemple, il a toujours cherché à mettre en cause les rapports indirects de Desaix et de l'O.P.A. du secteur. Nous avons suffisamment d'histoires sérieuses sur le dos pour que vous ne perdiez pas votre temps à...

— Bonjour, colonel, dit Bernadette en entrant.

Elle portait un petit tailleur prune et était chaussée de bottillons de cuir noir à grosses semelles.

Les deux officiers s'étaient levés. Jasson présenta Sayat. La jeune femme se mit à rire.

— Je suis comme les enfants, expliqua-t-elle. Ou plutôt, quand j'étais enfant je...

Elle s'embarrassa dans sa phrase, rougit, et acheva :

— Quand un de nos professeurs était remplacé par un autre, je n'en revenais pas. Je m'étonnais toujours que la même fonction puisse être exercée par deux personnes si différentes. Alors, en vous voyant, et pensant au lieutenant Béverier...

Le colonel admit sans peine que Sayat, joufflu, blond, haut de un mètre quatre-vingt-quinze, paisible, était le négatif de Béverier.

Dès que la servante eut ouvert le coffret à liqueurs, Bernadette les servit en annonçant qu'elle partait en quête de son mari qui devait être occupé à surveiller la paye. A peine se fut-elle esquivée que Sayat observa :

— Elle n'est pas mal !

— En cela non plus, n'imitez pas Béverier. Il en était tombé amoureux. Il faut, dans la mesure du possible, éviter de compliquer les relations entre l'Armée et les Pieds-Noirs.

Bernadette qui s'était attardée dans l'entrée pour enfiler un imperméable, avait entendu les deux répliques. Elle demeura quelques secondes immobile, l'œil rêveur, poussa un soupir et dévala le perron. D'un pas que facilitait l'épaisseur de ses bottillons, elle coupa la cour en enjambant les flaques d'eau. Elle allait contourner les communs quand un contremaître courut vers elle, lui tendit le courrier. Elle examina les enveloppes : les deux premières, destinées à Kléber, émanaient l'une de la D.R.S. (Défense et Restauration des Sols), l'autre des assurances sociales agricoles, mais la troisième la fit tressaillir. Elle allait l'ouvrir quand elle aperçut Kléber qui venait à elle tout en parlant avec Bachir. Précipitamment elle enfouit l'enveloppe dans la poche de son imperméable et tendit les autres à son mari en lui annonçant la présence du colonel. Desaix gravit le perron quatre à quatre et déboucha dans le salon.

La présentation terminée, le colonel Jasson entra sans détour dans le vif du sujet.

— J'étais en train d'assurer au lieutenant Sayat, d'abord qu'il trouverait auprès de vous le meilleur accueil...

— C'est tout naturel ! s'exclama Desaix.

— Oh ! non, prononça calmement Sayat. Je ne suis affecté en Algérie que depuis trois mois, mais je vous jure que les colons ne m'ont pas gâté. La semaine dernière, j'étais allé en intervention dans le Sud, eh bien, le gars dont nous défendions la ferme nous a vendu l'eau !...

— Vous auriez voulu qu'il se jette à vos pieds, ivre de reconnaissance ? gronda Desaix.

— Ma foi, oui. Et c'était également l'avis des soldats du Contingent.

— Mettez-vous dans la tête, poursuivit Desaix avec une sourde colère, que quand les Métropolitains restaient les pieds dans leurs chaussons, nous avons débarqué, sans faire d'histoires, de l'Italie au Danube, de Marseille à Strasbourg. Ce gars considérait sans doute comme aussi naturelle que la sienne l'aide que vous lui apportiez, figurez-vous.

— Le lieutenant Sayat est ici pour longtemps, coupa Jasson avec un sourire conciliateur, vous aurez tout le temps de vous disputer. Ce que j'ai également assuré à Sayat, c'est qu'il trouverait en vous un informateur précieux en ce qui concerne l'état d'esprit des populations musulmanes. Pour lui en fournir la preuve, je vous interviewe au débotté : que pensent les gens en ce moment ?

— Ça ne va pas bien, mon colonel. Je veux dire qu'en quinze jours la situation a empiré. Remarquez, il y a quinze jours, elle était particulièrement bonne, de sorte que malgré sa détérioration on peut la tenir pour meilleure que l'année dernière.

— Que disent les gens ?

— Que les Français s'en iront.

— Quels arguments ?

— Ce n'est pas simple ! soupira Desaix. Il y a quinze ou seize mois, ils étaient unanimes : les Français vont partir. Puis ils ont vu que nous mettions la gomme. Les échos de la bataille d'Alger ont retenti jusqu'ici. Vous avez démantelé l'O.P.A. La katiba n'a pas pu vous empêcher de former, à Sidi Omar, un village de ralliés qui tenait sur ses pattes. Alors on s'est dit : si les Français se donnent tout ce mal, c'est qu'ils resteront. Et ils ont penché de notre côté. Puis, il y a trois mois, ils ont commencé à apprendre que, sans mouffeter, les Français se laissaient tirer dessus à partir de la Tunisie. Alors ils ont pensé : si les Français ont peur de Bourguiba, ils finiront par s'en aller. Là-dessus, ils apprennent le bombardement de Sakiet. Ça les a secoués. Du coup, les Français n'avaient plus peur de Bourguiba et du même coup, plus envie de s'en aller. Seulement, depuis une quinzaine, ils ont entendu des émissions à la radio, ils ont lu des journaux ou on leur en a lu, et il leur est apparu que les Français se repentaient de Sakiet, qu'ils faisaient des excuses à Bourguiba, qu'ils lui proposaient de reconstruire la ville à leurs frais, bref, qu'ils demandaient l'aman. Quand ils ont su que la France avait accepté les bons offices de Monsieur Murphy, ils ont cru qu'elle s'en remettait à l'Amérique. Ils se sont mis à guetter l'armée américaine, comme ils avaient guetté autrefois l'armée égyptienne. Voilà exactement où ils en sont. En ce moment, nous sommes à la merci de l'imprévu. Un imprévu favorable, ils basculent de notre côté, défavorable, ils se donnent au F.L.N.

Le ronronnement de la voix de son mari parvenait à Bernadette qui, ayant accroché son imperméable dans l'entrée, en avait sorti furtivement l'enveloppe. D'une traite elle avait lu :

« Ma petite Bernadette,

« Votre lettre était bien imprudente, plus pour vous encore que pour moi. Heureusement, votre écriture est assez « illisible. La sottise de mes geôliers a fait le reste. Bref,

« nul n'a compris quel genre d'aide contraire à la loi vous
« me demandiez.

   « Je peux vous écrire en toute liberté étant, cette nuit,
« sous la protection d'une doctoresse du Service Social qui
« se chargera de vous transmettre ces feuilles où j'ai l'in-
« tention de vous entretenir davantage de moi que de vous.

   « Je vous aime profondément Bernadette, mais vos ennuis
« actuels ne m'intéressent pas outre mesure. Vous êtes allée
« faire la folle sur la Côte d'Azur, tant mieux ou tant pis
« pour vous. Il vous en reste un souvenir que vous jugez
« trop durable. Vous invoquez, pour avoir le droit de l'ef-
« facer, le respect que vous devez à votre mari. Si vous le
« respectiez à ce point, vous ne vous seriez pas permis vos
« irrespectueuses délices de Monte-Carlo. J'admets qu'on
« soit consciencieuse avant. Il me déplaît beaucoup qu'on
« le soit après. Vous avez librement choisi un destin qui
« consistait à mentir à Kléber. Vous pensiez lui mentir légè-
« rement. Vous allez être obligée de mentir pesamment. C'est
« bien fait pour vous, et à mon avis, bien fait pour lui. Je
« ne me plains pas de ce qui m'arrive, ne vous plaignez
« pas de ce qui vous est arrivé et vous arrivera. Bien sûr
« si j'étais libre, je vous rendrais le service que vous atten-
« dez de moi mais je ne le suis pas et ne peux vous re-
« commander à personne. Les seuls médecins que je
« connaisse bien sont mon mari, qui est interné comme moi,
« un de mes anciens amants qui est parti pour Israël, un
« vieux copain qui a sauté sur une mine, et une demi-dou-
« zaine de chirurgiens qui sévissent en Allemagne et en
« Pologne. Je connaissais bien une sage-femme, à Teniet-el-
« Haâd, mais elle a été épinglée par les militaires, une autre
« à Lamartine, elle a fait une névrose et est rentrée en
« Métropole. Donc, aucun espoir de mon côté, ma chère
« enfant. Laissez faire les choses ! C'est un art de savoir
« tomber en douceur. Oubliez que vous avez des os, faites-
« vous toute molle.

   « C'est un peu ce que je fais de mon côté depuis mon
« arrestation. N'embellissons pas : de temps en temps, je
« me raidis, et cela prend la forme d'une crise de nerfs.
« Ce que j'évite, c'est de pleurer. J'en ai marre. Je ne sup-
« porte pas l'idée que, depuis des millénaires, les Justes,
« écrasés par des bottes ineptes, aient répandu tant de

« larmes. Je ne veux plus ajouter les miennes à cet océan,
« à cette lessive.

« Pendant que vous dansiez à Monte-Carlo, figurez-vous
« qu'en jeep découverte, par un vent glacé, je me faisais
« transbahuter de Vialar à Teniet-el-Haâd. Le lendemain,
« Affreville. Quelques heures à l'hôpital, je ne sais pas
« pourquoi, puis un parcours en camion avec des musul-
« mans qui ne parlaient guère le français. A la nuit nous
« sommes arrivés devant une ancienne ferme appelée, si
« je comprends bien, le « Haouch Godot ». Des paras ont
« ouvert la bâche du camion et, sous la pluie, j'ai été
« parquée avec mes camarades dans un terrain vague en-
« touré de barbelés et surmonté d'un mirador. On est venu
« me tirer de là sans doute parce que j'étais la seule
« femme. On m'a jetée dans une des cuves qui occupent une
« bâtisse en briques attenant au corps de la ferme. Elles
« sentent encore le vin. On y pénètre par un goulot large
« d'un mètre. On y vit à six ou sept, entassés, une corde
« passée autour des épaules. C'est en tirant sur la corde
« qu'on vous en fait sortir. Des créatures étaient là depuis
« plusieurs jours. On m'a sortie de ma cuve au bout d'une
« heure ou deux, sans doute encore parce que j'étais une
« femme. Le jour se levait quand on m'a conduite dans
« une grande salle cimentée, située dans le corps de bâti-
« ment principal. Je n'ai eu qu'à regarder autour de moi
« pour constater que la panoplie de la Pacification était
« réunie là au grand complet. Il y avait « La Gégenne »
« également surnommée « La Télé » ou « Le Loup », mo-
« deste moteur électrique dont vous devinez les effets. Il
« y avait un bac pour remplacer la classique baignoire.
« Quand je suis arrivée un jeune homme dont le corps
« était nu et beau était suspendu au-dessus du bac par
« un bâton auquel il était ligoté. Les extrémités du bâton
« reposaient sur les bords du bac et quand le sergent qui
« dirigeait l'opération en décidait ainsi le bâton tournait
« et la tête du jeune homme plongeait. Nouvelle rotation,
« la tête sortait. En reprenant sa respiration il hurlait. « Ce
« qu'il est gueulard » ai-je entendu le sergent observer avec
« une certaine admiration.

« Vous me suivez, ma petite Bernadette ? La salle m'a
« fait penser à l'une de ces gravures de livres scolaires à

« l'usage des petites classes où l'on voit, dans le même
« décor, des travailleurs s'adonner à des tâches diverses :
« le laboureur, le charpentier, le maçon. En effet, sur une
« grande table de cuisine un homme était étendu, cepen-
« dant qu'un soldat tournait « La Gégenne » de plus en
« plus vite. On lui plaçait des pinces tantôt aux oreilles,
« tantôt aux parties sexuelles. Celui-ci parlait. En arabe.
« Un musulman traduisait. Ses discours ont dû plaire car
« on l'a délivré, rhabillé et emporté après lui avoir fait
« boire du café. Le plus fort, c'est qu'accroupie sur le ci-
« ment, j'ai dû avoir la force de m'endormir. Quand on m'a
« éveillée j'étais seule avec mes bourreaux. On m'a priée
« de me déshabiller. Je portais la jupe de tweed que vous
« m'aviez offerte. Si vous la voyiez cette pauvre jupe ! Elle
« est dégoûtante. Je l'ai toujours d'ailleurs. Elle a gardé,
« de son passage dans la cuve, un parfum de vinasse inalté-
« rable. Une fois nue, je me suis fait dire que je n'étais
« pas jolie, jolie, que ce n'était pas tellement drôle d'avoir
« à travailler une chèvre de mon espèce. Ils m'ont raconté
« qu'ils avaient un Sénégalais pour distraire les captives,
« mais que ce Sénégalais, hélas ! me trouverait probable-
« ment trop moche. Puis ils m'ont attachée sur la table
« en prenant soin de me glisser des chiffons mouillés sous
« les bras, le ventre et les cuisses. Etait-ce une mise en
« scène ? Y a-t-il eu un contrordre ? On m'a déliée et or-
« donné de me rhabiller. Il faisait grand jour quand on
« m'a fait entrer dans un bureau où un civil m'a assuré
« que je n'avais à répondre qu'à peu de questions et que
« mon cas serait réglé par un internement. C'est ainsi que
« le lendemain, après un voyage en remorque, je me suis
« retrouvée dans un camp, le camp Sekrem, à trente ki-
« lomètres de Boghari, au début de la steppe. En cours de
« route, le convoi s'est arrêté dans les gorges de la Chiffa,
« et les automitrailleuses qui nous entouraient ont tiré.
« Je ne sais pas si l'A.L.N. n'avait pas essayé de nous déli-
« vrer. A Sekrem, on nous a fait descendre en nous bouscu-
« lant et défiler, à la queue leu leu, entre des tentes. Après
« m'avoir remis une gamelle et une couverture, on m'a
« dirigée sur une tente de femmes. Le vent qui racle cette
« steppe tournoyait à travers notre tente aux nombreux trous
« irréparables. Je m'arrête. J'ai peur de vous ennuyer avec

« des ennuis qui ressemblent si peu aux vôtres. Sachez seu-
« lement que depuis quelques jours on m'emploie de nou-
« veau comme médecin, que j'habite dans une maison « en
« dur », que ça va mieux, et que vous pouvez m'envoyer
« des colis. J'ai besoin de dessous, de pulls, de grosses
« chaussures plates (38), et de victuailles riches en calories.
    « Ma consolation, c'est que le mal que me font et me
« feront les Français je le leur ai souhaité, je le leur sou-
« haite et, lorsque j'étais encore libre à Vialar, je me suis
« employée à le leur faire. Voilà une déclaration propre
« à vous faire frissonner d'horreur. J'aime que vous frisson-
« niez d'horreur, ma chère Bernadette, et me suis d'ailleurs
« toujours employée à vous déconcerter. Rappelez-moi au
« souvenir de votre mari qui va être si heureux, d'ici quel-
« ques mois, de prolonger, grâce à vos incartades monégas-
« ques, la lignée de Pieds-Noirs qui, depuis cent vingt ans,
« répand sur le Maghreb les bienfaits de la Civilisation
« française. Je vous embrasse bien quand même. »

Bernadette demeurait plantée au milieu du hall dont
elle considérait le damier noir et blanc d'un air inexpressif.
Elle tenait encore la lettre à la main. Dans le salon, les
hommes parlaient avec des voix assurées et cassantes. Dehors, un coq chanta. Au premier étage, Zobida, tout en
astiquant, fredonnait une mélopée.
    Les trois hommes, en sortant du salon, furent également
surpris par l'attitude de Bernadette qui les fixait avec des
yeux vides. Elle se décida enfin à tendre la main aux officiers que Kléber accompagna jusqu'à leur voiture. Dès qu'elle fut seule elle reprit vie, courut à la cuisine, plongea la
lettre dans la poubelle sous des épluchures de carottes. Puis
elle feignit de s'intéresser à un ragoût, de sorte que Kléber
la trouva, le couvercle d'une cocotte à la main, occupée à
touiller avec une cuiller de bois.
    — Qu'est-ce qui t'a pris ? demanda-t-il.
    — Pourquoi ?
    — Tu nous regardais comme des fantômes. Qu'est-ce que
c'était, cette lettre que tu tenais ?
    Elle s'entendit répondre :
    — Oh ! rien... une convocation de l'assistante sociale
pour une réunion de femmes à Vialar.

Ils eurent le temps de traverser le couloir, le hall et d'entrer dans la salle à manger avant que Bernadette ne rougît.

— Il n'a pas l'air trop mal, disait Kléber, ce *nouveau lieutenant...*

— Ecoute... prononça-t-elle, j'ai quelque chose à te dire.

Il pivota, la regarda d'un air interrogateur. Il attendit, puis :

— Qu'est-ce que c'est ?

— Rien...

La petite Djemila se tenait à l'entrée de la salle à manger.

— Ça y est, dit-elle, j'ai terminé la paye.

— Tout a collé ?

— Il y a Seghir Benahmed et Kouider Djlhimoud qui ont fait la chicaya. Alors Bachir les verra cet après-midi.

— Okay, dit Desaix.

Djemila portait une robe rouge qui avait appartenu à Bernadette et que celle-ci l'avait aidée à retailler pour l'accommoder à son frêle corps d'adolescente. Ses bas rouges, à la mode, étaient un cadeau que Bernadette lui avait rapporté de France trois semaines plus tôt. Elle lui avait aussi offert une séance chez le coiffeur de Vialar, un juif marocain qui avait fui Rabat et coupait « dans le style parisien ». Surtout, Bernadette avait offert à sa protégée un toit. A peine arrivée, elle avait obtenu de Desaix que cette fille, la gloire de Sidi Omar puisqu'en un an elle y avait appris à lire, écrire, compter, coudre et cuisiner, ne fût pas, ayant été haussée au-dessus d'elle-même, abandonnée au sort commun. Pour éviter que sa famille ne la mariât de force, après l'avoir voilée quelques mois, Bernadette avait demandé à son mari de prendre Djemila à la ferme. Elle rendait des services au bureau, à la cuisine, et tenait compagnie à Bernadette qui poursuivait son instruction avec une patience inattendue. Etre ambigu, Djemila s'efforçait de vivre à la fois dans le respect des lois de sa famille et comme une petite Européenne ; elle obéissait aux exigences du Ramadan commencé depuis quelques jours mais se promenait le visage nu, regardait les hommes aux yeux, rêvait de devenir institutrice ; pour qui l'eût rencontrée chez le coiffeur de Vialar, elle eût pu passer pour une jeune bourgeoise métropolitaine, mais sa famille, à quelques kilomètres, dans la montagne, habitait à Sidi Omar une masure de briques d'une seule pièce et toussait, accroupie autour de l'âtre central ; de même, à la ferme Desaix, tantôt elle mangeait avec la famille de Bachir, tantôt à la cuisine, tantôt à la table de Bernadette et de son mari. Quand Desaix recevait le colonel et ses officiers, elle jouait la jeune fille de la maison avec un succès d'autant plus vif que, pour eux, elle faisait partie du miracle de Sidi Omar, de ce val ras et désert où ils croyaient avoir semé la civilisation et fait naître un bourg durable. En revanche, Desaix avait tendance à escamoter Djemila quand il recevait un voisin. Malgré cette précaution, la présence de la jeune musulmane avait provoqué d'infinis ragots dans les fermes de la région. On disait : « Les Desaix se bounioulisent. »

Comme le pas de Djemila s'éloignait, Desaix croyant que Bernadette s'était interrompue à cause de la venue de la jeune fille répéta :

— Qu'est-ce que tu as à me dire ?

— Rien.

Et elle s'assit.

QUATRIÈME PARTIE

LE BARRAGE

— Alors, où en sommes-nous ? demanda Hanau.

Nahon leva un sourcil interrogateur.

En traversant Paris pour se rendre chez l'écrivain il était passé sous les marronniers du Cours-la-Reine qui lui avaient tiré des langues vertes, veloutées, toutes fraîches, potelées comme un doigt resté longtemps dans l'eau. Le printemps lui plaisait d'autant mieux qu'il étrennait un complet d'un beau gris rare, et un polo neuf, bleu, dont les deux boutons supérieurs n'étaient pas fermés.

— Oh ! répondit-il, rien de sensationnel dans les journaux de ce matin ! Les bons offices piétinent. Le Gouvernement entre en décomposition. L'hypothèse de l'internationalisation se confirme. Dans le *Courrier de la Colère* Debré, plus Algérie française que jamais, se demande comment qualifier Gaillard et Pineau qu'il soupçonne d'être à la veille de négocier. Il pose haineusement la question : sont-ils dupes ou complices ? Bref, dans le clan ennemi, la panique règne.

— Oui, oui, trancha Hanau avec impatience. Je sais. Nous allons vers les négociations. Au fond, Vise-Canisy avait vu clair : Sakiet aura servi à ça par l'horreur qu'il aura

331

inspirée aux honnêtes gens du monde entier. Mais... je voudrais plutôt savoir où nous en sommes de notre travail ?

Sur la table, entre Hanau, Nahon et le capitaine Béverier, des liasses de papiers s'amoncelaient autour d'un magnétophone.

— Ah ! vous voulez que je fasse le point ?

Nahon cueillit une fiche qu'il consulta plusieurs fois pendant qu'il poursuivait :

— Actuellement, l'ouvrage se présente ainsi : d'abord un avertissement que je suis en train de rédiger. Strictement informatif. Je me borne à raconter comment les hasards de ma profession m'ont permis de mettre face à face deux hommes que tout aurait dû séparer : l'écrivain Hanau et le capitaine trois étoiles.

— Oui, coupa Béverier, pas de blague, hein ? J'ai beau être en congé, je ne peux rien publier sous mon nom sans l'assentiment du Ministère.

— On saura que c'est vous, dit Nahon, et on ne pourra pas le prouver. C'est idéal : votre mythe commencera dans cette ambiguïté.

— Bon. Après ?

— Après, je conclus que sans l'avoir voulu j'ai mis face à face le *clerc* et le *chevalier*. Je laisse néanmoins entendre au lecteur qu'au cours des entretiens qui ont suivi, nous nous sommes aperçus qu'il y avait du chevalier dans le clerc et du clerc dans le chevalier.

— Bon. Ensuite, c'est mon introduction ?

— Oui. N'oubliez pas que c'est moi qui en ai le plan. Quand vous vous mettrez à l'écrire, je vous le rendrai, pas avant, j'ai peur que vous ne le perdiez.

Il chercha dans un dossier, en sortit une autre fiche :

— Vous commencerez pas rappeler le texte médiéval sur la discussion du clerc et du chevalier. Puis vous examinez leurs deux figures dans les civilisations occidentale et orientale. Puis vous enchaînez sur le problème de la guerre d'Algérie. Vous rappelez le truc de Bergson « l'instinct seul pourrait répondre aux questions que se pose l'intelligence, mais l'instinct ne se les pose pas... ». Vous citez aussi Husserl, puis vous vous félicitez de la rencontre du chevalier-instinct et du clerc-intelligence, et vous abordez...

— Mais oui, mais oui ! je ne vous ai pas demandé de remonter au déluge. Je souhaite seulement savoir où nous en étions restés la dernière fois !

Encore que le soleil ne pénétrât pas franchement dans la pièce, il illuminait le ciel, les façades de la rue, éclaboussait même la barre d'appui de la fenêtre. « Encore un printemps ! songeait Hanau avec mauvaise humeur. Qu'ai-je à en faire ? » Il avait passé la nuit avec une admiratrice qui n'était ni bien ni mal, dont pas un instant l'étreinte ne lui avait paru nécessaire. Cette Suissesse, rencontrée l'année précédente, lui avait téléphoné sans crier gare. A minuit, après s'être bien ennuyé avec elle, il l'avait amenée dans son lit par souci d'économie, pour ne pas avoir totalement perdu son temps. Elle lui avait dit : « Soyez doux, je suis étroite. » Cette confidence par laquelle elle s'en remettait à lui l'avait touché, mais ensuite la dame s'était révélée tumultueuse, cabriolant d'un bout à l'autre du lit, gémissant d'enthousiasme, pleurant de bonheur, si féconde en initiatives qu'elle lui avait rendu le travail impossible. Après s'être endormi furieux, il s'était, au réveil, senti talonné par le sens du devoir qui l'obligeait à recommencer et réussir mieux : ce fut pis. Puis la dame dévora si longuement qu'Hanau n'avait eu que le temps de se donner un coup de rasoir avant l'arrivée de Nahon et de Béverier.

— Ah ! bon, la dernière fois ! prononça Nahon en prenant sa mine de chien battu. Eh bien, nous avions abordé un problème, ou plutôt une histoire qui, tout en étant personnelle au capitaine Béverier, est d'une portée générale. La question avait été posée de savoir si Béverier se sentait à l'aise au milieu des hommes qui menaient, comme lui, la guerre d'Algérie. Le capitaine vous avait répondu que non, que ceux-ci hésitaient à le considérer comme un des leurs, malgré ses états de service, et il avait commencé de nous raconter, à titre d'exemple, comment sa conduite, lors d'une embuscade récente, avait été sévèrement jugée par son colonel et ses camarades. Vous étiez intervenu, Maître, pour faire observer que cet incident avait une valeur exemplaire, et pour demander à Béverier de le reprendre avec plus de détails. Dois-je faire repasser la bande qui, finalement, a été interrompue par un coup de téléphone ?

Ses interlocuteurs ayant gardé le silence, Nahon se leva,

brancha le magnétophone qui, après quelques ronflements, proféra :

— *BEVERIER :* D'abord le terme d'embuscade ne convient pas exactement. Nous formions convoi. Il ne s'agissait pas d'une opération, nous rentrions, le colonel et moi, de Teniet-el-Haâd....

— *NAHON :* Pas la peine de citer les noms !

— *BEVERIER :* Oui, mais quand je raconte, ça m'aide. On les supprimera ensuite.

— *HANAU :* Oui, laissez-le parler.

— *BEVERIER :* Alors, le colonel était en tête dans son V.L...

— *HANAU :* Qu'est-ce que c'est un véhelle ? Une voiture blindée ?

— *BEVERIER :* Une 203. En terme administratif, ça s'appelle un véhicule léger, et comme dans l'armée on aime bien les initiales, on dit un V.L. Donc, il était en tête dans sa Peugeot, si vous préférez, il y avait derrière lui sa jeep d'escorte, et je fermais la marche, dans ma jeep, avec deux soldats. Mais vous savez, je me demande si c'est intéressant de raconter une histoire banale comme celle-là...

— *NAHON :* Ne vous occupez pas ! D'abord, dans un ouvrage abstrait, il est bon de glisser le récit d'un événement, ensuite, ce qui compte, c'est la divergence d'interprétation entre le colonel et vous.

— *BEVERIER :* Bon. Alors, un groupe de musulmans qui traversaient la route, ils ne l'empruntaient pas, vous comprenez, mais pour passer d'un côté du djebel à l'autre, ils avaient été obligés de faire quelques pas sur la route, et par malchance pour eux, nous sommes arrivés à ce moment-là...

— *NAHON :* Racontez ce qui s'est passé.

— *BEVERIER :* Il ne s'est rien passé d'extraordinaire. Le V.L. du colonel a freiné, mais s'est arrêté cinquante mètres plus bas. La jeep d'escorte a également dépassé le groupe de musulmans avant de pouvoir s'arrêter, sans avoir le temps d'ouvrir le feu pendant que les gaziers étaient dans les phares. C'est donc à moi qu'incombait l'intervention, puisque, ayant vu les gaziers quand le V.L. du colonel les avait éclairés, j'avais eu le temps de freiner, de les prendre dans mes phares. Il ne me restait qu'à ouvrir le feu.

— *HANAU :* Et vous ne l'avez pas fait ?

— *BEVERIER :* Non, j'ai donné ordre au chauffeur de quitter la route et ce qui, avec un véhicule tout terrain, était très possible de rattraper les gaziers.

— *NAHON :* Les rattraper, pour quoi faire ?

— *BEVERIER :* Les interroger. La question était de savoir si nous avions affaire à des fellagha ou, ce qui peut toujours arriver, à de paisibles agriculteurs obligés de sortir la nuit pour une raison inattendue.

— *NAHON :* Il faut que vous rappeliez que la nuit, en Algérie, on n'a pas le droit de sortir après le couvre-feu.

— *BEVERIER :* Oui. L'heure du couvre-feu varie selon les villes, selon les régions. Il a toujours lieu plus tôt dans la campagne que dans un bourg. Là où nous nous trouvions, vu la saison, il commençait à dix-huit heures. Or il est prévu qu'on peut tirer à vue sur tout civil rencontré sur la route ou dans la campagne, une fois l'heure passée.

— *NAHON :* Reprenez votre histoire.

— *BEVERIER :* Je n'ai pas grand-chose à raconter, vous savez. La jeep a couru une dizaine de mètres vers les gars. Elle était un peu gênée par le relief de sorte qu'ils sont sortis du champ des phares, et aussitôt ils ont tiré. Un soldat a été tué, un autre blessé. Je vous assure que j'en ai profondément souffert. Plus profondément que le colonel, dans la mesure où celui-ci aime à répéter que le métier d'officier consiste à obliger des gens à se faire tuer alors qu'ils n'en ont pas envie.

— *NAHON :* Excellent !

— *BEVERIER :* Le soir même, le colonel m'a fait une scène effroyable, et le lendemain mes camarades me battaient froid.

— *NAHON :* Et peu après, quand vous avez été blessé, est-ce que leur attitude a changé à votre égard ?

— *BEVERIER :* Mais c'est ce soir-là que j'ai été blessé.

— *NAHON :* Joli ! Et vous ne le disiez même pas.

— *BEVERIER :* Oh ! blessé très légèrement ! Ça, c'est sans intérêt...

— *HANAU :* Egarons-nous un peu dans les détails, mais pas trop. Vous avez dit que le colonel vous a fait une scène effroyable. C'est ça qui est intéressant. Sur quel thème ?

— *BEVERIER :* Théoriquement il avait raison ! Vous

comprenez, je ne voudrais pas que cette affaire soit grossie, ni présentée sous un jour qui puisse nuire à l'unité de l'armée.

— *NAHON* : Allez-y, allez-y, on coupera après.

— *BEVERIER* : Le colonel estimait que si j'avais ouvert le feu, c'est-à-dire appliqué le règlement, j'aurais abattu ou capturé tous les fellagha, alors que l'un d'eux s'est échappé et, surtout, j'aurais préservé la vie des deux soldats. C'est un raisonnement inattaquable. Pourtant le colonel m'a surpris en me le tenant. Je savais que je n'avais pas strictement appliqué le règlement, mais je ne m'estimais pas coupable.

— *HANAU* : Bon. Nous avons la thèse du colonel. Exposez la vôtre.

— *BEVERIER* : Je n'ai pas de thèse particulière.

— *NAHON* : Si vous préférez, dites-nous ce que vous lui avez répondu, au colonel.

— *BEVERIER* : Vous savez, dans une discussion entre un officier subalterne et un colonel, le colonel dit tout ce qui lui passe par la tête, mais pas l'officier subalterne.

— *NAHON* : Bonne formule ! Alors, dites-nous ce que vous lui auriez répondu si vous aviez eu toute liberté d'expression.

— *HANAU* (après un silence) : Nahon, vous êtes sûr que votre engin fonctionne, qu'il ne va pas nous faire le coup de l'autre jour ?

— *NAHON* : Tout va bien !

— *HANAU* : Alors, capitaine, allez-y...

— *BEVERIER* : Oui, oui ! mais je cherche... Ce n'est pas si facile à exprimer. Si vous voulez, j'aurais dit au colonel qu'en agissant comme je l'avais fait, j'avais effectivement pris le risque de faire tuer des soldats ou des officiers, peut-être de nous faire tuer tous. Bon. Mais en tirant à vue sur des passants qui, tout en contrevenant au couvre-feu, étaient peut-être innocents, je prenais également un risque de mort, la leur. Ce que le colonel ne me pardonnait pas, c'est d'avoir été sensible au second risque autant et peut-être plus qu'au premier. Au fond, ce qu'il me reprochait, c'était de n'avoir pu faire aucune distinction entre des vies françaises et des vies musulmanes.

— *NAHON* : Oui, c'est ça ! Pour lui, ça n'a rien à voir !

— *HANAU* : Aucune commune mesure !

— *BEVERIER* : Il ne faut pas exagérer, mais c'est au fond là-dessus que nous avons accroché. Et je vais vous dire : depuis des années que je combattais en Algérie, j'avais admis des thèmes qui n'étaient peut-être que des thèmes de propagande... mais enfin, je les avais faits miens. Puisque je croyais en l'Algérie française, je supportais mal toute discrimination. Ça ne m'empêchait pas de mener cette guerre durement. En opération, si je trouvais une bande devant moi, j'y allais de bon cœur. Quand j'exploitais un renseignement, j'utilisais tous les moyens pour faire parler quelqu'un. Seulement, je ne le faisais que lorsque j'étais convaincu de sa culpabilité et de l'importance de ce qu'il pouvait révéler. Si j'acceptais les exigences cruelles de cette guerre ce n'était que dans la mesure où je croyais qu'elle avait pour but de rendre la paix à tous les Français d'Algérie, musulmans et Européens, et de leur donner l'égalité. La conséquence c'est que, autant j'aurais abattu les quatre gaziers si je les avais sus coupables, autant j'estimais devoir veiller sur leurs vies tant que je pouvais les croire innocents, encore plus que sur celles de mes hommes.

— *NAHON* : Très bien ça ! Très bon...

— *HANAU* : Et vous estimiez votre colonel incapable de suivre vos raisons ?

— *BEVERIER* : De toute façon, il était décidé à me donner tort. Il ne pouvait pas me piffer. Dans mon service, il aurait toujours trouvé un bidule qui clochait. La preuve, c'est que la même affaire, ou à peu près, était arrivée à un autre lieutenant qui avait été blessé ainsi que son chauffeur en allant interpeller des gars au lieu de les flinguer. Mais comme ce lieutenant-là, il l'avait à la bonne, il avait trouvé ça épatant, drôlement chic, chevaleresque, tout le barda. Il l'avait même raconté à un reporter du « Bled ». Mais comme c'était moi...

— *NAHON* : Ah ! non, vous déviez ! il n'est pas question de faire un entretien sur votre incompatibilité d'humeur avec votre colonel. Ce qui nous intéresse, c'est de confronter deux comportements militaires et, à travers ça, de montrer que vous en êtes arrivé à...

En en accentuant les aigus, le magnétophone restitua l'intervention téléphonique qui, la veille, avait interrompu l'entretien. Hanau se rappela que l'auteur en avait été la Suissesse. Ce mauvais souvenir lui allongea la lèvre inférieure.

— Ce n'est pas mauvais, dit-il enfin, pendant que Nahon rebobinait la bande. Il y aura des arguments à reprendre, à fouiller...

Il s'aperçut que personne ne l'écoutait, ni Nahon, les sourcils froncés sur son ouvrage, ni Béverier, le regard perdu au plafond. « Ici non plus, pensait Béverier, je ne suis pas à ma place. Ils vont finir par faire de moi quelqu'un qui me déplaira. »

Il s'imagina avec un peloton grimpant dans le djebel, par ce soleil-là...

***

...Un souffle irrégulier agita le moutonnement des tamaris de chaque côté de la piste. Une piste rose. Le soleil, rose aussi, transparent, venait de naître, au-dessus de l'horizon blanc.

Les soldats étaient vêtus de treillis clairs auxquels les feux de l'aurore prêtaient de la délicatesse dans les nuances. Descendus de leurs camions, ils défilaient en désordre devant leur chef, le Dabet Awwel Ali Mekrissa. La plupart n'avaient pas remis leur sac au dos, ni suspendu régulièrement leurs armes. Les yeux ensommeillés, ils trébuchaient pour atteindre, au-delà du camion de tête, une aire libre où un aspirant et des sous-officiers s'efforçaient de reformer les sections.

Dans un mélange de français et d'arabe, comme l'aurait fait un officier de tirailleurs, Mekrissa, de temps en temps, poussait un coup de gueule. Et le mouvement s'accélérait.

A côté de lui, balançant nerveusement son pistolet mitrailleur, Omar Benboulaïf regardait manœuvrer les camions qui effectuaient un demi-tour rendu laborieux et bruyant par l'étroitesse de la piste.

Une lourde vapeur d'essence se répandit sur les tamaris. Mekrissa observait Benboulaïf qui s'écarta si maladroitement qu'un camion faillit le heurter à l'épaule. Mekrissa se surprit à penser qu'une fêlure, une luxation, eût été la bienvenue qui l'eût débarrassé de cet encombrant compagnon d'armes. Car pour Mekrissa le doute n'était pas permis : Benboulaïf portait la malchance, la *Chkoumoun,* comme on dit à Bône.

Le Dabet Awwel sourit parce qu'à Bône on ajoute : « Tant il a la Chkoumoun que si un zob tombe, il se plante dans son cul à lui ! »

Une Chkoumoun indéniable ! Le Dabet Awwel se rappelait, la veille du bombardement de Sakiet, sa première sortie avec Benboulaïf, et la mort du vieil aspirant. Quelques jours après, parce qu'on lui avait de nouveau proposé la présence de ce porteur de Chkoumoun, la katiba avait perdu onze hommes, et n'avait pas réussi à franchir le Barrage. Il avait fallu qu'on la camionnât jusqu'ici, dans le Sud, pour qu'elle reprît sa tentative. Et ce coup-ci est-ce qu'on passerait ?

Omar Benboulaïf, tout en continuant à jouer avec son P.M., regardait s'éloigner vers l'est, vers Gafsa, la file de camions enrobée de poussière. Cinq jours avant, il avait éprouvé la même impression d'esseulement à Feidja, quand les camions, après avoir déversé la katiba sous les frondaisons de la forêt de chênes-lièges, étaient redescendus vers Ghardimaou.

— J'espère, dit-il en se tournant vers Mekrissa, que cette fois ça va mieux marcher.

Sans répondre, Mekrissa se détourna pudiquement. Il fit cependant un effort de politesse pour garder un visage inexpressif, ne pas trahir l'agacement que lui donnait un homme qui, en règle générale, parlait à tort et à travers, et plus spécialement de ce dont il ne fallait pas. A petits pas il se dirigea vers la katiba qui, formée en colonne par trois, reprenait un aspect convenable.

L'ayant suivi, Benboulaïf regardait sur le sable rose de la piste leurs deux ombres que le soleil rasant allongeait devant eux — allongeait vers l'ouest, vers l'Algérie.

Le roulement des camions n'était plus perceptible. Benboulaïf tenta de les entendre encore. Du même coup il découvrit que si l'on peut regarder plus intensément et plus exactement, et cela par un effort réparti entre le cerveau et les yeux, l'ouïe ne se prête pas à cette intervention personnelle. En vain, tendit-il l'oreille avec l'espoir de retrouver la civilisation dans le bourdonnement des moteurs — la civilisation et la tranquillité qu'il allait perdre.

Quelques hommes, le front vers l'est, s'étaient agenouillés pour la prière. Le Dabet Awwel passa au milieu d'eux en déclarant, en arabe, qu'il n'y avait que Dieu qui fût Dieu mais

339

que, dans l'armée des frères qui menaient la guerre sainte, il s'agissait moins de faire ses prières avec exactitude que d'accomplir exactement les gestes militaires. Benboulaïf qui, depuis un an et demi, avait fait quelques progrès dans la compréhension de l'arabe, suivit le monologue du Dabet Awwel. Les Français avaient respecté le fourmillement des rites de l'Islam : il était intéressant de voir les cadres de la Rébellion se charger de leur destruction, s'en charger au nom de l'Islam, pour la cause de la libération, alors que dans le cerveau du Dabet Awwel le mode de pensée était si évidemment occidental.

Les chefs de sections et de groupes affluaient maintenant autour de Mekrissa qui, d'une main tendue vers le nord-ouest, leur donnait sèchement ses instructions. Un premier groupe s'allongea sur la piste, la quitta très vite, disparut sous les tamaris. Comme le second groupe passait à hauteur du Dabet Awwel, celui-ci répéta à l'intention du chef :

— Dès que tu entends un avion, tu donnes l'ordre de se coucher et de se camoufler. Et tu attends qu'il soit passé — même si c'est un avion commercial.

Le second groupe piqua immédiatement dans les massifs de tamaris durement fouillés maintenant par la lumière du soleil qui s'était détachée de l'horizon et rayonnait sur un ciel blanc.

Mustapha Tidjanin, l'aspirant qui devait jouer le serre-file en partant avec le dernier groupe, se plaça auprès de Benboulaïf pour surveiller la mise en route, cependant que le Dabet Awwel, suivi de son homme-radio, s'enfonçait dans les tamaris avec le cinquième groupe.

— J'ai fait le calcul, observa Mustapha Tidjanin. Nous ne sommes qu'une katiba et nous transportons trois tonnes d'armes et de munitions. C'est trop. Si nous nous sommes ratatinés sur le Barrage, la dernière fois, c'est que nous étions trop chargés.

— Sans doute, répondit Benboulaïf, mais n'oubliez pas que les wilayas ont plus besoin de notre matériel que de nos bras. Au fond, nous ne sommes qu'un transport d'armes.

— Ça, je sais. Mais voyez-vous, je préférerais franchir deux fois le Barrage avec une katiba deux fois moins chargée.

Les soldats continuaient de passer devant eux. Leur mar-

che alimentait les colonnes de poussière que les camions
avaient commencé de soulever.

— Heureusement. remarqua Benboulaïf, le Barrage ne
descend pas jusqu'ici.

— Oui, répéta l'aspirant, heureusement. Je l'ai assez vu !...

Il s'interrompit pour ordonner à l'avant-dernier groupe de
mieux garder ses distances, puis chercha le regard de Benboulaïf :

— Cet été, je l'ai vu, le Barrage, bien une cinquantaine
de fois. Pas pour le passer. Mon groupe venait faire des re-
connaissances ou des sabotages. La première fois, ce serpent
de barbelés, ça m'a déçu, rassuré. Eh ! je m'étais dit, ce
n'est que ça, le Barrage ! A force de le voir, il m'a impressionné. Toute une nuit je l'ai regardé au clair de lune. Il
brillait. Il me semblait que les fils qui portaient la mort
brillaient autrement que les autres. De l'imagination...

Benboulaïf était heureux d'évoquer le Barrage avec l'aspirant, de s'arracher enfin au silence où le Dabet Awwel prétendait ensevelir leur précédente expédition, cinq jours plus
tôt.

Les camions avaient porté la katiba au-dessus de Ghardimaou et l'avaient abandonnée au coucher du soleil, dans une
forêt ruisselante de pluie. Toute la nuit les hommes avaient
marché, tantôt dans la boue, tantôt dans des fonds de vallons
si sauvages que les feuilles mortes, accumulées, formaient un
humus spongieux sur lequel glissaient les pataugas. A l'aube,
on avait campé sous le couvert d'une forêt de chênes-lièges
rabougris. Toute la journée la katiba avait attendu, les hommes allongés dans les broussailles, dormant pour la plupart.
Un hélicoptère était passé très bas au-dessus des arbres, en
direction de Souk-Ahras. Sous l'épaulement de la colline, des
chiens avaient aboyé jusqu'à la chute du jour. On était reparti d'un pas sans cesse interrompu par des consignes. A
peine avait-on marché cinquante mètres qu'il fallait s'arrêter,
attendre quelquefois une dizaine de minutes, se coucher dans
certains cas. La nuit était épaisse à souhait. Mekrissa, dans
un chuchotement, avait enfin désigné à Benboulaïf, devant
eux, une zone de ténèbres plus lourdes encore : la dernière
crête avant le Barrage. Il fallait que, malgré qu'il en eût,
le Dabet Awwel fût ému pour confier ce détail à Benboulaïf.
On avait attendu. Il ne pleuvait pas, mais l'air était très

humide. Enfin, la lampe électrique d'un guetteur s'était allumée à mi-hauteur de la crête. Mekrissa, après que la lampe se fût rallumée brièvement deux autres fois, s'était remis en marche. Un quart d'heure plus tard, la katiba entière ayant franchi la crête en rampant, Benboulaïf, hors d'haleine, claquant des dents, avait entendu le Dabet Awwel prendre contact avec le guetteur. Très vite, son chuchotement était devenu furieux. L'incident était le suivant : un sabotage avait été commis sur la voie ferrée qui, en cet endroit, dessinait un coude vers l'est, coude que le Barrage épousait lui-même. La motrice et les wagons qui, chargés de minerais, montaient vers Bône, s'étaient immobilisés au sud du coude. Des soldats et des ouvriers étaient arrivés une demi-heure après ; une motrice de secours était montée, sans doute de Duvivier.

— Vous vous rappelez ? demanda Benboulaïf à l'aspirant. Nous étions sur la crête avec, devant nous, toute la ferraille du Barrage, des rails et du train. Moi, à ce moment-là, j'ai senti qu'on était mal partis.

— Il fallait renoncer. Si j'avais été à la place du Dabet Awwel, ou bien j'aurais renoncé, ou je serais descendu vers le sud, d'une bonne quinzaine de kilomètres, pour tenter le coup.

— Oui, mais quinze kilomètres plus bas, on n'aurait eu personne pour nous accueillir de l'autre côté du Barrage. On aurait dû revenir jusqu'à la forêt où nous avions passé la journée, et là attendre la nuit suivante.

Les deux hommes marchaient d'un pas égal en tête du dernier groupe, écartant devant eux les branches des tamaris. Déjà la chaleur était pesante. Benboulaïf observa :

— Les trois cents kilomètres que nous ont fait faire les camions nous ont fait changer de saison. Ici, c'est l'été.

— On est au bord du Sahara, prononça Mustapha Tidjanin avec une certaine fierté.

— L'autre nuit, on avait une impression d'hiver.

L'autre nuit, ils avaient attendu près d'une heure. Entre les branches d'un pin, Omar Benboulaïf regardait briller le Barrage sous les projecteurs du train. Il étincelait, il reluisait, il palpitait, exactement comme l'arbre de Noël que Benboulaïf avait offert à ses filles quinze ans plus tôt. On entendait, comme des coups de gong, les marteaux des ouvriers frappant les rails. Enfin, avec des grincements, la motrice de secours

et le convoi avaient démarré. Le long des rails, un projecteur
s'était obstiné pendant une vingtaine de minutes, révélant les
silhouettes des soldats qui repartaient enfin à la queue leu leu
par le sentier qui se faufilait le long du Barrage et de la
voie ferrée. Mais au loin, sur la route, des phares continuaient
leur incessante illumination. Ces lueurs représentaient l'autre
danger, celui qui demeurait au-delà du Barrage, celui de
la Herse.

Comme si l'aspirant avait remué exactement de mêmes
souvenirs, il jeta :

— Vous savez que la Herse, je l'ai vue de près, moi.

En fait, il ne tenait pas tant à parler de la Herse que
d'un exploit qu'il avait accompli, au mois d'octobre précédent. Il avait réussi à franchir le Barrage par la mer. Plus
exactement, il l'avait contourné, de quelques mètres, par
une nuit sans lune qui leur avait permis, à lui et cinq compagnons, de se glisser sur la plage des environs de La Calle
où se terminait le Barrage électrifié.

— Nous sommes entrés dans l'eau jusqu'aux épaules. Elle
n'était pas froide. Nous ne nagions pas, nous marchions. Nous
avons marché cent mètres, puis nous sommes arrivés à hauteur du poste que l'Armée a construit au départ du Barrage.
Son projecteur balayait le réseau électrique vers le sud, mais
aussi le sable et la mer. Drôlement calme, elle était la mer.
Nous y rentrions la tête jusqu'au nez. Par moment, nous
marchions accroupis. On ne ressortait la figure que pour respirer.

— Tout s'est bien passé ?

— Dieu le voulait ainsi. Au matin, nous sommes entrés
à Bône, planqués au fond d'un camion de légumes.

Le groupe attaquait une pente raide et broussailleuse.
Benboulaïf ménagea son souffle, mais Tidjanin continua de
parler avec la même rapidité.

— C'est joli, Bône. De beaux hôtels. L'hôtel d'Orient,
il est superbe. Des cafés. On se croirait ailleurs. Quand on
se promène sur le cours Bertagna, on a envie de s'y promener
toujours.

— Quel âge avez-vous ?

— Vingt ans.

— D'où êtes-vous ?

— De Constantine. C'est magnifique Constantine, mais c'est triste.

Benboulaïf se rappela les rues tortueuses, montueuses, de la grande ville peuplée de femmes voilées de noir jusqu'aux prunelles. Il y avait assisté à un congrès de dentistes quinze jours avant que le premier coup de feu de la Rébellion fût tiré sur une piste des Aurès.

— Et elle est belle à Bône l'église que les Français ont construite sur la colline.

— Elle est très laide, dit doucement Benboulaïf.

— Pourquoi dire ça ! Ce qui est, il faut le reconnaître. Mais c'est une honte qu'il n'y ait pas une mosquée aussi belle à côté...

Il se tut, mais Benboulaïf avait parfaitement saisi sa pensée. Le jeune homme n'était guère religieux, et s'il brandissait sa mosquée, c'était par nationalisme. Néanmoins, il n'osait pas le dire à un homme de l'âge de Benboulaïf.

— C'est comme ça que j'ai vu la Herse. J'avais des papiers tout ce qu'il y a de faux. Je pouvais me promener. On m'avait chargé d'un contact dans une mechta, aux environs de Laverdure, dans la montagne.

— Justement, la Herse que nous avions devant nous, la dernière fois, elle faisait le va-et-vient entre Laverdure et Souk-Ahras.

— Les mêmes, c'étaient. Je les ai vus, moi, quand j'étais à l'intérieur. C'était des dragons. Les têtes qu'ils avaient ! Des visages tout blancs et des yeux tout rouges, à force de veiller chaque nuit. Dans un café, je les ai écoutés parler. Théoriquement, on les laisse dormir dans la journée, mais ils n'y arrivent pas. Et la nuit, ils roulent de long en large, en s'arrêtant tous les cinq ou six kilomètres pour jouer avec leurs projecteurs. Et puis ils recommencent. Comme ça toutes les nuits. Ils ont vraiment le blanc des yeux rouge, comme des djinns. L'autre nuit, quand nous descendions de la crête vers le Barrage, après le départ du train, et que j'apercevais leurs phares sur la route, c'était à leurs yeux que je pensais. Rouges comme...

Il chercha une comparaison, ne la trouva pas, et à son tour se tut pour ménager son souffle. Benboulaïf se la rappelait, cette descente.

Quand la katiba s'était trouvée à cent mètres du diabo-

lique enchevêtrement de métal et d'électricité, elle s'était
infléchie vers l'ouest, à travers des herbages, selon un axe
parallèle aux barbelés. Le point de franchissement choisi
était celui où la voie ferrée, pour s'enfoncer dans un tunnel,
décrivait une courbe qui la séparait du Barrage. Le plisse-
ment de terrain sous lequel le tunnel était percé formait
écran, dissimulant la route et sa mortelle illumination. Les
hommes arrivaient par paquets, ployés en deux, hors d'haleine, puis, comme Benboulaïf, ils se jetaient dans l'herbe.
L'attente avait été très longue. Pour faire diversion, un petit
commando, qui n'était pas destiné à passer en Algérie, s'était
détaché de la katiba quand elle était encore au sommet de
la crête, et s'était porté, à six kilomètres au sud, où il
devait, en cisaillant les fils, provoquer une alerte qui atti-
rerait l'attention et des électriciens et des dragons sur un
point secondaire. Plus au sud encore trois autres petits commandos, à une quinzaine de kilomètres de là, entre Souk-
Ahras et Clairfontaine étaient chargés de « foutre le bordel »
par la même méthode. Au même moment, de l'autre côté
de la Herse, des guides devaient patienter, dans une mechta
isolée, prêts à entraîner la katiba à travers les monts de
la Medjerda — ou plus exactement ce qui resterait de la
katiba.

— Le barrage, demanda l'aspirant, vous ne l'aviez jamais
vu, avant ?

— Une fois, à la jumelle seulement. C'était au mois de
février, à la veille de l'affaire de Sakiet.

Et, malgré son essoufflement, Benboulaïf tint à briller
par un souvenir de guerre aux yeux de son jeune compagnon :

— Nous nous sommes fait sonner à coups de canons par
le poste d'Al Djoub et un aspirant, mais pas de votre âge,
presque du mien, a été blessé à mort.

Devant eux, un homme du groupe précédent, un trapu
à moustache noire, les attendait, leur fit signe de s'arrêter.
Un à un, les hommes cherchèrent, à travers les chardons et
les petits massifs d'arbousiers, une place où s'allonger.

— Les deux frères de Chébika, annonça l'aspirant, c'est
eux qu'on doit attendre.

— Des guides ?

— Oui. Ils nous feront éviter Tamerzan, où les Français ont des espions. Vous n'avez pas vu le plan de marche ?

— Non, le Dabet Awwel devait me le montrer, et puis...

— Après, nous contournerons Midès, et nous piquerons au nord de Negrine, regardez.

Il déploya une carte avec un brusque entrain.

— Vous voyez.

Benboulaïf buvait du café à petites gorgées, et mordait dans un sandwich au fromage. Par politesse, il jeta un regard sur la carte.

— Moi, reprit Tidjanin, ça me soulage de savoir qu'ici, il n'y a pas de barrage.

Il répéta avec un entrain enfantin :

— Pas de barrage ! Ouf ! Ouf ! Ouf !

— Il s'arrête où ?

— Entre Bir-el-Ater et Negrine, à la hauteur du poste Fort-Quentin. Il s'arrête là... pour le moment. Du train où ils sont partis, les Français finiront par le faire descendre jusqu'au Soudan.

Et il rit tout en mordant dans sa galette.

— Parce que l'autre nuit, reprit-il, vous n'en avez vu qu'un petit bout. Moi, je l'ai suivi de jour. C'est vraiment un drôle d'objet. De temps en temps il y a une porte. Les soldats l'ouvrent quand ils partent en opération de l'autre côté, ou pour laisser passer un troupeau. On voit des bêtes mortes, accrochées comme des chiffons aux barbelés, des corbeaux. Ils se sont fait électrocuter en venant bouffer d'autres charognes, des chacals, des renards. Chaque fois, ça donne l'alerte à l'armée. Paraît qu'il suffit qu'un serpent frôle un fil électrifié pour donner l'alerte ! Toute l'armée française qui court pour attraper un serpent mort !

Il riait de nouveau, la bouche pleine. Contrairement à ses compagnons, qui ne s'étaient pas rasés depuis quarante-huit heures, l'aspirant arborait un visage lisse. A peine sa lèvre supérieure et la bosse de son menton s'ombraient-elles de bleu. Il était très brun, mais de peau claire et avait des yeux bleus. Il chantonna en arabe et s'interrompit pour traduire sa phrase à Benboulaïf.

— Ici, de barrage, il n'y en a pas ! Pas plus de barrage que de rides sur le dos de la main de ma bien-aimée.

Omar Benboulaïf rêvait à ce Barrage qui occupait la

pensée de milliers de soldats français occupés à le nourrir, le border, le cajoler, et de milliers de soldats algériens perpétuellement menacés d'aller s'y brûler en quelques secondes. Ainsi même le jeune aspirant, face à une steppe et à des djebels libres, ne pouvait-il les concevoir que par rapport à une absence de barrage.

— Mais, observa Benboulaïf, il y a un radar.

— Oh ! un radar ! Pffuh !

Tidjanin s'essuya la bouche du revers de sa main, sourit d'un air malin.

— Un radar, ça n'a jamais électrocuté personne !

Il alluma une cigarette dont la fumée monta, foncée, dans la clarté aiguë du matin.

— Tandis que l'autre nuit, reprit-il, on était tous bons pour y laisser notre peau. Le Dabet Awwel a bien manœuvré.

Benboulaïf ouvrit la bouche pour affirmer le contraire ; se retint à temps. D'abord sa formation militaire lui interdisait de dénigrer un capitaine devant un aspirant, ensuite, l'hostilité était trop évidente entre Mekrissa et lui pour qu'il pût se permettre de le juger. Dans le regard de Tidjanin il lut d'ailleurs une muette question : « Au fait, pourquoi ne vous aimez-vous pas ? » Honnêtement il fut tenté de répondre : « Par ma faute. » Il était assez lucide pour admettre qu'il n'avait pu s'entendre avec aucun des officiers de l'A.L.N., depuis le premier, celui qui l'avait reçu avec un verre de bière dans une cabane, sur les flancs du Djurdjura, depuis Rembarek, le chef de katiba qui, dans l'Ouarsenis, histoire de « lui faire les pieds », avait mis en péril le détachement qu'il conduisait vers le Maroc, jusqu'à ce Mekrissa dont il subissait aujourd'hui la sournoise animosité.

Il essayait d'expliquer son cas à l'aspirant :

— Vous comprenez, je suis un officier d'administration. Dans cette katiba, par exemple, je n'ai pas de commandement. Je suis un passager, si vous voulez. Alors, pour celui qui la commande vraiment, je fais figure d'amateur.

— Oui, c'est comme si vous étiez en trop...

Benboulaïf rougit. La vérité, c'est qu'il avait toujours été en trop. Pendant la guerre de 40, dans un mess d'officiers métropolitains, comme, au début de la Rébellion, quand il était fidèle à la France, tout comme maintenant dans l'armée de Libération.

— Mais, reprit l'aspirant, vous allez remplir une mission très importante à la Wilaya 3 ?

Au son de la voix, Benboulaïf apprit avec émerveillement que Mustapha Tidjanin, contrairement à ce qu'il croyait, l'admirait, et l'admirait plus que son Dabet Awwel. Dans l'esprit romanesque du jeune homme, la mission de Benboulaïf devait s'entourer d'un prestigieux secret. « Je ne suis pas un minable », pensa-t-il avec un vrai bonheur.

— Seulement, voilà, reprit Tidjanin, le combat, c'est bien, mais dans les wilayas, ce qu'il faut établir c'est...

Il acheva sa phrase avec une emphase sincère :

— ... C'est le règne de la pureté.

Il s'emporta :

— Plus d'histoires d'argent. Plus de vices ! Si on voit un pédéraste, qu'on le fusille ! Nous sommes les Frères de la Révolution, voilà ce que nous sommes. Les Frères de la Liberté. Si l'un de nous manque à ses devoirs, c'est le sauver et nous sauver que de le tuer. Pas à hésiter. Pendant la Révolution, ils n'ont pas hésité.

— Quelle Révolution ?

— Celle de 89 ! Il faut faire comme eux !

Benboulaïf sourit : Tidjanin le croyait chargé de l'épuration de la Wilaya 3, et l'encourageait à la vigueur en invoquant l'Histoire de France.

— Mais vous savez, reprit l'aspirant, Mekrissa est un type bien.

« Il défend son capitaine, songea Benboulaïf. Il craint qu'une fois en Algérie, je ne le fasse fusiller. C'est très mignon. » Et il regarda le jeune homme avec amitié. Celui-ci dut y voir de l'ironie car il insista :

— Ecoutez, franchement, après que la mine ait sauté, qu'est-ce qu'il pouvait faire de mieux ?

Cette explosion, Benboulaïf l'avait encore dans les oreilles, dans tout le corps. Elle avait eu lieu alors qu'il était étendu dans l'herbe, à cinquante pas des premiers poteaux du Barrage. Il s'était plaqué si fort qu'une seconde il s'était cru capable de rentrer en terre. Ensuite, il y avait eu le cri du blessé. Les deux autres étaient morts. Ceux-là s'étaient avancés à trois, leurs tenailles, leurs cisailles au bout de mains gantées de caoutchouc. Benboulaïf avait vu leurs ombres ployées qui progressaient sur la pointe des pieds dans la bande de terre remuée en bordure du Barrage. La bande était minée, mais les mines françaises étaient dispersées parfois avec des écarts de cinquante mètres. Au début, certains chefs de commandos avaient lâché des cochons devant eux pour expérimenter le terrain. Cette fois, par renseignement, on savait que sur ce segment de cent mètres, à partir de la bifurcation du Barrage, il n'y avait qu'une mine. Dès qu'elle eut explosé, Benboulaïf, sa première peur passée, avait jugé sévèrement Mekrissa : on n'a pas le droit d'avoir une malchance pareille ! C'est alors qu'il avait vu passer Mekrissa devant lui en courant. Celui-ci s'était penché sur le blessé, facile à repérer à cause de ses cris, lui avait arraché ses outils et s'était rué sur le Barrage.

— Sa première faute, déclara brusquement Benboulaïf, c'est d'avoir voulu passer malgré l'explosion de la mine. Nous étions signalés. Nous aurions dû nous replier à l'instant même.

— Il avait ordre de forcer le Barrage, articula Tidjanin avec entêtement.

Benboulaïf ne répondit pas. Il se rappelait, l'estomac contracté, les minutes d'héroïsme, de panique, d'ivresse et de mesquinerie qui avaient suivi. Des hommes, sans en avoir reçu l'ordre, s'étaient rués derrière Mekrissa dans le sillon que celui-ci ouvrait parmi les fils. D'autres avaient reflué vers la queue de la katiba. Il y avait eu l'injure jetée par Mekrissa au maladroit qui venait de s'abattre à côté de lui, électrocuté. A la vérité, quand les premières silhouettes étaient apparues de l'autre côté du Barrage, il y avait plusieurs minutes que la katiba n'avait pas reçu d'ordre. Deux pistolets mitrailleurs avaient aboyé spontanément. Benboulaïf se rappelait le cri de douleur poussé par un Français.

— Moi, dit l'aspirant, j'ai cru que le Dabet Awwel était décidé à passer le Barrage par la force et à livrer combat à la Herse. Alors j'ai rameuté l'arrière de la katiba.

Ç'avait été le moment où Benboulaïf, s'il ne voyait pas la route cachée par un mamelon, avait entendu les moteurs. Il imaginait l'afflux des half-tracks, des Ferret, des auto-mitrailleuses. Quand le premier obus était passé au-dessus d'eux, il avait aussitôt diagnostiqué un canon sans recul monté sur jeep. Il avait couru vers le Barrage, apostrophant le Dabet Awwel dans les ténèbres. Celui-ci déjà revenait vers ses hommes, criant les ordres de repli. Une grenade lancée par le petit groupe de Français embusqués au-delà du Barrage avait éclaté au milieu des fils de fer barbelés. Toute la katiba courait vers la colline. Les balles traceuses n'avaient enluminé la campagne que cinq minutes plus tard. Pendant tout le temps qu'il avait mis à remonter vers la crête, en glissant sur les aiguilles de pins, Benboulaïf avait pensé que ces choses-là n'étaient plus de son âge.

— Quand même, insistait l'aspirant, on a eu tout de suite deux régiments sur le dos. On a été pourchassés sur trente kilomètres, et on n'a perdu que quinze types, ce n'est pas si mal !

Son obsession lui revint :

— A Ghardimaou, quand même, soupira-t-il, quand le chauffeur du camion m'a dit qu'on se dirigeait sur Gafsa, je me suis senti mieux. J'ai tout de suite compris qu'on ne remettrait pas ça contre le Barrage, qu'on le tournerait.

Comme la pause se prolongeait, Benboulaïf se décida, malgré les soins qu'il prenait de son souffle, à allumer une cigarette. Il eut envie de faire observer à l'aspirant que si l'on se donnait tant de mal pour forcer le Barrage, c'était apparemment que le passage par les confins sahariens n'était pas de tout repos. Mais il censura ce jugement pessimiste et préféra, du bout de sa cigarette, désigner un vol d'ibis ou de cigognes.

D'autres soldats avaient levé la tête pour regarder les oiseaux passer. C'était un vol blanc. Du groupe allongé dans la broussaille, montèrent quelques chants. Furieux, l'aspirant Tidjanin fit taire les chanteurs.

— Je les comprends, dit-il plus bas à Benboulaïf, on se sent tranquille ici. Pourtant nous sommes à un kilomètre ou deux du territoire algérien. Il suffirait qu'un avion nous repère...

Il n'acheva pas sa phrase. Un « oh » sonore venait d'être lancé devant eux. Obéissant au signal les hommes se relevèrent. La katiba se remettait en marche.

Le 6 avril, une lettre destinée à Jacques Bossac arriva à Souk-Ahras où le vaguemestre le détourna de sa voie initiale.

Bossac, muté, avait quitté le poste d'Al Djoub pour celui de Fort-Quentin, dernier poste à surveiller, au sud, à la frontière tunisienne, le Barrage.

Un camion, chargé de ravitaillement, apporta le sac postal à Fort-Quentin à la tombée du jour. Il gravit la rampe bétonnée donnant accès à la vaste cour que prolongeaient les plates-formes de l'artillerie. Un ânon fétiche sautilla devant le capot du camion. Des soldats sortaient des cuisines emportant les bidons de soupe avec indolence, les regards tournés vers le lourd véhicule qui finit par s'arrêter devant l'entrepôt de l'Intendance. En même temps un Dodge chargé de légionnaires démarrait, fonçant vers Bir-el-Ater avant que la nuit ne fût complète.

Le vaguemestre appela Bossac qui jouait avec un chien à l'autre bout de la cour.

— Pas l'écriture habituelle ! annonça-t-il.

Bossac examina l'enveloppe, reconnut l'écriture de Bernadette, sortit, de la poche intérieure de sa vareuse, une seconde enveloppe, froissée, mais non ouverte, celle qui datait déjà de deux mois. Sur la nouvelle il examina le cachet de la poste : Bernadette n'était plus à Monte-Carlo, mais dans le Sersou. « C'est bien normal », pensa-t-il, décidé à n'ouvrir une lettre de Bernadette que lorsqu'elle serait timbrée d'Hollywood ou de Pékin. Il renfonça les deux enveloppes dans sa poche. Il ne savait au juste si en résistant à la curiosité il agissait en lâche ou en héros. Craignait-il d'être contrarié par la lecture de ces lettres, ou était-il seulement fier de manifester son pouvoir de refus ? Rêveur, il s'avança jusqu'au bout de la terrasse et contempla la steppe.

Sauf à l'ouest où elle se soulevait en collines massives que le crépuscule teignait de bleu marine, la steppe était bien plate, bien rase, grise malgré le printemps. Un vent inhabituel, venu du sud, traînait avec lui de ces bouffées de chaleur sèche qui obligent à respirer plus vite. Dans cette zone de transition avec le désert, Bossac, muni des souvenirs que lui avait laissés son Sahara de l'année précédente, pouvait rêver. Des légionnaires qui remontaient de Négrine, l'oasis où la steppe se fait saharienne, lui avaient confusément décrit des rochers rouges, des archipels de monti-

351

cules lunaires, la blancheur âpre des schotts aux roses flo-
raisons de flamands. Il ne lui déplaisait pas, après avoir
trempé dans le Sahara, de se retrouver maintenant sur ses
bords, le long des grilles hallucinantes du Barrage, et obsédé
par un métier nouveau qui agissait sur lui comme une drogue.

Il était devenu radariste. Après sa mutation, il s'était
provisoirement trouvé à Fort-Quentin avec un peloton de
soutien. Son don de radariste s'était révélé avec une évidence si foudroyante que le commandant d'artillerie La Garnache avait résolu les difficultés d'armes, d'affectation et de
grade, qui s'opposaient à ce que Bossac tînt cet emploi. Et
celui-ci n'était pas encore revenu de l'ivresse qu'il avait
éprouvée en se découvrant, pour la première fois de sa vie,
un don. Sa mère, quand il avait cinq ou six ans, l'avait
entretenu dans l'illusion qu'il était fait pour la musique parce que, juché sur le tabouret, il tapotait sur le piano. A
l'épreuve, il s'était classé comme l'élève le plus médiocre
de Madame Meyre qui apprenait le piano aux enfants du
quartier. Son professeur de troisième prônant ses rédactions,
Bossac s'était cru fait pour écrire. Or, bien que des revues
eussent, par la suite, accueilli sa prose, il se convainquit lui-
même que si une carrière honnête de critique, d'essayiste
(de ces essayistes qui ne dédaignent pas d'écrire, de temps
en temps, une nouvelle) était à sa portée, il n'avait reçu
de la nature aucun génie particulier pour l'écriture. Souvent,
dans la vie, il avait été illuminé par une certitude, s'en
régalant un bon moment avant de la mettre à l'épreuve.
L'épreuve avait chaque fois été un échec. Au cours d'un
débat à l'Association Générale des Etudiants, il avait renoncé à se croire un talent d'orateur. Un mois à Mégève lui
avait montré qu'il n'était pas né skieur. Après une seule
leçon dans un club de vol à voile, il avait abdiqué. Bref,
Bossac avait vainement cherché une qualité qui ne fût pas
acquise, mais déposée en lui par la grâce. Il avait besoin
qu'un signe le prévînt qu'il était doté d'un privilège. A ce
point qu'il s'était imaginé avoir de la chance au jeu. Le
casino de la Bourboule lui enseigna qu'il n'avait ni chance,
ni malchance. Des contes, il avait retenu l'apparition des
fées autour d'un berceau, distribuant les talents. Il y a
souvent une fée pour décréter d'un coup de baguette : tu
sauras plaire aux femmes. Dès l'âge de douze ans, Bossac

avait rêvé de séduire, sûr qu'il séduirait. Or, les femmes
n'avaient pas été féroces pour lui, deux au moins l'aimèrent
profondément, mais aucune ne lui avait été attachée par
un coup de foudre. Elles avaient apprécié plus ou moins
rapidement, plus ou moins longtemps ses mérites, sans subir
d'envoûtement. De même, s'il était parvenu à bien faire
l'amour c'était après beaucoup d'efforts, notamment grâce
aux patientes leçons d'une maîtresse plus âgée que lui,
sans laquelle il fût peut-être resté médiocre amoureux.
Quant à son corps et à son visage, banals à souhait, ils
ne témoignaient d'aucune faveur du destin.

Or, à Fort-Quentin, le mot fut enfin prononcé, le mot :
exceptionnel. Par curiosité, Bossac avait d'abord passé des
heures derrière l'un des radaristes, puis avait commencé à
donner son avis sur les révélations qui tremblotaient sur
l'écran. Enfin un adjudant s'était exclamé :

— Vous interprétez comme si vous aviez deux ans de
métier ! Je n'ai jamais vu ça. C'est exceptionnel.

Bossac avait donc savouré la joie de se découvrir un
talent non acquis. Le radar était devenu sa passion. Dès
qu'il s'asseyait sur son siège, le regard négligemment posé
sur l'écran, sa main réglant les manettes avec une désinvolture de spécialiste, il se savait un homme différent, non
seulement porteur d'un don, mais détenteur d'un art. L'admiration qu'il avait toujours éprouvée pour un médecin
spécialiste examinant une radio, un mathématicien conduisant un raisonnement, un mécanicien réglant un carburateur,
il l'éprouvait à son propre endroit quand il interprétait la
valse de la ligne lumineuse sur l'écran.

Ce soir-là « il prenait » à huit heures. Il allait donc avoir
à dîner en vitesse au mess commun aux officiers et aux sous-
officiers.

Un commandant de la Légion, Ange Paolini, qui devait
passer la nuit au poste, partagea leur dîner tout en bavardant avec les trois officiers d'artillerie, mais en s'adressant
le plus souvent aux sous-officiers, mû par cet engouement des
grands baroudeurs pour le sous-off dont ils ne se départissent
pas, même s'ils deviennent généraux. Paolini appartenait à
la légende secrète de la Légion. Même les tirailleurs savaient
confusément qu'en Indochine il avait « tout fait ». C'était un
homme de taille moyenne, au visage paisible habité par deux

yeux malicieux. A la fin du dîner il combla d'aise Bossac en lui demandant la permission d'assister à la séance du radar. Bossac éprouva ce bonheur d'un virtuose recherché.

Tous deux traversèrent la cour obscure au-dessus de laquelle se tendait un ciel poudré d'étoiles, presque un ciel du désert. Ayant monté les marches d'un escalier de ciment, ils pénétrèrent dans la cabine des radars.

Pareils à deux hublots, les deux radars béaient de leurs écrans ronds où les perspectives, les volumes, les sites, les gisements étaient métamorphosés par une nouvelle dimension qui traduisait le paysage environnant par un océan de ténèbres sphériques parcourues d'une ligne lumineuse animée d'un mouvement fébrile, incessant, gonflée de pleins et de déliés, tel un paraphe perpétuellement en train de se faire et de se défaire, de renaître et de se biffer. Un soldat, qui était de service sur le siège, céda sa place à Bossac.

— Vous avez des indices à me signaler ?

— Négatif.

Le soldat était un long jeune homme blême, un silencieux qui avait trouvé dans la surveillance du radar une occupation à la fois méditative et minutieuse. Avant de sortir de la cabine il précisa :

— Vous serez gêné par le vent. Il est fort et irrégulier.

L'une des merveilles de la pratique du radar, pour Bossac, consistait dans ce contact avec les éléments. Bien qu'assis et enfermé au sol dans une petite salle, il commerçait sans trêve avec la pluie, le vent, l'orage, comme un marin ou un aéronaute.

— En effet, reprit-il à l'intention du commandant Paolini qui se tenait debout derrière lui, il y a de sacrées sautes de vent. Et c'est bien le vent du sud.

— Vous le reconnaissez au sens des crêtes sur la ligne ?

— Non. A l'épaisseur du trait, aux éclaboussures. Le vent du sud est chargé de sable.

Ils restèrent silencieux. La ligne lumineuse continuait de sautiller à une cadence irrégulière. Puis elle s'aplanit comme une mer tout à coup apaisée. Certes, le trait n'était pas tout à fait rectiligne, il palpitait encore, mais avec une amplitude réduite.

— Le vent tombe ? demanda le commandant.

— Oui. S'il pouvait tomber pour de bon !

— Quand il y avait ces fortes rafales, vous auriez pu distinguer un homme ?

— Un homme debout, oui. Et encore, à condition qu'il marche. Voyez-vous, dans un radar, c'est au mouvement, à la qualité du mouvement qu'on l'identifie. Le mouvement d'un homme n'est pas celui d'un chameau. Celui d'une caravane n'est pas le même que celui du vent dans les buissons. Mais l'ennui d'un vent épais, comme ce soir, c'est qu'il crée une agitation de l'herbe et de l'air qui risquent de me brouiller le déplacement individuel d'un gazier.

Il ajouta au bout d'un instant :

— Ils le savent. Ils opèrent de préférence les nuits de tempête. En outre, ils ont des cartes où les angles morts leur sont indiqués.

— C'est assez plat, au sud. Vous n'en avez guère d'angles morts ?

— En sud, sud-est, il y en a pas mal, répondit Bossac qui fit légèrement virer son radar vers la droite. Tenez, par là, il y a quelques ondulations de terrain qu'on remarque à peine à l'œil nu, mais qui suffisent pour nous masquer une dizaine de kilomètres. Remarquez, ce n'est pas trop grave. On peut toujours les repérer à la sortie de l'angle mort.

Lentement il avait reporté le radar vers la gauche. Il l'immobilisa parce que la ligne lumineuse venait brusquement de dessiner une boucle tremblante, différente de ses autres petites crêtes. La boucle gambada, s'écrasa, devint une tache, puis de nouveau une boucle.

— Vous avez remarqué, mon commandant ? demanda Bossac.

— Eh ! oui. Qu'est-ce que c'est ? Une caravane ?

Bossac étouffa un éclat de rire. Son don de l'interprétation était tel qu'il n'avait plus besoin de traduire un signe — pas plus qu'un adulte quand il lit n'a besoin de prendre connaissance des lettres une par une, habitué à appréhender le mot dans son ensemble et dans sa signification, sans intermédiaire. Dans le frétillement de la ligne, c'était directement la galopade d'un âne que Bossac contemplait.

— Ah ! par exemple, murmura le commandant, c'est un âne. A quoi voyez-vous ça ?

Bossac, pourtant un esprit juste jusque-là, avait perdu, comme tous les spécialistes, la faculté de s'expliquer avec un profane. S'il avait ri, c'est que cet âne lui étant aussi évident que s'il le voyait, la myopie de Paolini, qui prenait un âne pour une caravane, lui apparaissait comme une bévue cocasse. Quant à expliquer en quoi la divagation de cet animal ne ressemblait pas plus à la progression d'une caravane que le jour à la nuit, Bossac y renonça. Il s'en tira par une plaisanterie qui était classique dans l'équipe :

— Je vois que c'est un âne à cause de la longueur des oreilles. Tenez, il les remue !

La tradition voulait qu'un général en inspection fût tombé dans le panneau avec une ardeur imprévisible, se fût exclamé d'admiration devant un appareil assez précis et un observateur assez exercé pour que fût décelable l'agitation des oreilles d'un âne. Aussitôt terrifiés, les artilleurs de Fort-Quentin n'avaient pas osé détromper le général qui s'en était allé, respectueux de la science moderne et fier de l'entraînement de ses observateurs.

— En Indo, commenta Paolini après avoir ri brièvement de la plaisanterie, j'ai eu un gars qui n'avait pas son pareil pour ce qui est d'écouter la nuit. Dans les régions humides, la végétation s'étire, déglutit, craque inlassablement. Il y a des bêtes qui errent. J'allais souvent veiller avec ce gars. Entre le frétillement d'une liane qui se détend, le frôlement d'un reptile sur un tronc, le poids d'un chat sauvage qui se juche sur une branche, ou d'un homme qui, en deux minutes, n'a avancé que d'un pas, il ne se trompait jamais !

Bossac s'était renfrogné. Il n'admettait pas que l'on comparât son art au solo banal d'un braconnier.

— C'est tout de même un peu différent, dit-il sèchement.

Du coup, il éprouva le besoin de s'expliquer :

— Cette ligne, voyez-vous, c'est pour moi une écriture. C'est comme si j'y voyais des mots. En ce moment, je lis : rien à signaler. Tout à l'heure, je lisais : vent du sud. Ensuite, j'ai lu : âne. Je peux hésiter sur le pluriel ou le singulier. Il y a peut-être un petit troupeau d'ânes. Une bande, avant de tenter le passage, lance parfois devant elle un troupeau d'ânes pour distraire notre attention, nous casser les pieds pendant une heure. Quant à ça, vous voyez cette boule qui éclate, ce n'est qu'une pression d'air chaud, la preuve que la température demain va monter...

— Bon, alors, dit Paolini, vous n'identifiez pas une forme, mais une certaine sorte de déplacement, c'est ça ?

— Oui, mon commandant, c'est ça !

— Mais est-ce que des hommes ne pourraient pas imiter la démarche d'un animal ?

— On a prétendu qu'ils le faisaient quelquefois. Moi, j'ai l'impression que je m'en apercevrais. Je me trompe peut-être, ajouta-t-il, modeste.

— Le vent ?

— Oui, le vent de nouveau. Mais il est moins poudreux, vous voyez. Ou bien il vire au sud-ouest, ou bien il vient toujours du sud, mais maintenant il est local.

— A la longue, demanda Paolini, vos yeux doivent se fatiguer ? Vous les tenez sans arrêt braqués sur cette espèce d'éclair horizontal qui doit s'inscrire sur votre rétine. La persistance sensorielle doit jouer, non ?

— C'est vrai, on ne pourrait pas faire une journée de huit heures devant cet engin. Il y a même des observateurs qui perdent les pédales au bout de trois quarts d'heure. La plupart restent deux heures. Moi, je peux tenir quatre, cinq heures. L'astuce, c'est précisément de perdre de vue, quelques secondes, le radar, et aussi, par moment, de le regarder mais sans accommoder sur la ligne lumineuse, ou encore de s'intéresser à autre chose tout en le surveillant du coin de l'œil. La lumière est faible, sinon je parcourrais volontiers un journal tout en veillant. Cela soulage la vue, cela repose l'attention de mener une activité parallèle. Si j'étais seul...

— Je vous en prie, dit le commandant, faites comme si vous étiez seul.

Exalté par l'intérêt de son public, Bossac ne put résister au bonheur de faire son numéro, d'être une vedette.

— Eh ! bien, dit-il, je fouillerais dans mes poches, et je lirais par exemple...

Tout en parlant, il avait visité ses poches intérieures avec désinvolture, ne consultant l'écran qu'à la dérobée. Il se retrouva tenant à la main les deux lettres de Bernadette. Et sans réfléchir davantage :

— Ça m'arrive de jeter un coup d'œil sur mon courrier.

Il ouvrit les deux enveloppes. Avant de lire ce qu'il s'était promis de ne jamais lire, il hésita imperceptiblement. Il entendit derrière lui la respiration de l'officier.

Incapable de suspendre son entreprise il jeta un coup d'œil sur l'une des lettres. C'était la plus ancienne. Elle ne comportait que deux lignes : « Je fais des bêtises à Monte-Carlo. J'ai fait des bêtises, je fais des bêtises, je ferai des bêtises. Est-ce à cause de toi ? Qu'est-ce que tu en penses ? »

Par réflexe professionnel, Bossac reporta son regard sur l'écran. Les ânes étaient toujours là.

— L'autre, vous la gardez pour plus tard ? demanda Paolini.

Mais Bossac brûlait d'envie de lire l'autre et il lut : « Admettons qu'il n'y ait plus rien entre nous. Il n'en demeure pas moins que nous avons été trop proches pour que la connaissance que nous avons l'un de l'autre s'efface jamais. La question que je te pose, ne la résous pas à partir de la morale, de l'intérêt, mais seulement de mon caractère. Si je me sens perdue, c'est que j'en suis à me demander : avec le caractère que j'ai, comment dois-je agir ? Renseigne-moi sur moi-même. Je ne cherche qu'une solution conforme à moi, dont tu puisses dire : « Ah, ça ! c'est bien d'elle ! c'est du Bernadette tout craché. » Puisque j'ai perdu mon instinct, trace-moi ma conduite, tu es le seul à me connaître. Le problème posé est le suivant : quand je t'ai écrit de Monte-Carlo, je venais, par ennui, de coucher avec Nahon, ce qui eût été sans importance si, actuellement, je n'en étais pas à attendre un enfant de lui. Il est maintenant exclu que cet enfant ne naisse pas. Donc, est-ce que je le dis ou non à Kléber ? Qu'est-ce qui me ressemble ? Brûle-la cette lettre ; je t'embrasse. »

Le commandant Paolini toussota, puis observa doucement :

— Si je comprends bien, il vous arrive de quitter l'écran des yeux pendant un bon moment ?

— Aucune importance. Un phénomène intéressant ne peut pas être fugitif.

Mais il fit face de nouveau à l'écran auquel il commanda une rotation vers le sud-ouest. Le sud-ouest était tranquille : presque pas de vent, aucun âne.

— Un homme qui ramperait, demanda Paolini, vous le verriez ?

— Un seul, non.

— Une bande ?

358

— Le cas ne s'est jamais présenté pour moi. Ce que je sais, c'est qu'une bande qui ramperait régulièrement, sans le moindre accroc, n'a guère de chance d'être décelée que si elle est à une distance très faible. Et encore ! Mais à la vérité, le problème ne se pose jamais. Les bandes qui entreprennent de franchir le barrage sont lourdement chargées de munitions et d'armes destinées aux wilayas. Elles ne peuvent pas ramper pendant des dizaines de kilomètres. Leur équipée est déjà assez fatigante comme ça.

— Moi, remarqua Paolini, je plains moins les bandes qui tentent le coup par ici, entre l'endroit où le Barrage s'arrête actuellement et Negrine, que celles qui franchissent réellement le Barrage. Ça ne doit pas être drôle.

— D'ici trois mois, questionna Bossac, il sera prolongé jusqu'à Negrine, n'est-ce pas ?

Avec un rire paisible, Paolini répondit :

— Jusqu'où ne le prolongera-t-on pas ! Bientôt, l'Algérie sera emmaillotée dans des fils de fer électrifiés.

— Vous êtes contre, mon commandant ?

L'opinion de Paolini sur les fils de fer électrifiés n'intéressait guère Bossac, mais, plein de Bernadette, il préférait ne plus avoir à parler.

— Je ne crois pas aux lignes défensives. Nous en avions fait une en Indochine. Et puis, vous êtes jeune, mais vous vous rappelez peut-être la ligne Maginot ? D'ailleurs, ici, je ne crois à aucun moyen militaire.

Il ajouta :

— Ce qui m'amusera, quand le Barrage aura rejoint Negrine, c'est que du coup il aura fait sa jonction avec le Limès.

— Ah ! oui, le rempart que les Romains avaient construit tout le long du Sahara pour protéger la Tunisie, l'Algérie et le Maroc.

— Ah ! vous savez ça ? Qu'est ce que vous faites dans le civil ?

— Etudiant.

— En quoi ?

— En lettres. Je fais une licence de philo.

— C'est intéressant, la philosophie, dit le commandant, sur le ton de : « ce n'est pas mal du tout, la Bretagne ».

Ils se turent parce que tout à coup le trait lumineux

s'était épaissi. Sur un bref segment, il enflait en se gondolant.

— Le vent ?

Bossac ne répondit pas. Un spécialiste a le droit de prendre des libertés avec un officier supérieur. La ligne tout entière s'était mise à vibrer, mais le phénomène de l'enflure se limitait toujours à deux ou trois centimètres.

— Okay, dit Bossac, c'est bien un coup de vent. Ce qui nous a intrigués, c'est l'effet du vent sur un ancien campement qui est exactement dans l'axe de Negrine. Je crois que des légionnaires ont campé là, le mois dernier, avec des tribus nomades. Ils ont abandonné tout un bataclan, des saloperies, des bâches, des tentes percées, au lieu de les brûler. Et comme c'est une zone de petits buissons de chardons, tout ce foutoir est soulevé par le vent, raccroché par les chardons, réattaqué par le vent... Voyez, ça se calme.

— Vous n'avez jamais survolé le bord du Sahara, notamment entre Biskra et Negrine ?

— Non, j'ai servi à l'Ouest, à Adrar, Timimoun.

— Je vous parlais de ça à cause du Limès. A terre, on ne le décèle pas. Mais à moyenne altitude, on suit parfaitement ce long rempart ensablé. Chaque fois que je l'ai vu, ça m'a foutu un coup au cœur. C'est assez fabuleux, quinze siècles plus tard, de voir inscrire sur le sable la grande peur de l'Occident, la grande peur de la civilisation.

Toujours debout derrière Bossac, il lui tendit un mince flacon de cognac.

— N'en buvez qu'une gorgée, vous êtes en service.

Ayant bu, Bossac lui rendit le flacon et, sans se retourner, perçut que le légionnaire en avalait une longue rasade.

— Nos manuels d'histoire et de géographie, reprit Paolini d'une voix que l'alcool avait approfondie, c'est de la couille. Leurs divisions sont absurdes. Les événements, les civilisations, les terres et les mers sont enfermés dans des compartiments arbitraires. Quand je serai à la retraite, j'écrirai une histoire et une géographie. Je fais des économies... vous êtes marié ?

— ... Oui.

— Moi, je n'ai personne. J'économise pour pouvoir publier des livres à compte d'auteur. Car bien entendu, aucun éditeur ne voudra de moi. Je n'aurais d'intérêt que si je publiais les dessous de la Légion. Or ce que je veux faire, c'est une géographie où les compartiments correspondent à une unité de paysages, de visages, vous comprenez, de manières. J'aurai, dans ma géographie un chapitre intitulé « La Méditerranée », pour vous donner un exemple. Et pour moi, le monde méditerranéen va de la Bavière à Biskra, d'Athènes à la Mauritanie, de la Garonne à l'Ethiopie. Ma géographie, je la ferai avec ce que j'ai appris en traînant les pieds aux frais de l'Etat. Il ne faut pas que je sois injuste, je dois beaucoup à des gens comme Gautier, ou Demeilhan. Il paraît que Demeilhan travaille pour le F.L.N. Ça ne me dérange pas. Je vous rase ?

— Pas du tout, mon commandant !

— Dans mon histoire aussi je renouvellerai les compartiments. J'aurai mon siècle de la peur, celui où la civilisation sécrète un rempart autour d'elle : le fameux Limès. Il ne ceinture pas seulement l'Afrique romaine. Il s'étire au Proche-Orient, face à la Perse. Il s'allonge de la mer Noire à la mer du Nord. Et à la même époque, les Chinois construisent...

— La muraille de Chine ?

— Oui. On oublie que ces ouvrages sont contemporains. Les deux civilisations, l'occidentale et l'orientale, ont aussi peur l'une que l'autre des hordes qui traînent à cheval entre le Pacifique et l'Atlantique. Elles s'emmurent. Les cheveux dressés sur la tête, elles se bouchent les oreilles. Vous imaginez ça ? Avec des pierres elles cernent leurs domaines, s'interdisant d'aller au-delà, renonçant à l'extension, à la découverte, n'espérant plus que dans le statu quo. A l'époque, les Romains avaient déjà dégénéré. Ils n'étaient plus ces grands manipulateurs de pierre. Aux confins de leurs domaines ils employaient, pour bâtir, des barbares dirigés par des contremaîtres indigènes à peine romanisés. C'est pour ça que la muraille de Chine est encore debout et pas le Limès. C'est pour ça que les Barbares ont déferlé à l'ouest et pas à l'est. De pareils tournants, l'Histoire n'en offre pas souvent, peut-être sommes-nous juste au tournant suivant. C'est drôle ?

Bossac ne trouvait pas le vieux légionnaire inintéressant. Ce n'était pas la première fois qu'il découvrait plus de culture et de curiosité chez un baroudeur, buveur de pastis, que chez un ancien polytechnicien, amateur de whisky au mess.

Entre deux tumultes, les baroudeurs réfléchissent. Il laissait aller cet interlocuteur invisible qui respirait dans son dos, et dont il devinait le regard rivé, comme le sien, à l'incessante agitation du trait lumineux. « Parle-moi, pensait-il, refais-moi l'histoire de la civilisation à ta manière, tu m'évites de penser à Bernadette. »

— Le pire, pour un militaire, poursuivait Paolini, c'est d'avoir à admettre qu'il y a des défaites utiles. Mon vieux, c'est un bonheur que le Limès n'ait pas tenu ! L'Occident avait besoin de sang jeune. Ces Barbares qui sont arrivés, cassant tout, brûlant les manuscrits, au bout de quelques siècles, ils se sont mis à reconstruire et à copier. Si l'Asie avait bénéficié à notre place de leur apport, Paris n'existerait pas, et Rome se serait endormie comme la Chaldée. C'est un peu une idée de Demeilhan, mais je la pousse plus loin que lui parce que je suis plus ignorant, donc moins gêné aux entournures. Une civilisation, c'est de l'eau qui bout. Elle s'évanouit en vapeur. Elle a besoin qu'un litre d'eau glacée s'abatte dans la casserole. Ça donne de l'eau tiède. On gémit sur la décadence ! Puis, à la flamme des siècles, c'est une casserole pleine qui se retrouve en train de bouillir. Remarquez, cet apport d'eau froide peut être celui des Barbares de la steppe galopant vers Rome, aussi bien que celui du prolétariat prenant la Bastille. Que l'apport vienne de l'intérieur ou de l'extérieur, ça m'est égal. Aujourd'hui...

Il se tut brusquement. Ce ne fut que quelques secondes plus tard que Bossac entendit un pas résonner sur le ciment de l'escalier. Le vieux mercenaire avait eu l'ouïe plus vigilante que le jeune homme.

Le commandant La Garnache entra d'un pas vif.

— Je me suis inquiété de vous, mon cher. Je vous ai quêté partout. Du diable si j'imaginais que vous fussiez resté si longtemps à l'affût du radar.

Il s'adressa sèchement à Bossac :

— Rien d'intéressant, maréchal des logis ?

— Non, mon commandant.

— Ce qui est fâcheux, voyez-vous mon cher, c'est que le second radar est en panne. C'est assommant... Si vous comptez passer la nuit là, pardonnez-moi, mais je vais vous laisser.

— Non, non, non ! grogna mollement Paolini. Je vais dormir aussi... merci mon petit, bonne nuit.

— Bonne nuit, mon commandant, dit Bossac.

Il écouta leurs doubles pas décroître sur le ciment, puis grésiller sur le sol de la cour. Pour s'occuper, il fit exécuter deux rotations complètes à l'appareil dont l'écriture électrique répétait : « il n'y a rien qu'un petit peu de vent, même plus d'âne ».

Il alluma une cigarette et tenta de se faire croire que s'il se sentait aussi malheureux, c'est qu'il avait rompu son vœu de ne plus prendre connaissance des lettres de Bernadette. Ça ne tenait pas. Il s'ingénia alors à formuler à haute voix des griefs contre la jeune femme :

— Tu étais hors de course. Tu avais fait un mariage de raison. Tu n'avais qu'à être raisonnable. Ça ne me choquait pas que tu te sois établie auprès d'un homme solide, qui t'aimait. Non, ça ne me choquait pas. Ce n'était même pas totalement imprévu. Il y avait en toi un côté bonne grosse qui suffisait à expliquer que tu aies décidé de faire une fin. Je t'avais déçue, tu avais souffert. Tu en avais marre des nuits de Saint-Tropez et de Saint-Germain-des-Prés. Non, tu vois je te comprends. Mais la suite, je ne marche pas...

Il cessa de parler tout seul parce qu'une flaque était en train de se former autour du trait, pareille à ces pâtés qu'engendre un enfant en bougeant sa règle au moment où il tire un trait. Le pâté rétrécit. Bossac continua son exposé, mais silencieusement cette fois. Il ne marchait pas, pensait-il, dans la mesure où, puisque Bernadette avait adopté un style de vie, elle aurait dû s'y tenir. « Moi, je déconne en demi-teintes. C'est mon style. Un style qui ne mène à rien. Ça tombe bien puisque je ne veux aller nulle part. Mais Bernadette, elle, s'était prononcée pour un emploi bien établi de vaillante épouse, de future jeune mère modèle. Ça ne colle pas avec son grenouillage dans un endroit aussi con que Monte-Carlo et avec un gazier comme Nahon ! »

Il feignit de l'intérêt pour la renaissance du petit pâté de lumière ; en réalité il craignait d'aller au bout de sa pensée qui n'était plus pensée, mais colère. Avec n'importe qui il eût admis que Bernadette s'envoyât en l'air, mais précisément pas avec une créature aussi sinistre qu'un Nahon.

Il se sentit bouleversé jusqu'à l'estomac à la pensée qu'un

peu de Nahon était en train de prospérer dans la chair de
Bernadette. Haineux et sachant en même temps qu'il n'avait
aucun droit à l'être, il dériva vers des généralités. Les femmes étaient trop bêtes ! S'il en avait été une, lui, il eût
goûté plus profondément les joies propres à ce sexe. Méprisant la renaissance de la tache lumineuse dans la même
zone de l'écran, Bossac, les yeux mi-clos, se rêvait femme.

Vers sept ou huit ans, il avait voulu devenir une petite
fille. Il rusait pour repousser la visite au coiffeur. Dans
deux glaces parallèles, il admirait le soir la croissance de
ses cheveux qui se disposaient en bouclettes autour des
oreilles. Au square, il ne jouait qu'avec des filles, se gardant de les rudoyer comme les autres garçons, les copiant,
s'exprimant comme elles. Aujourd'hui encore le souvenir
de cette époque le troublait. Il savait qu'elle n'avait été
nullement homosexuelle, que son comportement lui avait
été dicté, au contraire, par l'amour des filles. Sensible à
elles, obsédé par le souci de leur plaire, il en était arrivé
à se confondre avec l'objet de ses élans, à considérer l'état
de fille comme enviable. Ce désordre s'était apaisé, et dès
la puberté Bossac n'avait plus ressenti pour la femme que
ce mélange de mépris et d'enthousiasme qui caractérisent
un homme normal. Toutefois il en avait conservé une faculté plus poussée à se mettre à la place de sa partenaire.
Pendant sa longue liaison avec Bernadette, il avait souvent
vérifié leur entente au fait que, dans une réunion, entre
quinze personnes, il pouvait déterminer quel était l'homme qui plaisait à la jeune femme. Il ne se trompait guère.
Ce n'est pas que Bernadette lui eût jamais fait de cours sur ses
préférences masculines : il tombait juste en se mettant violemment à sa place. Ce jeu n'était pas tout à fait pur puisque Bossac, quand il s'y livrait, ressentait son propre corps
comme celui d'une femme, au point qu'il lui arrivait de
commettre les maladresses matérielles où excellait la lourde
Bernadette juchée malencontreusement sur ses talons aiguilles, et incapable de descendre d'un tabouret de bar sans
qu'on l'aidât. Bossac pouvait donc mesurer la distance qui
s'était accrue entre eux au fait que jamais il n'aurait sup-
posé Bernadette sensible au charme de Nahon ; d'autre part,
il constatait la pérennité de leurs liens à la colère humiliée
qui lui faisait battre le cœur dès qu'il imaginait le couple

qu'elle avait formé avec ce répugnant crétin, c'est-à-dire
dès qu'il s'imaginait possédé par le crétin en question.

— Nom de Dieu !

Il avait crié, non pas tant parce qu'il croyait que la
présence d'une bande venait de se révéler sur l'écran, mais
parce qu'en feignant d'y croire il éloignait les vaines et
cruelles images que Bernadette lui avait imposées. Le regard
rivé à la tache, il la voyait se dilater et se recroqueviller
alternativement — amibe houleuse, frénétique. Or, tandis
que sur l'ensemble de l'écran la ligne filait, à peine sinu-
soïdale, paisible, ne révélant aucun vent particulier, la tache
bouillonna de plus belle, perpétrant une série de jambages
qui s'agitèrent avec fureur, enchevêtrés, et s'épaississant par
instants comme le trait d'une plume dont l'encre bave parce
qu'on appuie trop.

Une seconde, Bossac se donna le plaisir d'être le seul à
détenir ce secret : une bande, une forte bande tentait de
passer.

Comblé, il guetta et obtint des confirmations à son dia-
gnostic. Il était le grand maître du Signe. Enfin, il se leva.

*
**

Le ronflement de l'obus passa au-dessus des hommes et
les coucha d'effroi sur la terre. Leurs doigts la griffaient,
cette terre, ou s'ensanglantaient aux ronces. Ce fut seulement pour manifester sa présence et son autorité que le
Dabet Awwel ordonna d'une voix calme :

— Tout le monde coucher !

Lui-même s'était simplement agenouillé. Pour employer
sa main gauche, il tirait sur une tige. Les oreilles déchirées,
puis voilées par le tonnerre du bombardement, il demeurait
dans cette position qui lui rappelait celle qu'il prenait dans
le jardin de son père, pour arracher les mauvaises herbes.
La décision mettait longtemps à se développer en lui. Le
corps secoué par la succession des obus, le Dabet Awwel
notait que le tir se resserrait sur eux. En plein ciel jaillit
une fusée éclairante, puis une nouvelle qui s'installa dans
les airs, comme un feu d'artifice suspendu : une opération-
luciole. Des ténèbres jaillit une colline bleue, celle que la
katiba cherchait à atteindre pour échapper à l'observation

du radar. Il fallait continuer le passage, prendre le pas de course vers cette colline — ou reculer vers la Tunisie.

L'homme qui rampait à quelques mètres du Dabet Aw-wel, parla :

— Ce n'est pas un tir réglé, haleta Benboulaïf. Ils doivent le préciser grâce à leur radar... Qu'est-ce que vous attendez ?... Mais ordonnez-le, ce repli !... On est foutus, vous voyez bien !

De colère, le Dabet Awwel se dressa pour commander un bond de cent mètres en avant. La katiba se souleva. La luciole continuait de distribuer ses reflets sur la steppe, descendant lentement, légèrement poussée vers le nord par le vent qui gonflait son parachute.

A peine les hommes s'étaient-ils mis à courir qu'un obus s'abattit au milieu d'eux. Des paquets de terre, quelques secondes après, retombaient encore sur ceux qui couraient toujours.

**

Sur la piste, sous les étoiles, les camions se suivaient à distance réglementaire : des G.M.C., une A.M., deux half-tracks, d'autres G.M.C., un Dodge, deux jeeps, deux A.M., des G.M.C. Autour : la steppe. Le ronflement des moteurs se perdait, à l'est, dans le silence, au sud-ouest, éveillait un écho sur le flanc du Djebel-Ong. Parfois, une bouffée de vent du sud atténuait l'éclat du ciel.

— C'est la première fois, dit Bossac, que je vais au résultat sur un écho radar.

Une fusée ébranla les airs. C'était encore une fusée-luciole et un miroitement bigarré embrasa la steppe. Le visage paisible de Paolini apparut à Bossac.

— Faut pas toujours rester dans les trucs abstraits, disait-il. Passionnant, le radar. Mais ce n'est pas mauvais que vous veniez voir les détails vous-même, sur place.

Une heure plus tôt, quand Bossac avait donné l'alerte, le commandant Paolini s'était aussitôt manifesté. Peut-être couchait-il tout habillé, car il était apparu en tenue, parfaitement boutonné, bien lacé, et même rasé. Immobile, ne bougeant que pour gratter une piqûre d'insecte sur son menton, il avait suivi le tir de Fort-Quentin dont La Gar-

nache, tout officier d'artillerie qu'il fût, avait salué chaque
obus d'un signe de tête, puis, doucement, il avait demandé
à « participer au dispositif ». Ce dispositif consistait en un
détachement de fusiliers-marins appartenant à un camp
voisin (auquel des lieutenants de vaisseau avaient donné la
forme d'un croiseur), en une demi-batterie d'artilleurs, et en
une section de légionnaires détachée par Bir-el-Ater. Un
message passé à Negrine permettait de compter sur l'intervention d'une compagnie de R.E.P. et de quelques sections
d'un régiment d'infanterie du quadrillage. L'alerte avait été
donnée aux paras, mais il faudrait attendre l'aube avant
que les hélicoptères les déposent.

— Espérons, avait observé le commandant La Garnache,
sceptique par disposition naturelle, que ça ne sera pas pour
des prunes.

Il avait reniflé après avoir prononcé « pour des prunes », expression qu'il croyait audacieusement argotique. Il
reniflait de même après « courir sur le haricot » ou « char-
rier dans les bégonias ». Paolini ayant observé que Bossac
avait intérêt à prendre l'air et à ne pas blanchir éternellement derrière un radar, La Garnache avait autorisé son sous-
officier à suivre l'examen « des résultats ».

La file de véhicules suivit encore la piste vers le sud
pendant un moment, puis elle ralentit et se déploya pour
s'arrêter enfin en *hérisson*. Seule une automitrailleuse poursuivit sa progression dans l'axe, phares et projecteurs allu-
més. Les légionnaires ayant sauté de leurs camions s'avancèrent, par groupes dispersés, parallèlement à la marche
de l'automitrailleuse.

— Allons grenouiller dans leur coin, conseilla Paolini
à Bossac.

Ils sautèrent de leur jeep, s'avancèrent derrière les silhouettes espacées des légionnaires. Les moteurs s'étaient tus.
On entendait seulement une voix tranchante qui répétait :

— Socrate bleu, Socrate bleu, m'entendez-vous ?

L'herbage sec ne craquait même pas sous les pas. Bossac
eut l'impression d'avancer sur une carpette de milliardaire.
Puis il aperçut, devant Paolini qui s'était arrêté, le premier
trou d'obus.

Dans un grésillement une voix hoqueta :

— Socrate bleu ? Ici Socrate vert, Socrate vert, je vous reçois cinq-cinq. Je vous reçois cinq-cinq, parlez.

— Socrate bleu, ici Socrate bleu, sommes sur place. Sommes sur place. Restez à l'écoute.

— Socrate vert, ici, Socrate vert, je vous ai bien reçu, Socrate bleu, je reste à l'écoute.

— Il est mort ? demanda Bossac.

— Ça en a tout l'air, dit Paolini.

— Mon commandant, dit un légionnaire à l'accent tudesque, il y en a une douzaine au tapis par ici. Ils sont en morceaux, mais ça doit faire une douzaine.

— Je te fais confiance, dit Paolini.

Revenant sur ses pas, l'adjudant qui commandait la section de la Légion se heurta à eux.

— Une douzaine de morts, mon commandant. Le radar, il ne s'était pas gouré. Trois ou quatre blessés. Mal foutus. Rien à leur tirer.

L'un d'eux gémissait tout près. Aux quelques mots d'arabe que Paolini prononça, le blessé ne répondit que par un râle. Bossac sursauta : Paolini s'était penché et avait tiré une balle dans l'oreille du moribond.

— Pas bon pour le renseignement, dit Paolini, et pas bon pour la vie... alors !

— Ici, Socrate bleu, Socrate bleu, j'appelle Socrate vert...

— Je vous entends, je vous entends.

— Echo radar vérifié. Approximativement quinze morts. Nous poursuivons l'examen du terrain. Terminé.

— Bien reçu, bien reçu, terminé.

L'automitrailleuse, ayant décrit un demi-cercle, geignait devant eux pour gravir un léger mamelon dont les chardons étincelaient sous ses phares.

— Dire qu'on se crève la paillasse, observa Paolini, qu'on n'en dort plus de la nuit, et que si jamais on gagnait la partie, ça ne serait pas la peine d'avoir été vainqueurs à Poitiers. Ces gars-là nous envahiraient. Je vois d'ici, ils deviendraient tous postiers et sous-préfets.

Les légionnaires, déployés, avançaient sur un front d'une centaine de mètres.

— Intéressant, dit Bossac. Je n'avais pas encore envisagé le problème sous cet angle.

L'aboiement d'un pistolet mitrailleur lui coupa la parole :

ils étaient deux ou trois dans un trou d'obus et ils tiraient. Bossac tomba d'abord sur les genoux, puis de tout son long.

Etalé, mou, il ne tressaillit même pas quand, près de lui, tonna le fusil lance-grenades d'un légionnaire. Dans le trou, après un silence de quelques minutes, la mélopée d'un blessé s'éleva. Bossac l'entendit longtemps. Les coups de feu avaient cessé, mais la mélopée continuait toujours.

— Le petit ? c'est grave ?

C'était la voix de Paolini.

Bossac avait envie de mettre sa gorge au diapason de celle de l'autre blessé. Il comprit les chiens qui hurlent à la lune. Il fut intéressé par la certitude que, s'il mourait, sa dernière découverte aurait été celle du plaisir des chiens à hurler ensemble.

— Il n'y a pas à s'y tromper, reprit la voix tudesque. Sous le tir d'artillerie, la katiba s'est cassée en deux. Une partie détale vers la frontière, une autre vers l'intérieur. Ces quatre-là, c'est ceux qui n'avaient pas fait leur choix.

Ayant senti contre son visage la toile rêche du brancard, Bossac cessa de penser, puis d'entendre. Les derniers mots qu'il avait saisis étaient :

— Socrate bleu, Socrate bleu, je vous appelle, me recevez-vous ?

*

Le crépuscule du matin fut très bref. Presque aussitôt les broussailles qui couronnaient la cuvette furent illuminées par le soleil.

Omar Benboulaïf, assis sur une large pierre rectangulaire, entre des massifs chardonneux, échangeait une peur pour une autre. Après la canonnade, il avait marché des heures, au milieu de la troupe en désordre, en redoutant la nuit. Il la savait protectrice mais aussi elle lui rendait les périls plus secrets, l'exposait à des sursauts d'effrois plus violents. Sans cesse, et sans qu'il y eût de raison pour qu'il appréhendât cette arme plutôt qu'une autre, il avait imaginé l'embrasement d'un lance-flammes.

Maintenant, après l'intervention impitoyable de la lumière du jour, c'était de l'avion qu'il avait peur. Il était apparu

au sud, infime tache très blanche, miroitante, que l'éloigne-
ment rendait silencieuse. Les hommes, sans qu'un ordre eût
à circuler, s'étaient immobilisés et tassés. L'avion se dé-
doubla, puis devint trois appareils en formation, poursuivant
irréductiblement leur route vers l'est. Pour le moment, ils
devaient survoler les débuts du désert entre Negrine et les
schotts. Il était à prévoir que bientôt parvenus à la frontière
tunisienne, ils feraient demi-tour, et reviendraient sur l'ouest
avec un décalage qui les ferait passer au-dessus de la katiba.

Les hommes s'étaient débarrassés de leurs sacs et de leurs
armes qui gisaient sur le sol. Quelques-uns faisaient la prière. D'autres mangeaient malgré le Ramadan. L'aspirant Mustapha Tidjanin donnait des conseils à deux soldats occupés
à panser le bras d'un blessé. Il s'approcha de Benboulaïf et
s'assit à côté de lui sur la pierre.

— Crois-tu que Mekrissa nous rejoindra ? questionna-t-il.
— Comment veux-tu que je sache ! grogna Benboulaïf.
— Peut-être qu'il est mort.
— Peut-être.
— Il s'est peut-être replié sur la Tunisie avec les autres ?
— Peut-être, si Dieu l'a voulu ainsi, répondit machinale-
ment Benboulaïf.
— Qu'est-ce qu'on va faire ?
Benboulaïf haussa les épaules.
— Tu penses qu'il vaut mieux attendre ici que le jour
se passe ?
Benboulaïf alluma une cigarette. Les circonstances le dis-
pensaient de se rationner.
— On a eu tort, dit-il, de s'arrêter dans cette cuvette. Il
nous restait deux heures de marche avant le jour. On avait
le temps d'aller s'enfermer dans le Djebel-Ong.
— Moi, exposa l'aspirant Tidjanin, j'ai été trompé par la
nuit. La cuvette, je l'ai crue drôlement plus profonde. Mais
les crêtes du Djebel-Ong, je les surveillais et je les croyais
beaucoup plus proches.
— Moi, soupira Benboulaïf, je croyais que le Dabet Awwel
Mekrissa était toujours avec nous, que c'était sur son ordre
qu'on s'arrêtait.
— J'ai cru que c'était sur le tien !
Ils se turent pour écouter la vibration d'un avion.
— C'est les trois qui reviennent, suggéra Benboulaïf.

Pourtant le ciel resta vide, limité qu'il était par les bords de la cuvette.

— Regarde où nous sommes, proposa Tidjanin quand la vibration se fut éteinte.

Il avait étalé sa carte d'état-major sur ses genoux. Son doigt délimita une surface allant de Midès à Negrine et montant jusqu'à Bir-el-Ater. Puis, du bout d'un ongle noirci, il désigna l'écheveau de mouvements de terrain concentriques qui allait en noircissant de plus en plus jusqu'aux sommets du Djebel-Ong.

— Nous nous trouvons dans une de ces deux dépressions, tu es d'accord ? C'est là que nous avons été pris à partie par les canons. Ensuite, nous avons marché nord-ouest. Nous avons coupé, ici, la piste de Negrine, puis ici l'oued Soukiès. Donc nous ne pouvons être que là... ou là.

L'air commença de bourdonner, au nord cette fois. La katiba frémit. Tous les hommes s'attendirent à voir déboucher en rase-mottes une nuée d'avions. Le bourdonnement toutefois persistait sans croître.

— Les hélicoptères ! articula l'aspirant.

Il précisa :

— Les bananes... j'en suis sûr.

Cela signifiait que des troupes de choc auraient été débarquées dans le coin. A combien ?

— Une dizaine de kilomètres ? proposa l'aspirant.

Comme Benboulaïf ne répondait pas, Tidjanin s'impatienta :

— Alors, quels ordres vous donnez ? demanda-t-il en reprenant le vouvoiement.

Benboulaïf était en train d'écraser son mégot à l'arête de la pierre sur laquelle il était assis — une très belle pierre qu'il soupçonnait d'être romaine.

— Je réfléchis, répondit-il d'un ton rogue.

La question que lui avait posée Tidjanin lui avait du même coup révélé que, depuis la disparition du Dabet Awwel Mekrissa avec un morceau de la katiba, c'était lui qui commandait le reste. Le bourdonnement continuait. Le bleu du ciel s'épaississait et les premiers rayons du soleil commençaient d'érafler les broussailles sur l'un des flancs de la cuvette.

— De deux choses, observa Tidjanin, ou bien nous res-

tons blottis là comme des cailles, en espérant qu'ils oublient
de nous repérer, et nous foutons le camp cette nuit, ou bien
nous foutons le camp tout de suite... par petits groupes... vers
le Djebel-Ong.

Il ajouta avec enthousiasme :

— De tout, il y a sur ce djebel ! des arbres, des rochers,
des grottes !

Benboulaïf sourit, se rappelant la description du paradis
dans le Coran :

— Tu as raison, dit-il paisiblement, allons boire l'eau du
Tesnin. Tu connais les hommes, les cadres. Reforme-les par
groupes de douze...

Il n'osait pas encore assumer un commandement direct.
Il restait le bourgeois qui a besoin d'un intermédiaire entre
la masse et lui.

— Un groupe restera en couverture, sur la crête sud, et
ne décrochera que dans deux heures. D'après la carte, nous
allons trouver un escarpement en sortant de la cuvette. Tu
vas y envoyer un groupe tout de suite, pour nous couvrir sur
le nord. Il décrochera en même temps que le premier groupe.
Les autres passeront, à des intervalles de cinq cents mètres,
à gauche de l'escarpement et prendront les lignes de crête.
Laisse un radio au second groupe.

— Oui, dit Tidjanin, seulement les hommes trouvent que...

L'impatience d'agir s'était emparée de Benboulaïf. Il se
rappela une phrase propre aux romans d'aventures : « Alors,
les malheureux s'aperçurent qu'ils avaient perdu un temps
précieux. »

— Je me fous de ce que trouvent les hommes, jeta-t-il.
Exécution.

— Mon capitaine, insista Tidjanin, la question, elle est
importante : trop chargés ils sont les hommes. Après les coups
de canon, il y en a qui ont abandonné leur matériel. Tu
comprends : ceux qui sont encore chargés, ils disent pourquoi
moi et pourquoi pas les autres ?

— Fais procéder à une répartition équitable, en vitesse.

— Tu vois d'ici les chicayas !

— Dis de ma part à chaque chef de groupe d'abattre les
frères trop enclins à la chicaya. Au couteau, pour ne pas
faire de bruit.

Il montra sa musette rebondie, lourde de trente millions.

— Ça ne m'amuse pas non plus de traîner ça.

— Eux, c'est plus lourd !

— J'ai porté le sac aussi quand j'étais élève-officier.

— Tu as été officier dans l'armée française ?

Benboulaïf acquiesça, évitant de préciser que s'il était capitaine de réserve, c'était au titre de dentiste.

— Allez, fous le camp ! Exécution.

L'aspirant s'avança au milieu des hommes assis ou allongés...

**
*

Insensible aux épines qui lui mordillaient le poignet, le sergent Johanlat suivait la marche de Tidjanin au bout de ses jumelles. Elles abandonnèrent l'aspirant pour se promener sur le vaste troupeau kaki répandu au fond de la cuvette. Encore que celle-ci baignât dans l'ombre, la lumière environnante se décomposait dans le verre des jumelles et sertissait les silhouettes de traits nacrés, bigarrés par les couleurs du prisme.

Johanlat se retourna vers le soldat allongé auprès de lui dans les épines.

— Il y a presque une katiba ! souffla-t-il.

— Et un putain de matériel !

— Reste là.

Le sergent, en rampant parmi les graviers roses et les épines où éclataient de petites fleurs printanières, recula sur quelques mètres, puis, sûr d'être caché par la crête, se redressa. La section était dispersée devant lui. Les hommes se taisaient, à quelques mètres les uns des autres, allongés ou agenouillés. Il se pencha sur l'homme radio, installé dans une flaque de sable et lança :

— Bruno rouge cinq à Bruno rouge. Me recevez-vous ?... Devant moi la katiba presque complète... planquée au fond d'une cuvette...

— Bien reçu, bien reçu, restez à l'écoute.

— Je reste à l'écoute.

Une minute plus tard, le capitaine commandant la compagnie retransmettait le message, appuyé sur sa canne, à destination du colonel du régiment de parachutistes.

— Bruno rouge à Bruno, Bruno rouge à Bruno...

— Allô, Bruno, j'écoute... Je vous entends, je vous entends.

— Sommes devant la katiba, planquée au fond d'une cuvette... Nous n'avons pas été vus.

— Bien reçu, bien reçu, attendez la réponse.

Il y eut un changement de voix, puis :

— Attendez-nous. Prenez position discrètement. Je vous hélicoporte le régiment. Répétez...

— Bien compris, bien compris. Je prends position en douce et j'attends le régiment.

— Okay. Terminé.

— Bien reçu. Terminé.

La nuque solide, le visage plat, la peau basanée, l'œil limpide, le colonel Trinquier envoie ses ordres. Autour de lui, sous l'ardent soleil du matin, les appareils radio crépitent. Un bataillon est vautré autour des hélicoptères. Plus bas, une section chemine dans l'oued. Encore plus bas, des G.M.C. et des Dodge s'alignent sur la piste Bir-el-Ater - Negrine. Trinquier, dans son uniforme vert et jaune, soyeux, le moulant bien, tire sur sa pipe et lance ses ordres d'une voix neutre. Il est sept heures dix du matin. L'heure H est fixée à neuf heures. Il faut que, dans les quarante minutes qui viennent, les dix bananes aient héliporté trois bataillons autour de la cuvette. Il faut toucher la compagnie de la Légion qui a quitté Ferkane afin qu'elle s'arrête à la jonction de la piste et de l'oued Soukiès ; qu'elle y laisse ses véhicules et se porte dans l'axe de la cote 213 en H.4.22 du quadrillage. Objectif : bouclage sud-est de la cuvette. Ordre identique aux deux compagnies d'intervention du 60e Régiment d'Infanterie de Negrine. L'artillerie, en provenance de Fort-Quentin, devra progresser de façon à exécuter un tir de 105 de H. moins 10 à H. Le D.L.O. est chargé d'obtenir l'appui aérien. Mission d'observation immédiate. La compagnie de la Légion en provenance de Bir-el-Ater fera sa jonction avec la compagnie qui a seule actuellement le contact avec la katiba. Dispositif de bouclage à étudier par les commandants de compagnies.

Le souffle de la première banane, qui décollait bruyamment, froissa la carte entre les mains du colonel.

AGITÉS D'ALGER

La compagnie de la Légion partie de Ferkane, ayant fini de traverser la succession de bosses blêmes qui donnaient aux abords de Negrine un aspect lunaire, déboucha sur l'oasis flamboyant dans la clarté du matin. Du bordj, planté sur le roc, tombait une ombre violette qui allait se perdre sur les cimes des palmiers d'un vert violent. Arriva le message radio qui précisait l'objectif. Le convoi poursuivit la piste, montant sur des contreforts ras où seuls quelques palmiers-bours témoignaient de la proximité de l'oasis. Devant lui un nuage de poussière élargi, éclairci, témoignait du passage d'une autre colonne motorisée.

Une caravane était arrêtée le long de la piste. Parmi les cris des femmes et les grondements des chameaux, des fusiliers marins armés de la « poêle à frire » examinaient les sacs et les ballots.

— Les nomades, ces pauvres gens ! observa le capitaine Jansrick qui conduisait le second Dodge. C'est vrai, les nomades pasteurs, nous les avons bloqués sur place pour les trois quarts, et ils vivent comme des clochards des rations de blé que nous leur jetons. Et les nomades transporteurs, quand la piste d'El Oued aura été aménagée, on n'aura plus besoin d'eux, le trafic se fera par camions... Ah! le voilà l'oued Soukiès !

Comme, devant lui, la voiture de tête continuait de foncer à la même vitesse, il la klaxonna. Bientôt, le convoi s'aligna entre la piste et l'oued. Les légionnaires s'étaient déjà reformés en sections quand, soulevant un nouveau nuage de poussière, les camions de la compagnie d'infanterie qui précédaient, ayant fait demi-tour après l'appel radio, réapparurent. Ils s'alignèrent de l'autre côté de l'oued desséché. Quelques minutes plus tard, les deux compagnies s'étendaient sur un front d'un kilomètre.

Dans les airs, les bananes bourdonnaient.

Au bout d'une heure, la marche des compagnies se ralentit. Presque à chaque minute l'homme de tête d'un groupe s'arrêtait, répercutant son immobilité sur ceux qui le suivaient. Lentement, les sections s'allongeaient le long des crêtes.

AGITÉS D'ALGER

Benboulaïf, de nouveau assis sur sa pierre, regardait à la jumelle l'ascension de son premier et de son second groupe, grimpant l'un vers la crête nord, l'autre vers le sud-est. Il attendait impatiemment que ces « deux couvertures » fussent en place, pour mettre en marche la katiba vers le cœur du Djebel-Ong. Il consulta sa montre : 8 heures 35. Le soleil maintenant fouillait jusqu'au fond la cuvette. Les armes des soldats brillaient. L'aspirant Tidjanin s'agitait au milieu d'eux, formant et déformant les groupes, réglant les querelles concernant la répartition des sacs. Au nord, le continuel bourdonnement des hélicoptères avait enfin cessé.

— Les deux groupes ont atteint les crêtes, annonça Benboulaïf à Tidjanin en reposant ses jumelles. Je suis rassuré. Cette nuit, nous avons été fous de nous arrêter là sans placer de guetteurs sur les hauteurs. Donne le départ au premier groupe. Cinquante mètres d'écart entre chacun.

La mauvaise humeur des hommes, la nervosité de son chef, avaient gagné Tidjanin. Sur son visage toujours aussi doux, aussi lisse, bien que depuis plusieurs jours il ne se fût pas plus rasé que Benboulaïf, des tics passagers se succédèrent.

— Ya aami...

Il avait commencé sa phrase en arabe, bien qu'il sût que Benboulaïf le parlât mal. « Ya aami », littéralement « mon oncle » est une appellation gentille, juste un peu respectueuse qui rappela à Benboulaïf la manière dont certains patients, à l'hôpital, lui donnaient du « mon oncle » à « lumière d'Allah ».

— Je me demande, avait traduit Tidjanin, si nous ne sommes pas plus en sécurité dans ce creux. Sur les crêtes, ils nous verront.

— Possible. Nous nous battrons. Ici, nous ne pourrions pas nous battre. Nous serions coincés.

L'aspirant se dirigea vers la première section, lança ses ordres. Douze hommes se détachèrent et s'éloignèrent lentement en foulant aux pieds l'herbe à chameaux qui tapissait

le fond de la cuvette. Ils s'arrêtèrent net en entendant la
fusillade.

Elle avait éclaté sur la crête sud. Elle ne cessait pas.
« Nous sommes repérés », pensa d'abord Benboulaïf. Puis il
se souvint qu'il était le chef. Il sentait que son visage avait
blêmi, mais en même temps s'étonna de son calme. En arabe,
d'une voix forte, il jeta ses ordres. La katiba, tournant le dos
à l'accrochage sud, s'ébranla au pas gymnastique vers le flanc
nord-ouest de la cuvette. Devenue aiguë, la voix de Tidjanin
s'élevait, aussi incessante que la fusillade, pour faire respecter la formation. Benboulaïf s'était imposé de rester immobile pendant qu'une partie de sa katiba défilait à sa hauteur
en se bousculant. Puis, d'un geste précis, il enfonça ses jumelles dans leur étui et se mit en marche. Il ne pensa « nous
sommes perdus » qu'en entendant une seconde fusillade éclater sur la crête adverse, au nord. Tidjanin, partageant son
désarroi, revint vers lui hors d'haleine, l'interpellant en arabe.

— Oui, dit Benboulaïf, nous sommes cernés.

Il se demanda un instant s'il n'allait pas brûler tout de
suite les trente millions et la lettre destinée au colonel Amirouch. Mais le souci de la katiba l'emporta. Il se lança au
milieu des hommes en leur désignant la crête ouest. S'il
restait une chance que le bouclage ne fût pas terminé,
c'était à l'ouest qu'il fallait l'attendre. De ce côté, la pente
était très raide, encombrée de blocs de rochers. Les hommes
avaient compris. Ils couraient. Aucun n'avait abandonné son
sac.

Benboulaïf pensa une seconde fois « nous sommes perdus » quand le fer s'abattit du ciel. Au fond de la cuvette,
le décor s'envola en morceaux. Un palmier nain s'éleva dans
les airs. Les oreilles pleines de la clameur des canons, Benboulaïf continua de courir avec un groupe de soldats. D'autres s'étaient couchés. Le fracas de chaque obus faisait vacil-
ler la course des fuyards. Ce fut seulement au bout de deux
ou trois minutes que Benboulaïf s'aperçut que ce bombardement ne faisait guère de ravages. Il bouleversait le fond
de la cuvette ; les premiers obus avaient atteint la queue de
la katiba ; mais maintenant que les hommes avaient gagné
la haute pente aux blocs de rochers protecteurs, le tir avait
perdu toute efficacité.

Il y eut une pause pendant laquelle les poitrines continuèrent de souffler précipitamment. Une pause cruelle où le prochain obus se faisait attendre. Les secondes s'additionnèrent. Le silence n'était rompu que par quelques coups de feu isolés sur les crêtes. « Ce serait trop beau » pensait Benboulaïf. Il s'étonnait lui-même de la vigueur avec laquelle des illusions en lui se dressaient : le tir ne reprendrait pas ; le bouclage n'était pas terminé à l'ouest ; la katiba dormirait cette nuit dans une grotte du Djebel-Ong, au sein du paradis de l'aspirant.

Alors, le ciel se mit à chanter. Les avions piquèrent. Leurs ombres les suivaient avec plusieurs secondes de retard, balayant la broussaille sur laquelle les balles s'étaient écrasées. A la place du tonnerre grave des canons de 105, les mitrailleuses qui tombaient du ciel proféraient des jappements irréguliers, des cris aigus. A leur second passage, les avions mitraillèrent les blocs de rochers où la katiba tentait de s'ensevelir. Des volutes de fumée montaient du fond de la cuvette où des buissons flambaient.

Et une seconde fois, le silence. Sous un ciel vide, les crêtes elles-mêmes s'étaient tues. Seul persistait le grésillement des buissons en flammes. Comme si les blessés avaient suivi une mystérieuse étiquette, ils attendirent un bon moment avant d'élever leurs cris. Ils les continuèrent après le déclenchement de la fusillade. Une mitrailleuse, postée à trois cents mètres au-dessus des blocs de rochers, entama un solo par trois rafales. Bientôt deux autres mitrailleuses, vraisemblablement situées sur un infléchissement de la crête d'ouest en sud-ouest, entrèrent en action avec rage, comme pour rattraper le temps perdu. Benboulaïf avait retrouvé sa respiration. Il ouvrit son étui, en tira les jumelles, les éleva à hauteur de ses yeux et commença à les régler minutieusement. Ce geste familier l'apaisa tout à fait. Il entendit la voix de Tidjanin et du même coup se rappela l'existence de l'aspirant. Celui-ci se faufilait entre les rochers, le front et les lèvres en sueur.

— Regardez, lui dit Benboulaïf en lui tendant les jumelles, il y a une mitrailleuse là... Vous la voyez ?

En arabe, Tidjanin lança ses ordres. Allongés sur une roche plate, trois hommes avaient mis en place une mitrailleuse qui ouvrit le feu sur celle qui continuait de crépiter à l'inflexion de la crête. « En somme, pensa Benboulaïf, nous

378

nous organisons. » De lui-même le flanc nord de la katiba avait pris ses dispositions de combat et ouvrit le feu. « C'est une bataille, pensa encore Benboulaïf, et je ne la commande pas plus mal qu'un autre. Pas plus mal que Mekrissa. Si nous en sommes là, la faute en revient à lui, à lui seul. » Avait-il déjà repassé la frontière avec son bout de katiba ? Benboulaïf l'imagina, toujours sûr de lui, battant en retraite vers le moutonnement des tamaris et la piste rose.

— Vous êtes blessé ? demanda-t-il à Tidjanin.

— J'ai empoigné une touffe de diss, et les feuilles m'ont coupé.

Les mitrailleuses, les pistolets mitrailleurs poursuivaient un concert dépourvu d'entrain. Les ennemis se cherchaient. Un petit nuage blanc apparut dans le ciel, un vrai nuage sans accointance aucune avec un incendie, une canonnade. Il se promenait à petite vitesse. Quelques oiseaux, désorientés par trop de tonnerres inattendus, passèrent en zigzaguant. Benboulaïf sortit de sa poche un morceau de chocolat et le mangea. Il avait repris confiance. Il lançait des ordres. Se glissant entre les rochers, il parcourut avec Tidjanin le front de la katiba, improvisant de nouveaux groupes de combat, établissant un tir cohérent. Sa foi ne fut même pas entamée par le tir qui s'éleva tout à coup derrière eux : par bonds, les Français dévalaient la pente à l'est, cherchant à occuper la partie de la cuvette que la katiba avait fuie. Benboulaïf fit redescendre deux groupes qui prirent position derrière une ride de terrain et, par un feu immédiat, arrêtèrent la progression de l'ennemi. A sa montre, Benboulaïf vit qu'il était 10 heures un quart. Il compta le nombre d'heures qui le séparaient de la nuit. La nuit dont il avait besoin pour percer la nasse. Et le verset du Coran lui revint : « Lorsque le soleil sera couvert de ténèbres... » Adossé à un rocher, il alluma une cigarette.

*
**

Le cantonnement du commando nocturne de Mac-Mahon, situé, à vol d'oiseau, à près de deux cents kilomètres de la cuvette du Djebel-Ong, se composait de deux hangars couverts de tôle ondulée séparés, par une sorte de cour de ferme, d'un corps de bâtiment qui avait naguère servi d'entrepôt et de bureau à une éphémère coopérative de primeurs.

Il était un peu plus de 11 heures du soir, quand, dans une salle cloisonnée par des planches nues, le lieutenant chef du commando, Le Mayet, un joli garçon un peu rond de figure, le menton têtu, les yeux gais, ayant fini d'avaler son morceau de barbaque grise, ordonna :

— Maintenant, le café ! et en vitesse. Départ à 11 heures un quart...

Autour de la table à tréteaux, assis sur des bancs de bois blanc, ses adjoints saucèrent rapidement leurs assiettes de faïence ou de métal. Une ampoule nue, pendue au bout d'un fil tourmenté, les éclairait durement. Il y avait là l'adjudant-chef Recco, le sergent-chef Eizmendi, le sergent Lenglen, le caporal-chef Meister, le caporal-chef Hamed Tidj Kiat, vieux tirailleur à la moustache brune piquée de blanc, et de l'autre côté de la table, le lieutenant Labrouquère, O.R. du bataillon de tirailleurs, et, entouré de ses deux hommes de confiance, Benadoua, le chef des harkis détaché au commando, glabre, le visage coupant, les deux yeux très rapprochés. A leurs pieds, un prisonnier, assis sur la terre battue, terminait lui aussi sa gamelle en faisant cliqueter ses lourdes chaînes. Au-delà d'un promontoire de boîtes de conserves et de sacs de pommes de terre, sur une autre table à tréteaux, une vingtaine de soldats, musulmans et européens, mangeaient bruyamment en échangeant des plaisanteries avec le reste du commando qui, dissimulé par la cloison de planches, faisait sonner ses fourchettes et ses quarts.

— Ce soir, proféra Le Mayet, pendant qu'un soldat remplissait son verre de café après avoir jeté une poignée de figues sèches à même la table, nous avons un objectif particulier. Une série de renseignements nous permet de penser que... Dis donc, Labrouquère, renvoie donc ton client avant que je fasse des confidences.

— Tu sais, je vais lui faire passer une petite nuit après laquelle il a peu de chances d'aller répandre tes confidences. Mais enfin...

Le lieutenant Labrouquère fit signe à un soldat qui fumait un cigare, installé sur un sac de pommes de terre. Celui-ci se pencha sur le prisonnier, l'empoigna et, rudement, le mit sur ses jambes.

— Tu n'as toujours rien à me dire ? interrogea Labrouquère.

— Qu'est-ce que tu veux que je te dise ? gémit le prisonnier.

Il était vêtu d'un burnous blanc ; sur son visage sombre,
creusé par les rides, se hérissait la petite moustache de
Charlot.

— Tu es fonctionnaire, reprit Labrouquère. Tu es payé.
Tu es logé dans une belle maison au bord de la voie ferrée
que tu es chargé de garder. Quand les saboteurs viennent,
au lieu de donner l'alarme, tu les invites à déjeuner.

— Pas à déjeuner. Juste un petit peu.

— Tu les regardes poser leurs saloperies, tu fermes ta
gueule, et tu attends que ça pète.

— Je ne croyais pas que ça pèterait. Ce train-là, il ne
pète jamais !

— Le plus fort, coupa Le Mayet, c'est qu'il a raison. Entre
Biskra et Batna, le train du pétrole se promène d'habitude
les deux doigts dans le nez.

— Ce sont probablement les compagnies de pétrole, observa l'adjudant-chef Recco, qui ont demandé à sauter dans
les gorges d'El Kantara, pour sauver les apparences, pour
que ça fasse plus comme il faut.

— Moi, dit Labrouquère, ça ne me regarde pas. Ce que
je veux, c'est remonter, non pas seulement au poseur de
la bombe, mais à ceux qui les fabriquent. Car le rapport est
formel : c'est une bombe de fabrication locale.

Il se retourna vers le prisonnier :

— Alors ?

— Alors, qu'est-ce que tu veux, la France, je l'aime,
c'est ma...

— C'est ta mère ! Ça je sais. Tu me l'as répété cent fois.
Va te reposer. Je te retrouve dans un quart d'heure. Et si
tu m'ennuies encore à me répéter la même chose, je trou-
verai une occupation qui nous distraira tous les deux.

Derrière le prisonnier la porte se referma sur une nuit
obscure. Alors Le Mayet reprit :

— Donc, cette nuit, nous sortons sur renseignements. Il
y a quinze jours, une partie d'une katiba qui avait tenté
de contourner le barrage par le sud, sur l'axe habituel Midès-
Negrine-Ferkane, a pris trop au nord et s'est fait matraquer

par les paras dans le Djebel-Ong. Les quelques gaziers qui
ont réussi à échapper à l'encerclement de la cuvette, après
s'être réfugiés dans le Djebel-Ong, se sont rabattus sur les
Nementcha, et ont repris le trajet classique des passages
rebelles. De Seiar, le petit groupe de survivants a été ache-
miné par la rébellion locale jusqu'au début des Aurès. L'aviation les a très bien repérés à ce moment-là, mais ils ont
été se terrer dans les grottes du Djebel-Mezbel, et c'est par
hasard qu'un hélicoptère, qui ramenait un blessé à Arris,
les a repérés dans le Djebel-Ahmar Kraddou où ils échan-
geaient des coups de fusils avec les dissidents de Si Abdelli...

— Moi, tu vois, prononça l'officier de renseignements Labrouquère, ce qui me souffle, c'est qu'il subsiste encore, après
quatre ans de guerre, des groupes dissidents parmi les rebelles
des Aurès. Et pas des dissidents d'appartenance M.N.A. comme en Kabylie, des dissidents à l'état pur.

— Guère nombreux. Quelques groupes de soixante bonshommes. Abdelli, le plus remuant, n'en a pas plus de quatre-
vingts, assez bien armés, je dois dire, avec des Statti, des
fusils de guerre 303, des Mauser, des Lebel. A mon avis, ces
types-là sont des descendants des bandes qui, pendant la
guerre de 14, ont profité de ce qu'il n'y avait plus qu'une
centaine de gendarmes qui gardaient les Aurès pour se
mettre à rançonner le pays. On les a matraqués vers 1925,
d'accord, mais des débris ont subsisté, qui ont repris du
poil de la bête quand ils ont vu se pointer les gars du
F.L.N. Au fond, personne n'a jamais policé les Aurès. Ça
remonte aux Romains. La troisième légion Augusta tenait
Lambèse et la route Timgad-Tebessa-Negrine. Elle tenait le
sud aussi où elle faisait pousser l'olivier. Mais pas le centre
des Aurès ! C'était trop déchiqueté, trop impénétrable ! Et
habité par des fous furieux ! Les Byzantins n'y ont pas mis
les pieds non plus. Quant aux Arabes, ils ont si peu occupé
les Aurès que quand nous sommes arrivés les Chaouïas parlaient encore berbère. C'est un pays de tueurs. Grâce à
nous, pendant un siècle, ils ont vécu à peu près tranquilles.
La bagarre leur manquait, évidemment.

Hamed Tidj Kiat, que cet abrupt historique des Aurès
laissait indifférent, en revint à ce qui l'intéressait :

— Et alors, mon lieutenant ? Une katiba ? Tu crois qu'on
va tomber sur une katiba ?

— Non, corrigea Le Mayet en se levant, mais les dix ou vingt bonshommes qui ont échappé au matraquage. Peut-être leur passage est-il protégé par une katiba ! Ça, c'est possible. Quant à savoir si on accrochera, c'est autre chose : le renseignement est sûr, mais il n'est pas précis à une heure près.

Il changea de voix pour crier :

— Allez ! Tout le monde en piste ! Sitôt dehors, je ne veux plus entendre un mot. Toi, Dupraz, si tu me refais le coup de tousser comme l'autre nuit, je t'arrache un poumon et demi.

Le lieutenant venait d'enfiler une paire de bottines de toile, à semelles de caoutchouc, qui lui rappelaient celles que, petit, il mettait pour aller avec son père pêcher la crevette au grand filet. Chaque homme était allé prendre son arme au râtelier. Seul, le petit groupe des radios avait l'air maussade.

Les radios ne faisaient pas partie du commando. Ils étaient prêtés par le bataillon, sur ordre du colonel que les activités nocturnes de cette bande, qui comptait de nombreux soldats du Contingent, faisaient transir de peur. La présence de radios le rassuraient : si un commando accrochait une grosse bande, il pourrait toujours appeler à l'aide. Dans le même esprit, il avait porté à soixante l'effectif qui n'avait d'abord été que de trente hommes. Ces deux mesures navraient le lieutenant Le Mayet qui ne pouvait demander à une troupe aussi nombreuse, chargée d'un matériel lourd, les silencieuses performances sportives qu'il en avait obtenues au début. Pour ce jeune homme ardent, qui aimait le risque comme d'autres aiment les timbres, avec une passion méticuleuse, les demi-mesures d'un colonel, qui sans oser supprimer ce corps-franc l'avait « engraissé », illustraient l'abêtissement du haut commandement, plus disposé aux langueurs du quadrillage qu'aux délices de la guérilla.

La cour, quand Le Mayet sortit, était peuplée d'ombres muettes, alignées déjà en files indiennes. Il se glissa à sa place, toucha l'épaule du caporal-chef Meister qui se mit en marche en poussant celui qui était devant lui. Toute la colonne s'était ébranlée. Bientôt elle s'inclina, puis rampa sur la terre mouillée pour passer sous des fils de fer barbelés : le commando évitait de sortir par la grande porte du

cantonnement. Les indicateurs F.L.N., nombreux dans le petit bourg de Mac-Mahon, si nombreux qu'ils avaient pu organiser, une nuit, un passage de rebelles à cinquante mètres du P.C. du régiment, n'auraient pas manqué d'alerter
la mintaka. Pour cacher leur départ, les soldats sortaient
donc de chez eux avec des ruses de voleur.

Le Mayet sentit la dernière ligne de barbelés égratigner
sa combinaison de combat, se remit sur ses jambes et reprit
sa marche derrière Meister en respirant à pleins poumons.
Devant eux, il n'y avait qu'un petit plateau que la nuit
soudait au ciel. Le pas des hommes était silencieux. Le
Mayet entendait tout juste la respiration de Benadoua, le
chef harki, qui marchait derrière lui. Il goûta son bonheur.

Car l'instant où il s'échappait du cantonnement, de nuit,
à travers un terrain aussitôt hostile, était plus qu'un instant
de plaisir. Il se sentait grand. Il ne s'en étonnait pas ayant
lu dans Gobineau : « On n'est pas grand quand on n'est
pas heureux. » Le Mayet était l'homme sinon d'un seul livre,
du moins d'une seule œuvre, celle de Gobineau. Il la reli-
sait naïvement, comme un guide. Par lettres, il s'en entretenait avec Georgia, sa fiancée. Il ne doutait pas qu'ils
ne fussent l'un et l'autre fils de roi. L'idée que Georgia pût
trouver le temps long et chercher, avec ses petits copains
de la Sorbonne, de quoi nourrir de jeunes nerfs qui n'étaient
pas, comme les siens, comblés par les combats de nuit dans
le Djebel, n'effleurait pas la pensée allègre de ce jeune
homme. Au demeurant, il était imperméable à tout ce à quoi
ses goûts n'eussent pu s'appliquer. Il méprisait cordialement,
par exemple, les officiers des Services Psychologiques qui
usaient encre et salive pour convaincre les musulmans du
quadrillage. Il n'avait envie de convaincre personne. Il tuait
et il admettait d'être tué. Ses harkis étaient d'anciens rebelles qui s'étaient ralliés directement à lui, non parce qu'ils
estimaient que l'Algérie avait une vocation occidentale,
mais parce qu'ils étaient sûrs de s'amuser mieux, de barou-
der davantage, de manger et de boire plus que dans leurs
bandes de l'Armée de Libération. Et c'était sur ces bases-là
que l'on pouvait s'entendre avec Le Mayet.

Il rampait pour franchir la voie ferrée. Sous sa paume,
Le Mayet apprécia la froideur un peu grasse du rail comparable à celle d'une arme. La colonne se redressa, traversa

quelques champs cultivés, un pâturage, avant de retrouver
l'aspérité des cailloux sous les semelles de caoutchouc. Elle
s'éleva le long d'un épaulement de terrain au sommet duquel
les hommes, sur un chuchotement de Le Mayet, que Meister
répercuta devant lui, et Benadoua derrière, n'avancèrent plus
que courbés en deux pour éviter que leurs silhouettes ne
se détachassent au-dessus de la ligne de crête. Car de l'autre
côté de la crête, au-delà du vallon étroit où coulait un oued,
se dressait l'un des postes qui veillait sur la voie ferrée.
Pour assurer ses sorties, Le Mayet n'en livrait ni la date ni
l'heure à une voie hiérarchique qui, pour parvenir au poste
de surveillance, eût répandu la nouvelle jusqu'à des oreilles
ou des yeux F.L.N. Aussi la colonne devait-elle prendre autant de précautions que si elle eût été un détachement de
fellagha au moment où elle passait à l'extrémité de l'aire
balayée par les projecteurs du poste. Celui-ci, demain comme
les autres fois, assurerait dans son rapport que la nuit avait
été calme, ce qui prouvait à Le Mayet que des êtres immobiles, dans une ceinture de barbelés, étaient aussi inutiles
que des épouvantails et que seul, dans cette guerre, le mouvement payait.

Le corps toujours incliné, Le Mayet se querellait avec
Gobineau à propos d'une des seules remarques de son idole
qu'il n'entérinât pas. Gobineau avait écrit : « Il est fâcheux
pour les sentiments tragiques que les formes de la vie moderne ne s'y prêtent pas. » Or, Le Mayet appréciait les ondulations de son djebel, l'éclat des barbelés illuminés par le
projecteur du poste, la respiration courte du mercenaire
musulman qui le suivait : cette forme de la vie moderne
lui semblait convenir au tragique. Il se redressa au moment
où la colonne, ayant dévalé un flanc du vallon, se trouva
à l'abri de l'œil du poste. Il entendait l'eau courir à quelques
mètres de lui ; il s'engagea dans l'oued, sautant d'une pierre
sur l'autre avec les mêmes élans, les mêmes points de chute
que celui qui le précédait. Sur leur droite, ils négligèrent un
sentier qui longeait l'oued, l'ourlait d'un méandre blanc
que les ténèbres n'absorbaient qu'à une centaine de mètres,
et raccourcirent leurs pas pour escalader un socle rocheux
de l'autre côté duquel se trouvait le village où, selon les
renseignements reçus, les passagers et leur escorte devaient
faire étape. Le sentier y conduisait sans peine, mais la pré-

sence assurée de nombreux guetteurs rendait ce trajet
inefficace.

— Vos distances !

L'ordre se répercuta. Le Mayet jubilait. Son plan était
de tomber sur le village par la montagne, de le surprendre,
de l'encercler. Son cœur en battait d'allégresse. Il ne quitta
sa place dans la colonne que lorsqu'il vit l'homme de tête,
après cinquante minutes d'une montée épuisante, se détacher
sur le ciel au sommet de la montagne. Il saisit Benadoua par
la manche, tous deux doublèrent ceux qui les précédaient
jusqu'au moment où, d'un signe, Le Mayet ordonna la halte.
Les uns après les autres, les hommes se couchèrent, indiscer-
nables. Le Mayet et Benadoua s'allongèrent aussi sur la pierre
et considérèrent à leurs pieds la boucle de la vallée. Une
buée blanche trahissait le sillon de l'oued. Les escarpements
rocheux faisant écran, les deux hommes changèrent d'observatoire, gagnèrent une crête où ils s'allongèrent de nouveau.
C'était la pleine lune mais le ciel était bouché. Un vent violent maltraitait les nuages dont parfois un remous se sertissait d'argent pour quelques secondes. Le Mayet aimait ces
instants où il savait sa troupe tout entière derrière lui, et
silencieuse, et invisible. De son nouvel observatoire, à force
de sonder les ténèbres, il distinguait, entre les derniers escarpements rocheux et l'oued, une matière plus grise, différente, qui était les toits du village.

— Tu as vu ?

De l'autre côté de l'oued, un point lumineux s'était allumé, aussi réduit qu'une étoile, et sur le bord de la tache
grise des toits, une autre lumière, au bout de quelques secondes, répondit. A l'ouest, deux autres points brillèrent
presque simultanément. De cette région l'on pouvait dire
qu'elle appartenait à peu près à l'Armée pendant le jour,
et totalement aux fellagha pendant la nuit. Ce n'était pas
par mauvais goût littéraire que les paysans appelaient les
fellagha : « les soldats de la nuit ». La définition était ri-
goureuse. Le Mayet, au cours de ses sorties, savourait glou-
tonnement les heures entières pendant lesquelles, ayant pénétré dans le monde ennemi, il voyait des lampes électriques
émettre leurs signaux autour de lui.

Benadoua se glissa vers l'homme de tête, chuchota, et la

colonne commença de ramper vers le bord du versant rocheux.

La descente fut rapide. Usés par le vent, les gros rochers blêmes étaient ronds et doux sous le pied. Toutes les deux ou trois minutes, les hommes s'immobilisaient pendant que Le Mayet envoyait Benadoua tâter le terrain en avant, et Meister remonter la colonne pour s'assurer que les groupes suivaient avec l'articulation prévue. Aux deux tiers de la pente il y eut un passage délicat : chacun dut se laisser glisser le long d'une plaque rocheuse verticale jusqu'à une saillie étroite sous laquelle commençait un éboulis formant le raccord entre falaise et fond de la vallée. On stationna dans l'éboulis pour que le commando se reconstitue. Enfin, l'adjudant-chef Recco se glissa près de Le Mayet, souffla :

— Ça y est, tout le monde est là.

— Qu'est-ce qui s'est passé ?

— Les hommes radio sont fatigués. Ils ne sont pas habitués à notre pas. Il a fallu se passer de main en main leur matériel pour franchir la plaque. Les deux chiens aussi il a fallu les porter. Maintenant ça va.

— Bon. Vous envoyez le groupe d'Eizmendi en couverture. Mission : franchir l'oued et occuper l'autre rive, face au village. Benadoua va piquer droit sur le village, suivi à cinquante mètres par le groupe de Lenglen. Mission : occuper le village. Meister... vous êtes là d'ailleurs, Meister, c'est vous ?

— Oui, mon lieutenant.

— Vous suivez Lenglen jusqu'au moment où vous atteignez le chemin. Là, vous prenez vers l'est, sur sept ou huit cents mètres, puis vous stationnez en attendant que le village soit occupé. A ce moment, vous revenez en ratissant. Dans ce coin, vous trouverez forcément des guetteurs. Vous voyez d'ailleurs, il y a une lampe électrique qui fait des signaux... Allez, exécution.

Le lieutenant, en voyant disparaître les harkis de Benadoua, se reprocha une seconde de ne pas avoir donné à son terrible collaborateur une consigne de modération : si Benadoua trouvait des fellagha dans le village, il aurait égorgé pas mal de gens avant que Le Mayet n'arrive.

Sur sa droite, il vit défiler le groupe Eizmendi. Les tirailleurs de Meister se soulevèrent pour lui emboîter le pas. Deux minutes après il interpella Lenglen.

— Vous couvrez Benadoua à distance, mais dès qu'il aura atteint le village, rapprochez-vous. Dites-lui de ma part d'attendre que je sois là pour bousiller les gaziers.

Bientôt les hommes furent fondus dans la nuit. Le Mayet n'eut plus de leurs nouvelles que par le grattement de petits cailloux qui, détachés par le pas d'un homme, ricochaient pendant quelques secondes. A chaque fois, il serrait les dents, craignant que le bruit ne s'accentue : l'expédition en était arrivée au moment où le faux pas trop bruyant d'un homme pouvait la faire échouer.

Le caporal-chef Hamed Tidj Kiat arriva doucement à la tête de son groupe, s'assit à côté de Le Mayet, bientôt rejoint par Recco auquel le lieutenant donna ses derniers ordres. Recco resterait dans l'éboulis avec les radios, les deux cynophiles et leurs clebs, et six hommes ; il refilerait les autres à Hamed Tidj Kiat. Quand le groupe du caporal-chef musulman eut été ainsi grossi, Le Mayet se souleva pour commencer à descendre, en queue, vers l'oued. Il savait qu'avec la nuit, dans une zone à ce point infestée de fellagha, un bouclage total du village était impossible. S'il s'était mis en réserve, c'était pour pouvoir se jeter sur les éléments qui, faisant percée, se replieraient à peu près forcément vers l'oued.

A la qualité plus humide de l'air, aux touffes d'herbe qui peu à peu se substituaient à la caillasse, le lieutenant sut qu'il atteignait le fond de la vallée. La pente s'adoucit ; la petite troupe avança à travers des buissons, puis s'immobilisa. C'était les cris des femmes qu'attendait Le Mayet, à défaut de l'aboiement des chiens du village que les fellagha avaient fait tuer depuis longtemps. Quand Benadoua déboucherait dans les mechtas, les femmes crieraient et si les fellagha étaient là, leur mouvement les porterait à coup sûr vers la bande de Le Mayet ensevelie dans les buissons.

Cette sorte de silence particulier, qui est destiné à éclater, à se muer en imprécations et en coups de feu, enchantait Le Mayet. Le nez enfoui dans des herbes mouillées, aux parfums coriaces, il goûtait, autant que le silence, son immobilité qui contenait elle aussi la violence des gestes qu'il aurait à faire dans un instant. « Le bonheur... C'est le bonheur ! » pensait-il. Ce jeune qui ne connaissait que Gobineau, avait pourtant essayé de lire Stendhal. Il avait ouvert

Le Rouge et le Noir. De même que lorsqu'il lisait dans Gobineau : « Il appartient aux hommes d'élite... » ou « Les âmes de cette valeur... » ou « pour une belle âme immodérée... » il s'estimait concerné, de même, il avait éprouvé pour Mathilde de la Môle une admiration fraternelle. Il l'eût offerte comme modèle à Georgia, n'eût été sa hideuse faiblesse pour l'infect petit Sorel — faiblesse à laquelle d'abord il n'avait pas voulu croire. Il avait relu les lignes qui suivaient l'arrivée de Julien, par l'échelle, dans la chambre de Mathilde puis, le doute n'étant plus permis, il avait repoussé Stendhal, écœuré. Mais l'affaire l'avait préoccupé tout autant que si Mathilde l'eût trahi, et même plus sûrement, car il était trop altier pour percer une trahison : Georgia eût pu lui apparaître au bras d'un Julien Sorel qu'il n'y aurait vu que du feu. Ce fut à peine si, à l'occasion de la souillure de Mathilde, il put imaginer Georgia en butte au même péril. Plus exactement il ne craignait pas que Georgia se donnât à un être moche, mais qu'elle se compromît avec lui, qu'elle acceptât de l'accompagner au cinéma ou au concert. Dans la lettre qu'il avait commencée l'après-midi, il la priait de ne pas oublier qu'ils avaient chacun une mission, la sienne étant de ne pas se faire tuer, celle de Georgia de ne pas faire de vilaines rencontres.

Allongé dans l'herbe, il apercevait, grâce à la manœuvre d'un nuage qui laissait filtrer une trace de clair de lune, les parties hautes de la montagne dont il était descendu. Il pensait à Georgia et à Mathilde. Au lieu des cris attendus, la forte voix d'une mitrailleuse retentit. Hamed Tidj Kiat, cessant de ressembler à un bloc de rocher, se détendit. Les corps frémirent dans les buissons.

— Mon lieutenant, souffla le caporal-chef, c'est eux ! Ça, c'est une Statti.

Au bout de quelques secondes, il y eut, sur la rive opposée de l'oued, l'éclatement sec d'une grenade. Les femmes du village se mirent à crier. Un vol lourd d'oiseaux effrayés passa.

— Progresse en direction de l'oued, ordonna Le Mayet.

Il se remit en queue de la colonne. Il avançait à petits pas, le regard désespérément braqué sur les ténèbres qui entouraient la tache plus claire du village. Remontant vers lui, le caporal-chef Tidj Kiat le heurta.

— Ils sont là, mon lieutenant. Mohand, que j'avais détaché devant, il s'est rencontré avec un type qui lui a demandé de quelle katiba il était.

— Il fallait qu'il réponde !

— Il a répondu ! Il a dit : troisième demi-katiba. Mais le type, il a senti que ça n'allait pas, il s'est défilé dans la nature.

Ce que Le Mayet avait craint, c'était de trouver le village vide de fellagha ; ce qu'il avait espéré, c'était le reflux des fellagha vers lui. L'événement se présentait d'une troisième façon : le gros des fellagha, n'ayant pas encore atteint le village, se trouvait répandu à l'extérieur du bouclage, entre le groupe de Lenglen et le sien. Quant à la Statti, elle n'avait sans doute tiré que pour donner l'alarme. Le chef des fellagha devait attendre, pour battre en retraite, que les éléments français fussent coagulés sur le village. « Il faut les allumer, pensa Le Mayet, savoir combien ils sont. S'ils sont trop nombreux, nous remonterons vers Recco. » Il ordonna le feu ; fut étonné de la rapidité de la réplique : à moins de vingt mètres de lui, une demi-douzaine de mitraillettes fellagha aboyèrent ensemble. Puis une clameur jaillit des buissons : la bande montait à l'assaut. Dans l'immédiat, Le Mayet n'avait aucun secours à attendre des autres groupes qui ne pouvaient plus distinguer l'ami de l'ennemi. Un rayon de lune lui tomba dessus au moment où, debout, son pistolet mitrailleur à la main, il ralliait sa troupe vers le bord de l'oued avec l'espoir de le franchir, de rejoindre Eizmendi, d'établir avec lui un feu continu sur la katiba. La balle l'atteignit en même temps que le rayon de lune, mais en travers, lui traversant le bras gauche, la poitrine, le bras droit. Il eut le temps de la sentir tomber dans sa manche droite, et s'effondra.

— Mon lieutenant ! cria Hamed Tidj Kiat.

Au milieu de la fusillade, il l'appela en vain plusieurs fois. Sa voix se perdit dans les cris des fellagha qu'un nouveau bond avait porté au-delà du corps de Le Mayet.

Benboulaïf, tellement essoufflé par sa course qu'il en toussait à intervalles réguliers, aperçut le cadavre au moment où le fellagha qui le précédait se penchait pour récupérer le pistolet mitrailleur. Pendant quelques secondes

l'éclairage de la lune fut si violent qu'Omar Benboulaïf
put détailler les traits du jeune homme allongé, comme
sur un gros plan de cinéma.

Les fellagha s'étaient couchés. Un instant il n'y eut plus
d'autre bruit que celui de l'eau grignotant la berge de
l'oued. Puis du côté du village, la fusillade reprit. Benboulaïf, accoudé sur la terre humide, attendait.

Attendre, c'était sa vie depuis des semaines, depuis
qu'à la tête d'une vingtaine d'hommes il avait percé l'encerclement des paras et, par bonds successifs, jailli hors de
la cuvette. Le soir, il avait dormi dans une grotte du Djebel-
Ong, pendant que l'aspirant Tidjanin, lentement, mourait.
Des cadres de la katiba, il ne subsistait qu'un Aarif Awwel
et un Djnoundi Awwel. De passager, d'homme-en-trop, Omar
Benboulaïf était devenu le chef. Il l'avait été depuis le
début de la percée, dès que l'éclat de grenade avait entamé
l'abdomen de l'aspirant. Et il l'était resté. Les guides étaient
venus. Les fumées s'étaient élevées sur les crêtes du Djebel-
Ong. De crête en crête, à travers les blêmes ondulations des
Nementcha, la petite troupe avait remonté vers les Aurès.
Puis, les autorités locales du F.L.N. (sous prétexte d'opérations menées par la Légion) les avaient fait remonter vers
le nord, jusqu'aux environs de Kenchela avec une caravane.
La troupe avait suivi une caravane que Benboulaïf, plus
habitué à la vie d'Alger qu'à celle d'Algérie, n'était pas
près d'oublier : chameaux de bât toujours grondants et
gémissants, chiens à longs poils, chevreaux si jeunes qu'ils
voyageaient sur le flanc des chameaux, dans des chebkas,
avec des chats et des enfants, ânes aux sabots rougis par
le henné que Benboulaïf eût aussi facilement placés dans
une crèche catholique que dans une miniature persane. Le
tout bousculé au passage par la Versailles d'un caïd en
manteau vermillon, qui avait fui dans une colonne de poussière, cependant que les chameliers murmuraient : « Belkal
Ya Sidi ». Au-dessus d'eux d'éternelles falaises blafardes,
autour, tantôt le caillou, la steppe, tantôt des mosquées, des
jardins, ou encore, dans le premier creux humide, des ma-
sures veillées par un peuplier et un torrent où lavaient
des filles en robes rouges. Au bord de l'oued de Beni Ba-
bars, ils avaient dormi dans des grottes d'où ils apercevaient,
dans le lointain, la Grande Mosquée à trente-deux colonnes,

AGITÉS D'ALGER

et plus près, des buissons de lauriers roses. Comme le chef de la caravane cherchait du fourrage pour ses ânes et ses chameaux, Benboulaïf avait désigné le feuillage des lauriers roses, se rappelant quelques lignes de « Salammbô » qui chantaient encore dans sa mémoire. Il s'était fait moquer par le petit caïd, plus savant que Flaubert, qui lui avait appris que les lauriers roses portent un venin mortel aux bêtes. D'ailleurs, le venin veillait : sous sa couverture, en s'éveillant à l'aube, Benboulaïf avait trouvé, endormi, un grand serpent. Une autre nuit, ils avaient campé autour d'un tombeau romain que Benboulaïf examina de près. C'était le tombeau d'un colon. Résigné à l'idée que le Maghreb était voué à la destruction, il s'était arbitrairement persuadé que c'était là la tombe d'un Romain assassiné par les premiers chrétiens des Aurès qui, devenus aussitôt hérétiques, se baptisaient « soldats du Christ », comme ils s'appelaient aujourd'hui « soldats de la Foi », et attaquaient le moindre village, la moindre ferme, la moindre trace de civilisation avec ce cri de « Deo laudes » que Saint Augustin comparait aux mugissements du lion. Benboulaïf se disait : « Qu'est-ce que je fiche avec ces gens-là, moi qui déteste leurs aînés ? » Tantôt il avait dormi dans l'argile jusqu'à des aubes violentes sur un horizon de pierres plates, tantôt sous les grenadiers et les figuiers, dans l'agitation des palmes au souffle d'un vent tiède. Sur ce sol tragique, il avait mêlé les efforts des Romains et ceux des Français, également planteurs d'oliviers que les habitants finissaient par scier. Puis, pénétrant dans les Aurès, il avait dormi dans la maison chaouïa qui lui avait semblé plus sommaire qu'une hutte nègre, où les femmes parlaient la vieille langue, la berbère, et seulement la berbère, alors que les hommes savaient un peu d'arabe. Il avait maudit cette misère due à la carence des Français dont un représentant n'apparaissait là que tous les dix ans. En même temps, il avait pensé : « Il faudrait s'entendre. Si les Français sont d'infects colonisateurs, pourquoi leur reprocher d'avoir abandonné une région à elle-même ? Nous devrions, au contraire, nous en féliciter. » Plus il marchait, moins il croyait à quoi que ce soit. Sa bande, encadrée par un commando zonal, avait livré combat à des dissidents pour s'assurer le passage. Ricanant Omar Benboulaïf se demandait ce que signifierait sa mort s'il était tué par un

392

de ces irréductibles dont la révolte anti-française n'était pas dans le sens de l'Histoire. Vers Rhoufi, il avait brutalement retrouvé les palmiers du désert autour d'un petit poste blanc, où, à la jumelle, il avait aperçu des soldats français rêvant devant un hôtel Transat abandonné. Il avait continué cette marche cruelle sur un sol gris, entre des crêtes roses, et s'était retrouvé dans le Jura, dans les Vosges, dans les Ardennes, subitement débarrassé des mouches molles, des moustiques, et retrouvant le chant des grenouilles mêlé à la stridulation des cigales.

Maintenant, toujours allongé, il écoutait craquer les balles. L'une d'elles écorcha le buisson qui le couvrait ; il en entendit longuement s'égrener les feuilles. Il se souleva et vit son voisin, armé d'un couteau, découper les oreilles du jeune lieutenant. La chair crissait. Sans oreilles, le visage devint comique. Durant sa longue tournée aurésienne, Omar Benboulaïf avait déjà rencontré sur beaucoup d'hommes vivants de ces visages incomplets dont la mutilation datait du début de la Rébellion : petits paysans qui s'étaient obstinés à fumer après que le F.L.N. eut interdit le tabac, et dont le nez, les lèvres, avaient été coupés — ou anciens chefs, qui, adjoints de Chihahi, le premier chef de la Wilaya I condamné à mort par son rival Adjoul, avaient été jugés complices et mutilés après qu'il eut été admis qu'ils avaient encouragé Adjoul à se faire passer pour le Messie et à se livrer à la pédérastie. Ces visages vivants avaient préparé Benboulaïf à la contemplation de ce visage mort, aux oreilles absentes.

Il détourna pourtant le regard mais ne put s'empêcher d'entendre un nouveau crissement qui lui annonçait la mutilation d'une autre partie du cadavre. Il accueillit l'ordre de « En avant » avec soulagement, se mit à courir. Au bout de cent mètres, parmi les lauriers roses qui bordaient l'oued, il retrouva les figures de sa bande à lui, des pauvres pèlerins qui le suivaient depuis Tunis et pour lesquels, malgré la succession des petits chefs locaux, il restait le seul commandant, ce qui lui était doux. Ils traversèrent l'eau. Les balles ricochaient sur les pierres plates. Benboulaïf ne pouvait s'empêcher de penser : « Ça ne fait rien puisque ce matin j'ai fait poster une lettre à mon frère Brahim. »

⁂

Robert Lacoste, sanglé dans une veste trop serrée pour sa corpulence, frappa de son poing fermé sa paume ouverte.

— Et puis, merde ! s'écria-t-il. Je ne vous ai pas convoqué, capitaine, pour tourner autour du pot. Avez-vous l'intention, oui ou non, de passer au F.L.N. ?

Le capitaine Brahim Benboulaïf se leva par déférence pour le ministre qui arpentait le bureau et ne paraissait pas près de se rasseoir. Mais Lacoste le prit par l'épaule et le renfonça dans son fauteuil.

— Ce qui me porte sur les nerfs, capitaine, c'est que vous ne semblez pas comprendre l'objet de notre entretien. Vous restez sur la défensive, alors que, je vous jure, vous n'êtes pas attaqué ! Vous êtes en tête à tête avec moi. Je n'ai pas l'habitude de rédiger des rapports de police, nom de Dieu ! Vous vous figurez que si vous me répondez : « Oui, Monsieur le Ministre, mes bagages sont prêts, je me taille à Tunis... » vous vous figurez, quoi ! que je veux vous faire foutre en cabane ?

Penché sur l'officier, Lacoste l'avait saisi par un des boutons de son uniforme qu'il tiraillait en parlant.

— J'ai voulu vous connaître parce qu'on m'a parlé de vous. Vous êtes un cas, mon vieux. Des gens, il y en a suffisamment au gnouf. Je n'ai aucune envie de vous y mettre. J'ai envie que vous m'expliquiez des choses. Des trucs que je ne comprends pas. Vous avez un frère à Tunis ?

— Oui, Monsieur le Ministre.

— Vous correspondez avec lui ?

— J'ai de ses nouvelles, indirectement, par sa fille qui est en Métropole.

— Tous les mêmes ! grogna le ministre d'Algérie. Ils prennent le maquis, mais ils collent leurs gosses dans un lycée à Paris, quand ce n'est pas leur femme qui y professe.

— Ma nièce, répondit Benboulaïf avec un début de colère, a fait ce qu'elle a voulu. Elle a épousé le fils d'un industriel du Nord. Mon frère n'a rien à voir là-dedans.

— Ne vous énervez pas ! Moi, j'essaie de vous comprendre, et vous, aussitôt vous vous énervez. Donc, vous avez un frère chez les fellagha, à Tunis. Il est parti il y

394

a dix-huit mois. Vous, vous êtes resté. Ça signifie-t-il que vous étiez pour l'Algérie française ?

Comme Benboulaïf se taisait, Lacoste insista :

— Vous étiez très lié, m'a-t-on dit, avec votre frère. Vous avez dû avoir des discussions ensemble ?

— Oui, Monsieur le Ministre, mais pas celles que vous croyez. Mon frère était plus hostile que moi à la Rébellion. Moi, je me posais des tas de questions, lui ne s'en posait aucune. Autant que je sache, il a été poussé à partir par les soupçons qui l'entouraient, par l'hostilité que lui manifestaient certains milieux européens. Je suppose qu'il a dû pendant longtemps déplorer son exil...

— Il ne le déplore plus maintenant ?

— Je ne sais rien de précis sur lui, mais je suppose que la tournure des événements ne peut que l'avoir encouragé.

— Ce qui signifie que vous, qui êtes resté, la tournure des événements vous a découragé ?

— Il y a de ça, Monsieur le Ministre.

— Mais qu'est-ce qu'elle a, la tournure des événements ?

Et Lacoste, donnant sur une pile de dossiers un furieux coup de poing, proclama :

— Je prétends moi que la tournure des événements, comme vous dites, se développe contre le F.L.N. Je ne le prétends pas, je le sais. Les preuves, elles sont là, sur mon bureau. Faites-moi confiance, je les ai regardées de près. J'ai le dernier rapport d'un commissaire politique de la Wilaya 3 sur les tentatives de renaissance des réseaux-bombes. Vous savez à quoi il conclut ? A l'impossibilité radicale de toute nouvelle activité clandestine à la Casbah. Voici le rapport, également intercepté, d'un adjoint politique au commandant de la Wilaya 4. Il conclut que l'A.L.N. ne parvient plus à empêcher les musulmans de fréquenter les S.A.S. et de nous fournir spontanément les renseignements, que pour remonter ce courant, il faudrait une hécatombe. J'ai là un rapport, et il a été vérifié, sur l'imperméabilité de la ligne Morice. Sur toute la longueur du Barrage il ne peut filtrer qu'une moyenne d'un ou deux hommes par jour. Les grosses formations sont obligées de le contourner, et elles se font matraquer, comme cela vient de se produire il y a trois semaines dans de telles proportions que, sur l'effectif d'une katiba, c'est à peine si une dizaine d'hommes ont réussi à nous échapper. Et nous avons recueilli deux tonnes et demie de munitions ! Le dispositif terroriste est brisé dans les villes. Les relations militaires entre l'Algérie et la Tunisie sont bloquées. L'effort social et économique auquel nous nous attachons, nous gagne chaque jour une clientèle plus vaste. Tenez, venez ! Lisez ces deux rapports... Ils émanent de deux commandants de wilayas. Ils sont destinés à l'état-major de l'A.L.N. Ils sont relatifs au moral des fellagha... la presse de Paris nous emboîte constamment à propos du « dernier quart d'heure », mais les chefs F.L.N. aussi, ils promènent la carotte au bout du nez de leurs troupes. Celles-ci, lassées, n'y croient plus, rêvent de rentrer chez elles... Lisez un peu ça, capitaine.

Le ministre happa, à l'autre bout de son bureau, un autre dossier.

— Et ça, qu'est-ce que vous en dites ? Le délégué F.L.N. à la conférence de Prague déclare textuellement que l'armée de la libération va être écrasée parce qu'elle manque de tout.

Il brandit la liasse de papiers sous le nez de Benboulaïf puis, d'une chiquenaude, l'envoya atterrir sur son bureau.

— Si je vous ai convoqué, capitaine, ce n'est pas parce que votre frère est à Tunis, que l'une de vos nièces a combattu chez les fellagha de Kabylie... Enfin, ce n'est pas seulement pour ça : c'est parce que votre fils, officier français comme vous, est arrivé, lui aussi, à Tunis. Avec une vingtaine d'autres officiers de souche musulmane, dont la plupart étaient signataires d'une lettre d'avertissement au président de la République, il vient de quitter son régiment pour rallier une unité de l'A.L.N.

— Je ne le sais que depuis quelques jours, Monsieur le Ministre.

— Minute ! coupa Lacoste, je ne vous demande pas d'excuses, de faux-semblants. Pas de monnaie de singe, expliquons-nous ! Je viens de vous faire de la situation du F.L.N. un tableau que je crois juste. Qu'en pensez-vous ?

— Autant que j'en puisse juger, Monsieur le Ministre, ce tableau, dans ses grandes lignes, doit correspondre à la réalité.

— Bon. Alors, expliquez-moi pourquoi, dans des circonstances semblables, votre fils, qui est un excellent officier,

qui l'an passé a été grièvement blessé par un terroriste du
F.L.N., qui semble jusqu'ici avoir embrassé la cause de la
France, ou tout au moins n'avoir pas considéré la cause du
F.L.N. comme une cause évidente, pourquoi maintenant,
dans ces circonstances, s'est-il décidé à passer de l'autre
côté ?

— Mon fils servait en France et en Allemagne, répondit
froidement Benboulaïf. Depuis plusieurs mois, je n'avais
avec lui d'autres relations que les lettres irrégulières qu'il
m'adressait, et je vous avouerai que j'étais plus préoccupé
par son état de santé — il se remet difficilement de sa
blessure — que par ses options politiques. Il ne m'a pas
informé de sa décision. C'est ma fille qui habite Marseille et
l'a vu avant son départ pour l'Italie, qui m'a écrit pour me
mettre au courant.

— Mais Benboulaïf, je ne vous demande pas de justifica-
tions ! Des éléments m'échappent. Je m'adresse à vous. Il
n'est pas possible que vous soyez étranger à la décision de
votre fils au point de ne pouvoir comprendre ses raisons.

— Si ce n'est que ça, Monsieur le Ministre, rassurez-
vous, je les comprends très bien.

Robert Lacoste se laissa tomber sur son siège et, du plat
de la main, assena sur son bureau une claque qui le fit
trembler.

— Eh bien, nom de Dieu, je vous écoute !

Comme Benboulaïf esquissa le geste qui préludait à sa
première phrase, le ministre de l'Algérie lui montra un
fauteuil.

— Rasseyez-vous. Je vous écoute. Je prends tout mon
temps.

Et comme le téléphone sonnait, il empoigna l'appareil,
répliqua « non » trois fois de suite, raccrocha et planta son
regard dans les yeux de son visiteur.

— Je ne prétends pas, prononça lentement Brahim Benboulaïf, que les raisons que je vais vous dire soient exactement celles de mon fils. Mais ce n'est pas le cas de mon
fils qui vous intéresse, il me semble, c'est le problème qu'il
pose ?

— Exactement ! Vous avez résumé ma pensée !

— Avant les événements, si on laisse de côté les privi-
légiés guidés par leur intérêt, la population musulmane d'Al-

gérie se divisait en trois groupes. Il y avait une masse résignée, sceptique, sans horizon. Il y avait ensuite une bourgeoisie éveillée qui, ayant compté un certain temps sur la France pour faire évoluer l'Algérie, pour remplacer les vieilles familles toutes-puissantes des caïds par des gens de mérite et de talent issus de toutes les classes sociales, a fini par se décourager. Elle a cédé à la pression d'un certain nombre de meneurs, entraînant avec elle les éléments les plus jeunes de la masse amorphe. Je ne vous dis pas, d'ailleurs, que cette bourgeoisie soit plus représentative du peuple algérien que ne le sont les caïds, mais son action est allée dans le sens des revendications populaires qui d'abord n'étaient nullement nationalistes. Elles le sont devenues en cours de route. Le troisième groupe, dont je faisais partie, ne souhaitait pas de rupture avec la France, et attendait la solution, malgré beaucoup de déboires, d'une amélioration progressive de la condition musulmane. Dans ce groupe, le premier mouvement de surprise passé, nous n'avons pu désapprouver entièrement l'action du F.L.N. Au bout de quelques mois, j'ai pensé que, grâce à cette flambée de terrorisme, la France serait obligée d'accélérer le processus de l'intégration musulmane. Mon fils pensait exactement comme moi. Puis nous avons été douchés par les dérobades des milieux européens, qui ont continué leurs chicayas autour du Collège Unique, comme si de rien n'était. Douchés par Paris aussi et son irrésolution. Aujourd'hui, quand vous faites le bilan de cette guerre, Monsieur le Ministre, vous oubliez que ce que vous avez gagné est sans cesse remis en cause dans les couloirs de la Chambre et au Conseil des Ministres. C'est vous-même qui avez lancé l'expression « un Dien-Bien-Phu diplomatique ». Vous pouvez gagner toutes les batailles que voudrez en Algérie, si Paris reconnaît le F.L.N. et traite avec lui vous aurez tué et fait souffrir des gens pour rien. Or, s'il y a une évidence qui s'impose, c'est que depuis quelques mois Paris se cherche un gouvernement pour négocier. Alors, qu'attendez-vous d'un jeune Algérien ? Qu'il se sacrifie pour louer les vieux glaouis ? Paris a déjà renoncé à l'Algérie française. Paris a été le premier à croire à la Nation algérienne. Vous ne pouvez tout de même pas attendre d'un jeune Algérien qu'il soit plus Français que Paris !

Lacoste, depuis le milieu du sentencieux exposé de Benboulaïf, caressait la tête d'un cocker qui, descendu d'un fauteuil où il dormait, s'était approché de son maître en trottinant.

— Cette guerre pose à un officier musulman des problèmes empoisonnants, poursuivait Benboulaïf. Aux yeux du monde nous avons l'air de traîtres, de collabos. J'ai lu l'expression dans un journal américain. De fait, même si nous nous arrangeons pour servir en Allemagne, ou pour nous cantonner dans des tâches anodines, comme c'est mon cas, nous n'en faisons pas moins partie d'une armée qui tue nos frères...

— Minute ! s'écria Lacoste. Le F.L.N. ne tue pas sans cesse des musulmans, peut-être ?

— Sans doute. Il tue beaucoup plus de musulmans que d'Européens. Mais vous conviendrez qu'il y a une différence entre tuer ses frères dans une guerre civile et participer à une guerre aux côtés de soldats qui ne sont pas du même sang que vous et se battent exclusivement contre des gens qui, indubitablement, sont vos compatriotes. La nuance serait plus légère si Paris avait réagi en proclamant, et en le prouvant par des actes, qu'il n'y avait plus désormais que cinquante millions de citoyens français à droits égaux — si avec cœur, enfin, Paris avait retenu l'Algérie au sein de l'unité nationale. Mais Paris n'y croit pas. Paris cherche à lâcher, sans trop perdre la face. Pourquoi, avant-hier, des dizaines de milliers d'Algériens ont-ils manifesté ? Ou plutôt contre quoi ? Contre Paris. Vous aviez interdit cette manifestation, Monsieur le Ministre. Elle a eu lieu quand même parce que les Européens sont réduits au désespoir. Réduits au désespoir non par la Rébellion, mais par Paris. En partant pour Tunis, mon fils a troqué le désespoir contre l'espoir.

— Et vous alors, pourquoi restez-vous ?

— J'aurais du mal à combattre une armée où j'ai passé ma vie.

— Et vous vous dites, aussi, qu'avec un frère et un fils dans la Rébellion, et les précautions que vous prenez pour ne pas vous mouiller, vous avez tout le temps pour effectuer votre virage, le moment venu.

— Admettons que telle soit ma position, Monsieur le Ministre. Est-ce que les arrière-pensées de Paris ne nous contraignent pas à de semblables calculs ? D'ailleurs, au nom

de quel gouvernement me donneriez-vous tort ? Une fois de
plus le Gouvernement a été renversé. Serez-vous encore ministre de l'Algérie, la semaine prochaine ?

Les deux poings aux hanches, Robert Lacoste contourna
son bureau, à petits pas roulants, suivi par le cocker.

— Vous avez parlé d'opinion internationale, dit-il. Ça
aussi c'est un problème qui me tracasse. Pourquoi est-elle
systématiquement contre nous ? Pourquoi adopte-t-elle les
thèses du F.L.N. ? Je crains, d'ailleurs, d'en arriver aux
mêmes conclusions que vous : parce qu'à Paris, les milieux
politiques, les milieux intellectuels, les milieux financiers,
veulent l'indépendance de l'Algérie... ou se sont résignés à
cette indépendance.

Changeant de ton, le ministre, agitant ses deux poings devant lui, éclata :

— Prenez le cas de Sakiet ! Après le bombardement, il
n'y avait qu'un parti à prendre : proclamer que, par ses
agressions répétées, la Tunisie avait rendu cette réplique
inévitable. Et le gueuler sur tous les tons ! Mais ces cons
du Quai d'Orsay ont eu la trouille ! Ils se sont contredits.
Ils se sont excusés. Ils ont plaidé coupables. Ils ont laissé
Bourguiba ameuter l'opinion internationale et faire croire
que nous avions l'intention d'envahir la Tunisie ! Au gouvernement, il n'y avait plus personne. Une débandade ! Le
résultat, c'est que nous avons passé pour des bourreaux, et
Bourguiba pour un petit saint. Cette carence du pouvoir,
cette carence de l'intelligence, ça me désespère !...

Brahim Benboulaïf s'étant levé à son tour, les deux hommes marchèrent côte à côte jusqu'à la porte.

— Je vous sais gré, capitaine, de m'avoir parlé franchement.. et astucieusement. Si je... reste à Alger, j'espère avoir
le plaisir de m'entretenir avec vous plus tranquillement.

Benboulaïf, dans le couloir, respira un autre air que dans
le bureau, où il était conditionné. A ce détail il prit conscience que la rencontre était terminée, terminée sans dommage, et il poussa un soupir de soulagement. Depuis qu'il
avait reçu la convocation du ministre, il n'avait pas encore
osé respirer à fond. Il descendit allégrement l'escalier.

Un soleil vif accueillit Brahim Benboulaïf sur l'esplanade cimentée du Forum, bondée de voitures. La portière de l'une d'entre elles s'ouvrit. Un homme en sauta.

— Par ici, mon capitaine.

Celui-ci, dont l'esprit était encore occupé par les péripéties de son audience avec Robert Lacoste, ne songea pas à résister. Ce fut seulement quand il se retrouva assis, dans la Peugeot, à côté du lieutenant Wasseau qu'il protesta :

— Mais qu'est-ce qui vous prend, Wasseau ! J'ai ma voiture...

— Sûr de votre absolution, je me suis permis de la renvoyer au prix d'un petit mensonge : en assurant que l'ordre venait de votre part. Il fallait que je vous parle.

La voiture coupa l'esplanade et rejoignit la rue. Wasseau conduisait, l'air perplexe.

— Nous avons appris, dit-il enfin, que Monsieur Lacoste vous avait convoqué. Nous l'avons appris un peu tard, sinon je vous aurais accroché avant. Racontez-moi un peu ça.

— Ça ne vous regarde pas.

— À voir ! Racontez d'abord et je vous dirai ensuite si ça nous regarde ou pas.

— Vous voulez savoir ce qu'il m'a dit ?

— J'en meurs d'envie.

— Il m'a dit que si un officier d'Alger-Sahel m'empoisonnait par son indiscrétion je n'avais qu'à le lui signaler, il le ferait expédier, dans la journée, en Allemagne.

— Non ?

— Non. Mais je suppose qu'il prendrait très mal le procédé qui consiste à rafler, comme un suspect, un officier parce qu'il a commis le délit de s'entretenir cinq minutes avec lui.

— Plus de cinq ! Trente-quatre. Allez-y. Qu'est-ce qu'il voulait savoir ? Ça fait longtemps qu'au Gouvernement général, ils veulent nous filer une pelure de banane sous les pataugas. Alors, ça se présente comment ? Aïcha ? La détention illégale des filles ?

— Mais vous vous trompez complètement ! Monsieur Lacoste, ayant appris le départ de mon fils pour Tunis, a souhaité s'entretenir avec moi des raisons de ce départ.

— C'est tout ?

— C'est tout.

— Pas de blagues, hein ? J'agis dans votre intérêt à tous. Nous avons des ennemis, vous comprenez. Il y a toujours un rombier pour se pointer chez Lacoste ou chez Salan et monter en épingle une de nos petites illégalités. Quand j'ai su que vous étiez convoqué par le ministre, j'ai cru que c'était une salade de ce genre-là.

Soulagé à son tour, Wasseau conduisait plus vite.

— Où allons-nous comme ça ? s'enquit Benboulaïf. C'est qu'il faut que je passe à mon bureau, moi.

— Vous ne regretterez pas le peu de temps que je vous fais perdre.

Au lieu de s'expliquer davantage, Wasseau demanda :

— Il doit avoir les foies, Lacoste ?

— Pourquoi ?

— Pour son job, parbleu ! Dans le nouveau gouvernement, il a des chances de ne plus être ministre. Sait-il où elle en est, la formation de ce gouvernement ?

— Il ne m'en a pas parlé.

— En tout cas, à Paris, on ferait bien de mettre la gomme, parce qu'ici les gens s'énervent. Vous avez vu la manifestation d'avant-hier ? Et ça va recommencer ! Alors si, en plus, il n'y a pas de gouvernement !

— C'est à la Casbah que vous me menez ?

— Oui. Vous y montrer des amis.

— Aïcha ?

— Aïcha et d'autres.

La voiture s'arrêta à l'entrée de la Casbah, devant le palais Bruce. Mais Wasseau entraîna Benboulaïf dans une ruelle et ce fut seulement au bout de quelques minutes que, poussant une porte, il s'excusa :

— Je vous précède, mon capitaine. Vous êtes au palais Munchar. C'est un endroit où nous gardons des hôtes de marque, dont Aïcha et ses petites copines.

Ils traversèrent un patio frais, aux murs ornés de beaux carreaux de Delft. Un para faisait résonner les dalles de son pas régulier. Dans une vaste pièce dont la porte était entrouverte, deux autres paras jouaient aux cartes.

— Mon capitaine, dit Wasseau en s'asseyant dans une pièce longue également ornée d'une fresque de faïence, voici : j'ai tenu mes engagements envers vous et envers Aïcha. Je vous avais promis de me démerder pour qu'elle évite

toute poursuite française et toute représaille F.L.N. A Aïcha
j'avais promis d'étendre cette immunité à ses petites copines. J'ai tenu et je tiendrai ma parole.

— Mon cher, prononça Benboulaïf avec ironie, je vous
supplie de ne pas en avoir l'air si étonné.

Imperméable, Wasseau poursuivit :

— Ces petites sont ici depuis pas mal de semaines. Le
F.L.N., qui aurait été surpris par une mise en liberté rapide,
ne s'étonnera pas de les voir ressortir. Je n'ai transmis aucun dossier, ni à l'administration, ni à la justice. La version
officielle sera, si jamais on me pose des questions, que ces
petites sont des bavardes qui se sont monté la tête, qui ont
envisagé de monter un réseau, par enfantillage, sans le
moindre début d'exécution. Dans les perquises, j'ai saisi
chez elles des armes, un superbe drapeau vert du F.L.N.
qu'elles avaient amoureusement brodé, mais je n'ai fait de
ces découvertes aucun compte rendu. Mon colonel le sait, un
point c'est tout. Jeronime !

— Mon lieutenant ?

Le para, qui avait passé la tête dans l'entrebaîllement de
la porte, la retira après avoir reçu l'ordre d'aller chercher
« les petites mômes ».

— Et je ne les ai pas touchées ! s'exclama Wasseau, très
fier de lui.

— Vous avez appris ce que vous vouliez savoir ?

— Ça va.

Aïcha en tête, les filles entrèrent dans le bureau. Benboulaïf se leva pour serrer la main d'Aïcha et s'incliner
devant les autres.

— J'étais en train de dire au capitaine, reprit Wasseau,
que je ne vous avais pas touchées, même pas une gifle !

— Faut-il vous féliciter de cet exploit ? demanda Benboulaïf.

Ce sarcasme fut couvert par le pépiement des filles qui
semblaient s'entendre, en effet, avec Wasseau comme avec
un ami.

— Voyez-vous, remarqua naïvement le lieutenant, c'est
dommage que d'habitude on n'ait pas le temps de bavarder
tranquillement. Alors, on emploie certaines méthodes...
Tandis que là, ces demoiselles et moi, nous sommes devenus

copains. Elles m'ont promis de m'inviter, de me faire une fête dès qu'elles seraient sorties. Hein ?

— Promis, gazouilla Cherifa. C'est même moi qui vous ferai des cornes de gazelle.

— Houla ! intervint Aïcha, ça ne vous fait pas peur, lieutenant Wasseau ?

— Mais alors, quand nous relâchez-vous ? demanda sérieusement Zineb.

— Elles sont ingrates, hein ! grommela Wasseau en riant.

— Ou alors, si vous nous gardez, prononça Leïla, bon, mais vous nous menez au cinéma deux fois par semaine.

— Ecoutez, dit Wasseau, si ce que je manigance réussit, je vous relâche demain.

Comme elles poussaient des cris de joie, il les calma :

— Gardez vos youyous, ça n'est pas encore sûr. Dites au revoir au capitaine, et rentrez dans votre harem.

Dès qu'elles furent sorties, le visage de Wasseau s'épanouit.

— Si je les avais laissées faire, ces petites-là, dix jours plus tard elles posaient des bombes dans les squares. C'est d'ailleurs comme ça qu'on est devenus amis. Je ne suis pas officier du Cinquième Bureau, mais je dois avoir mon petit talent : je les ai amenées à imaginer ce qu'elles avaient été sur le point de faire. Je leur ai montré des photos de femmes et de gosses déchiquetés. Je leur ai fait sentir aussi la sale petite peur d'être prises qu'elles auraient éprouvée après. Elles se sont mises à m'aimer comme si j'étais tout simplement le bon gars qui les a empêchées de faire une connerie. Du coup, je me suis attaché à elles. Ça me fera de la peine de les voir partir.

— Elles partiront vraiment demain ?

— Ça dépend de vous.

Les lourds sourcils du capitaine Benboulaïf se froncèrent.

— Je ne vois pas...

— Vous allez voir. Vous vous rappelez que cette brigade de filles avait un chef, le nommé Ali, celui qui, au départ, a contacté Aïcha.

Les sourcils toujours froncés, Benboulaïf acquiesça silencieusement.

— Quand j'ai arrêté les petites je n'ai pas touché à certains comparses, un épicier, un chauffeur de taxi, des gens de ce genre. Ils sont surveillés. Le cas échéant, ils nous serviront à décapiter une nouvelle affaire. Mais j'ai coxé l'organisateur, le fameux Ali, l'as de la bande. C'est lui qui a tout monté. Il nous est arrivé de Kabylie après avoir servi pendant un an dans une katiba, dans plusieurs katibas même, mais ça c'est une autre histoire. La Wilaya 3 lui a refilé quelques tuyaux pour prendre des contacts dans les débris de la Zone Autonome. Avait-il la confiance totale de la Wilaya 3 ? Non. Au départ, on a voulu voir ce qu'il donnerait. J'ajoute que, ayant déjà été utilisé, avant son passage dans la Wilaya 3, par un réseau auxiliaire de la Zone Autonome, il y avait encore des relations. Et il nourrissait un projet ambitieux : nous avions cassé la Zone Autonome, il prétendait la refaire. Une particularité : la refaire avec des filles, en n'utilisant les hommes que comme comparses. Dans une cache du caravansérail de la Casbah, où il logeait, nous avons retrouvé entre autres des traités sur la confection et la manipulation des bombes. Il avait fabriqué lui-même de la poudre noire en respectant correctement les proportions de charbon de bois, de soufre et de salpêtre. Enfin, il avait montré une belle activité. Or, figurez-vous, je voudrais le relâcher. C'est même à condition de le relâcher que je pourrais rendre leur liberté à ses complices, c'est-à-dire ces gentilles petites qui, elles, ont grenouillé là-dedans exactement comme elles auraient fondé un ouvroir.

— Pourquoi voulez-vous le relâcher ?

— Il y a cinq minutes encore, je n'avais pas l'intention de vous le dire. Je viens de changer d'avis. Au fond, vous êtes un attentiste, capitaine. Vous avez une partie de votre famille au F.L.N. et, encore que je ne vous demande aucune confidence à ce sujet, vous devez, à l'occasion, lui rendre de menus services...

— A ma famille ?

— A votre famille... et au F.L.N. L'attentisme, c'est le travail du funambule. Pour garder l'équilibre, on corrige une inclinaison sur la gauche par une inclinaison sur la droite. Donc, il ne serait pas mauvais que vous corrigiez vos bons mouvements pour le F.L.N. par un bon mouvement en notre faveur.

— Je l'ai eu. Qui vous a parlé d'Aïcha ?

— Vous. Mais seulement parce que l'entreprise où l'on voulait l'engager était vouée à l'échec, vous vous en étiez assuré... et aussi parce qu'Aïcha vous a pris pour défenseur : elle ne voulait pas jouer à ça.

Il y eut un silence au bout duquel Brahim Benboulaïf prononça tranquillement :

— J'attends votre proposition.

— Je veux que vous me donniez une raison plausible de relâcher Ali. Ceci parce que je compte sur Ali pour retourner dans la Wilaya 3 et y flanquer le bordel.

— Il deviendrait votre agent ?

— Tstt ! Tstt ! Ali est trop passionné pour changer de camp. Au fond, c'est mieux. S'il virait, s'il devenait mon agent, ça me laisserait craindre qu'une fois chez les Viets il ne mange le morceau. J'aime mieux qu'il soit...

— Votre agent inconscient...

— Le mot est juste. Depuis quelques mois notre colonel Godard excelle dans l'intoxe... l'intoxication. Nous ferons en sorte qu'Ali, de retour à la Wilaya 3, devienne un fameux porteur de germes. Vous voilà dans le coup maintenant, capitaine. L'affaire ne doit pas mal finir, sinon, je vous soupçonnerais de bavardage.

— En dehors de mon silence, qu'attendez-vous de moi ?

— Il faut que vous me fassiez une telle scène, un tel chantage, qu'aux yeux du F.L.N. je sois justifié dans ma décision de relâcher Ali. Vous ne le saviez pas il y a une heure, mais vous êtes venu me voir pour exiger la mise en liberté d'Ali. Vous allez tempêter. Vous allez donner des coups de poing sur mon bureau. Vous rappellerez les services que vous avez rendus à la France. Vous irez jusqu'à me menacer d'un passage spectaculaire au F.L.N. Vous voyez le genre ?

— Je vois, mais je ne marche pas. Je ne veux pas rentrer dans des combines de services secrets, quels qu'ils soient. Je me suis jusqu'ici tenu en dehors de ces histoires-là. C'est ma force.

— Mais oui. Votre force, c'est de ne pas vous être mouillé. Si nous gagnons, nous ferons de vous un préfet musulman de tout repos. Si le F.L.N. gagne, le ministre de la guerre d'Algérie vous prendra comme directeur de cabinet. Je vous approuve ! je comprends fort bien que la prudence soit la première règle de votre jeu. Mais en intervenant pour la libération d'Ali, dont vous n'êtes nullement censé savoir l'utilisation que j'en veux faire, je vous certifie que vous ne risquez pas un brin de vous compromettre !

— Et si je ne suis pas de votre avis ?

— Vous m'enverrez faire foutre. Nous resterons bons amis. Nous nous taperons sur le dos quand nous nous rencontrerons.

— Bon programme. Restons-en là, et tapons-nous sur le dos.

— Seulement, je ne pourrai guère relâcher les petites...

— Tiens ! Et ces engagements envers Aïcha et envers moi-même que vous n'étiez pas peu fier de tenir ?

— Okay. Admettons que je puisse relâcher les petites. Mais pour Ali, rien à faire. Oualou ! son dossier pèse une tonne. Je laisse l'affaire Ali suivre son cours.

— Je ne connais même pas Ali... Que voulez-vous que ça me fasse !

Wasseau se leva. Ses lèvres palpitaient de jubilation.

— Vous ne connaissez pas Ali ? Vous êtes sûr ?

— Sûr. Et d'après ce que j'en sais, c'est un jeune con.

— Ah ! Elle est bonne celle-là ! C'est encore plus vrai que vous ne le croyez ! s'exclama Wasseau avec un énorme rire.

Il ouvrit la porte de son bureau. Benboulaïf demeurait assis, écrasé par ces brusques fatigues de la quarantaine qu'accusent des émotions inattendues et la suppression d'une sieste.

— Venez, mon capitaine, que je vous le montre un peu, Ali.

Pesamment, Benboulaïf se souleva en grommelant que « ça ne changerait rien ». Ils longèrent le corridor, gravirent quelques marches, s'arrêtèrent devant une petite porte ogivale. Wasseau manœuvra le judas puis s'effaça pour permettre à Benboulaïf de coller son œil au voyant.

Malgré la pénombre, Wasseau vit le visage d'abord grognon de Benboulaïf trahir une surprise qui se répercuta dans le reste du corps. Le capitaine, mal en équilibre sur une marche, chancela. Wasseau le retint, ferma le judas et redescendit les marches en l'entraînant.

— Samia ! balbutiait Benboulaïf.

— Elle-même. En parfaite santé.

— Mais sa mort avait été...

— ...admise par tout le monde. Par nous comme par le F.L.N. Elle n'a même rien fait pour que son père apprenne qu'elle était vivante. C'est drôle comme histoire.

— J'aimais bien Samia...

— Dites : j'aime bien Samia et prouvez-le. Sa libération dépend de vous.

— Que faire ?

— Ce que vous avez refusé de faire pour Ali.

Il ramena Brahim Benboulaïf dans son bureau, et une fois assis, passa aux explications :

— Eh bien voilà, Ali, c'était Samia, votre nièce. Un phénomène assez étonnant veut qu'une fille travestie en garçon prenne une apparence plus jeune. Voilà pourquoi votre Samia, qui doit avoir dans les vingt-deux ans, en portait à peine dix-sept quand elle s'appelait Ali.

— Je n'y comprends rien !

— Je me demandais si vous étiez au courant, mais j'ai l'impression que non, hein ? constata Wasseau. En deux mots, voici ce qui s'est passé... Oh ! je ne connais pas les détails, des points m'échappent, je ne vous donnerai que les contours de l'histoire. D'abord, Samia, c'est une fille assez formidable mais complètement siphonnée. Je l'ai fait examiner par un de nos médecins qui a des prétentions psychiatriques. Pour lui, elle est saine comme l'œil, mais les événements politiques se sont produits au moment où elle se tapait une rallonge à sa crise de puberté. Elle en voulait à sa mère parce que la pauvre dame était soumise à son mari, voilée, passive, ignorante, vieux jeu. Elle en voulait à son père parce que c'était un gros peinard francisé, la bagnole, la cure à Evian, la tranquillité avant tout. Elle voulait agir. Et encore, même dans l'action, selon le toubib, elle était le siège de tas de conflits. C'est, paraît-il, une sensible, une imaginative, mais elle voulait poser des bombes.. C'est une nationaliste algérienne, mais elle est contre toutes les traditions de son pays — surtout celles qui concernent les femmes. Les Arabes ont des idées bien précises sur les

femmes, alors que Samia est une féministe enragée. Bref,
tout ça bouillonnait dans sa tête. Elle a commencé dans les
réseaux intellectuels de la Zone Autonome — dans le réseau que j'ai levé, mon capitaine, et qui vous a valu de
passer quelques heures chez nous... Seulement les histoires
de machines à écrire, de tracts et de médicaments, ça ne
lui suffisait pas. C'est elle qui a essayé de provoquer une
connexion entre ce petit réseau peinard et le réseau-bombes.
Quand elle a été obligée de foutre le camp, la Wilaya 4,
qui ne tenait pas spécialement à ses services, l'a refilée à
la Wilaya 6. Elle a eu des malheurs. Un commandant de
katiba a fait d'elle sa maîtresse — tué au cours d'un accrochage aux environs de Tiaret. On a prétendu que c'était elle
qui l'avait tué. Elle a été réexpédiée sur la Wilaya 3 dans
une organisation sanitaire. Elle était furieuse parce qu'elle
ne combattait pas, furieuse parce qu'on lui mettait la main
aux fesses. Alors, à l'occasion d'une levée de Moulahidjines,
elle s'est habillée en homme et s'est fait incorporer dans une
autre mintaka. Elle a crapahuté comme un bonhomme, pendant des mois, pour finir par se faire ramasser aux environs de Thiers au moment où son groupe assurait un passage
sur l'oued Isser. Tout à fait par hasard. J'ai le rapport :
un officier S.A.S. ayant entendu, en pleine nuit, des envolées
d'oiseaux, en a conclu qu'il y avait un passage. Il s'est
porté sur le terrain avec ses moghasnis. Parmi les prisonniers qu'il a enchristés, il y avait la mère Samia, plus garçon que jamais. Elle n'avait pas pu se faire pousser la barbe.
mais... Intéressante, hein, mon histoire ? vous êtes venu ici
en rechignant, mon capitaine, et moi, je vous fais un sacré
cadeau : d'une nièce morte, une nièce vivante. Avouez que
je suis un mec trapu !

Benboulaïf ne répondit pas. Il était visiblement partagé
entre la joie de savoir Samia vivante et l'inquiétude que lui
donnaient les plans obscurs de Wasseau.

— Donc, reprit celui-ci, elle n'avait pas de barbe, mais
elle portait, sous son pantalon de treillis, un bout de bois
vaguement sculpté pour ressembler à ce qui lui manquait.
Elle l'avait attaché à un porte-jarretelle rose. Je suppose
qu'elle prenait des précautions de Sioux. Comme elle a de
petits seins, une bande velpeau aura suffi. Le gars de la
S.A.S. n'a découvert le truc que le lendemain, quand il a

fait déshabiller les prisonniers. Il l'a enfermée à part. Il lui
a acheté une robe. Ce gars qui s'embêtait au milieu de
ses sapins, dans un pays à la con, moitié kabyle moitié
arabe, au voisinage d'un régiment d'infanterie composé de
gâteux, ça n'a pas dû lui déplaire qu'une rombière lui
tombe du ciel. D'autant qu'elle est pas trop mal, Samia. Il
lui a laissé la bride sur le cou. Et elle a mis les voiles. Ils
l'ont poursuivie dans la forêt. Avec les moghasnis, dès qu'on
commence à tirailler, c'est la fiesta. Bref, même le F.L.N.
a dit qu'elle était tuée. Quant à l'officier S.A.S., qui reprochait toujours à ceux du régiment d'infanterie de se conduire
comme des cloches, il n'a pas voulu laisser dire qu'il s'était
fait posséder. Il a accrédité la thèse de la mort de Samia.
Comment s'est-il démerdé avec l'état civil ? Samia, elle,
à peine libre, a rempilé dans le rôle de Jeanne d'Arc. A
moi le blue-jean et le blouson noir ! Elle a eu la chance
d'atterrir à Bordj Menaïel, sur un gars du F.L.N. qui l'avait
connue à Alger, au début des événements. Je ne sais pas
quel numéro elle lui a fait. Quelque chose dans le style
de Jeanne d'Arc face au sire de Vaucouleurs, je suppose,
toujours est-il qu'il lui a juré le silence, l'a remise dans le
coup sous le nom d'Ali Mammar et qu'à défaut de faire
sacrer le roi et de délivrer Orléans, elle s'est engagée à
remonter un réseau-bombes à Alger. C'était d'autant plus
délirant que, malgré ses vêtements, elle risquait d'être reconnue dans une ville qu'elle avait si longtemps habitée...

— Elle n'est même pas venue me voir ! soupira Benboulaïf.

— Plaignez-vous ! Dieu sait dans quoi elle vous aurait
embringué ! Elle est impressionnante. J'ai souvent parlé avec
elle : il y a des moments où elle vous ferait douter de tout.

Il se renversa sur sa chaise, l'œil rêveur.

— Notre médicastre, observa-t-il, ne se goure pas tellement quand il soutient que cette fille, c'est un sac à conflits.
Car enfin, plus féministe qu'elle, on ne peut pas trouver !
Ce qu'elle voulait, avec son réseau-bombes monté avec des
filles, c'était prouver qu'elles avaient réussi là où les mâles
avaient échoué. A côté de ça, elle menait son équipe avec
une vacherie, un mépris que vous n'imaginez pas ! Elle
jouait les durs comme un mac. Elle traitait les filles de
petites salopes juste bonnes à se faire tringler, exactement

comme l'homme le plus pénétré de sa supériorité... Elle les battait ! Avec son ceinturon paraît-il. Et c'est marrant, cette féministe qui n'est heureuse qu'habillée en homme.

— Alors, demanda Benboulaïf, que comptez-vous faire ?

— Elle a assez fichu le bordel à Alger, qu'elle aille le fiche chez Amirouche, voilà. Je la relâche en lui faisant savoir que c'est sur votre intervention, et en précisant que je ne veux plus entendre parler d'elle dans l'Algérois. Comme son protecteur de Bordj Menaïel est un agent de la Wilaya 3, elle ira faire ses frasques en Kabylie.

Cette fois, à force de se froncer, les sourcils de Brahim Benboulaïf se rejoignirent.

— Comprends pas. C'est une bonne prise, Samia. Si vous la refilez à la justice, avec le dossier qu'elle a, les bombes et le reste, elle risque d'être condamnée à mort..

— Peut-être pas, mais presque.

— On peut vous reprocher, si l'affaire s'ébruite, d'avoir sauvé un des plus dangereux agents du F.L.N. Alors qu'on ne saurait que vous féliciter de l'avoir offerte à la justice.

— Exact. Mais vous savez, les louanges, je n'en ai que faire. Quant aux reproches... Après tout, il viendra peut-être un gouvernement qui, pour nous punir d'avoir mené une guerre illégale, anormale, avec des moyens illégaux, nous enverra tout simplement au bagne. Je ne vis que pour le plaisir de débobiner les fils, de lever mes filets, de vérifier une hypothèse, de comprendre et de gagner. Je vis pour le plaisir, je ne vis pas pour l'avenir.

— Quel plaisir à libérer Samia ?

— D'abord celui de vous faire plaisir, mon capitaine.

— Vous êtes trop gentil...

Un sourire avait allongé les lèvres de Benboulaïf, dilaté ses narines. Wasseau n'en releva pas l'ironie. Il ajouta :

— Et puis, Samia est un personnage si peu ordinaire que...

— ... que ça vous fait plaisir de savoir qu'elle va continuer ses exploits ?

— Mais je vous l'ai dit, mon capitaine, elle est siphonnée ! Elle ferait plus de dégâts en montant la tête de ses compagnes, à la prison Barberousse, qu'elle ne nous en fera, libre.

— Vous voulez mon impression ?

— Allez-y ?

— Vous me tendez un piège.

— Non. Ma parole, ce que je vous demande ne vous attirera aucun ennui. Je vous demande de faire ce que, je pense, vous auriez fait, en apprenant que je détenais Samia : une démarche. Voulez-vous que nous considérions qu'averti de la détention de Samia, et me rencontrant devant le G.G., vous m'avez accompagné ici pour me demander la libération de votre nièce, me supplier, me menacer, tempêter, marchander...

— C'est en effet ce qui serait arrivé, admit Benboulaïf. En l'absence de son père, je suis le protecteur naturel de Samia. Provisoirement, je dois me considérer comme son père.

— Okay, dit Wasseau. N'en jetez plus. Vous êtes son père et sa mère, comme on dit aux tirailleurs. Et devant vos objurgations je me sens fléchir. Je suis de plus en plus disposé à relâcher Samia. Voulez-vous lui parler ?

— C'est possible ?

Sans un mot Wasseau se leva ; Brahim Benboulaïf le suivit, ils refirent en sens inverse le chemin à travers le petit palais dont la propreté, la fraîcheur, le calme contrastaient avec l'agitation que Benboulaïf avait connue au palais Bruce.

Avant de faire jouer le verrou, Wasseau frappa à la porte de la cellule, puis s'effaça pour laisser entrer le premier le capitaine. Samia était assise dans un fauteuil en bois blanc, sous une haute fenêtre doublée par une archivolte en brique émaillée dont les rosaces brillaient doucement. Les cellules avaient été formées par des cloisons dont on avait découpé un grand salon de sorte que chacune d'entre elles était un rectangle si allongé qu'il évoquait un couloir.

Samia avait reconnu son oncle sans bouger de son siège. Son émotion se marqua par l'effort qu'elle fournit pour apaiser sa respiration. Benboulaïf, après avoir marqué un temps, se précipita vers elle et lui ouvrit les bras. La jeune fille n'hésita qu'une seconde, et ils s'embrassèrent.

Elle portait une jupe de toile rose qui s'arrondissait sur un jupon évasé. Son chemisier de nylon, rose aussi, bouillonnait de volants roses et de fanfreluches. Ses cheveux avaient poussé, de sorte qu'ils n'étaient plus ceux d'un garçon mais qu'elle semblait être coiffée en queue de canard un peu trop court. Elle fit quelques pas vers le mur, ses jambes nues perchées sur de hauts talons. Elle faillit se cacher la tête contre le mur, comme un enfant qui se met au coin, se ravisa et fit face :

— Qu'avez-vous encore inventé, demanda-t-elle violemment à Wasseau resté près de la porte, à l'autre bout de la cellule. Vous me fichiez la paix depuis deux jours. Ça ne pouvait pas durer.

— Ah ! Vous êtes parfaite ! s'exclama Wasseau. Votre oncle vient de me tanner pour obtenir de vous voir, je cède. Alors vous m'engueulez. Il voudrait que je vous relâche. Si je me laisse faire, je suppose que vous ne me le pardonnerez jamais ?

Puis, s'adressant à Benboulaïf :

— J'ai quelques bricoles à régler. Je vous laisse cinq minutes.

La porte se referma, les verrous cliquetèrent.

— As-tu pensé, demanda Benboulaïf avec une soudaine colère, à la peine de tes parents ?

Samia fit un petit geste agacé de la main qui signifiait : « Ça va, ne parlons pas pour ne rien dire ». Il y eut un silence pesant au bout duquel, ayant repris son calme, Benboulaïf demanda :

— Alors, comment ça se passe ?

— Quoi ?

— Ta détention. Est-ce que tu as été très...

— Très quoi ?

— ...Malmenée ?

— Torturée, tu veux dire ? Pas une seconde ! Je suppose que le lieutenant Wasseau veut faire de moi la réclame vivante de son établissement pour la Commission de Sauvegarde. D'ailleurs, ça ne m'aurait pas choquée d'être torturée. Dans le djebel, j'ai vu crever les yeux de prisonniers, j'ai vu mettre les parties sexuelles d'un colon dans la bouche de sa femme, j'ai vu découper au rasoir la peau d'un musulman qui aimait la France, alors, les conneries des paras, ça ne m'aurait pas dépaysée.

Choqué, Benboulaïf, dont le visage avait blêmi, recula d'un pas.

— Je t'ai fait peur ! Tu es bien le frère de mon père. Tous les deux, vous étiez résignés à la colonisation parce que vous avez du sang de navet.

413

Et elle donna un coup de pied dans son lit de sangle.

— Mais sois content, reprit-elle, les dents serrées, si Wasseau ne m'a pas passée à l'électricité, il a été assez astucieux pour trouver les tortures qui me convenaient. Le porc !

Les poings serrés, Brahim Benboulaïf avait baissé la tête, presque fermé les yeux.

— Non, dit-elle avec un sourire aigu. Il ne m'a pas violée. Pas encore. Ça viendra. Jusqu'ici, il s'est contenté de me déshonorer. Il m'a affublée de cette jupe rose bonbon, de ce jupon d'Uniprix, de ce blouson pour fifille. Il m'a mis de force du rouge sur les lèvres pour m'exhiber devant les filles de mon réseau. Ah ! il était fier de lui. Il leur disait : « Regardez votre chef politico-militaire, comme il est mignon ! » Le salaud ! Je l'ai condamné. Si je sors d'ici, il le paiera.

— Le problème, c'est précisément que tu sortes d'ici, intervint Benboulaïf, d'autant plus hargneux qu'il était plus rassuré. Le reste, ce sont des enfantillages.

— Evidemment, toi, tu vis à ton aise dans la bassesse...

— Samia ! As-tu oublié le respect que tu me dois ?

— ...comme mon père, comme tous les vieux ! Alors, tu ne peux pas comprendre qu'il n'y a pas de plus grande ignominie que de déshonorer le chef d'un réseau devant ses troupes.

Benboulaïf s'assit pesamment sur le lit.

— Samia ! Cesse de te prendre pour Jeanne d'Arc.

— C'est pour la Kahena que je me prends.

— La Kahena ne s'habillait pas en homme. Tu es une femme, je ne vois pas pourquoi tu te considères déshonorée parce que Wasseau a trouvé normal que tu reprennes des vêtements de femme. S'il y a une décision contre laquelle nous ne pouvons rien, c'est celle de la nature. La nature veut qu'il y ait des hommes et des femmes, chacun à leur place...

— ...et des animaux. Et tout est pour le mieux. Et le Prophète a recommandé à l'homme d'être bon pour la femme, à l'un et à l'autre d'être bons pour les animaux. « Il y aura récompense pour quiconque désaltérera un être doué d'un cœur vivant. La prostituée entrera au paradis parce que voyant un jour un chien mourant de soif au bord d'un puits, elle lui a tiré de l'eau en attachant sa chaussure au bout de son voile. » Alors, de quoi se plaindraient-ils, les femmes et les animaux ?

— Dis donc Samia, je crois que Wasseau a raison : tu es folle.

— Il ne le pense pas ! Il me hait peut-être, il aura peut-être ma peau, mais il a plus d'estime pour moi que des gens comme toi ou mon père, ou ma sœur peuvent en avoir.

— Ne parle pas à la légère de ton père, Samia. J'ai reçu une lettre de lui ce matin. Il a franchi le barrage électrifié. Presque tous les hommes qui étaient avec lui sont morts. En ce moment il traverse les Aurès. Quant à mon fils, il a rejoint Tunis, je te le signale.

— Bon signe ! Ça tend à prouver que les affaires du F.L.N. vont bien. Les rats quittent le mauvais bateau. Quant à mon père, il a peut-être du courage, après tout, je n'en sais rien, mais il ignore la passion.

— Il est honteux qu'un enfant blâme ses parents. Restons-en là. Wasseau va revenir. Que feras-tu s'il te relâche ?

— Il ne me relâchera jamais !

— J'ai eu un long entretien avec lui. Il m'a l'air sur le point de te renvoyer à condition que tu ne traînes pas à Alger ni aux alentours.

Elle essaya de cacher son émotion, n'y parvint pas. Enfantine tout d'un coup, les lignes du visage adoucies et comme arrondies par l'espérance, elle balbutia :

— Tu crois ? Tu crois vraiment ? Oh ! je suis prête à lui promettre n'importe quoi

— Il souhaite seulement que tu ailles te faire pendre ailleurs. Il a l'air d'admettre que tu rejoignes une wilaya. C'est ce qui me sidère, d'ailleurs. Y a-t-il un piège là-dessous ? Non, peut-être... Il pense, je crois, que tu es un élément perturbateur, que tu seras plus nuisible à la Rébellion dans une wilaya qu'en prison.

— Oh ! ce qu'il se trompe ! s'extasia Samia. J'ai passé des mois, comme un homme, comme n'importe quel combattant de la Foi, ne demandant qu'à exécuter les ordres, à me battre, exactement comme n'importe lequel de mes camarades. Ce que c'était beau !

— Pas de propagande, je t'en prie. D'ailleurs, si la vie dans les katibas était aussi belle que tu le dis, tu ne te serais pas déguisée.

— J'ai eu des histoires avec des hommes, des frères qui se sont mal conduits. Mais pas tous ! Si peu au contraire ! Malheureusement il suffit, dans un groupe, d'un homme qui vous emmerde pour vous rendre la vie intenable. Remarque, les règles sont de plus en plus sévères. Souvent on fusille un homme à cause de ses mœurs. Il suffit de se plaindre pour obtenir le châtiment du coupable. Mais c'est odieux. Ma méthode était la plus simple. Quand je serai libre... je recommencerai.

Elle s'interrompit :

— Et les filles ?

— Il compte les relâcher aussi... Mais réfléchis, Samia ! Je suis sûr que Wasseau, tout en me faisant le coup de la générosité, médite un de ces petits projets qui...

— Il veut me faire filer ? Tu verras comment je lui glisserai entre les pattes ! Ah ! que je sois libre, je me charge du reste !

Benboulaïf poussa un soupir.

— Mais est-ce que tout ça finira...

— Moi, ce n'est pas la fin que j'attends, c'est la victoire ! Après, je me demande ce que je ferai, si je suis encore vivante.

Le capitaine se leva. L'air las, les sourcils de nouveau joints, le masque autoritaire, il interrompit d'un geste les considérations de Samia.

— Résumons-nous. Je vais retrouver Wasseau, insister auprès de lui pour ta libération. Et ensuite, que feras-tu ? As-tu de l'argent ?

— Je sais où en trouver. Et là où j'ai l'intention d'aller je n'en aurai guère besoin.

— Bon, grogna Benboulaïf avec un soupir de fatigue, alors, espérons que Wasseau ne changera pas d'idée.

Et il fit un mouvement en direction de la porte. Samia se mit à rire :

— Mon oncle ! Vous êtes enfermé ! Il faut attendre que Wasseau ou un de ses nervis vienne vous délivrer. Peut-être a-t-il l'intention de vous garder aussi en cabane, sait-on !

Benboulaïf haussa les épaules avec une impatience qui indiquait une légère crainte. A pas lourds, il traversa la longue cellule, s'arrêta près de la porte. Entre Samia et lui il y eut un silence d'une telle qualité qu'il entendit à son poignet la mécanique de sa montre grignoter le temps.

— Quelle époque ! Si des gens comme moi sont accablés alors que tu frétilles comme un poisson dans l'eau, prononça-t-il enfin, c'est que l'époque est folle.

— Ah ! merveilleux ! s'exclama-t-elle. Ça me rappelle un sujet de préparation française du lycée d'Alger : « Le désespoir comique de Géronte. »

Comme il se taisait elle lança, méprisante :

— D'ailleurs, tu es assez à l'aise dans cette époque. Tout comme papa. Vous êtes pareils à des pharmaciens dans leur arrière-boutique qui dosez une potion pour les cors aux pieds. Une cuillerée de ça, une pincée de ci... Jusqu'où n'avez-vous pas pris vos garanties ! Alors, ne joue pas au bon monsieur perdu dans la tourmente, s'il te plaît.

— Tu me fais pitié, Samia... tu es risible.

— Ça m'étonnerait.

— Ton manque de respect pour moi, pour ton père, prouve assez que tu es gagnée aux idées occidentales. Le Maghreb insulte ses parents parce que le Maghreb est gagné à l'Occident. Alors, pourquoi vouloir si frénétiquement s'en détacher ? Le respect des parents, pudeur et soumission de la femme, observation des rites religieux, tu as piétiné tout ça depuis longtemps. Au nom de quelle tradition, je te prie, t'élèves-tu contre l'Occident ?

— Tu me fais rire avec ton Occident ! Je suis une nationaliste algérienne parce que je tiens à porter la tête haute. C'est tout. Tu vois, mon oncle, je suis une jacobine. Les jacobins aussi ont foulé aux pieds les traditions. Et ils ont fait une nation. Une toute jeune. Ce n'est pas forcément appuyé sur des rites millénaires, une nation. L'Occident, comme tu dis, nous lui empruntons ses belles idées de liberté, d'égalité... mais sans nous renier, en les colorant de notre couleur à nous. N'est-ce pas raisonnable ?

— Raisonnable maintenant ! C'est bien le dernier mot qu'on se serait attendu à t'entendre prononcer, alors que ta tête, Samia, est un bric-à-brac plus fait pour exploser que les bombes que tu essayais de fabriquer. Quand je

417

pense que tu as rappris l'arabe, qu'il y a deux ans, tu voulais te voiler à la marocaine, que tu sais par cœur le Coran et que tu luttes pour abattre tout ce qu'a édicté la pensée arabe ! Tout se passe comme si tu trouvais que les Français avaient été trop mous contre l'Orient, et que tu ambitionnes leur place pour agir avec plus de vigueur... ma pauvre fille !

— Vois-tu, dit Samia avec une menaçante douceur, j'estime, et c'est de nature à faire ricaner beaucoup de gros mâles bien entrelardés par la quarantaine, qui ont les pieds sur la terre, comme ils disent, j'estime que j'ai été un être atrocement opprimé. Doublement. D'abord, je faisais partie d'un peuple opprimé. Ensuite, à l'intérieur de ce peuple, de tous les peuples, je faisais partie du sexe opprimé. J'étais par rapport aux musulmans ce que les musulmans sont par rapport aux Métropolitains. Je me suis faite soldat pour combattre l'oppression de mon peuple. J'ai fait de moi un garçon pour tourner les préjugés de mon peuple par rapport à mon sexe. Wasseau ne comprend pas pourquoi j'étais si vache avec mes filles : quand je les voyais faibles, je les méprisais d'être identiques à l'image que les hommes s'en font. Et quand je vois un musulman résigné, je lui reproche de ressembler à l'image que le colonisateur s'en fait. Je suis prête à le tuer.

— Tu m'embêtes, dit brusquement Benboulaïf.

Il répéta « prête à le tuer » avec l'inflexion snob de Samia, puis grogna :

— Tout ça, des vues de l'esprit. Peut-être suis-je un colonisé, mais des Métropolitains, des fils de généraux ou de ministres se mettent au garde-à-vous devant moi, tu comprends ? Quant à tes révoltes féminines ! Ma pauvre petite, les femmes commandent aux hommes, mais avec des moyens que tu parais ignorer. Dans quel roman français as-tu acquis des idées aussi ineptes ?

— Très bon tout ça ! Tes vues sur le colonisé et sur la femme, mon oncle...

Le ton était calme, mais si évidemment hostile que Wasseau qui, après un fracas de verrou, passait la tête, put demander :

— Je vous dérange ?

— Pas du tout ! s'écria Samia, il vous attendait avec impatience.

Benboulaïf ne dit mot. On entendait sa respiration. Samia s'assit sur le lit, dut écarter sa jupe derrière elle, la tirer sur ses genoux, effectua des gestes qui lui étaient à la fois aussi naturels qu'odieux. Son visage se contracta.

— Allez-vous-en ! cria-t-elle à Wasseau, vous vous régalez, hein ? de me voir déguisée en poupée.

— Popopoh ! s'exclama Wasseau en prenant l'accent de Bab-el-Oued. Qu'est-ce que vous me racontez ? Que mignonne vous êtes comme ça ! Alors qu'avant, en Ali, je vous ai prise pour une pédale. Un petit coulo sournois, vous aviez l'air, avec trop de fesses dans le blue-jean et une nuque ronde.

— J'espère, intervint dignement Benboulaïf, que ma nièce...

— Je la relâche, c'est entendu. Laissez-moi quarante-huit heures.

D'exaltation, les poings de Samia se fermèrent.

— Par exemple, reprit lentement le lieutenant Wasseau en s'adressant à la jeune fille, puisque je vous rends un service, pouvez-vous m'en rendre un ?

— Ça dépend, répliqua-t-elle, le visage fermé.

— Oh ! très peu de chose ! Mais Lebigot, mon secrétaire, est malade. Puisque vous savez taper à la machine, vous pourriez peut-être le remplacer.

— Seulement ça ? demanda Samia.

— Mais oui, seulement ça... Ça me rendra service ! Vous voulez ?

***

Une semaine plus tard, le 10 mai, le lieutenant Wasseau fut reçu par le capitaine Marin dans le bureau de celui-ci. Les deux hommes bavardèrent d'abord de la situation : la France était toujours sans gouvernement.

Puis, Marin ouvrit un dossier.

— Passons à l'opération Mazurka, dit-il, puisque vous l'avez baptisée ainsi. Au départ, un agitateur nommé Ali qui monte un réseau avec des infirmières et des laborantines. Transport d'armes à échelle réduite ; liaison avec les Wilayas

3 et 4 par une plaque tournante située à Bordj Menaïel. Première opération : modification des messages, grâce à votre agent Aïcha, et début de l'intoxication de la Wilaya 3. Deuxième opération : tout ce petit monde est enchristé, les dépôts d'armes et de tracts raflés. Troisième opération : nous relâchons les jeunes filles, y compris Samia Benboulaïf alias Ali Mammar. A propos de cette dernière, pour justifier sa mise en liberté vous vous êtes borné à me dire : Faites-moi confiance et tenez-vous au courant de ce qui va se passer dans la Wilaya 3.

— Vous vous êtes tenu au courant, capitaine ?

— Une nouvelle purge a eu lieu les 5, 6, 7 et 8 mai. Elle se poursuit à l'heure actuelle. Deux chefs de kasmas, deux chefs de katibas, quinze adjoints opérationnels, une trentaine de personnalités politico-militaires ont été exécutés par ordre du colonel Amirouche. Ces exécutions ont entraîné la mort d'un certain nombre de chefs de sections de sécurité, de proches collaborateurs, environ une trentaine de personnes aussi. Etait-ce ce que vous attendiez ?

— Oui, mon capitaine, mais j'attends davantage.

— Cette Samia a été votre porteur de germes ?

— Plutôt oui, mon capitaine. Je l'ai employée comme secrétaire pendant les deux derniers jours de sa détention. Je me suis arrangé pour la laisser sans surveillance dans un bureau où se trouvait le prétendu fichier de nos agents de la Wilaya 3. Je savais qu'à peine libre, elle bondirait chez Amirouche pour lui apporter les noms de ceux qu'elle prenait pour des traîtres. Et ça a marché !

De bonheur, Wasseau éclatait de rire. Le regard neutre, Marin observa :

— Vous aviez raison. Ça a marché.

*
**

Le général Salan, par-dessus le bureau de Lacoste, lui tend le papier.

— Lisez-le, Monsieur le Ministre. Ce texte vient d'être remis par le général Ely au président de la République.

Lacoste parcourt le feuillet : « La crise actuelle montre que les partis politiques sont profondément divisés sur la question algérienne. La presse laisse penser que l'abandon

420

de l'Algérie serait envisagé par le processus diplomatique qui commencerait par des négociations en vue d'un « cessez-le-feu ». Je me permets... »

Le regard de Lacoste, rapide, saute des lignes, reprend à « ...que les seules clauses d'un « cessez-le-feu » ne pouvaient être autres que celles-ci : « La France, confirmant son appel au « cessez-le-feu », invite les rebelles en Algérie à remettre au plus tôt leurs armes et leur garantit, avec une large amnistie, leur retour au sein de la communauté franco-musulmane rénovée.

« L'Armée en Algérie est troublée par le sentiment de sa personnalité à l'égard des hommes qui combattent et qui risquent un sacrifice inutile si la représentation nationale n'est pas décidée à maintenir l'Algérie française... à l'égard de la population française de l'intérieur qui se sent abandonnée et des Français musulmans qui, chaque jour plus nombreux, ont redonné leur confiance à la France, confiants dans nos promesses réitérées de ne jamais les abandonner.

« L'Armée française, d'une façon unanime, sentirait comme un outrage l'abandon de ce patrimoine national. On ne saurait préjuger sa réaction de désespoir.

« Je vous demande... » Lacoste en arrive à la phrase finale « ...sur notre angoisse, que seul un gouvernement fermement décidé à maintenir notre drapeau en Algérie peut effacer. »

Face à Robert Lacoste qui a reposé le document sur son bureau, il y a Salan, Jouhaud, Massu, Allard.

— Qu'en pensez-vous ? demande Salan.

— Oh ! je vous comprends très bien.

— Et vous partez toujours pour Paris ? Vous croyez que les débats d'investiture seront plus intéressants que ce qui va se passer ici ?

Lacoste hausse les épaules.

CINQUIÈME PARTIE

LE TREIZE MAI

Au bord de la mer, entre les pins, le camp des paras à Sidi-Ferruch, murs blancs et toits rouges, évoque les vacances. Le plus apte à rendre ce lieu, ses escarpements rocheux, sa plage, sa pinède, serait le crayon d'un de ces dessinateurs qui, au dos d'un dépliant enthousiaste, et sur commande d'un syndicat d'initiative actif, tracent quelques troncs sveltes comme des mâts, jettent quelques éclaboussures noires pour rendre le feuillage hérissé des pins, esquissent une perspective de petites lignes pour rendre les maisons, tirent un trait à la règle au-dessus de quelques accents circonflexes pour placer la mer où ils plongent deux ou trois silhouettes éparpillées de joyeux baigneurs, et barbouillent le tout de bleu.

Le long de la route d'Alger, à l'entrée du camp, un café restaurant s'élève dont le patron eût pu sans mentir dresser un panneau portant l'inscription : « Café restaurant de l'Azur et des Pins réunis, sa plage, sa forêt, ses poissons du Golfe. » Il s'était borné à accrocher sur la palissade de son domaine une pancarte portant : « La Normandie, Café Restaurant ». Dès lors, on comprenait que si ces lieux réunissaient la panoplie d'un paradis de Parisien en vacances à la fin de la première moitié du vingtième siècle, ceux qui les ha-

423

bitaient regrettaient les vertes tempêtes de la Manche, les gras herbages de la vallée d'Auge, et la rondeur mouillée des pommiers.

Le patron qui, vêtu de blanc, se tenait sur le pas de sa porte et scrutait, au-delà des tables de bois dispersées entre les pins, la route d'Alger, cligna des yeux pour mieux distinguer des convois de camions qui passaient.

Puis, rentrant dans la pénombre intérieure, il interpella les deux paras qui buvaient au bar.

— Dites donc, les gars, c'est pas que vous repartez en opération ?

Ce qui distinguait « le Café Restaurant de la Normandie » de ses confrères de la Côte d'Azur ou du Pays basque, c'était qu'au lieu d'accueillir à son bar des « vacanciers » aux slips multicolores, aux peaux brillantes d'huile solaire, il abritait le repos au frais des paras du camp voisin entre deux opérations. C'était seulement le dimanche que le restaurant reprenait une tournure civile et cela depuis fort peu de temps. Si, à présent, les familles d'Alger, entassées dans leurs Arondes, venaient dévorer loups et dorades au « Normandie », sous les pins, comme elles en avaient l'habitude avant « les événements », c'était depuis qu'aucune bombe n'explosait plus et que la forêt de Sidi-Ferruch avait été purgée de ses tireurs fellagha. L'afflux des clients, le dimanche, était un baromètre de la guerre algérienne. Pour Pâques, des photographes étaient même venus. Des clichés étaient sortis dans des journaux d'Europe et d'Amérique, avec deux sortes de légendes, les unes assurant que l'ordre était à peu près revenu en Algérie, et vantant avec émotion la simplicité paisible de ces repas dominicaux, les autres stigmatisant les gueuletons de colons qui festoyaient pendant que le soldat du Contingent crevait dans le djebel.

Mais on était en semaine et, depuis le matin, le patron n'avait servi que des paras.

— C'est rien ça, dit l'un d'eux. C'est la compagnie d'alerte qui sort.

— Sûrement à cause de la Manifestation, précisa l'autre.

Guêtrés de noir, serrés dans leurs tenues bariolées qui moulaient leurs fesses comme un collant, les deux paras, hauts et blonds, ne s'étaient même pas retournés pour répondre au patron. Accoudés, ils s'amusaient à boire leur bière avec des pailles. Leur accent germanique (allemand ou alsacien) était curieusement imprégné d'intonations propres à Bab-el-Oued et d'interjections arabes.

— C'est vrai, dit le patron, c'est la grande Manifestation aujourd'hui. Espérons que ça sera aussi bien que le 25 avril.

— Nous, le 25 avril, on était à Negrine. Putain de pays !

— La putain de ta mère ! appuya l'autre qui, un peu moins grand, portait des galons de caporal.

Le patron hocha la tête :

— Pas drôle, Negrine, grommela-t-il d'un air pénétré. Du scorpion, du caillou et du fellouze, hein ?

Cela faisait partie de son métier d'entendre une centaine de fois les mêmes histoires et de donner la réplique chaque fois avec le même intérêt.

— Oh ! les fellouzes, dit le caporal, ça allait très bien. On a cassé une katiba.

— Les vaches ! Vous savez combien de tonnes de munitions ils voulaient nous faire passer sous le nez ?

Le patron, qui le savait fort bien, leur adressa un regard interrogateur.

— Quatre tonnes !

— Vous savez combien on a envoyé de gaziers au tapis ? Vingt-cinq.

— Plus vingt-trois prisonniers. Remettez-nous deux bières.

— Et sur les vingt-trois, il y en a dix-huit qui sont là avec nous. On va en faire des harkis. Ils ne demandent que ça.

Mais le caporal en revint à son idée première. Par-dessus le comptoir, il tendit son visage rouge au patron.

— Regardez.

Le patron, depuis que le régiment était rentré de Negrine, avait déjà eu l'occasion de considérer une vingtaine de dentitions. La dureté des expéditions dans le Djebel-Ong, la rareté des aliments frais avaient déchaussé des dents.

— Le général, si on l'avait écouté, il nous aurait bien laissés là-bas jusqu'à Noël. Heureusement qu'il y avait nos dents. Le colonel Trinquier, ça l'a frappé nos dents. Comme il disait, bientôt j'aurai des gaziers qui ressembleront tous à des chevaux.

Ils rirent, remirent leurs bérets et s'en allèrent d'un pas déhanché, les épaules roulantes, le menton haut, réussissant à associer le style casseur au style danseur.

Comme ils franchissaient la porte, un civil en bras de chemise s'effaça devant eux avec le respect habituel de l'Algérois pour le para. Le patron reconnut un de ses clients du dimanche, et lui servit une bière que l'autre avala d'un trait.

— Remettez-moi ça. Comme une crêpe j'ai la langue ! Une pépie qu'on ne peut pas imaginer. D'Alger, j'arrive. Tellement j'ai crié, tellement on s'écrasait les pieds que je me sens la tête comme une pastèque. Allez, file-moi une anisette pour me remettre. J'ai rendez-vous pour un appareillage électrique à Zeralda, mais tant pis, ils attendront.

— C'était mieux que le 25 avril ?

— Comme ça ! proclama-t-il en se donnant une claque sur le biceps tout en dressant énergiquement l'avant-bras, le poing fermé. Le 25 avril, c'était zéro à côté d'aujourd'hui, à côté du... on est bien le 13 ?

— Oui, oui, dit le patron qui établissait à côté de l'évier une pyramide de verres, on est le 13 mai.

— Ça les fera réfléchir à Paris. Quand on réalise que ça fait aujourd'hui vingt-huit jours qu'on n'a pas de gouvernement, vingt-huit jours que Gaillard est tombé et qu'ils n'ont pas été fichus de mettre quelque chose à sa place.

— Pflimlin, dit le patron en prononçant « Fimelin », va peut-être y arriver. Seulement, on ne sera pas plus avancés.

— On sera foutus, oui ! Il a déjà parlé de négociations ce Fimelin. Nous, quand les Francaouis étaient occupés par les Fritz, on n'a pas proposé des négociations, on est partis les aider. Moi, je l'ai reconquise la France, ville par ville. Et l'Allemagne, qui c'est qui l'a écrasée ?

Il voulut bien admettre :

— Et je n'étais pas le seul ! Tiens, Alverès, le marchand de cycles de Zeralda, tu le connais ? Eh bien, il était avec moi, au Vᵉ, et son beau-frère Lulu, qui a été tué devant Strasbourg. Là-dessus, le Fimelin, tout ce qu'il trouverait à faire, c'est de sortir le Ben Bella de cabane, lui payer à boire l'anisette et lui donner l'Algérie. Mais ça ne sera pas ! criat-il en donnant un coup de poing sur le comptoir.

Depuis que le patron avait renoncé à boire, sur les conseils de son médecin, il supportait difficilement les clameurs autour de son comptoir. Imprégné d'eau minérale, il rêvait d'un café feutré, où les clients se fussent déplacés sur la pointe des pieds et exprimés avec de suaves chuchotements. Pour dé-

tourner la fureur de son interlocuteur, il tenta de le ramener
à un sujet de conversation qu'il jugeait moins tumultueux :

— Alors, joli le défilé ?

— Un monde qu'on ne peut pas imaginer ! Les colons de
tout autour, même qu'on leur avait envoyé des tracts par
avion. Dans le quartier des Facultés, tous les étudiants. Les
Anciens Combattants et leur drapeau, hein ? Les écoliers, ils
se sont ramenés professeurs en tête, comme pour une distri-
bution des prix, et badaboum, badaboum dans les vitres.

— Dans quelles vitres ?

— Celles du Centre Culturel Américain, rue Michelet.
Popopoh ! ça descendait ! Et puis, les ouvriers, les fonctionnaires avec le responsable syndicaliste qui portait la banderole, et ça gueulait, mon ami, ça gueulait ! Le boulevard Laferrière, tu voyais que des têtes ! Les corps des gens, on ne
voyait plus. Même, et ça c'est pour te dire, je laisse tomber
mon paquet de Bastos : je n'ai pas pu me pencher pour le
ramasser, vu qu'on était plus serrés, je te jure, plus serrés
que trente cigarettes dans un paquet de vingt ! Que la gerbe,
au Monument aux Morts, pour les trois petits troufions que
les fellouzes ont fusillés en Tunisie, eh bien, tu ne pouvais
pas l'apercevoir la gerbe ! Et même, quand on criait tous ensemble, on ne savait plus ce qu'on criait. Moi, je criais
« Bourghiba au poteau ! » Mon voisin, « Algérie française ! »
Ma cousine de Pointe Pescade, que je l'ai retrouvée par hasard, elle disait « A mort Mendès » et les « L'Armée au pouvoir »... Des autres chantaient la Marseillaise. Ce luron de
Lagaillarde, tu connais ? il avait grimpé sur le socle du Monument aux Morts. Il criait on ne savait pas quoi, mais une
bonne femme m'a dit qu'il nous demandait de balayer les
traîtres. Et puis une autre bonne femme, j'oubliais, elle carillonnait « Vive de Gaulle » avec une voix que tu aurais cru
que c'était la trompette du tramway. Pour la faire taire un
vieux monsieur lui a crié dans les oreilles : « Vive mon cul ! »
Et puis un clairon, il y avait un clairon par moments, et puis
des bagnoles avec des haut-parleurs qui racontaient qu'il ne
fallait pas laisser brader l'Algérie par un régime de pourris,
comme si on avait besoin des haut-parleurs pour le savoir !
Remarque, ce n'était pas désagréable de l'entendre vu qu'un
haut-parleur, c'est comme qui dirait une voix officielle...

Il s'interrompit, se tourna vers la porte pour apercevoir la route qui résonnait d'un vrombissement régulier. Le patron s'était penché aussi puis, pour en voir davantage, il contourna son comptoir et sortit sous les pins.

— C'est les paras-casquettes, les paras-Bigeard. Trinquier les commande, expliqua le patron. Ils sont rentrés du bled il y a huit jours. Tout à l'heure déjà leur compagnie d'intervention est sortie...

Régulièrement espacés, les camions de paras défilaient.

— C'est tout le régiment qui sort ce coup-ci !... Quand vous avez quitté le forum, ça bardait toujours ?

— Non, j'ai eu l'impression que c'était fini, que le monde se dispersait. Ma cousine est repartie pour Pointe Pescade. Moi, pour ne pas perdre ma journée, je me suis taillé sur Zeralda...

Le défilé de camions avait à peine cessé qu'une Peugeot kaki déboucha.

— Vous avez vu ?

— Non...

— Dedans, il y avait le colonel Trinquier.

**

L'avenue de Lattre-de-Tassigny longe le froid édifice de la bibliothèque d'Alger, surplombe des jardins qui descendent, enserrant le Stade vers les toits blancs du Gouvernement Général.

Les camions des parachutistes s'étaient arrêtés sur le bord de l'avenue, les uns derrière les autres. Les hommes en étaient descendus. Ils regardaient briller la mer sous un ciel encore ardent, fumaient des cigarettes et bavardaient avec les passants. Le colonel Trinquier, après avoir attendu un moment dans sa voiture avec l'espoir d'obtenir, par radio, un ordre du colonel Godard, le chef d'Alger-Sahel, concernant l'emploi des deux compagnies qu'il avait amenées là, se décida à prendre l'air et alla s'asseoir sur un muret qui dominait les jardins. La foule remontait l'avenue par petits paquets. Des gens, reconnaissant le colonel, le saluaient. Il répondait. Il était de bonne humeur — curieux aussi d'apprendre un peu ce qui se passait, sinon de son poste écouteur, du moins de la voix populaire. Il bavardait.

— Alors, c'était bien ce défilé ?

— Si vous aviez vu ça, mon colonel !

— Ça ne leur rendra pas la vie aux trois petits gars que les salopards ont fusillés en Tunisie, mais c'était impressionnant ! Vous auriez dû venir.

— Le général Massu était là, vous savez ! Il a déposé une gerbe...

— Tellement on était serrés qu'il a eu du mal à arriver jusqu'au Monument aux Morts.

— Il y en avait d'autres avec lui, Salan, Jouhaud, Allard. Mais on aurait préféré vous voir, vous et le colonel Bigeard.

— J'étais pas invité ! J'avais du travail...

Avec son visage bronzé, ses yeux doux, ses cheveux ras, Trinquier, assis sur son muret, une jambe dans le vide, l'autre allongée, illustre l'aisance sportive du parachutiste au repos. A un ancien capitaine de R.E.P. qui passe, vêtu d'un pantalon clair et d'une chemise blanche, il demande des détails plus précis.

— Non, mon colonel, il ne se passe rien du tout. La manifestation a été très réussie. Tout le monde pense qu'elle fera réfléchir Paris. Maintenant, les organisateurs ont invité la foule à se disperser. Je suis reparti à ce moment-là.

C'est alors qu'un de ses officiers vint prévenir Trinquier que le contact avait été enfin établi par radio avec le colonel Godard : celui-ci demandait l'envoi d'une compagnie de paras pour relever les C.R.S. qui gardaient le Gouvernement Général.

— Planet ! ordonna-t-il, descendez. Mettez-vous à la disposition du colonel Godard. Vous me rendrez compte par radio.

La moitié des camions se remplirent de paras, commencèrent de descendre lentement l'avenue, au milieu de la foule qui la remontait.

Le colonel, revenu à son muret, contempla Alger, continuant de répondre aux bonjours des passants, l'air toujours aussi détendu mais un peu plus songeur. Le capitaine de la seule compagnie restée auprès de lui, Schmitt, essuya ses lunettes cerclées d'or avec un mouchoir, puis se remit à examiner toits et terrasses au-dessous de lui.

— Les manifestants s'en vont, observa Trinquier, et on renforce la défense du G.G., c'est contradictoire.

— Le général Massu ne vous avait parlé de rien, mon colonel ?

— Depuis huit jours que nous sommes là, je ne l'ai pas vu ! Justement ça m'intrigue. S'il s'était préparé quelque chose de grave il m'aurait fait appeler... Je crois que le mieux est d'aller y voir, acheva-t-il brusquement.

Il monta dans sa voiture pendant que les paras réintégraient les derniers camions, et commença de descendre, à vingt à l'heure, l'avenue de Lattre-de-Tassigny. Au bout de cinq cents mètres, après le tournant, la foule s'épaissit. Elle s'ouvrait cependant devant la voiture, des ovations jaillissaient.

— Vive Trinquier ! Vive l'Armée !

Quelques Algérois se trompaient, criaient :

— Vive Bigeard !

A proximité du G.G. Trinquier fut sensible à une métamorphose. D'abord cette foule ne remontait plus l'avenue, elle stagnait. Elle n'était plus ce flot de promeneurs fatigués rentrant chez eux, mais devenait une masse sensible, inquiète, d'où sortaient des vociférations. Elle ne regardait plus devant elle, mais derrière. Après un nouveau tournant, la modification fut complète : par paquets, les manifestants revenaient sur leurs pas. Certains dépliaient de nouveau leurs banderoles et un cri, toujours le même, scandé par des centaines de voix retentissait :

— Au G.G. ! Au G.G. !

Les adultes dévalaient la chaussée et les trottoirs au pas gymnastique, d'une allure militaire, mais les jeunes couraient, se tenant par la main comme pour une ronde et, comme dans une ronde, les robes claires des jeunes Algéroises s'évasaient autour de jambes dorées.

— Des grenades ! Vous avez entendu, mon colonel ? observa le chauffeur de la voiture en tendant l'oreille pour écouter, assez proches, les claquements des projectiles.

Le Gouvernement Général, cube blanc et nu, leur apparut sur le ciel, assiégé par une immense clameur. La voiture, qui n'avançait plus qu'au pas, déboucha sur la grande terrasse cimentée, qui sert d'antichambre à l'édifice. Une vingtaine de camions de C.R.S. et de paras stationnaient, vides, en désordre au milieu de la foule qui, par vagues, se ruait vers les grilles fermées de la façade. Du premier étage, des C.R.S. dont les tenues sombres tranchaient sur la clarté de la foule, lancèrent une volée de grenades lacrymogènes. La foule se replia en toussant sous les vapeurs blanches, mais presque aussitôt comme la vague inlassable revient à l'assaut d'une plage, elle afflua vers les grilles.

Trinquier, qui avait remonté la glace de sa voiture pour protéger ses muqueuses, ordonna à son chauffeur d'avancer encore un peu, de ne s'arrêter qu'à proximité des grilles. Des manifestants donnaient des tapes sur l'aile de la Peugeot en criant :

— Les paras avec nous !

A sa gauche, dans une voiture arrêtée, Trinquier reconnut le colonel Godard et le colonel Tomazo, alias Nez-de-Cuir, le chef des Unités Territoriales. D'ailleurs, dans la foule qui donnait l'assaut aux grilles, criblant de pierres les groupes de C.R.S. qui se montraient encore sur le péristyle, Trinquier avait observé un esprit d'équipe qui dénonçait la présence d'U.T., en civils, mais organisés. Parmi eux il reconnut l'un de leurs chefs, Sapin-Lignière. Celui-ci invectivait le chef du cabinet militaire de Lacoste, le colonel Ducourneau.

— Bande de fous, bande de salauds ! hurlait Ducourneau.

Il tenait les grilles à pleines mains et, dans son exaltation, donnait l'impression d'être prêt à grimper le long des barreaux, comme un singe.

— Ta gueule ! rétorqua un des manifestants. Sois poli, nous sommes des Anciens Combattants.

— Ça, j'en doute ! clama Ducourneau au comble de la rage.

— Tu en doutes ! cria Sapin-Lignière, tu as un certain toupet, dis donc !

— Mais ce n'est pas pour toi que je dis ça !

Les deux hommes, très liés, déjeunaient encore ensemble trois jours avant. Maintenant, l'épaisseur d'une grille les séparait. Elle ne les sépara pas longtemps. Elle céda sous le poids d'un camion qui, poussé par les manifestants, s'enfonça comme un bélier, aux acclamations de la foule. Ducourneau n'avait eu que le temps de se rejeter en arrière, à la dernière seconde, tant il avait semblé croire jusqu'au bout que sa poitrine arrêterait le lourd véhicule.

Une 2 C.V., poussée par des jeunes, servit à son tour de bélier pour enfoncer les portes vitrées qui volèrent joyeusement en éclats, cependant que ce qui restait de gendarmes et de C.R.S. disparaissait, se réfugiant dans les escaliers et au premier étage. De là, les grenades lacrymogènes plurent avec une nouvelle violence. A travers la fumée, sur la corniche du troisième étage un homme barbu, qui portait l'uniforme des paras, agitait son béret pour exciter la foule, un moment hésitante, à envahir le sérail. C'était Pierre Lagaillarde.

Cramponné à la corniche, Lagaillarde put voir un bras de foule s'allonger sous lui et disparaître, aspiré par l'édifice qui frémit aussitôt d'un immense piétinement. Quelques secondes plus tard une neige jaillit des étages inférieurs, cachant la terrasse à Lagaillarde. Une neige de papier. Les archives du Gouvernement Général volaient par les fenêtres aux hurlements de bonheur de la foule.

Pendant que Lagaillarde, d'un bond souple, se laissait retomber à l'intérieur de la pièce, le colonel Ducourneau, à l'étage au-dessous, s'était armé d'un morceau de craie. Fébrilement, en lettres capitales, il écrivait sur un tableau noir équilibré sur une table : « Je viens de téléphoner à Paris pour demander un gouvernement de Salut Public. L'armée est la garante de l'Algérie française. »

Le colonel de Bordesoule, campé à quelques pas, son visage cramoisi solidement posé sur son double menton, observa :

— Ne te fatigue donc pas ! Ne sois pas plus lacostien que Lacoste! Il a senti que ça allait chauffer, et il s'éternise à Paris. Laisse donc faire ! En t'accrochant aux grilles, tu ne les as pas empêchés d'entrer, hein ? Alors ce n'est pas en agitant ton écriteau que tu les feras changer d'avis. Maintenant, ils sont lancés.

Sans répondre, Ducourneau ayant ajouté un dernier accent et un dernier point d'exclamation pour fignoler son texte, s'avança jusqu'au balcon, inclinant devant lui, pour que la foule pût le contempler, le tableau noir. Celui-ci n'obtint qu'une vaste huée. De tous les gosiers les mêmes slogans se remirent à fuser : « Algérie française !... Soustelle au pouvoir... Fimelin au poteau ! »

De guerre lasse, le colonel Ducourneau fit demi-tour, et encombré de son tableau, réintégra le bureau. Celui-ci, en une minute, avait changé d'aspect. Une quinzaine de jeunes gens étaient en train de rafler les dossiers, de vider les tiroirs, tournoyant autour du colonel de Bordesoule qui, les deux mains derrière le dos, restait impassible. Puis les jeunes gens, à leur tour, se lancèrent vers le balcon et précipitèrent vers la foule les piles de dossiers d'où des flots de papiers s'échappaient, voltigeant gaiement, tandis que les liasses, les parapheurs, les livres, plus lourds, s'abimaient d'un seul bloc et atterrissaient sur le ciment en claquant.

Bordesoule enfonça ses deux mains dans ses poches et gagna le couloir d'un pas lent. Des garçons en bras de chemise, ressemblant comme des frères aux précédents, tourbillonnaient comme eux avec le même délire heureux; quelques robes aux couleurs vives égayaient la meute. Mais un peu plus haut un bouchon de C.R.S., occupait le couloir, protégeant le bureau de Lacoste et les bureaux voisins.

Comme le rideau de C.R.S. s'entrouvrait devant un petit groupe à la tête duquel Bordesoule reconnut Lagaillarde, qu'il savait être l'idole des étudiants, le colonel se décida à courir.

— Mais Lagaillarde ! où allez-vous ?

Le jeune visage barbu ne répondit que par un sourire.

— Vous savez, reprit Bordesoule, que j'ai toujours marché la main dans la main avec vous...

Derrière Lagaillarde, il avait reconnu l'élite de l'activisme algérois. Il essayait de les séduire.

— J'ai l'impression que si vous allez trop vite, vous allez tout casser. Il ne faut pas s'énerver...

— Mais nous ne nous énervons pas, rectifia Lagaillarde avec le même sourire charmant. Nous allons nous installer dans le bureau du Patron pour délibérer.

— Seulement délibérer ?

— Nous allons le former, ce gouvernement de Salut Public, cria une voix derrière Lagaillarde.

— Voilà ce qu'il faut éviter, protesta Bordesoule. Si vous êtes seuls, vous attirerez sur vos têtes les foudres de Paris et, croyez-moi, puisque j'en suis un, les militaires vous lâcheront. Ils finiront par vous tirer dessus.

Il baissa la voix, essayant de prendre Lagaillarde par le bras.

— Vous savez qu'il y a un plan ? Le général Petit, qui vient d'arriver, nous a annoncé le retour imminent de Soustelle. Et Soustelle, c'est de Gaulle. Alors, en attendant Soustelle, le mieux c'est d'éviter les conneries, de se grouper...

— Avec qui ?

— Avec le général Petit, Delebecque, Neuwirth. Ils sont d'accord avec Salan. Ils ont de gros moyens à Paris et...

— Et où sont-ils ? Montrez-les moi ! cria le compagnon

433

de Lagaillarde qui avait déjà annoncé qu'ils allaient former un gouvernement. Faites-les un peu voir, vos bonshommes... Ce n'est pas eux qui ont pris le G.G. C'est nous. Et c'est nous qui allons prendre le pouvoir.

Le colonel de Bordesoule regarda s'éloigner Lagaillarde et ses hommes. Quand ils eurent poussé une porte et disparu, le colonel fit demi-tour. Il se dirigea nonchalamment vers son bureau. Sa secrétaire s'était éclipsée mais le bureau n'avait pas souffert. Bordesoule fit jouer le clavier du coffre-fort réservé aux documents secrets et en tira une canette de bière qu'il ouvrit et but au goulot, par rasades régulières, insensible au vacarme qui continuait d'ébranler l'édifice, et aux clameurs extérieures. Dans cette âme de militaire s'adonnant pour la première fois aux plaisirs angoissants de la révolution, trop de contradictions s'affrontaient. D'où sa soif. A Alger, depuis des mois, il appartenait, sans engagement de sa part, à un mouvement qui n'en était pas tout à fait un, et qui, pour clandestins que fussent ses buts, n'en revêtait pas moins certain caractère officiel. Ce mouvement, axé sur « l'antenne Chaban-Delmas », vivait et respirait par un homme : Delebecque. Et comme l'équipe Lagaillarde l'avait fort justement remarqué : Delebecque n'était pas là — ni aucun membre de son Comité de Vigilance. Le pis, c'est que Delebecque avait toujours rassuré fonctionnaires ou militaires du style de Bordesoule, en leur certifiant que « les événements viendraient de Paris ». Or, Alger venait de faire sa révolution sans Paris, le colonel devait bien le considérer. Si encore une haute autorité avait débarqué à Alger, comme le bruit en avait couru, pour accepter les responsabilités de l'aventure ! mais...

Bordesoule jeta la canette de bière dans sa corbeille à papiers et son visage débonnaire s'éclaira d'un sourire à la pensée de la tête du manifestant qui prendrait la canette sur le nez si le bureau était mis à sac. Les expressions étant toujours lentes à se dessiner puis à s'effacer sur la physionomie du colonel, il souriait encore qu'il envisageait avec effroi à quoi pouvait le conduire un déraillement de l'insurrection : au Conseil de Guerre, tout simplement ! Pour se rassurer il examina ses activités et ébaucha un dossier défensif. Certes, il avait eu de nombreux contacts avec Delebecque, mais après tout, Delebecque était une personnalité officielle de la Défense nationale. Certes, il avait été à l'origine de mutations d'officiers dont le but était de rassembler dans l'Algérois un personnel militaire qui n'ouvrirait pas le feu sur « de braves gens coupables seulement de vouloir rester français ». En gros, son dossier était plaidable à condition que dans les heures qui suivraient il parvînt à ne pas se mouiller. Il réfléchissait avec tant de vigueur qu'il lui fallut ouvrir une seconde bouteille de bière. « D'un autre côté, se disait-il, si tout le monde se dégonfle comme moi, Paris va l'emporter en quelques heures et nous fera payer sa courte peur. » Dans ces moments-là, il souhaitait que l'insurrection prît du poids, qu'elle devînt le rempart de sa carrière. Le visage ruisselant de sueur, mais la physionomie sereine, Bordesoule empoigna donc son téléphone et appela « le Comité de Vigilance ». Il espérait y trouver Delebecque. Il n'y trouva qu'une voix à laquelle il confirma la prise du G.G. et pronostiqua la création d'un gouvernement de Salut Public.

— Qu'à cela ne tienne, répliqua la voix, nous allons en former un autre ici.

— Rue d'Isly ?

— Ben oui...

— Si Lagaillarde en forme un au G.G., le vôtre n'aura pas l'air sérieux.

Il raccrocha, entendant sur le Forum une telle clameur qu'il courut à la fenêtre avec l'espoir que Soustelle arrivait. Soustelle, c'était la victoire ! Les Algérois l'adorant, il leur ferait avaler tout ce qu'il voudrait, y compris de Gaulle, et quand de Gaulle aurait pris la tête de l'opération, le Conseil de Guerre ne serait plus à craindre. Mais à peine le colonel eut-il passé la tête à l'extérieur que la clameur lui devint trop compréhensible, la foule scandait : « Massu ! Massu ! » Bordesoule reconnut le général, les manches de chemise retroussées, fonçant vers les grilles de son pas lourd et rapide.

Bordesoule se précipita dans le couloir et, dès que Massu surgit, se jeta au-devant de lui.

— Mon général, Lagaillarde veut former un gouvernement : méfiez-vous ! En tout cas il faut attendre l'arrivée de...

— Je n'attendrai rien du tout ! J'ai un dîner. Je suis déjà en retard. Qu'est-ce qui m'a foutu une pagaille pareille, tous ces cons-là me font suer !

Des C.R.S. s'écartèrent et Massu, suivi de Bordesoule, pénétra dans le bureau du directeur de cabinet de Lacoste. Il était bondé. Si Bordesoule reconnaissait Maison-Neuve, le directeur du cabinet, Chaussade, le secrétaire général, Peccoud, le directeur de la Sûreté, le gros Gorlin qui semblait le seul des quatre fonctionnaires à s'amuser, si les visages des commissaires de police en uniforme ne lui étaient pas inconnus, si tous les officiers présents lui étaient familiers, il n'aurait, en revanche, pu mettre un nom sur aucune des vingt autres silhouettes qui fumaient des cigarettes et palabraient avec volubilité. Une belle grande fille prenait des notes sur un calepin. Bordesoule s'assura que c'était bien Marie Elbe, reporter à « l'Echo d'Alger » et s'approcha d'elle avec l'espoir d'obtenir des nouvelles, mais il fut interrompu par les vociférations de Massu.

— Qu'est-ce que ça signifie, ce bordel ! criait le général. C'est du propre ! La manifestation a eu lieu en souvenir de nos trois camarades assassinés par les fellouzes, et voilà ce que vous en faites !

Un maigre vieillard tendit vers Massu un index vengeur.

— La faute des C.R.S. !

Le poil blond, les épaules carrées, l'air calme, un des lieutenants de Lagaillarde, Fozzi, domine le tumulte pour demander à Massu de s'adresser à la foule.

— Vous en avez de bonnes !

— Criez-leur : « Vive l'Algérie française ».

— Pas question ! Je la défends, l'Algérie française, je la fais, mais pas avec des discours. Tous ces gens me cassent les pieds. Il faut rendre compte à Paris.

— Non, mon général, il faut former un gouvernement de Salut Public, sous votre présidence !

Discrètement, Bordesoule avait gagné la porte, contournant le colonel Trinquier, assis à califourchon sur une chaise, la pipe au bec. Dans le couloir, il pressa le pas pour gagner son bureau et tâcher de nouveau de joindre Delebecque, mais l'adjoint de celui-ci, Neuwirth, débouchait, essoufflé.

— Delebecque va arriver, annonça-t-il précipitamment. Mais pour le moment, voilà Salan ! Il avait pris le couloir secret, vous savez, qui joint la Région au G.G. Je l'ai bloqué sans le vouloir pendant un bon moment, en faisant verrouiller la porte. Maintenant, il monte. Tout va s'arranger !

Salan apparut en effet, le képi sur la tête, en bras de chemise, ses souliers noirs étincelants comme d'habitude. Le

« mandarin » gardait son visage calme, secret, malgré les huées des insurgés: « Indochine ! Indochine ! Indochine ! »

« Je me demande ce qu'il va faire » pensa Bordesoule en réintégrant son bureau — toujours intact. Il souleva son téléphone, toujours dans l'espoir de trouver Delebecque au « Comité de Vigilance ». Avant qu'il pût parler, la standardiste lui apprit qu'il avait été demandé trois fois, dans les dix dernières minutes, par le colonel Jasson, que celui-ci avait supplié qu'on le rappelât, que c'était très grave. Un instant plus tard, il entendit en effet la voix changée de Jasson :

— Dis donc, qu'est-ce que je fais ? J'ai reçu l'ordre de marcher sur le G.G. avec mes blindés, de faire évacuer le bâtiment et de nettoyer le Forum.

— Ce serait de la folie ! Le sang coulerait ! balbutia Bordesoule.

— Mais j'ai reçu l'ordre !

— Ecrit ?

— Non, téléphonique.

— Emanant de qui ?

— Du colonel...

Bordesoule devina le nom sur lequel la voix de Jasson s'était étranglée :

— Oh ! celui-là ! grogna-t-il, il s'est suffisamment agité aujourd'hui, ça suffit. N'en tiens pas compte. Un ordre téléphonique, ça n'existe pas... Le général Salan et le général Massu sont ici. Il n'y a qu'à attendre leurs décisions.

— Alors, je ne bouge pas ?

— Non.

— Mais qu'est-ce qui se passe ?

— Personne n'en sait rien ! Lagaillarde a pris le G.G. Nous sommes dépassés par la foule.

— Mais ce n'était pas lui qui aurait dû prendre le G.G. !

— Ah! ne me parle pas de tout ça au téléphone ! Laisse tes chars où ils sont, dîne et va te coucher.

Ayant raccroché, le colonel de Bordesoule se prit la tête à deux mains : le plus clair, c'est que Delebecque s'était laissé devancer. A la place du plan qu'il avait mûrement médité, Lagaillarde a improvisé un scénario qui a réussi. Dans la mesure où l'opération gaulliste de Delebecque reposait sur une arrivée sensationnelle de Soustelle, sur la prise des pouvoirs militaires par le général Gilles et le colonel Bigeard, elle est complètement dépassée puisque le général Petit a atterri sans Soustelle, que Salan et Massu tiennent les leviers de commande, et que Lagaillarde tient la foule. Dès lors, vers quoi allait-on ? Vers un gouvernement militaire. Du même coup, les étoiles que Bordesoule attendait d'un retour de de Gaulle, auquel il aurait contribué, devenaient chimériques. Il poussa un soupir et s'aperçut qu'il avait faim. Son robuste appétit n'avait pas été pour peu dans sa carrière; capitaine, il rendait confiance aux hommes en dévorant de la charcuterie sous le feu ; homme du monde, il était la joie des maîtresses de maison. Il rouvrit le coffre-fort et en tira un saucisson qu'il attaqua à belles dents.

Quand il reprit conscience, la nuit était tombée. Il alluma l'électricité, s'étira, constata que bien qu'il eût dormi une demi-heure, la situation était inchangée : dehors, hurlements de la foule, dedans, des coups sourds, des galopades témoignant des activités destructrices des insurgés. Bordesoule en sourit d'aise : il était sans doute le seul qui se fût abandonné au sommeil pendant le sac du Gouvernement Général. La perspective de se remettre à dormir le tenta mais il la repoussa, brusquement effrayé : à une commission d'enquête qui lui demanderait compte de ses actes, il ne pourrait jamais faire croire à ce sommeil. Il quitta scn bureau pour gagner celui de Maison-Neuve. A travers la fumée des cigarettes, il aperçut Lagaillarde qui déclarait de sa voix sourde :

— Non, mon général, la foule ne rentrera chez elle que quand il y aura un pas de fait !

— Mais quel pas ? s'enquit Massu.

Une houle agita la bande d'inconnus dont la présence inquiétait particulièrement le colonel Bordesoule.

— Un gouvernement de Salut Public ! cria une voix.

— Tout au moins, un comité qui se donnera pour but la formation d'un gouvernement de Salut Public à Paris.

— Je vais d'abord parler un peu de ça avec le général Salan, déclara Massu en se levant pour gagner le bureau voisin.

Seguin, haut gaillard à voix sonore, qui voulut bien se présenter à Bordesoule : chef des informations de la « Dépêche Quotidienne », lui expliqua que l'on venait d'avoir Paris au téléphone, que Félix Gaillard, en accord avec son successeur possible, Pflimlin, avait autorisé la délégation des pouvoirs civils au général Salan et au général Massu afin que les militaires reprissent la situation en main. Mais ce premier geste d'abandon de Paris impliquait-il que les militaires pourraient prendre part à la formation d'un Comité de Salut Public?

— Bon, déclare Massu en réapparaissant, l'air bourru... Alors, voyons un peu ce Comité.

Assis sous une haute tapisserie aux couleurs violentes, il a étalé une feuille de papier devant lui.

— Vous en êtes, Trinquier ?

— Avec plaisir, mon général.

— Bon. Vous aussi, Ducas ? Lagaillarde évidemment...

— Et moi ? revendique Tomazo.

Les inconnus affluent autour du général et épellent leurs noms.

— André Baudier.

— Mais qui représentez-vous ?

— La foule !

Massu ne s'interrompt que pour répondre à l'appel téléphonique du préfet. Vite agacé, il coupe court :

— Causez toujours ! Je voudrais bien vous y voir !

Il se porte sur le balcon et crie à pleins poumons :

— Je vous annonce la création d'un Comité de Salut Public sous la présidence de moi, général Massu.

Il veut encore parler, mais de la nuit monte une ovation qui ne se termine que par une Marseillaise assourdissante.

Revenu à son bureau, Massu doit se boucher une oreille pour entendre Lacoste qui, de Paris, l'appelle au téléphone.

— Mais je ne pouvais pas m'y prendre autrement, Monsieur le Ministre, explique-t-il... Il ne s'agit pas d'un coup d'Etat ! Non, mais de manifester la volonté de l'Algérie, vous comprenez ?... ou alors, je tire sur la foule, m'en donnez-vous l'ordre ? Non ? Alors vous voyez bien...

Au moment où il va raccrocher, l'un des inconnus devenu membre du Comité de Salut Public depuis cinq minutes se précipite sur l'appareil.

— Vous ne savez pas qui je suis, crie-t-il, aucune importance !... Membre du Comité de Salut Public... Je vous adjure de monter à la Tribune de la Chambre et d'expliquer notre cas... Vous le connaissez notre cas !

Le colonel de Bordesoule s'était tassé dans un coin du

bureau, craignant qu'on ne lui demandât de faire partie du Comité, et ne sachant quelle réponse il donnerait. Il était sombre. Il se demandait si, par son abstention, il perdait ses étoiles ou au contraire les gagnait. Avec mélancolie, il écouta Massu, du haut de son balcon-tribune auquel il semblait prendre goût de minute en minute, lire à la foule le télégramme destiné au président de la République. Les paroles lui parvenaient par bouffées :

— ... création d'un Comité de Salut Public civil et militaire, à Alger, présidé par le général Massu, en raison de la gravité de la situation ... pour éviter toute effusion de sang. Ce Comité attend avec vigilance la création d'un gouvernement de Salut Public ... conserver l'Algérie, partie intégrante de la métropole. »

Seuls les premiers rangs de la foule avaient pu entendre vraiment, mais unanime, elle hurla son approbation, cependant que Bordesoule se disait : « Très modéré. Ce n'est pas méchant. J'aurais mieux fait peut-être d'entrer dans ce C.S.P. »

Ce fut alors que Neuwirth qui montait la garde à la porte, annonça :

— Delebecque !

Comme Bordesoule s'était vivement levé pour l'interroger, il fut devancé par un Lagaillarde rieur :

— Il faudra retoucher votre scénario. Il n'est plus au point.

Delebecque se mordit les lèvres sans répondre. Qu'eût-il pu répondre ? Alors qu'il complotait depuis des mois avec l'aide des plus hautes autorités d'Alger et l'appui, à Paris, d'hommes aussi différents que le tumultueux Biaggi et le pensif Soustelle, tous deux soutenant une ombre plus haute qu'eux, ils s'étaient laissé devancer par ce jeune homme, ce solitaire armé seulement de sa passion et de la confiance d'une poignée d'étudiants.

— Alors ? interrogeait Bordesoule.

— La partie n'est pas jouée, remarqua froidement Delebecque. Ce ne sont pas ceux qui font les révolutions qui en profitent.

— Vous allez entrer au C.S.P. ?

— Bien sûr !

— Qu'est-ce que vous me conseillez ?

La voix du colonel Trinquier s'était élevée :

— D'abord, qui êtes-vous ? demandait-il à Delebecque.

Et, se tournant vers Massu :

— Encore un inspecteur de police, je parie !

Delebecque, théâtral, redressa sa haute stature.

— Je suis l'envoyé de Soustelle.

S'avançant alors vers le balcon où Neuwirth venait de lui installer un micro, il lança vers la foule :

— Je suis l'envoyé de Soustelle. Je l'attends d'une minute à l'autre.

Reprises par des dizaines de milliers de voix, les deux syllabes « Sous-telle » retentirent, se répercutèrent, reprirent indéfiniment, couvrant l'apostrophe venue du bureau :

— Farceur ! La radio vient de préciser que Soustelle est à la Chambre !

— Soustelle ! Soustelle ! Soustelle ! criait la masse humaine qui recouvrait le Forum comme un enduit.

La foule, stimulée par ses propres cris, afflua de nouveau contre les grilles le long desquelles, pacifiques mais fermes, les paras s'étiraient pour empêcher de nouvelles dévastations. Leurs costumes peints, et les robes des jeunes filles jetaient des touches claires dans cette masse obscurcie par la nuit qui, foulant aux pieds les archives blanches du Gouvernement Général répandues sur le ciment, continuait de hurler :

— Soustelle ! Soustelle ! Soustelle !

Ce nom parvenait jusqu'au bureau où Salan, seul, réfléchissait. Il venait de recevoir un télégramme « très secret » signé par Félix Gaillard. Celui-ci, en accord avec Pflimlin, lui donnait tous pouvoirs pour prendre les mesures qu'il jugerait de nature à protéger l'ordre. Ainsi, seul de tout Alger, le général Salan est couvert par la dernière abdication d'une république mourante. Le visage figé, il examine.

— Soustelle ! Soustelle ! Soustelle !

Justement, non, Soustelle lui est inutile depuis l'arrivée de ce télégramme. Maintenant, par le truchement de Massu, il commande au Comité de Salut Public et jusqu'à cette foule stupide qui l'a hué tout à l'heure. Le blanc-seing du Gouvernement donne à lui seul un pouvoir dont il peut user en tous les sens, y compris le sens contraire au Gouvernement qui le lui accorde. Salan sourit imperceptiblement, se rappelant le sabre de M. Prudhomme, puis fronce les sourcils. Pour mener à bien l'assainissement du régime en France, la victoire en Algérie, qu'a-t-il besoin des Soustelle, des Biaggi, des Debré, des Delebecque inféodés au gaullisme, liés, quoi qu'ils en disent, à un système politique qui a déchu la France, liés aussi — et pour Salan le détail a du poids — à l'homme qui a tiré sur lui à coups de bazooka.

— Soustelle ! Soustelle ! Soustelle !

La clameur est plus sourde : le général en chef s'est levé et a fermé ses fenêtres sur la foule et sur la nuit.

Deux heures du matin. Jean Brune, en uniforme de maréchal des logis-chef de l'U.T.B. — c'est-à-dire de ce groupement blindé des Unités Territoriales qui, au lieu de se vouer chaque semaine à l'escorte des tramways ou des voitures de boueurs, partait combattre dans le djebel voisin — remontait les escaliers sonores et déserts du Gouvernement Général.

La révolution a été à ce point improvisée par Lagaillarde que ceux qui la méditaient et comptaient en tirer bénéfice comme Delebecque, ceux qui l'avait annoncée, comme Salan, ont été pris au dépourvu par son explosion. Des heures ont donc passé avant qu'on songe à s'emparer d'une radio qui continuait à blâmer les manifestants, ou à faire donner l'U.T.B. qui le matin était partie en opération à une trentaine de kilomètres. Au repos, les soldats de l'U.T.B. couchés dans la paille autour d'un transistor, s'étaient entendu annoncer une déclaration de Salan, puis, après un silence, n'avaient eu droit qu'à des disques de danse. L'inquiétude était née. Si c'était enfin la révolution il convenait que l'U.T.B., fer de lance des foules algériennes, soit employée au plus vite. Mais le colonel commandant le secteur lui refusait le droit de rentrer à Alger. Il la gardait pour une belle opération prévue pour le lendemain : trois collecteurs de fonds, à intercepter. Il avait fallu que, poussé par Jean Brune, le capitaine commandant l'U.T.B. bondisse à Alger, se fasse signer un ordre par un général Massu qui pensait à autre chose.

Enfin les camions ont déversé les soldats-citoyens sur le terre-plein du Forum parmi les papiers répandus, les machines à écrire écrasées, les voitures en accordéon.

Brune, ayant poussé une porte, après bien d'autres portes qui ne donnaient que sur des bureaux vides et ravagés, aperçut, assise dans un fauteuil, une créature vivante.

— Mes respects, mon colonel !

Le colonel de Bordesoule souleva d'un centimètre son lourd visage qu'une trace de barbe commençait à bleuir. Il ne daigna guère lever ses paupières appesanties, la vue d'un maréchal des logis-chef n'en valant pas l'honneur, puis ayant reconnu sous l'uniforme Jean Brune, journaliste, dont le visage coriace, rougi par le soleil et le vent, souriait avec appétit, il bondit :

— Alors, Brune, où en sommes-nous ?

— Je vous pose la question. Nous, nous arrivons. Et qu'est-ce que je trouve, le vide ! C'est extravagant ! En ce moment, il suffirait de dix gendarmes, les mains dans les poches, pour réoccuper les lieux au nom de M. Pflimlin... Ah ! elle est extraordinaire, cette foule, mon colonel, qui prend d'assaut un immeuble symbole, puis l'abandonne et va dormir. Heureusement, nous sommes là !

Déçu, le colonel tirait sur son ceinturon.

— Mais, qu'est-ce que vous faites, vous, mon colonel ? demanda Brune.

A voix basse, en confidence, Bordesoule murmura :

— J'attends.

— Continuez, mon colonel! Et excusez-moi de vous avoir dérangé.

Brune s'élança de nouveau dans le couloir, ouvrit une nouvelle porte, la referma aussitôt, navré d'avoir dérangé un para oublié par sa compagnie et une toute jeune fille que sa famille devait réclamer par téléphone dans les commissariats. La robe sanguine de la toute jeune fille était accrochée à une lampe de bureau allumée qui lui tenait lieu de cintre et à laquelle elle servait d'abat-jour, répandant une roseur diffuse sur les minces cuisses serrées autour des reins bariolés du séducteur.

Instruit par l'expérience, Brune frappa à la porte du bureau de Lacoste. Comme on ne lui répondait pas, il entra. Une demi-douzaine de civils étaient vautrés dans les fauteuils. Autour d'eux, des bouteilles : les vides posées sur le tapis, les pleines debout sur le bureau du ministre ou sur les bras des fauteuils. Quant aux ailes de poulets, déjà rongées ou encore neuves, elles jonchaient bureau et tapis.

Jean Brune fit demi-tour.

*

— Je parie, dit Vise-Canisy, que je vous ai réveillée en sursaut, ma pauvre Aïcha.

La tête couronnée d'un madras, la servante considérait l'ancien ministre d'un regard terne. Puis, précipitamment, elle expliqua :

— Je me suis dépêchée d'ouvrir à cause du valet de chambre. Souvent, des hommes de là-bas, ils viennent me voir, ceux qui travaillent ici dans des usines. Ils m'apportent des nouvelles. Ils se trompent d'escalier. Ils prennent le grand.

— Bon, bon, bon... Madame dort ?

Il n'attendit pas la réponse :

— Monsieur est toujours en voyage ?

A peine eut-elle incliné affirmativement la tête que Vise-Canisy lui exposa son plan :

— Je suis venu prendre le petit déjeuner avec Madame. Tu vas nous faire du thé, du café, des toasts, beaucoup de confiture... je suis affamé.

Et il disparut au bout de l'antichambre. Il s'annonça en criant :

— C'est moi, Clotilde ! Il va faire jour. J'ai commandé les petits déjeuner. I am hungry !

Il alluma la lampe de chevet dont la lumière brusque fit pousser un gémissement à Clotilde.

— Tu vas t'y habituer tout de suite, assura Vise-Canisy en s'installant sur le bord du lit. J'espère que tu n'es au courant de rien ?

— Il faudrait que je sois au courant de quoi ?

— Hier soir, qu'est-ce que tu avais appris avant de te coucher ?

— D'abord, quelle heure est-il ?

— Cinq heures et demie.

— Tu me réveilles à cinq heures et demie !

— Ne t'embourgeoise pas...

— Il y a longtemps que c'est fait !

— Alors, défais. Et réponds-moi. Hier soir, qu'avais-tu appris ?

444

— Attends... oui, un antiquaire m'avait trouvé le bonhomme capable de copier le bronze doré manquant à la commode que je venais de lui acheter. Un meuble inouï, tu sais, je n'en avais jamais vu. Et pour un collectionneur, mon petit Guy, « n'avoir jamais vu » c'est le *nec plus ultra*.

Vise-Canisy, pendant ces précisions, avait allumé un mince cigare « panther ».

— D'accord, ça te fait tousser... Et il est apparemment révoltant de fumer un cigare avant de prendre son petit déjeuner. Mais la révolte est à la mode. Il n'y a plus ni haut ni bas, ma petite, ni bien ni mal ni civil ni militaire, c'est le foutoir. Si je me suis invité chez toi à une heure pareille, c'est pour deux raisons: d'une part, à cause du foutoir qui a effacé les frontières entre ce qui se fait et ne se fait pas, d'autre part, parce que j'ai accompagné des amis à l'Elysée, c'est-à-dire à deux pas d'ici.

Une Clotilde particulièrement décoiffée s'étira, réfléchit :

— Compris. Vous avez siégé toute la nuit à la Chambre, vous avez enfin réussi à former un ministère, vous êtes allés tenir conseil à l'Elysée et tu es ministre. C'est banal. Ça fait une centaine de fois que ça se passe comme ça depuis la Libération.

— Je ne suis pas ministre. Je m'en garde bien. J'ai simplement accompagné des amis qui le sont devenus.

— C'est ce que je disais.

— Non, mon petit chat ! L'intérêt n'est pas que la IV⁰ République ait accouché d'un ministère de plus, mais que, selon des milieux habituellement bien informés, ce ministère risque d'être le dernier.

— Il durera toujours...

— ... quatre ou cinq jours, au bout desquels les parachutistes lui substitueront quelques-uns de leurs généraux bien-aimés. Il y a eu, hier soir, une révolution à Alger. Le Gouvernement Général a été enlevé d'assaut.

— Ça, c'est drôle ! s'exclama Clotilde, réveillée au point de s'asseoir sur son séant. Est-ce qu'on sait la tête qu'a fait Lacoste ?

— Lacoste est à Paris depuis plusieurs jours. Il n'a donc appris que comme nous l'invasion de son oppidum par les activistes déchaînés, secondés par les parachutistes. Et nous, je te prie de croire que ce fut du Molière.

— Dis-moi tout.

— Ma Clotilde, depuis l'arrestation de Laval à l'hôtel du Parc, l'exécution de Darlan et la première fois où j'ai été ministre, je n'avais pas vécu aussi intensément ! Je suis comme le prince de Ligne, moi, j'aime les événements. Nous laissons les événements ordinaires pour aborder aux extraordinaires. D'ailleurs, sais-tu ce que nous allons faire ? L'amour. Puisque tu as décidé, sans m'en donner la raison exacte, de dénoncer ta longue fidélité à Francis, permets-moi d'être le premier bénéficiaire de ta nouvelle éthique.

— Ah ! Non, Guy, pas de revenez-y. Passe-moi ma chemise qui traîne au bout du lit... merci. Alors, raconte.

Il s'était levé. Très agité, il fit quelques pas à travers la vaste chambre en fredonnant : « Raconte, raconte comment ça s'est passé. » Puis il revint vers le lit.

— D'abord, exposa-t-il, tout le monde savait, sauf toi, parce que tu t'intéresses aux antiquités, qu'une grande manifestation avait lieu aujourd'hui à Alger... enfin, hier. Par solidarité, un certain nombre d'énervés parisiens avaient décidé d'aller brailler un bon coup sur les Champs-Elysées. La clique habituelle : le C.A.N.A.C., Jeune Nation, les Anciens d'Indochine, c'est-à-dire quelques milliers de zèbres activés par quelques vieux généraux... de jeunes capitaines, et surtout le père Biaggi plus déchaîné que jamais. J'ai été faire un tour aux Champs-Elysées. Ça secouait pas mal. Ce qui m'a frappé, c'est que la police... ne frappait pas. Elle se laissait déborder. Les braillards avaient toute licence de descendre vers la Concorde ou la Chambre des députés. En ayant assez vu, c'est précisément à la Chambre que, conformément à mes devoirs, je me suis rendu. Je savais que, depuis le début de l'après-midi, ce pauvre Pflimlin essayait d'obtenir son investiture. Ça ne me passionnait guère : nous en étions, hier, au vingt-huitième jour de crise, et j'avais de bonnes raisons de penser que nous n'en avions pas fini.

— Ça ne suffisait pas ?

— Le fait est que ça ne suffisait pas. Toi, tu ne peux pas imaginer la complication de nos problèmes... Oh ! ne va surtout pas croire que nous essayions de trouver une solution pour l'Algérie, que nous nous tâtions pour savoir s'il fallait

446

ou non envahir la Tunisie, non ! Après Pleven, après Bidault, il nous fallait user ce nigaud de Pflimlin pour imposer, comme l'ultime recours, notre solution : un ministère Mollet-Pinay où j'aurais eu le portefeuille de la Reconstruction, ce qui, d'ailleurs, aurait arrangé certaines des affaires de ton mari, pas ? Donc, notre boulot consistait à faire faire des tours de piste à Pflimlin et à lui faire finalement louper son investiture. Quand je suis arrivé à la Chambre, ça allait très bien. Bon climat. Le Trocquer présidait, Pflimlin définissait et redéfinissait son programme... Et puis, tout à coup, dans les travées, des chuchotements, Le Trocquer qui s'agite à la tribune, qui crie « non, non ! » qui fait « chut », le doigt sur ses lèvres. Il se passait ceci : les nouvelles concernant les assauts de la foule algéroise contre le G.G. nous arrivaient. Evidemment, ceux d'entre nous qui faisaient partie de la combinaison ne tenaient pas à ce que la Chambre apprenne la nouvelle, s'affole, donne son investiture à Pflimlin. Il fallait taire la vérité le plus longtemps possible, d'autant que nous espérions bien que les choses allaient se tasser à Alger. Le problème était de gagner du temps jusqu'à ce que Pinay et Mollet fussent d'accord, alors, on balaierait Pflimlin...

— Parce qu'ils n'étaient même pas d'accord tous les deux ?

— Des complications à l'intérieur de leur parti... Moi, je m'en fichais, j'étais garanti dans tous les cas. Le seul impératif était que la Chambre fût tenue dans l'ignorance de l'histoire d'Alger. Mais voilà que vers neuf heures et demie, cette andouille d'Hernu, qui ne faisait partie d'aucune combinaison, n'écoutant que sa conscience, se met à brailler que l'émeute a conquis Alger. Nous arrivons à le faire taire, nous essayons de venir à bout de Waldeck-Rochet, le communiste, qui crie la même chose, mais ce pauvre Pflimlin comprend tout de même, à la longue, que son intérêt est de vider son sac. Il s'écrie : « Des généraux factieux ont pris le pouvoir à Alger. » Là-dessus, grand bordel ! Tout le monde s'engueule. Et les nouvelles affluent... d'une part, la manifestation du père Biaggi s'est étendue jusqu'au pont de la Concorde, presque jusqu'à nos grilles, d'autre part, un gouvernement a été formé à Alger, baptisé Comité de Salut Public, patronné par Massu, Salan, Trinquier, et composé en

grande partie d'agitateurs du cru parmi lesquels tu ne dois
guère connaître que le nom de Tomazo... de Delebecque...
peut-être aussi celui d'un petit garçon qui est le chef d'orchestre des étudiants d'Alger, Lagaillarde. Tous ces messieurs
occupent le G.G., tiennent la ville, essaient de rallier Oran
et Constantine à leurs vues...

Avec une docilité récalcitrante, Aïcha apportait le petit
déjeuner. Pour montrer qu'elle désapprouvait cette heure pré-
maturée, elle ouvrit largement les rideaux, comme à l'habitude, ce qui eut pour résultat de découvrir des rectangles de
ciel obscur.

— Elle est indignée ! observa Clotilde quand la porte se
fut refermée.

— Indignée, mais adorable : elle a parfaitement réussi
ses toasts, répondit Vise-Canisy la bouche pleine. Et j'ai
besoin de me refaire ! Nous avons dégoisé toute la nuit. A
la fin, il nous a paru plus comme il faut d'avoir un gouvernement à Paris pour protester solennellement contre l'illégalité de celui d'Alger. Nous avons donc donné son investiture
à Pflimlin. Mais ce qui nous a surtout occupés, c'est de faire
revenir, *manu militari*, Chaban-Delmas de son Bordeaux
d'où nous avions peur qu'il rallie Alger, et de chercher dans
tous les coins Soustelle, que les Algérois adorent et qui nous
gênerait beaucoup s'il prenait leur tête. C'était insensé ! Les
huissiers, les gardes criaient : « Vive Massu ! » Le nouveau
ministre de la Défense nationale, Chevigné, tu connais ?
annonçait que quarante-huit heures lui suffisaient pour remettre de l'ordre : « J'envoie cinq généraux au Conseil de
Guerre, je casse dix colonels, et l'ordre règne à Alger. »
A l'Elysée, où je me suis rendu, ma chérie, j'ai entendu Mut-
ter, que Pflimlin a pris comme ministre de l'Algérie, annoncer qu'il allait mettre toutes ses décorations, s'envoler dans
une heure, et tout régler à Alger avant le déjeuner. Quant
à notre tout neuf Président du Conseil il avait, *in extremis*,
changé de vocabulaire : plus question de traiter les généraux
d'Alger de factieux, mais au contraire, les féliciter d'avoir
coiffé l'insurrection, sauvegardé l'ordre, empêché toute effusion de sang... Car nous avons appris, pour finir, que Félix
Gaillard, pour conserver un interlocuteur là-bas, avait investi
Salan des pouvoirs civils et militaires. Une pétaudière rêvée !
Les plus comiques sont ceux qui, à coups de statistiques,

griffonnaient sur des calepins, essayant de vous persuader, ou se persuader que l'Algérie n'a que dix jours d'essence, trois semaines de munitions, et pas d'argent. Je suppose qu'à cette heure-ci le Gouvernement a quitté l'Elysée pour Matignon et que le maëlstrom s'y est transporté du même coup. Avoue que tu me pardonnes de t'avoir réveillée ! Avoue que mon ramage valait les sept toasts au miel que je t'ai dévorés... je me sauve !

Il se pencha sur Clotilde, l'embrassa, traversa la pièce au petit trot...

Elle entendit décroître son pas à travers la bibliothèque, s'étira, se demandant si elle se rendormirait ou se lèverait. Avant qu'elle eût pris une décision, la porte se rouvrit sur Aïcha. Elle avait cessé d'être réprobatrice. Avec naturel, comme s'il eût été dans les habitudes de la maison que Clotilde reçût une ribambelle d'hommes avant le lever du jour, elle annonça :

— Monsieur Jean-Marie Derden.

Derden entra d'un pas qui surprit Clotilde. Cet homme, que le régime concentrationnaire avait transformé treize ans plus tôt en un vieillard, traversa la chambre avec sa vivacité d'autrefois. De sa réclusion provinciale, il n'avait apparemment gardé que la taille démodée de son complet au pantalon trop large et à la veste trop longue. Son mince regard bleu fixait Clotilde avec l'intensité d'autrefois. La jeune femme n'avait jamais revu Derden sans être la proie d'une révolution intérieure que, selon son humeur, elle attribuait à la pitié qu'elle éprouvait pour la dégradation physique de cet ancien héros, ou à la persistance de l'ascendant qu'il avait si longtemps exercé sur elle.

— Clotilde, bonjour ! prononça-t-il de sa voix sourde. Je comptais vous demander mille pardons d'une visite aussi matinale, mais j'ai cru comprendre, par l'attitude de votre musulmane, que cette nuit, on défilait chez vous.

Le vague reproche que cette observation contenait, à tout hasard, fit sourire Clotilde. Il y aurait toujours, dans ses relations avec Derden, une trace de leur ancien équilibre : elle, jeune élève un peu coupable et très étourdie, lui, maître tranchant et rigoureux.

— Je suis surtout étonnée de vous voir à Paris ! dit-elle.

— Il n'y a pas de révolution tous les jours.

— Voulez-vous du thé ? Il est encore chaud... mais je n'ose vous proposer de boire dans ma tasse, vous m'avez trop injuriée depuis quelques années sur mes positions politiques pour tolérer cette privauté ?

Jean-Marie Derden prit la tasse de Clotilde, la remplit de thé, la porta à ses lèvres, la reposa.

— C'est vrai, constata-t-il doucement, vous m'avez bien agacé, pendant un sacré bout de temps, avec ce goût de la trahison que votre mari vous avait inoculé. C'est fini, paraît-il ? Vous m'avez écrit, en décembre dernier, que vous aviez échappé à son empire pour revenir dans mon clan.

— Non, sans blague ! s'exclama-t-elle. Sans ça vous n'auriez pas bu dans ma tasse ?

— J'ai fait tuer beaucoup de gens sous l'Occupation, de deux manières : en leur confiant des missions dont ils ne sont pas revenus ou en les supprimant, soit parce qu'ils trahissaient, soit parce qu'ils ne pensaient pas la question allemande comme je pensais qu'il fallait la penser. Je n'ai pas oublié ces morts. Cela m'interdit à jamais les jeux du dilettantisme.

— Bien sûr, bien sûr, dit-elle légèrement. Jean-Marie, savez-vous qui sort d'ici ? Non, ne soyez pas bête. Cette visite, justement, est assez inopinée pour que je veuille vous faire partager ma stupeur : Vise-Canisy.

— Cette ordure ! J'espère bien qu'il crève de peur, peur pour sa carrière et peur pour sa peau.

— Non. Il est très excité. Vous le jugez mal, je sais tout ce qu'on peut décocher contre lui. Mais s'il est, en effet, toujours prêt à tout sacrifier à sa carrière, il sait aussi s'amuser de l'existence, en grand seigneur, en aventurier. Il a le goût des tempêtes, même quand elles éparpillent ses cartes.

— Et qu'est-ce qu'il dit des événements ?

— Il croit que c'est sérieux.

— Il peut !

Ayant vidé sa tasse de thé sans toucher aux toasts, Derden s'était levé, avait fait quelques pas saccadés à travers la pièce.

— Racontez-moi donc votre nuit !

Il se retourna :

— Comment savez-vous que j'ai une nuit à raconter ?

— Guy m'a tout dit sur la sienne, à la Chambre, à l'Elysée. Pour que vous débarquiez à cette heure-ci, il faut que vous n'ayez pas plus dormi que lui. J'attends que vous me racontiez pourquoi vous n'avez pas dormi.

— Parce qu'on m'a téléphoné vers huit heures.

Il vint se rasseoir.

— J'ai rayé de mes papiers les camarades de Résistance devenus ministres ou directeurs de journaux, ou sénateurs, mais j'ai gardé des liens avec les autres. On m'a donc appelé au téléphone. Le contremaître de mon garage m'a conduit en voiture à Paris. A peine arrivé, j'ai failli me faire arrêter deux fois.

— Arrêter ? On arrête déjà des gens ?

— Oui. Au petit bonheur. Je me suis d'abord pointé aux Anciens d'Indochine, rue de Naples. Au moment où mon gars freinait pour se ranger, j'ai aperçu les cars de police devant la porte, et les camarades en train d'y grimper par paquets de douze. Nous avons accéléré et filé chez le général Chassin. Nous trouvons une place pour la voiture à vingt mètres de sa porte. Je descends. Une ombre se détache d'un porche pour demander, d'une voix basse et embarrassée, si c'est chez Chassin que je vais...

La langue de Derden avait buté sur le « si c'est chez Chassin », aussi périlleux que « chasseur sachant chasser ». Clotilde, qui riait, se calma sous le regard sévère de Derden :

— Alors ?

— Alors, le gars m'a appris que pendant une absence du général, les flics, vers dix heures du soir, avaient fait une descente chez lui, et qu'ils expédiaient en tôle tous les gens qui lui rendaient visite. Heureusement, Chassin ayant téléphoné, son môme a pu sauter sur l'appareil avant les flics et le prévenir. Et le gars avait été envoyé pour détourner les visiteurs. Il ne me connaissait pas. J'ai eu un fameux coup de pot qu'il prenne sur lui de m'aborder.

— Evidemment, dit Clotilde rêveuse, ça devient sport.

— Oh ! ça va barder ! assura Derden. Moi, je rejoins un maquis.

— Un maquis ! On remet ça ?

— Urgent d'étendre l'insurrection à toute la France. Sans ça, je connais les militaires, ils se déballonneront. Chassin, avec Cherrière, a prévu des maquis dans le Sud-Ouest et le Massif Central, jusqu'aux alentours de Lyon. Il faut que d'ici deux jours des maquis, par des interventions locales, créent un désordre qui obligera l'armée métropolitaine à intervenir, ça encouragera les gens d'Alger, qui n'auront plus qu'à larguer un régiment de paras à Longchamp pour occuper l'Elysée.

— Eh ben, si c'est ça, on peut dire que ça va barder !

— N'exagérons pas ! Aucun Français ne défendra le régime, qui dégoûte tout le monde. Les gens continueront de préparer leurs vacances en nous regardant faire. Ça bardera, mais ça ne saignera pas plus qu'à Alger.

Il se leva.

— Dans cinq minutes, je prends la route pour Saint-Etienne...

— Et vous me proposez de partir avec vous ! lança-t-elle joyeusement.

— Non. Je n'y ai même pas pensé. Remarquez que je compte sur vous...

Il s'était rassis auprès d'elle.

— Si Alger tient bon, reprit-il, le régime est renversé. Demain, je commanderai peut-être, à Saint-Etienne ou à Lyon. Alors, voilà, cette fois je ne veux pas être aussi con qu'en 44. Notre faute a été de nous battre, puis d'abandonner la victoire à des mains indignes. Ce qui se passe en ce moment est un miracle. Ce pays perdu peut devenir un pays gagnant. A condition que nous prenions la victoire en main. Or, les idées de mes camarades sont assez confuses, elles divergent, elles s'embrouillent. Certains songent à de Gaulle...

— Oh ! vous croyez ? Il est tellement oublié...

— Nous n'avons pas tellement le choix! S'il accepte, l'opinion internationale sera rassurée.

— Après la Libération, vous étiez déchaîné contre lui.

— Il a fait des fautes. Il le sait. Il ne les refera plus.

— Mais, Jean-Marie, tout ce que je sais m'incline à croire que le général de Gaulle, qui n'apprécie ni les musulmans, ni les Européens d'Algérie, est partisan d'abandonner cette région par une négociation dans le style tunisien.

— Je crois que vous interprétez mal sa pensée... Si le général a cru que la guerre finirait par une négociation, c'est qu'il n'avait pas prévu ce qui s'est passé hier. Il tenait compte de la faiblesse et de la corruption du Système, constatait objectivement que, gouvernée comme elle l'était, la

France était condamnée à négocier. Mais lui au pouvoir, le Système balayé, le problème change avec ses données.

De fatigue, Derden ferma les yeux, reprit de sa voix étouffée :

— Je ne vous dis pas que ce soit l'idéal. Vous savez combien je désapprouve son entourage... La vérité, c'est que j'hésite. Je réfléchis. Les positions qu'il prendra dans les jours qui viennent me décideront dans un sens ou dans un autre. Toujours est-il qu'à ce moment-là, je veux, à l'intérieur de mon groupe, avoir une certaine liberté d'action. Autrement dit, j'ai besoin d'un minimum d'argent. Mes camarades en ont pour les grandes affaires. J'en aurai besoin, moi, pour mon entreprise personnelle qui exigera des déplacements, des voyages, peut-être même jusqu'à Alger...

Il conclut :

— J'ai de l'argent, mais pas assez. Pouvez-vous en mettre à ma disposition, Clotilde ?

Elle se tut. Ce silence pour un homme aussi sensible que Derden fut pénible. Elle vit chavirer sa pomme d'Adam quand il avala sa salive.

— Vous ne connaissez plus rien à la politique, Jean-Marie, dit-elle. Vos vues générales sont excellentes, mais vos vues pratiques m'inquiètent. Si je vous donne de l'argent, ce sera pour vous faire plaisir, mais en me lavant les mains à l'avance des âneries que je vous crois capable de faire. En outre, je ne dispose pas de grand-chose... un million et demi ? Ça vous va ? Alors, allez me chercher mon chéquier dans le secrétaire, deuxième tiroir à droite.

Derden manœuvrait maladroitement les tiroirs ; il y enfonçait une main mal assurée ; impatientée, Clotilde finit par bondir hors du lit. Elle glissa une main sous les doigts de Derden, cueillit le chéquier dans sa gaine de cuir noir, s'assit devant le secrétaire et demanda :

— Je le fais au porteur ?

— Oui.

Le coude de Derden effleurait le bras nu de Clotilde. Ils n'avaient pas été aussi près l'un de l'autre depuis bien des années. Elle leva son visage vers lui.

— C'est un peu triste, Jean-Marie, qu'au moment de prendre le maquis vous n'ayez pensé à moi qu'en tant que femme riche...

Pour le dispenser de répondre, elle se pencha sur le chèque, le libella, le signa. En le lui tendant elle se releva et,
du coup, vit derrière les fenêtres un ciel nacré.

— Voilà le jour, dit-elle.

**
*

Jean Brune découvrit qu'il s'était assoupi au fait qu'il
s'éveillait. Il s'arracha à la chaise métallique sur laquelle il
était installé au plein centre du hall du G.G. Par les portes
vitrées pénétrait une clarté grise, annonciatrice de l'aube.
D'abord, Brune crut que, si débile qu'elle fût, cette clarté
l'avait éveillé. Puis, de nouveau, il entendit la voix d'Hernandez. Ce colosse sombre, qui tenait familièrement sa mitraillette sous son bras, avait été placé par Brune, deux heures plus tôt, en faction devant la porte d'un édifice vide qui
était en train de symboliser pour le monde entier le viol de
la République française, avec un ordre très simple : « Tu ne
laisses entrer personne. »

— Dis donc, répétait Hernandez, y a un type que dalle
ça sert de lui parler. Obstiné il est, ce bâtard ! Total, il
s'accroche.

Entre la porte vitrée et les grilles, Brune distingua un
petit homme noir qui tenait son vélomoteur à la main.

— L'accès des lieux est interdit. Qu'est-ce que vous voulez ?

— Je viens pour mon travail. J'ai le droit d'entrer. Mon
poste est ici.

— Vos fonctions ?

— Balayeur.

— Pardon ?

— Je suis balayeur.

Autour d'eux, un chaos de sous-mains lacérés, de dossiers
éclatés, hérissait le sol, que Brune désigna d'un geste large
en éclatant de rire.

— Allez-y !

Cet Algérois qui n'avait pas écouté la radio, pas lu un
journal, et se rendait en un lieu si quotidien qu'il ne le
voyait plus depuis bien des années, se décida à regarder
autour de lui.

454

— Le calamar ! brailla Hernandez, le voilà qui se taille, maintenant !

Pendant que le vagissement du vélomoteur diminuait, Brune s'étira, la tête levée vers un ciel dont l'obscurité était traversée par de vastes transparences vertes.

— La consigne reste la même, dit-il fermement à Hernandez. Moi, je vais faire un tour...

A peine s'était-il éloigné sur le terre-plein que la voix de Hernandez le hélait :

— Ho ! Brune ! en voilà encore un autre !

Reconnaissant le chef des services secrets de la Délégation Générale, Ruyssen, Brune lui fit signe d'entrer.

— Je crois qu'il vaut mieux, s'excusa doucement le colonel. J'ai toutes mes fiches là-haut... Ça m'ennuierait qu'on les transforme en confetti.

La baie d'Alger était à peine éclairée par l'aube. Lentement, la carabine à la bretelle, Brune descendait du Forum désert vers la ville endormie. Au bout de la jetée, à l'entrée des passes, les fanaux brillaient encore. La mer, froissée par la brise, avait une couleur uniforme de cendre foncée qui commençait à virer au clair.

Le but que s'était assigné Brune était précis : un café chaud. D'un pas régulier il plongeait vers la ville morte dont le nom crépitait sur les téléscripteurs du monde. Les plumets des palmiers se teintèrent d'un vert bronze, et, dans le port, les navires à l'ancre se découpèrent, très nets, sur l'eau plus claire qui s'acheminait vers l'éclat de l'argent.

Ni dans les escaliers, ni sous les arbres, ni dans les rues, ni sur les places, une seule silhouette qui s'annonçât. Les volets fermés, les balcons vides. Brune se vit seul en mouvement à travers ce décor historique et inerte, sous un ciel que striaient des bandes de nuages d'un orange doux, qui s'appuyaient, tel un store vénitien, sur l'horizon.

Sur le trottoir de la rue Las Cases, un homme de petite taille au crâne ras, aux yeux brillants, qui traînait imperceptiblement la jambe, posa la main sur le bras de son interlocuteur :

— Qu'est-ce que tu fais demain ? s'enquit le général de Bénouville

— Rien de particulier.

Le comte Geoffroy de la Tour du Pin avait lancé cela avec désinvolture. Sa physionomie mobile, aux traits fins, était gouvernée par le bleu impressionnant du regard.

— Donc, observait Bénouville avec satisfaction, tu es libre. Parfait. Tu viens vadrouiller avec moi.

— Où ça ? demanda La Tour du Pin clignant des yeux sous le poids d'un éclatant soleil d'après-midi.

— En Suisse.

— J'ai horreur de la Suisse.

— Nous n'y traînerons pas longtemps, je te jure.

— Et tu y vas comment, en Suisse ?

— En voiture.

— J'ai horreur de la voiture.

Par courtoisie, La Tour du Pin crut bon de préciser les raisons de son refus :

— Il se passe des choses passionnantes. Au moment où ce régime, qui n'a commis que des erreurs, se décide enfin à tomber malade, tu voudrais que j'aille avec toi regarder de la neige ?

— ... des choses passionnantes, je te l'accorde. Et justement je ne vois à la situation présente qu'une solution : de Gaulle. Cette solution, il ne faut pas qu'Alger la propose du bout des dents. Il faut qu'Alger l'exige. Donc, il faut que Soustelle aille là-bas leur mettre les points sur les i.

— J'y pensais, murmura La Tour du Pin. Je suppose qu'il y pense aussi.

— Tu le connais ?

— Non.

— Tu vas le connaître.

— Quand ?

— Pendant notre voyage en Suisse.

— C'est toi qui lui organises le truc ?

— Il n'est pas très doué pour ce genre d'exercice. Mais je crois qu'à nous deux...

Les deux hommes s'étaient connus et appréciés au Maroc. La Tour du Pin, conseiller d'ambassade, occupait un poste clé à la Résidence. Avec acharnement, avec entrain, avec une gaieté qu'une succession d'échecs n'avait pas entamée, il avait

456

combattu pour le maintien de la France au Maroc. Le Quai d'Orsay n'était pas près de le lui pardonner. Aussi, faute d'avoir été promu ambassadeur, La Tour du Pin promenait-il, à travers les salons et les bars parisiens, son sourire d'une inaltérable verve.

— Ça se présente comment ton expédition ? demanda-t-il.

— Dassault finance. Nous trouverons à Genève un avion d'une compagnie anglaise. Moi, directeur de *Jours de France*, je n'ai pas à me camoufler : je me rends là-bas pour un reportage. Soustelle et toi, vous serez les photographes.

— Mais où est-il, Soustelle ?

— Chez lui.

— Gardé ?

— Par treize flics. Deux sous la voûte de la porte cochère. Quatre dans une voiture. Deux dans une autre voiture. Un sur le trottoir. Deux dans l'allée cavalière. Et les deux derniers à l'angle de l'avenue Henri-Martin et de la rue Mignard.

— Mazette ! Tu as un plan ?

— Très simple. Je connais une maison à double issue dans Paris. Soustelle entrera par une porte. Pendant que les flics l'attendront, il ressortira par l'autre. Nous serons là. Nous lui retirerons ses lunettes et lui mettrons un chapeau, pour le changer un peu. Et en route pour la frontière ! On va s'amuser, je crois.

— J'en ai l'impression. Et utilement. Je viens de lire un papier de Fauvet dans *Le Monde*. J'ai pour principe de me fier à l'ennemi. Or, Fauvet estime que l'insurrection d'Alger échouera faute d'une tête politique.

— Ça tombe bien. Nous la lui apporterons.

— Sans lunettes et avec un chapeau !

Tous deux riaient, heureux de vivre. Sur le trottoir, La Tour du Pin contemplait avec tendresse le clapotis clair d'une première robe d'été qui venait de passer.

— Bon alors, rendez-vous à huit heures, ce soir, avenue Henri-Martin, chez Soustelle.

Mais à peine Bénouville avait-il fait quelques pas vers sa voiture que La Tour du Pin, se ravisant, courait à lui :

— Ton plan cloche.

— Pourquoi ?

— Les flics, au bout de deux heures, s'impatienteront, s'apercevront que la maison a deux issues. Ils expédieront des télégrammes partout. On sera piqués à la frontière. Et encore, si on y arrive ! Demain c'est l'Ascension. Les routes seront bourrées de motards.

— J'admets qu'il y ait des risques, grogna Bénouville, le front assombri. Mais qu'est-ce que tu proposes d'autre ?

La question était de pure rhétorique et signifiait : « Tu n'as évidemment rien d'autre à me proposer, alors, ne critique pas mon plan.

Mais au bout d'un instant Bénouville qui, arrivé à sa voiture, contemplait son tableau de bord d'un air perplexe, devina, sans la voir, la muette jubilation de La Tour du Pin. Il tourna les yeux vers lui : le regard était plus scintillant que jamais, et les lèvres tremblaient sous la pression d'un sourire contenu.

— Tu es né coiffé ! murmura La Tour du Pin. Tu as toujours eu un pot inimaginable, mais aujourd'hui tu te dépasses ! Tu me rencontres par hasard. L'idée te vient au petit bonheur de m'embaucher. Or, il se trouve, et je viens de le découvrir, que c'est moi qui tiens dans mes pattes l'atout maître. Figure-toi : je connais très bien la voisine de Soustelle ! Elle s'appelle Monique Dufour. Son mari est champion de golf.

— Oui, mais je m'en fous.

— Elle a une voiture.

— Tant mieux pour elle.

— Une Dauphine.

— Ça la regarde.

— Tu sais qu'on peut retirer la banquette arrière d'une Dauphine ?

De l'intérêt se marqua dans le regard de Bénouville :

— Explique-moi donc ça !

— Ben une fois la banquette arrière retirée, qu'est-ce qu'on met à sa place ? Monsieur Soustelle, à quatre pattes, recouvert de n'importe quoi, des bagages, une couverture...

— Et tu vas te livrer à cette opération devant la porte, sous le regard intéressé de treize policiers ?

— Non, j'opère au fond de la cour. Parce que tu vas voir ta chance : l'immeuble avait autrefois une sortie sur la rue Mignard. Elle est condamnée. La voûte sert de parking à la voiture de Madame Dufour. Rien n'est donc plus facile pour Soustelle que de s'installer dans cette voiture sans être vu. Je me mets au volant. Je sors d'autant plus facilement que les flics sont habitués au va-et-vient de cette Dauphine. Un peu plus loin, dans Paris, on transvase Soustelle, et le tour est joué ! Pendant un jour ou deux les flics pourront croire Soustelle encore chez lui.

— Il faut reconnaître, dit froidement Bénouville, que c'est génial.

Il se ravisa :

— Elle acceptera de te prêter la voiture, ta Madame Dufour ?

— Je lui raconterai un truc. Elle m'aime bien.

**

Dans le grand salon aux murs tapissés de livres, La Tour du Pin fait son apparition à l'heure dite : 20 heures. Soustelle, qui se tient lourdement planté au milieu de la pièce, les mains aux poches, le menton empâté, le masque à la fois perplexe et énergique, les yeux semblant mener une vie personnelle derrière les hublots des vastes lunettes, une vie marine, se tait et écoute. Il est encadré par ses deux fidèles, Dumont, l'un des animateurs de l'U.R.S.A.F., et Béraudier qui posent les questions à sa place.

Dernière question, méfiante, de Dumont :

— Mais cette dame acceptera-t-elle de prêter sa voiture ?

— Aucun doute là-dessus s'exclame Bénouville, elle connaît bien Geoffroy. Elle ne s'étonnera de rien.

En file indienne, les quatre hommes, précédés par Jacqueline, se transportent à la cuisine.

Jacqueline est une fille menue, aux yeux vifs, au sourire aigu, qui joue dans le ménage Soustelle un rôle capital : elle est cuisinière, gouvernante, secrétaire et confidente. Avec une clef qui n'a pas servi depuis dix ans, elle ouvre la porte de service de la cuisine qui a perdu raison d'être depuis la suppression de la sortie de l'immeuble sur la rue Mignard. Le battant, en grinçant, s'entrebâille. Dans les ténèbres d'un vaste porche voûté, devenu le garage de Madame Dufour, la Dauphine endormie répand un reflet luisant.

Ce n'est plus au salon, mais dans le bureau cette fois, que passent les quatre hommes pour prendre la grande décision. Le plan est le suivant : La Tour du Pin, après avoir retiré la banquette arrière, frappera à la porte de la cuisine demain à 14 h 45 ; Soustelle, qui se tiendra prêt derrière la porte, descendra aussitôt. Il s'installera dans la voiture à la place de la banquette. La Dauphine pourra ainsi franchir le porche sous les yeux des policiers. Elle gagnera le 51 de l'avenue Franklin-Roosevelt en quinze minutes. Devant ce numéro attendra une voiture de *Jours de France* conduite par Bob, le chauffeur de Bénouville. Soustelle et La Tour du Pin y monteront, cependant qu'un ami, également embusqué devant le 51, prendra le volant de la Dauphine pour la ramener à Madame Dufour. Bob les conduira avenue de l'Observatoire où ils arriveront à 15 h 25 pour retrouver la Buick de Bénouville, celui-ci au volant ; la Buick franchira aussitôt la porte d'Italie et filera vers la Suisse.

La voix de Soustelle grogne :

— C'est faisable tout ça ?

La joyeuse vitalité de La Tour du Pin, stimulée par l'odeur de l'aventure, se manifeste dans un éclat de rire.

— Si c'est faisable ! s'exclame-t-il, c'est tellement facile, que ça en perd de l'intérêt !

Encore qu'il soit diplomate de profession, il a commis une maladresse. Le visage de Soustelle s'est alourdi et, derrière les hublots, toute vie pendant une seconde semble éteinte. Dumont et Béraudier se regardent les sourcils froncés. Bénouville, qui les connaît tous les trois, les sait méfiants, prudents et avant tout raisonnables, a senti que La Tour du Pin leur est apparu comme un dangereux risque-tout.

Il intervient :

— Ce que Geoffroy veut dire, c'est qu'à côté des difficultés que nous aurions pu rencontrer, cette solution est d'une rare facilité.

Et il défait sa montre :

— Le succès dépend de notre précision, poursuit-il. Nous avons un timing rigoureux, il convient d'accorder nos montres, comme avant l'attaque. Moi, j'ai 21 h 14.

— Moi, 21 h 12, dit La Tour du Pin.

— Moi...

Ils brandissent tous les quatre leurs montres et l'exaltation du jeu, qui reste si vive chez les hommes les plus rassis, l'emporte sur l'inquiétude que la remarque de La Tour du Pin a fait naître. Pour mettre les montres d'accord, on téléphone à l'observatoire : c'est un peu la République qui donnera le signal du départ aux insurgés.

— Au quatrième top il sera exactement 21 h 16 minutes 40 secondes.

— Bon ! s'exclame La Tour du Pin, il faut que je file, je suis en retard.

— Moi, dit Bénouville, le travail ne me manque pas. Il faut que je vous trouve un chapeau, Soustelle. Demain, les chapeliers seront fermés, il faut que j'en réveille un cette nuit.

Pendant que Jacqueline, avec un centimètre, mesure la tête de Soustelle, La Tour du Pin s'esquive.

Avant de franchir la porte cochère, il freine son pas, habituellement rapide, pour examiner les lieux où il aura le lendemain à conduire la Dauphine sous le nez des policiers. Ceux-ci sont là d'ailleurs. Sur le trottoir, La Tour du Pin en frôle trois. Il allume une cigarette et file vers un restaurant de la rue de la Tour où il a rendez-vous avec Clotilde.

Quand il pénétra chez Chotard, le bar n'était peuplé que de trois hommes d'affaires qui discutaient de leurs vacances. Le retard de Clotilde l'irritait parce qu'il eût souhaité au contraire une accélération du temps, pressé de se trouver au volant de la Dauphine, avec Soustelle à l'arrière, et d'accélérer majestueusement, nonchalamment sous les yeux des flics. Au cours d'une vie mouvementée, jamais il n'avait vu un plan se réaliser point par point. Cette image qu'il se faisait de lui, le lendemain, au volant, passant de la pénombre de la voûte à la lumière de l'avenue, entre les silhouettes des policiers, cette image était sûrement fausse. L'événement l'infléchirait à coup sûr. Il se demandait quels imprévus interviendraient pour modifier le schéma quand Clotilde entra.

Elle portait un petit tailleur foncé éclairci d'un minuscule foulard de soie mauve. Elle se dirigeait vers lui sur ses hauts talons, d'une démarche sûre, à petits pas nets. Ses yeux étaient presque invisibles derrière la broussaille de ses cils. Elle ne les laissa voir qu'au moment où La Tour du Pin, s'étant levé pour venir à sa rencontre, tous deux se trouvèrent face à face : ils brillaient.

— Ne me dites pas que je suis en retard ! Depuis ce matin, tout le monde me dit que je suis en retard.

S'étant assise, elle ajouta :

— Et ne me parlez pas d'Alger. Depuis ce matin, avant l'aube, tout le monde me parle d'Alger.

— Bon, alors parlons boissons, dit La Tour du Pin, que prenez-vous ?

— Geoffroy, je voudrais ce breuvage étonnant que vous m'aviez offert une fois, à Alger.

— A Alger, en 42 ?

— Evidemment ! Vous êtes bien distrait ce soir !

Puis impatientée, elle se tourna vers Chotard qui attendait.

— Un dry.

Aussitôt elle se ravisa :

— Monsieur Chotard ! est-ce que vous avez du pastis ? alors, j'en veux un.

Distrait, en effet, La Tour du Pin l'était. L'arrivée de Clotilde, bien qu'il sentît toujours violemment la présence de la jeune femme, n'avait pas réussi à chasser le souvenir du gros homme à grosses lunettes, son passager du lendemain. Et maintenant que Clotilde avait évoqué l'Alger de la guerre, une bouffée l'avait assailli, le retenait captif. Il revoyait son grand bureau au Palais d'Eté d'où il avait entendu claquer les détonations du revolver qui abattait Darlan ; le restaurant où Vise-Canisy l'avait présenté à Clotilde. Quelques jours plus tard, Clotilde avait disparu. Six mois plus tard, La Tour du Pin, qui avait fui les bureaux pour enfiler un uniforme et s'installer aux commandes d'un avion, avait appris qu'elle était partie en mission clandestine vers la France occupée. Les années étaient passées, huit ou neuf années, et un après-midi La Tour du Pin, dans son cabinet de la Résidence, à Rabat, avait reçu la visite de Francis Vignolet, un joli garçon aux yeux dorés, qui n'était pas content du tout. La Tour du Pin le savait neveu de la famille Hunter et touche-à-tout, s'occupant à la fois de leurs mines marocaines, de leurs oliviers tunisiens, de leur alfa algérien, de leurs banques métropolitaines, de leurs bateaux, de leurs usines de conserves portugaises. Avec vivacité Vignolet avait d'emblée attaqué :« Monsieur le Conseiller, vous avez dit, dans une conversation privée, que ma famille militait pour chasser la France du Maroc ; que nous fournissions des explosifs aux terroristes ; que nous subventionnions l'Istiqlal ; que j'étais plus particulièrement chargé de cette liaison, et que vous aviez un chèque de dix millions à l'ordre de l'Istiqlal, signé par moi. — Je n'ai jamais dit avoir vu ce chèque, avait répondu froidement La Tour du Pin, pour la bonne raison qu'un chèque pareil ne saurait exister. Ce serait trop niais ! Quand on subventionne l'Istiqlal, on opère de la main à la main. » Le surlendemain, dans une réception donnée par le général commandant la région, La Tour du Pin, apercevant Francis Vignolet, avait exécuté deux mouvements contradictoires : il s'était détourné d'abord, puis précipité, sans pouvoir maîtriser sa réaction. Il s'était retrouvé devant la jeune femme qu'accompagnait Francis : « Clotilde ! » Avant que Clotilde ait eu le temps de répondre, Vignolet avait observé sur un ton où il y avait de l'indignation : « Mais je ne savais pas que vous connaissiez ma femme ! »

— Au fait, dit La Tour du Pin, tout en versant de l'eau dans le pastis de Clotilde, j'allais oublier de vous demander des nouvelles de votre mari ?

— Bonnes, merci.

— Il va très bien, malgré le 13 Mai, vous voudriez me faire croire ça, Clotilde ? Observez-le attentivement. La fumée doit lui sortir des naseaux.

— Ça y est, dit Clotilde.

— Quoi?

— J'ai fait mon menu... un petit menu diaphane : escargots et andouillette. C'est aérien, vous ne trouvez pas ?

Elle enchaîna :

— Vous vieillissez, Geoffroy.

Il eut le geste d'un acteur, portant vivement la main à son visage.

— Pas physiquement, coupa brutalement Clotilde. Physiquement, c'est scandaleux ce que vous tenez bien le coup. Mais ce soir, vous êtes ennuyeux, banal.

— J'ai toujours dit que, contrairement à la doctrine généralement répandue, les femmes manquent totalement d'intuition. Vous me croyez cafardeux, Clotilde ? Je bouillonne de bonheur...

— Le bonheur de me voir, bien sûr ?

— Et un pareil soir, acheva La Tour du Pin en riant.

— C'est un mois de mai, très réussi, j'avoue, les soirées sont belles.

— C'est un mois de mai inoubliable ! exulta La Tour du

Pin. Vous m'accusez d'avoir vieilli, je me sens aussi jeune qu'en 42.

— Vous m'ennuyez avec vos dates ! C'est très pénible de vous connaître depuis seize ans, et de se l'entendre rappeler.

— Seize ans !

On leur apportait les plats quand Clotilde, après avoir examiné son voisin, éclata de rire.

— Qu'est-ce que j'ai maintenant ? s'inquiéta La Tour du Pin en portant des doigts papillotants sur son visage. Du noir ?

— Du clair. Vous êtes clair comme de l'eau de roche !

— Ah ! Et que voyez-vous à travers mon eau pure ?

— Ne me croyez pas trop sorcière. Sous l'occupation, j'ai, comme vous le savez, suffisamment grenouillé dans les réseaux clandestins pour avoir conservé quelques vieux amis de ce milieu. Je les ai revus. Enervés comme des canaris et croyant cacher leur énervement, exactement comme vous, Geoffroy. Imaginez : depuis 45, depuis que les choses étaient à peu près rentrées dans l'ordre, ils s'ennuyaient. Ils m'ont tous dit comme vous que ce mois de mai était enchanteur. Inutile de leur demander s'ils ont remis ça, et ce qu'ils complotent. Ça se voit de loin.

— Sur moi aussi ?

— Vous, Geoffroy, dès que j'ai entrouvert la porte du bar, je me suis dit...

Clotilde s'interrompit pour rire de ce rire silencieux et triste que Geoffroy lui connaissait bien.

— Et vous ? demanda-t-il, ne me dites pas que vous êtes la seule chez qui ce joli mois de mai n'ait pas réveillé d'anciennes passions.

— Moi, je m'en fous, dit Clotilde. Mais vous... Je me demande ce que vous fabriquez, Geoffroy ? Du clandestin ? Laissez-moi chercher.

Il se tut et vida son verre d'un air victorieux.

— Ouais ! dit Clotilde, je vois ça. Un ancien officier de réserve, qui a servi en Algérie, conclusion : vous êtes branché sur l'Antenne.

— Quelle ?

— L'organisation que Chaban-Delmas a montée à Alger sous les auspices de Delebecque.

— Connais pas ce Delebecque.

— C'est un beau chtimi ! Le ministre de la Guerre lui a

donné un poste là-bas. Il a battu le rappel des Gaullistes, ce qui n'a d'ailleurs pas fait un rassemblement, il a usé de ses pouvoirs pour faire nommer, par l'entremise du colonel de Bordesoule, des colonels et des généraux peu favorables au régime dans la région d'Alger. Il est entré en contact, d'un côté, avec les multiples petits mouvements algérois, de l'autre, en métropole avec ceux qui peuvent s'agiter : Gignac, par exemple, le président de la Fédération des Anciens d'Indochine. Par Martel, il sait qu'il pourra faire donner les Poujadistes. Grâce à l'armée, il a de bonnes liaisons Paris-Alger. Il a même un code, avec des surnoms. Est-ce que vous connaissez celui de Soustelle ?

— Pourquoi me parlez-vous de lui ? s'écria La Tour du Pin.

— Parce que son pseudo lui va particulièrement bien : Grosmatou. Pour Chaban-Delmas, c'est Finas, et pour Massu, le Lapin. Les autres, j'ai oublié...

— Ecoutez-moi, répondit doucement La Tour du Pin, je ne fais pas partie de tout ça, mais... mais vous, j'ai bien l'impression que...

— Négatif, Geoffroy. J'en entends parler, alors j'en parle, c'est tout.

— Vous préférez rester fidèle à l'Algérie dont rêve votre mari, l'Algérie de Ferhat Abbas ?

— Vous vous trompez sans arrêt ! Une femme adopte facilement les idées politiques de l'homme avec lequel elle vit, c'est vrai, mais je considère que c'est une preuve de notre sérieux. Nous, nous savons ce qui compte. Et si nous partageons généralement les opinions politiques, métaphysiques ou cosmiques du sexe qui nous rentre dedans, c'est que l'intérêt qu'il nous porte, ce sexe, a beaucoup plus d'importance que les idéologies. D'ailleurs, nous sommes si raisonnables que nous arrivons toujours à tirer la part de vrai, la part de juste que renferme toute doctrine. Je sais que vous méprisez les opinions de mon mari...

— Ses opinions ! vous êtes bonne... Appelons ça ses intérêts. Vous l'avez vu frémir en faveur de l'indépendance du Maroc ? Ou frémir en imaginant ce que cette indépendance lui rapporterait ?

— Ne soyez pas injuste pour vos ennemis, ils sont construits comme vous, Geoffroy. Ni Francis, ni ses amis n'accepteraient de servir simplement des intérêts. Ils les ont, depuis longtemps, confondus avec des idées qu'ils trouvent intelligentes, généreuses et dans le courant de l'Histoire.

— C'est bien ce que je dis, s'entêta La Tour du Pin. Si vous ne partagez pas l'élan qui est celui de tant de gens, ces jours-ci, c'est que vous vous conformez à la mauvaise humeur de votre mari.

Et il regarda Clotilde de travers. Entre deux tranches d'ananas, elle avait repoussé son fauteuil, avait allumé une cigarette et s'alanguissait. A mesure qu'elle s'alanguissait le regard de La Tour du Pin désarmait. Ce fut elle qui reprit pourtant le combat.

— Eh bien, figurez-vous que Francis est ravi. Il m'a téléphoné, ce soir.

La Tour du Pin, foudroyé d'abord par la nouvelle, finit par sourire.

— Je le vois comme si j'y étais, dit-il avec malice. Il s'imagine que la révolte d'Alger est perdue faute d'une tête politique. C'est la thèse des Progressistes.

— Figurez-vous que mon mari l'a trouvée, la tête politique. Il attend de Gaulle.

— Francis attend de Gaulle !

Son ananas fini, Clotilde s'était renversée tout à fait dans son fauteuil. La Tour du Pin, les sourcils froncés, essayait de résoudre le problème suivant : « Pourquoi ce salaud de bradeur de Francis Vignolet attendait-il le retour de de Gaulle avec enthousiasme ? » Mais le spectacle que lui offrait la jeune femme dissipa peu à peu l'intérêt qu'il portait à son mari.

— Vos bas sont d'une finesse extravagante !

Elle parut contente et renvoya la fumée de sa cigarette longuement.

— Tissés par Dieu, mon vieux Geoffroy. Qu'est-ce que vous voulez, je ne serai jamais une femme du monde. Francis et sa famille ont essayé en pure perte. Par exemple, quand les premiers souffles du printemps traînent sournoisement dans les rues, ma peau ne peut résister au plaisir de les savourer. Je retire mes bas, et du coup je me délivre de l'oppression des porte-jarretelles. Je fête le printemps, quoi ! Les messieurs, tous aussi bien élevés que vous, apprécient la finesse de mes bas sans couture. Mais les femmes, elles, ne s'y trompent pas. Ma tante Hunter m'a fait une scène.

Et Clotilde rapprocha son fauteuil de la table pour saisir sa tasse de café. Le charme était rompu, La Tour du Pin revint à sa préoccupation :

— Pourquoi, diable, votre mari est-il enchanté par...

— Ne me posez pas de questions avant que je sache pour quel réseau vous complotez. Le C.A.N.A.C. ?

— Qu'est-ce que c'est que ce croassement ? Ah ! oui, le Comité d'Action des Anciens Combattants...

— Ou vous mentez très bien, ou j'ai encore tapé à côté. L'U.R.S.A.F. ?

— Je me suis intéressé à l'U.R.S.A.F. Vous brûlez mais ça n'est pas tout à fait ça.

— Vous savez de quoi je les soupçonne ?

— Les gens de l'U.R.S.A.F. ?

— Non, les restaurateurs. On leur demande un décaféiné, mais pour qu'il soit meilleur, ils servent un vrai café.

Elle vida sa tasse, puis leva sur La Tour du Pin un mince regard embroussaillé par ses cils.

— Vous, vous devez être dans le coup des généraux à la Chassin qui organisent des maquis et préparent des attaques de préfectures. Juste ?

— Je vous dirai peut-être ce que je fais à la condition expresse que vous m'expliquiez pourquoi votre mari, contrairement à toute attente, souhaite qu'Alger réussisse et nous ramène de Gaulle...

— Mais c'est très simple ! Francis et un certain nombre de ses amis souhaitent l'arrivée de de Gaulle, d'abord parce qu'elle évitera le coup de force des parachutistes sur Paris, ensuite parce que le décrochage de l'Algérie exige un pouvoir fort, capable de briser les Pieds-Noirs, de mettre l'armée au garde-à-vous, et d'en imposer à l'opinion métropolitaine. Ce pouvoir fort, de Gaulle le sera. Avec le malheureux système parlementaire, « le Système » comme disent, tout court, ceux qui en veulent voir la fin, nous aurons connu une succession de gouvernements qui n'étaient ni assez forts pour mener en Algérie une guerre à outrance, ni assez forts pour faire la paix à tout prix. De Gaulle y arrivera.

— Il fera la guerre à outrance.

— Il négociera. Et le peuple d'Alger, qui se soulève parce

que des gouvernements faibles évoquent la possibilité d'étendre les « bons auspices » à l'Algérie, courbera la tête devant un gouvernement fort qui livrera l'Algérie à... à Ferhat Abbas.

— Vous me soulagez, s'écria La Tour du Pin. J'ai été assez bête pour avoir peur...

Tout son être exprimait en effet le soulagement. Il se tut pendant qu'un couple passait devant leur table, pour reprendre vivement :

— Votre mari et ses petits copains ont une sacrée pétoche. Alors, pour se rassurer, ils jouent à prendre leurs pâles espoirs pour de solides réalités.

— Ce ne sont pas de pâles espoirs, Geoffroy, dit Clotilde avec lassitude. Dans son milieu, on est mieux renseigné que vous. On sait ce que pense le général. On sait même ce qu'il dit. Le problème algérien ne l'intéresse pas. Pour lui, l'Algérie, c'est neuf millions de clochards musulmans et un million de Pétainistes...

— Parce que vous imaginez que le général en est encore à reprocher aux gens d'Alger leur attachement à Pétain ! Ma pauvre Clotilde...

— Votre pauvre Clotilde, parfaitement renseignée, peut vous apprendre encore que le général, s'il n'a jamais cessé de songer aux délices du pouvoir, n'en espérait pas le retour avant la catastrophe.

— Quelle catastrophe ?

— Oh ! je ne vous parle pas de celle de 44 qui a déjà bien servi ! Cette fois-ci il attendait qu'un gouvernement se décidât à lâcher l'Algérie, et que le contrecoup, la colère de l'armée, le retour de centaines de milliers de Français fous furieux, la stupeur de l'opinion métropolitaine, la petite crise économique consécutive au décrochage, bref, que le joli cirque qui en serait résulté renverse le Système, et lui laisse le champ libre. Il serait arrivé au nom de l'ordre, de la grandeur, de la stabilité, de l'honneur de la France, et, parlant haut dans les conférences internationales, usant de son prestige personnel pour rapprocher un tantinet de nous les Bourguiba, les Mohamed, les Ferhat Abbas, il nous aurait donné, sans grands frais, l'illusion d'être redevenus un grand peuple. Ce que je vous dis, Geoffroy, repose sur des entretiens qu'il a eus avec des personnes très différentes, ces derniers mois. Il doit donc être un peu embêté d'avoir à prendre le pouvoir non après la catastrophe, mais avant. Il va lui falloir l'endosser. C'est lui qui larguera tout. A mon avis, les gens du Système doivent commencer à comprendre et à respirer. C'est une sacrée chance pour eux. Au moment où le peuple en a assez des parlementaires, ils pourront s'effacer au profit d'un responsable qui se chargera des terribles besognes — quitte à le chasser ensuite, comme ils ont chassé Mendès après la perte de l'Indochine. Ils reviendront et on sera tout content de les retrouver, ces braves parlementaires ! Peut-être même jugeront-ils sévèrement la perte de l'Algérie, mettront-ils de Gaulle en accusation, en jurant que si on les avait laissés au pouvoir, ça ne se serait pas passé comme ça.

— On avale quelque chose avant de se sauver ? proposa La Tour du Pin en souriant.

— Oui, une goutte de whisky et énormément de Perrier. J'ai soif, vous me faites trop parler.

Monsieur Chotard leur apporta lui-même la commande.

— Je viens de bavarder avec un client, dit-il. C'est bien ce que je pensais : le Gouvernement est totalement dépassé. En province, les ordres ne sont même plus exécutés. Les C.R.S. ne sont plus sûrs, paraît-il. Et dans les milieux socialistes, il y aurait un fléchissement en faveur du retour du grand Charles.

Son œil brilla. Il chuchota :

— La France tient le bon bout ! Sacré grand Charles, il nous aura sauvés deux fois !

Le visage radieux, La Tour du Pin, dès que Chotard se fut éloigné, considéra Clotilde d'un air moqueur.

— *Vox populi, vox dei.* J'aurais aimé que Francis soit là pour entendre ce messager du bon sens.

— Vous n'accordez pas foi à mon petit exposé ?

— Mais non, Clotilde ! Vos histoires ne tiennent pas debout ! Peut-être de Gaulle a-t-il, en effet, estimé l'Algérie perdue parce que nos hommes politiques étaient incapables de la garder. Il ne pouvait prévoir le coup qui vient de se produire. Mais maintenant, s'il vient au pouvoir à temps, dans quelques jours, après cette chose formidable qui s'est produite là-bas, il ne peut plus songer qu'à défendre, une fois de plus, comme vient de le dire le père Chotard, la grandeur et l'honneur du pays. Le seul problème, c'est qu'Alger ne se soit pas suffisamment prononcée sur son nom. Il faut qu'un

homme politique de poids, un homme connu ici, et apprécié
là-bas, aille endiguer les bonnes volontés du Forum pour
qu'elles convergent vers de Gaulle.

— Ça y est ! dit Clotilde. Compris. Vous vous occupez de
faire passer Soustelle là-bas.

— Ah ! Vous croyez ça ! murmura La Tour du Pin qui
riait, suspendu entre l'envie de dire oui, et la crainte de di-
vulguer mal à propos un secret.

— Les terrains militaires sont très surveillés, je crois, dit
Clotilde. Vous le faites passer par l'Espagne ? Je lui souhaite
de ne pas en baver comme moi, en 43. Je suis restée, je ne
sais trop combien de temps, en équilibre sur la frontière et
dans les pattes d'un passeur extravagant, beau comme une
brute !

— Fûtes-vous violée ? demanda plaisamment La Tour du
Pin.

Elle ne répondit pas, rêveuse.

— Ecoutez, Clotilde, c'est ultra-secret. Nous ne sommes
pas d'accord sur de Gaulle, mais sur le système gouverne-
mental, vous pensez exactement comme moi. Or, favoriser le
passage de Soustelle, c'est lui faire une farce mirifique. D'accord ?

— D'accord. Mais qu'attendez-vous de moi ?

Se gardant de lui donner aucune indication sur la frontière vers laquelle se dirigerait Soustelle, La Tour du Pin exposa le problème de l'évasion.

— Le service que vous pouvez me rendre, conclut-il, c'est
de vous asseoir à côté de moi dans la voiture. Nous bavarderons. Je serai beaucoup plus à l'aise pour passer sous la
moustache des flics. Ensuite, vous ramènerez la voiture à domicile...

— Parce que vous ne m'emmenez pas ? s'écria Clotilde.

La Tour du Pin mesura pendant une seconde l'effet déplorable que produirait l'arrivée d'une jolie femme dans la caravane. Il répondit :

— Navré, j'aurais adoré faire ce voyage avec vous. Mais
tout est réglé, impossible de vous embaucher maintenant.

— Alors, je ne jouerai pas les utilités dans votre bagnole,
Geoffroy, répliqua-t-elle avec humeur. Trouvez n'importe
qui ! Homme ou femme. Ce n'est pas difficile, il suffit de
savoir mener une Dauphine.

470

— Vous avez dit « mener »... Cela m'a donné une idée. Vous connaissez le général de La Rue ?

— Celui qui monte comme un jockey ? Oui, je l'ai connu quand il commandait la cavalerie du Maroc. Il est bourré d'histoires sur des pays contradictoires: la Sologne où il commandait un maquis ; Jérusalem où il arbitrait les bagarres entre Juifs et Arabes ; le Val d'Aoste où il organisait des référendums. Il est charmant. Prenez-le donc. Il est en retraite, il s'ennuie peut-être un peu, ça le distraira beaucoup.

— Je lui téléphone !

Deux minutes après, La Tour du Pin revenait triomphant.

— Il nous attend. Il est allé à la manifestation, cet après-midi, sur les Champs-Elysées. Il paraît que ça avait du nerf. Il a réussi à attraper la radio d'Alger. On y a répété que Salan demandait l'arbitrage de de Gaulle. D'après lui, les gens d'Alger ont l'air très gonflés. Ils ne veulent pas entendre parler du gouvernement Pflimlin, ils veulent leur gouvernement de Salut Public. Ils ne le disent pas carrément, mais les commentateurs laissaient entendre, paraît-il, que si besoin était l'Armée interviendrait à Paris. Encore un coup de pouce et de Gaulle n'aura que la peine de ramasser un pouvoir qui est déjà en vacance. Or, le coup de pouce, je m'en occupe... Ah! c'est vrai: vous êtes contre !

Clotilde haussa les épaules d'un air de négligence.

Tous deux descendirent la rue de la Tour en direction de la Seine. La douceur de cette soirée était à son comble. La Tour du Pin la ressentait profondément. Littéralement, cet homme *ne pouvait croire en son bonheur*. Il écoutait, sur le trottoir, le pas de Clotilde répéter le sien comme un écho légèrement déformant, plus aigu. Il imaginait le courant d'air tiède qui, sous la jupe de la jeune femme, baignait le balancement des cuisses nues. Ces câlineries de la nuit, il les humait, chargées de senteurs fuyantes évadées des multiples jardins que Passy enferme derrière des façades niaises. Il reconnaissait des odeurs de tilleuls et d'acacias. Il rêvait à l'assaut plus brutal des odeurs de fleurs et de plantes dans les villes du Maghreb. « Quelle chance, pensait-il, de recevoir la promesse de la victoire du printemps ! » Au carrefour de la rue de Passy, les feuillages, déjà rafraîchis par l'humidité de la vallée, mêlaient des douceurs de velours aux espaces plus clairs du ciel. Devant eux le métro, jaillissant de sa caverne, précipitait ses wagons multicolores à l'air libre sous la voûte d'étoiles qui veillait au-dessus du pont de Bir-Hakeim. Ils dévalèrent les escaliers comme le flanc d'un coteau.

Dans le salon où le général de La Rue les attendait, les reflets de la Seine palpitaient, se collant au plafond. L'alcool était doré dans les verres. Clotilde s'était allongée sur un canapé. « Je suis heureux » pensait La Tour du Pin.

— Tu entends ce qu'elle dit ? observa de La Rue, c'est très judicieux.

La Tour du Pin cessa de se promener à travers le salon. La thèse de Clotilde était la suivante: le mieux consistait à mettre dans la confidence la voisine de Soustelle.

— Comment l'appelez-vous déjà ?

— Monique Dufour. Elle est...

— L'avantage, poursuivit Clotilde, c'est que les flics sont habitués à la voir aller et venir.

— L'inconvénient, observa le général de La Rue, c'est que dans ces conditions on n'a plus besoin de moi !

— Autre inconvénient, corrigea La Tour du Pin. Je crains que Monique, une fois qu'elle nous aura déversés, n'aille raconter l'histoire au monde entier, ce qui nous vaudra d'être coxés sur la route ou à la frontière.

— Et c'est là, conclut Clotilde, que le général de La Rue joue un rôle précieux. Il l'attend. Dès qu'elle vous a déversés, il monte dans sa voiture, l'embarque au cinéma, l'invite à dîner, la balade dans des boîtes en veillant soigneusement à ce qu'elle évite de téléphoner à sa meilleure amie. Quand elle rentrera chez elle, vous aurez déjà passé la frontière.

A onze heures du matin, onze heures pile, heure militaire, le général de la Rue pénétra dans le bar de Chotard où il devait attendre La Tour du Pin. En bon sportif, peu habitué à traîner les bars le matin, il ne savait quelle consommation choisir. A tout hasard, il commanda un dry.

Il l'avait bu quand le patron vint lui communiquer les dernières nouvelles d'Alger. Le patron tenait à lui offrir une tournée. Un autre dry...

Pendant ce temps La Tour du Pin, debout dans le salon de

Monique Dufour, contemplait la clef et la carte grise que celle-ci venait de lui tendre.

— Tu la conduis loin, ta mère ? demanda Monique.

Le regard de La Tour du Pin s'arrêta sur la belle fille brune dont un rayon de soleil dorait le visage.

— Ce qui est compliqué, dit enfin La Tour du Pin, c'est qu'il faut que je retire la banquette arrière.

— Impossible. J'ai essayé. Elle n'est pas amovible.

— On y arrivera:

Elle le retint

— Je me demande bien pourquoi tu voudrais la retirer cette banquette?

— Pour qu'une personne puisse se tenir à la place, à quatre pattes.

— Geoffroy, ça ne va pas du tout. Pourquoi veux-tu mettre ta mère, à son âge, dans une position pareille?

— Il le faut, répéta La Tour du Pin, pensif. En mettant un plaid par-dessus, naturellement.

— Un plaid sur ta mère : Geoffroy, je ne te prête pas ma voiture!

— Ecoute, Monique, ce n'est pas vrai. Ma mère n'a aucune envie d'aller à la campagne. Il s'agit d'un de mes amis.

— Un de tes amis, maintenant ! Il ne peut pas voyager assis comme tout le monde ? Mais explique-moi, Geoffroy. C'est un nouveau vice ? Tu sais bien que je rentre de province.

— L'ami dont je te parle, crois-le bien, préférerait être assis dans la voiture, avec ses lunettes, sans chapeau, que se blottir derrière, à quatre pattes, sans lunettes, avec un chapeau et un plaid par-dessus, mais...

Monique fut géniale:

— Ton ami se cache.

— Voilà!

— Et pourquoi ça? demanda-t-elle sévèrement.

— Parce qu'il veut aller à Alger.

— Dans ma voiture?

— Il en changera avenue Franklin-Roosevelt.

— Que va-t-il faire à Alger?

— Prendre le pouvoir.

— Evidemment, dit Monique sérieuse, c'est une raison. Au fait, comment s'appelle-t-il?

— Soustelle.

— Mais il habite la maison !

— Justement. Tu es un agent de la Providence, tu comprends. C'est grâce à toi qu'il pourra se soustraire à la surveillance dont il est l'objet

— Ça demande réflexion.

— Pourquoi?

— Deux raisons. D'abord il a une sale gueule, ensuite il ne me salue jamais quand il me croise sous la voûte.

— Il est myope.

— Tu es sûr qu'il est myope?

La Tour du Pin regarda sa montre.

— Monique, nous avons un timing à respecter...

— Qu'est-ce que c'est que ça encore!

— Le général de La Rue nous attend chez Chotard.

— Il va prendre le pouvoir à Alger aussi?

— Non, il assume la mission la plus délicate, celle qui consiste à passer l'après-midi et la soirée avec toi, et à te divertir suffisamment pour t'empêcher d'aller raconter à tes petites amies les derniers détails de l'évasion de Soustelle.

— Ça, apprécia-t-elle, c'est prudent. Je te félicite d'y avoir pensé. Votre histoire est beaucoup mieux goupillée que je ne le croyais.

— Donc, tu me passes un marteau, on extrait la banquette arrière, on va déjeuner avec de La Rue, et on revient ici pour 14 h 45.

Monique Dufour n'opposa plus aucune résistance, trouva un marteau, descendit sous la voûte, participa à l'enlèvement de la banquette arrière, escorta La Tour du Pin jusque dans la cuisine où ils remisèrent l'objet, puis s'immobilisa.

— Qu'est-ce que tu as ? interrogea-t-il avec inquiétude.

— Je me demande...

— Ah ! non ! les dés sont jetés ! On a retiré la banquette, il ne reste plus qu'à mettre Soustelle à la place.

— Pour ça, d'accord, répondit-elle d'un ton négligent, mais je suis en train de me dire qu'après tout, si on est pris, on ira peut-être en prison.

— C'est peu probable.

— Mais c'est possible. Il faut tout prévoir. Il est bien évident qu'avec cette jupe bleue et ce chemisier blanc, je fais très sérieux, mais c'est une jupe qui se froisse comme rien, et un chemisier blanc, tu penses l'allure qu'il aura quand, au

474

bout de vingt-quatre heures, on me présentera au juge d'instruction.

Malgré les appels de La Tour du Pin, elle ne revint que longtemps plus tard, revêtue d'un tailleur carmin.

— Tu ne connais pas, je crois. Je l'ai acheté à la boutique Dior.

— Il est...

— Ne me dis pas qu'il est trop rouge. J'y ai réfléchi. Il est excellent que j'attire sur moi l'attention des flics. Ils me regarderont, ils ne songeront pas à examiner la forme de la banquette arrière. D'un autre côté, il est très sport ce tailleur. Pour la prison c'est le rêve.

Elle s'interrompit, rejeta la tête en arrière, ravissante:

— Je me demande, dit-elle, si je n'aurais pas mieux fait de mettre tout simplement ma petite robe chemise...

— Ah ! non ! gronda La Tour du Pin. Nous sommes en retard sur le timing. Ça fait deux heures que de La Rue nous attend !

Il lui saisit le poignet et l'entraîna.

Quand ils pénétrèrent chez Chotard le général de La Rue levait une fois de plus son verre à la santé du patron. Cet homme sobre en était à son cinquième dry. Aussi, lorsqu'il se dressa pour accueillir ses amis, trébucha-t-il, posant aussitôt sur le tapis un regard de méfiance et de reproche. Puis il récupéra son entrain, agita les bras, baisa la main de Monique Dufour et lui demanda, une seconde après, la permission de l'embrasser également sur les joues.

— Ah ! c'est beau ce que vous faites... — très beau !

En se laissant retomber sur sa chaise, il déclara, agressif:

— Et vive de Gaulle !

— Oui, répéta Monsieur Chotard qui venait leur présenter la carte, on peut bien le dire : « Vive de Gaulle ».

— Je ne sais pas si ce sont les dry, enchaîna le général, mais j'éprouve une sorte de...

— Migraine? proposa Monsieur Chotard.

— Exactement.

Monsieur Chotard lui apporta un cachet d'aspirine. Au milieu du déjeuner, Monique Dufour, gagnée par l'agitation de ses compagnons, demanda un cachet à son tour; La Tour du Pin en prit un également. Et le patron finit le tube parce qu'il avait, lui aussi, du mal à arbitrer le combat des dry et de son estomac.

A 14 h les trois amis sortaient du bar. Le général les quitta pour se rendre, à pied, « Au Relai » de l'avenue Franklin Roosevelt. Les deux autres rallièrent sans se presser l'avenue Henri-Martin, pénétrèrent dans la maison sous le regard distrait des policiers, et allèrent s'asseoir immédiatement dans la voiture. Celle-ci reposait paisiblement dans la pénombre de la voûte. Ils s'assirent à l'avant.

— Je dois frapper à la porte de la cuisine de Soustelle à moins le quart, observa La Tour du Pin, montre en main. Nous avons huit minutes.

Il s'apprêtait à allumer une cigarette quand Monique poussa un cri.

— Oh! que je suis bête!

Elle lui prit la main.

— Ne te fâche pas, Geoffroy ! Je crois bien que je n'ai plus d'essence. Je voulais en acheter hier soir et puis...

— Mais au moins, si tu l'avais dit tout à l'heure ! Comment va-t-on faire ! Tu n'as pas un jerrycan chez toi ?

— Mais pourquoi aurais-je un jerrycan chez moi ? s'emporta Monique. Ça rimerait à quoi, je te le demande? Mon appartement n'est pas un entrepôt que je sache...

La Tour du Pin se domina:

— Mets le contact, on va bien voir si elle démarre.

Au premier appel, le moteur tourna avec entrain. La Tour du Pin se pencha vers le tableau de bord: un quart du réservoir était encore plein. Le soulagement qu'il en éprouva fut atténué par la violence que l'étroitesse de la voûte donnait aux grondements du moteur : le policier placé à la porte devait l'entendre.

— Je coupe? demanda Monique.

Il l'arrêta d'un geste. Il s'interrogeait. L'arrêt brusque du moteur, puis sa reprise dans quelques minutes n'alerteraient-ils pas les policiers ? D'un autre côté, il se répétait que la partie devait être jouée avec naturel, que si Monique et lui partaient tout simplement à un vernissage, il n'hésiterait pas à faire tourner le moteur, à l'arrêter tout en bavardant.

Toutefois, le moteur étant en marche, n'allait-il pas en profiter pour aller tout de suite frapper à la porte de la cuisine malgré les six minutes d'avance sur l'horaire? Ce fut ce moment que choisit Monique pour déclarer:

— Ecoute, Geoffroy, je ne peux pas faire ça !

— Faire quoi?

— En collaborant à l'évasion de M. Soustelle, je contribue probablement à un changement de régime en France...

— Ne te creuse pas la tête, c'est amusant, ça te fera un souvenir.

— Ce serait amusant si j'étais Française.

— Tu l'es, tu es mariée à un Français.

— Non, Geoffroy, je suis restée Brésilienne. Et de la part d'une étrangère, intervenir dans les affaires de régime de la France, c'est choquant... Je ne m'en reconnais pas le droit.

— Allons bon ! Depuis quand te sens-tu à ce point Brésilienne ?

— C'est une découverte que je viens de faire, dit-elle gravement, à propos du football.

— Du football ?

Le moteur poussant une clameur que le tunnel rendait assourdissante les obligeait à élever la voix.

— Oui, cria Monique. Quand il y a un match entre le Brésil et la France, je souhaite que le Brésil gagne.

Pris de court, La Tour du Pin ne sut que considérer silencieusement le beau profil têtu de Monique.

— C'est un signe qui ne trompe pas, ça. En règle générale je me crois Française, mais dès qu'il est question d'un...

— D'un match de football, j'ai compris ! déclara La Tour du Pin qui, sa décision prise, sauta à terre et bondit vers la porte de la cuisine.

En frappant les trois petits coups convenus, il considéra sa montre dont l'aiguille proclamait une avance de quatre minutes et demie. Tant pis: tout valait mieux que de laisser Monique poursuivre un examen de conscience aussi menaçant pour l'entreprise.

D'ailleurs la porte s'ouvrit aussitôt. La Tour du Pin eut juste le temps de remarquer que Soustelle portait un chapeau, qu'il avait retiré ses lunettes, qu'il tenait, de la main gauche, un paquet enveloppé de papier et noué d'une ficelle, et sur le bras droit, avec le geste même d'un marchand de tapis, un superbe plaid. Tandis que Jacqueline, impassible, refermait sans bruit la porte de la cuisine, le ministre en fuite avait déjà plongé dans la Dauphine et s'y débattait. Précipitamment, La Tour du Pin revint s'asseoir auprès de Monique, puis se penchant par-dessus le dossier de son siège aida Soustelle à se dissimuler sous le plaid, c'est-à-dire à imiter le plus possible la forme d'une banquette. Pour plus d'exactitude, il déposa le paquet sur le plaid, c'est-à-dire sur le dos de l'éminent passager. Puis :

— Allez! On décolle, ordonna-t-il à Monique.

Dans la seconde, elle obéit. Le grondement de l'accélération enfla sous la voûte. La voiture tourna lentement, suivant le coude du couloir qui s'évasa, s'éclaira à mesure qu'elle se rapprochait de la porte d'entrée principale largement ouverte sur l'avenue Henri-Martin.

— Tu t'en fiches, hein, que je me sente Brésilienne? avait simplement murmuré Monique en démarrant.

Comme il ne répondait pas, le regard attaché au rectangle de lumière que l'avenue ensoleillée plaquait à l'extrémité de la voûte, rectangle sur lequel, en ombres chinoises, trois silhouettes se profilaient, Monique insista :

— Parce que je vais te dire entre une Française et une étrangère...

Jamais il ne sut en quoi consistait la nuance que voulait établir Monique. Non que celle-ci eût renoncé à son exposé mais parce que, la voiture étant arrivée à la hauteur des trois policiers embusqués sous le porche, La Tour du Pin manqua à ses devoirs de galant homme pour appliquer toute son attention au comportement de ceux-ci.

Deux d'entre eux tenaient leurs cigarettes entre les doigts, au bord des lèvres, et le troisième leur donnait du feu. A l'instant où le capot arriva à leur hauteur le premier, sa cigarette allumée, tira une bouffée. Le second, allumé à son tour, commença à renvoyer de la fumée au moment où le visage de La Tour du Pin fut à quelques centimètres de son coude. La voiture coupa le trottoir et aborda la chaussée quand le dispensateur du feu, ayant refermé son briquet, le glissait dans sa poche.

Aussitôt un feu rouge les arrêta. Derrière la Dauphine, une camionnette, un autobus, c'est-à-dire rien.

— Ça s'est bien passé, souffla La Tour du Pin.

— Evidemment, répliqua Monique. Si, en plus, ça avait loupé alors tu m'aurais entendue!

Au vert, elle démarra. Quand elle atteignit l'angle de la rue de la Pompe, le feu passait à l'orange, elle accéléra. Au bout de quelques instants La Tour du Pin, en se retournant, put constater que derrière eux la chaussée était vide. La police était semée. Soulagé, il reporta son attention sur les propos de Monique.

— Un viol moral, voilà ce que vous m'imposez. Et le viol, je n'en parle pas à la légère. Figure-toi que je tiens ma science d'une fille très marrante. Une Marie-Chantal de choc, tu vois le genre. Tu sais, la fille snob comme pas une mais capable de remonter toute seule l'Euphrate en canoë et qui fait du ski nautique sur la mer Morte...

— Ça, c'est une trouvaille.

— Ou sur la mer d'Aral, je ne me rappelle plus.

— Sur la mer d'Aral, zéro, mais la mer Morte...

— Ben, quelle différence?

— La mer Morte, c'est là que le Christ a marché sur les eaux, comme ta petite copine.

— Tu vois qu'elle est encore plus snob que...

La Tour du Pin rentra la tête dans les épaules tout le temps que l'aile droite de la Dauphine mit à frôler un cycliste chancelant. Un accident, la voiture arrêtée, un attroupement, l'arrivée d'un flic !... Le cycliste fut pourtant dépassé sans dommage et Monique déboucha à vive allure sur la place du Trocadéro.

— Cette fille, mon vieux, pour te dire, enrageait à cause de son numéro de téléphone. Marcadet, ça faisait tocard. Alors, tu sais ce qu'elle répond quand on le lui demande? Marivaux 12-23. Et...

La Dauphine avait entamé son virage vers l'avenue du Président-Wilson avec tant de bonne humeur que ses pneus en chantaient, quand une voix s'éleva:

— Que se passe-t-il ? Pourquoi tournons-nous comme ça ?

La Tour du Pin avait sursauté. Du même coup il découvrit que, captivé par l'aventure qu'il vivait, il avait totalement oublié la présence de celui grâce auquel cette promenade parisienne était précisément une aventure.

Il se tourna vers la banquette au moment où celle-ci, impatientée ou angoissée jusqu'à la colère, répétait :

— Pourquoi tournons-nous?

— Pour éviter de passer entre les jambes de la statue du maréchal Foch.

— Ah ! bon... Alors, maintenant nous sommes avenue du Président-Wilson ?

L'Ascension avait dépeuplé la capitale. L'avenue était à peu près vide. Derrière la Dauphine, il n'y avait qu'une jeune fille à Vespa, et devant un camion vert des Postes. La Tour du Pin, redevenu conscient des inquiétudes qui devaient assaillir Soustelle, blotti qu'il était sous un plaid qui l'aveuglait, entreprit de lui faire le radioreportage du parcours.

— Et maintenant, Monsieur le Ministre, nous distinguons la place d'Iéna... La circulation est très faible... Nous avons abordé la place... Nous venons de freiner un peu vivement à cause d'une vieille dame qui traversait hors des clous... Nous reprenons l'avenue Wilson qui continue d'être déserte, et...

Et La Tour du Pin s'interrompit pour avaler sa salive : par la glace arrière il distinguait, roulant à la même vitesse qu'eux, une traction noire.

Monique ralentit au débouché de l'avenue Marceau, la traction ralentit aussi. Le soleil qui frappait son pare-brise ne permettait pas d'en distinguer les occupants, mais ceux-ci semblaient au nombre de trois ou quatre. Soustelle, déjà doué d'une sensibilité d'aveugle, demanda :

— Rien d'anormal ?

— Non, non, non, non... Nous voici place de l'Alma maintenant... Nous avons accéléré parce qu'un feu devenait orange... Nous attaquons le Cours-la-Reine...

La traction noire avait accéléré, elle aussi, mais, ayant un retard de vingt mètres sur la Dauphine, elle avait franchi le feu au rouge.

— Monique, ralentis un peu.

— Tu trouves que je conduis mal ?

A voix basse, La Tour du Pin lui révéla la présence de la traction et l'intérêt qu'il y avait, pour en avoir le cœur net, à se laisser dépasser par elle. Monique, qui ne faisait rien à demi, retira franchement son pied de l'accélérateur. Rêveuse, la Dauphine commença une promenade alanguie sous la voûte veloutée des marronniers. Enfin la traction noire les doubla sur leur droite. Elle était chargée d'une famille composée d'un père et de ses cinq enfants. Le père, tout en conduisant, agitait une main pour ponctuer le discours qu'il leur adressait. Et les trois garçons, assis à l'arrière, moqueurs, imitaient ses gestes de leurs mains, sans doute sans qu'il s'en aperçût.

— Ouf ! déclara La Tour du Pin. J'avais cru que nous étions suivis, mais tout va bien. Monique, tu peux y aller. Vous n'êtes pas trop mal, Monsieur le Ministre ?

Et, faisant courtoisement allusion au passé d'archéologue de son passager :

— Sans doute votre posture n'est-elle pas sans rappeler celle de certains dieux incas...

— La posture, ça pourrait encore aller, répliqua la banquette d'une voix étouffée, mais c'est le chapeau ! Je n'en porte jamais. Je ne sais quel chapelier Bénouville a réveillé cette nuit, mais il n'a pas pu en trouver un qui correspondît à mon tour de tête. C'est vraiment pénible.

D'impatience la banquette frétilla, communiquant ses soubresauts au paquet qui finit par glisser sur le tapis. La Tour du Pin se pencha pour le rejeter négligemment sur le ministre. Son geste à peine accompli, il en conçut toute l'inconvenance. Ses lèvres tremblèrent et un début de fou rire l'agita. D'un coup d'œil, Monique avait apprécié la situation et elle tentait de se retourner pour avoir droit, elle aussi, au spectacle de la banquette ministérielle.

— Non, non, souffla impérieusement La Tour de Pin, toi, tu conduis, regarde devant toi.

— C'est ça, grogna Monique, je prête ma voiture, je me prête, moi, je me soumets à un viol moral et en plus, je n'ai pas le droit de voir ! Je ne pourrai même pas décrire à mes amies...

— Tu inventeras !

Le feu rouge du pont des Invalides intervint pour la dispenser d'avoir à inventer : elle put se retourner et considérer à loisir la banquette.

Cependant que La Tour du Pin s'enquérait :

— Vous avez bien fait la leçon à Jacqueline en ce qui concerne les policiers ou les visiteurs ?

— C'est une fille formidable, répondit le plaid en frissonnant de fierté. Elle fera croire à tout le monde que j'ai quarante de fièvre. Pour mieux cacher mon jeu, j'ai d'ailleurs donné rendez-vous à beaucoup de gens pour cet après-midi et demain. Non, la seule chose qui m'inquiète, c'est mes policiers.

— Que peuvent-ils faire ?

— Rien, mais on peut leur faire des embêtements. J'ai peur qu'on ne prenne des sanctions contre eux, et...

— Vous les annulerez quand vous aurez pris le pouvoir ! Même vous les nommerez tous commissaires divisionnaires, s'il vous plaît, proposa Monique avec un sens très sud-américain du coup d'Etat.

Au moment où la voiture arrivait au niveau de l'avenue Franklin-Roosevelt, La Tour-du-Pin fit la grimace.

— Nous avons onze minutes d'avance, annonça-t-il. Ce qui n'est pas étonnant, puisque nous avons décollé cinq minutes trop tôt et que la circulation était facile. Pourvu que Bob soit là !... S'il est là, nous n'aurons qu'à faire un détour avec lui pour perdre du temps et arriver avenue de l'Observatoire à l'heure convenue avec Bénouville. Ce qui m'embête, c'est que je n'aperçois ni Bob, ni... Ah ! le voilà, de La Rue !

Très printanier, des journaux sous le bras, le général de La Rue leur fit signe. Il agitait « La Semaine à Paris » pour leur désigner une voiture noire rangée de travers, dont le chauffeur descendit aussitôt entrouvrant la portière arrière.

— Monique, à bientôt, merci, je te téléphone, je t'écris, bravo ! Amuse-toi bien avec le général...

Tout en parlant, La Tour du Pin avait sauté de la Dauphine qui venait de s'arrêter à la hauteur de la voiture noire. Il ouvrit nerveusement la portière arrière et donna une petite tape sur la banquette qui, instantanément, explosa.

Quand le général de La Rue s'assit à côté de Monique, il ne restait à l'arrière qu'un plaid avachi. En même temps, une portière claquait sur Soustelle et La Tour du Pin. La Versailles noire, en démarrant, frôla la Dauphine. Monique et son passager surprirent, par la vitre arrière, le balancement d'un gros chapeau bientôt caché par la masse d'un autobus.

— Chère Monique, observa de La Rue, attendons pour démarrer de savoir où nous allons. Voici des gazettes où abondent les programmes. Choisissez votre film.

Mais Monique, suralimentée nerveusement, avait besoin d'agir. Elle démarra donc en ordonnant :

— Lisez-moi les titres des films.

Le général commença une litanie qu'elle coupa vite pour poser ses conditions :

— Général, je vous préviens, si vous êtes trop sarcastique ou si vous me faites la cour trop platement, ou si vous continuez à m'axphyxier avec ce cigare, je vous glisse entre les pattes, et la transformation de Soustelle en banquette de Dauphine figurera en dernière édition des « Potins de la Commère ».

De La Rue se hâta de jeter son cigare par la portière et de reprendre la lecture des programmes.

— *Mon Oncle*, le truc de Tati, *Toubib en Liberté*, ça a l'air américain, *Intelligence Service*, *Le Désordre et la Nuit*, *avec* Gabin et Darrieux, *Sois Belle et Tais-Toi...*

— Quoi ?

— *Sois Belle et Tais-toi.*

— Ça, ça s'impose !

*

Le capitaine Brahim Benboulaïf descendit de sa voiture, rue Charras, devant son domicile. Son chauffeur se remit au volant après lui avoir entendu murmurer:

— Bonsoir, petit. A demain. A l'heure habituelle...

Mais Benboulaïf, au moment de franchir la porte cochère s'avisa qu'il manquait de « troupes » et, rebroussant chemin, gagna le tabac où il s'acheta un paquet de Bastos. En sortant, il se heurta à Ahmed Mahni, l'un de ses anciens sous-officiers de la campagne d'Italie, un Kabyle qu'il aimait bien et auquel il allait parfois acheter, rue de la Lyre où celui-ci était cordonnier, des babouches noires qu'il faisait porter à son ordonnance dans l'appartement.

— Te voilà bien loin de chez toi ! remarqua Benboulaïf.

L'autre, une seconde, hésita, puis prit la main de Benboulaïf et dans un arabe beaucoup plus lent qu'à l'habitude, prononça :

— Sais-tu qu'il se passe des choses et que peut-être d'autres choses se passeront ?

Cette confidence, si confuse qu'elle fût, étonna l'officier

qui, depuis des années, respectait dans ses rapports avec Ahmed Mahni un pacte d'apolitisme. Le capitaine savait que son ancien sergent était pour le moins un sympathisant du F.L.N. et ne tenait pas plus à l'en dissuader que le savetier n'était disposé à le convaincre de quitter l'armée française.

— Hier, reprit Ahmed Mahni, en revenant de livrer des bottines à un client, je me suis trouvé près du Forum. Je ne savais pas que l'on continuait de s'y rassembler...

Benboulaïf, lui, le savait et depuis trois jours, depuis le coup de tonnerre du 13 mai, il évitait les parages. S'il l'avait voulu, revêtu de son uniforme, il eût pu se promener dans la foule en toute quiétude. Mais il lui déplaisait de demander à un vêtement l'immunité dont d'autres musulmans étaient privés. Et en civil, il estimait qu'il n'était pas à l'abri de ce vent de folie qui s'empare parfois des foules européennes, comme il avait pu le voir après l'assassinat de Froger. En outre, ne sachant que penser de la prise du Gouvernement Général dans la mesure où il ne savait même plus que penser de l'évolution de l'Algérie, il évitait instinctivement les lieux qui servaient de creuset à l'Histoire.

— Je n'étais pas trop rassuré au milieu de tous ces gens qui hurlaient, poursuivit Ahmed Mahni. Comme un rat, je cherchais à fuir. Et puis les gens m'ont parlé très aimablement. Sur les marches, il y en avait qui mangeaient et qui buvaient. Ils m'ont offert du coca-cola. Ils m'ont demandé si j'avais servi et ils m'ont montré, en haut de l'escalier, la pancarte des Anciens Combattants Musulmans, avec juste une vingtaine de brebis décorées derrière, celles que l'armée aligne toujours quand il y a un défilé. Mais les gens les applaudissaient, leur donnaient à boire, et les brebis riaient. Ce n'était pas du tout comme d'habitude. Il y a des haut-parleurs maintenant sur le Gouvernement Général et les haut-parleurs disaient : « La guerre est finie ! Nous sommes tous frères, tous égaux». Les gens les acclamaient. Je me suis dit : c'est drôle, l'insurrection est née parce qu'on ne pouvait pas obtenir cette égalité. Maintenant, on nous l'offre. Alors pourquoi être malheureux ?

Il ajouta, sentencieux:
— La guerre est un grand malheur quand elle dure.

Et très bas cette fois, comme s'il avouait un vice :

— J'ai envie d'y retourner. Si tu avais le temps, tu pourrais venir avec moi.

Comme le capitaine hochait négativement la tête, Ahmed Mahni insista avec chaleur :

— Je vais te dire ce que tu ne sais pas. Cette nuit, à la Casbah, on n'a pas dormi. Sirvent, le capitaine des zouaves, tu sais, et plusieurs officiers français ont été discuter avec les Notables.

Benboulaïf poussa un soupir. Il imaginait le baratin habituel. Il le connaissait si bien!...

— C'est intéressant ce qu'ils leur ont dit, tu sais. Ils ont dit que l'Armée n'était pas venue défendre les colons et lutter contre les Arabes, mais pour nous réconcilier, et aussi, amener les Européens à nous donner ce que nous demandions. Et ils disent : nous avons réussi. Et c'est vrai que l'émeute de l'autre jour n'a pas été faite contre nous. C'est vrai qu'on peut aller se promener sans mal au milieu des Européens les plus excités. Et les militaires ont dit : Venez aussi sur le Forum. Mais ne venez pas par petits paquets, comme à une corvée. Venez tous.

Les deux hommes, en parlant, longeaient lentement la rue encombrée de groupes tumultueux que des cars, des camions militaires, traversaient au son des haut-parleurs.

— Et tu sais... j'ai parlé avec des gens ce matin, des gens comme moi, ceux qui sont pour Ferhat Abbas. Et ils disaient: on a envie d'aller voir.

Benboulaïf qui, depuis trois jours, résistait à la curiosité, se décida brusquement:

— Allons-y !

A mesure qu'ils se rapprochaient du Forum, la foule épaississait. Bientôt ils ne progressèrent plus que grâce à l'uniforme de Benboulaïf. Les amplificateurs installés sur les balcons du Gouvernement Général répandaient les propos fiévreux d'orateurs successifs qui reprenaient les mêmes thèmes avec des slogans différents :

— Tous unis ! Il n'y a ni Européens, ni musulmans, il y a des Français égaux en droits !

— A partir d'aujourd'hui l'Algérie compte dix millions de Français à part entière !

— Il y a cinquante-cinq millions de Français de Dunkerque à Tamanrasset !

Benboulaïf écoutait, regardait, reconnaissant, aux abords des grilles et sur les balcons, des visages d'ultras élargis par l'enthousiasme, hurlant pour réclamer cette pieuse égalité alors que, quelques mois plut tôt, ils menaient ce qu'ils appelaient « le bon combat » contre le Collège Unique. Leur retournement, Benboulaïf s'en étonnait à peine à la pensée que la Méditerranée n'a qu'une race sur ses rives, prompte aux crises d'enthousiasme, de fureur, de gaieté comme de désespoir.

Derrière le micro se tenait Arnould, le gros leader des Anciens Combattants qui faisait office de speaker. Il s'apprêtait à annoncer un orateur quand un officier se pencha vers lui, lui montrant les jardins du boulevard Laferrière.

— Une grande nouvelle, hurla Arnould dans le micro.

Il avait la voix vraiment émue et Benboulaïf pensa que s'il jouait la comédie, il la jouait bien.

— J'ai une très grande nouvelle à vous apprendre. Nos frères musulmans viennent nous rejoindre.

Tous les visages s'étaient tournés dans la même direction. Puis les corps essayèrent de se tasser pour dégager une place à mesure que la délégation de la Casbah, derrière ses pancartes, envahissait le Forum.

— Il y en a au moins deux mille, trois mille peut-être, lance une voix derrière Benboulaïf.

Celui-ci, debout sur la pointe des pieds, évalue la colonne d'un œil exercé, réplique :

— Plus que ça ! Au moins dix mille...

La rumeur se répand autour d'eux :

— Dix mille ! Ils sont dix mille...

On les acclame cependant que la voix d'Arnould répète dans le haut-parleur :

— Poussez-vous un peu pour faire place à nos frères musulmans.

— Ce n'est pas un peu qu'il faudrait se pousser !

— Mais combien peuvent-ils être ?

La voix d'un musulman, membre du Comité de Salut Public, Mohan Saïd Madani, s'élève pour les accueillir. En quelques phrase dites tantôt en français, tantôt en arabe,

sèche, l'envie et s'étonne de l'envier : lui pour qui prendre la parole au mess, ou seulement devant des recrues, a tou-

486

jours été un supplice, jalouse pour la première fois de sa vie un homme qui peut s'adresser à une foule, se faire l'écho d'une foule, lui crier ce qu'il sent et ce qu'elle sent.

Delebecque lui succède derrière le micro : en quelques mots il fait acclamer le nom de de Gaulle. Puis un musulman inconnu vient hurler un hymne où la France se mêle à l'Algérie, l'Algérie à la France, où, au nom des soixante-quinze mille habitants de la Casbah, il s'adresse à Salan et au Comité de Salut Public.

La Casbah continue de s'écouler sur le Forum. Tantôt elle se ramifie, tantôt elle se dilue. Des colonnes parviennent en masse jusqu'aux grilles du Gouvernement Général, d'autres s'éparpillent à travers la foule européenne. Il n'est plus question d'évaluer les participants musulmans. Ils sont plus de dix mille, plus de vingt mille, peut-être plus de trente mille... Combien sont-ils ? Leurs drapeaux, leurs banderoles flottent au-dessus d'eux avec lenteur. Le soleil couchant tempère leurs couleurs criardes, les baigne d'une buée bleue poudrée d'or. Sur le balcon du G.G. des musulmans affluent ; l'on s'y presse autant que sur l'esplanade. Le micro capte aussi bien les bouffées d'éloquence que les confidences, et l'amplificateur les lance à ces dizaines de milliers de visages avides qui tantôt se tendent vers les clameurs descendues du balcon, tantôt lancent leurs clameurs vers lui.

— C'est un beau jour pour nous, a crié Massu, notre cœur est ému ! C'est l'union de tous les cœurs.

Un couple de très jeunes musulmans, vêtus à l'européenne arrive sur le balcon devant le micro, crie quelque chose, s'étreint.

— L'Algérie de demain ! L'Algérie de demain ! clame Arnould.

Le soleil glisse à l'horizon et la Casbah poursuit son invasion amoureuse. Benboulaïf a été séparé de Mahni le savetier par la poussée impérieuse de vieillards en burnous et en barbes blanches ; il est refoulé vers les grilles par une bande de jeunes de la Casbah aux polos multicolores, aux vestes bleu pétrole. Il se dégage, longe une falaise de femmes voilées, se retrouve dans un mélange inextricable d'Européens et de musulmans qui chantent ensemble cependant qu'une troupe de girl-scouts musulmanes, en jupes kaki, des bouquets de fleurs tricolores à la main, tente de progresser sans perdre sa belle ordonnance.

— Vous êtes unis ! crie Arnould dans son micro. Alors voulez-vous prouver votre union, la prouver en deux secondes ?... Unissez vos mains !... Faites la chaîne de l'amitié.

Benboulaïf a juste le temps de se demander si le miracle aura bien lieu. Déjà les mains montent au-dessus des visages. Il s'aperçoit qu'il a levé la sienne, qu'il a même levé les deux et que l'une, dans l'air tiède de ce crépuscule interminable, s'est nouée à celle d'un vieil ouvrier européen portant un maillot de corps blanc, l'autre à la main fine, froide, d'un jeune musulman en chemise bleu sombre. Devant lui, la main d'une collégienne étreint celle d'un gros musulman en uniforme de receveur de tramway. Au-delà, il ne peut plus distinguer qui étreint qui : il n'y a plus qu'un enchevêtrement de bras dont les arches s'élèvent à perte de vue. Des bouches ne jaillissent plus ni slogans, ni cris, ni murmures pendant quelques secondes. Puis c'est un immense soupir qui monte de la foule, un « ah ! » unique qui parvient jusqu'au balcon surchargé.

Le général Massu, adossé à l'un des piliers du balcon, fait un mouvement de tout le corps vers le micro, comme s'il voulait parler, puis s'immobilise pendant que deux larmes coulent le long de ses joues. Le crépuscule vient de basculer. Une pénombre bleue enveloppe le Forum où les mains se détachent enfin en même temps qu'une Marseillaise réunit les voix.

Le général Petit, à pas légers qui contrastent avec sa stature de colosse, a reculé jusqu'à l'intérieur du bureau maintenant presque obscur. « Si De Lattre était là ! pense-t-il... Il saurait sortir Yacef Saadi de prison, lui ouvrir les bras sur ce balcon, rappeler avec lui Ferhat Abbas, les commandants de wilayas, transformer cette fusion miraculeuse en une union durable. Mais nous... qu'allons-nous faire de ce prodige ? »

**
*

Bernadette se contenait pour réprimer une quinte de toux. La fumée âcre, foncée, qui montait du plat de braise posé au milieu de la pièce assiégeait ses narines. Encore quatre gouttes...

— Dix-sept, dix-huit, compta-t-elle à haute voix, dix-neuf...

— Vingt ! acheva le petit garçon, fier de montrer qu'il savait compter et heureux d'en avoir fini avec le remède.

La mère qui, étendue sur un tapis près de l'âtre, répéta gaiement « vingt ! » ignorait le sens de cette exclamation. Deux grandes filles, accroupies à côté d'elle, cousaient des semelles de caoutchouc à des savates de tapisserie. Bernadette vida le surplus du compte-gouttes dans le flacon pendant que le petit garçon, dont elle avait jusque-là tenu la tête sur ses genoux, se relevait. Enfin elle toussa un bon coup.

— Merci, dit le petit garçon.

Machinalement il avait porté ses doigts à ses yeux pour les frotter. Le remède piquait. Il se ravisa, poussa la porte et détala. Un courant d'air tiède happa la fumée, l'entraînant vers l'extérieur. Sur l'argile rouge, devant la maison, le soleil brillait. Une mélopée rauque montait de l'oued et comme y répondant, un chant descendit du poste :

> « Je te tuerai comme une chienne
> « Gueuse qui m'a perfidement
> « Trompé avec un autre amant...

En un an, Sidi Omar avait peu changé. Luccioni qui, nommé maréchal des logis-chef, y était revenu comme commandant du poste, se taillait le même succès avec les mêmes romances pendant que les mêmes mélopées montaient du bord du ruisseau où les hommes teignaient les tapis tissés par les femmes. Et les chiens kabyles continuaient à s'étrangler de rage. Si l'aspect général du village rallié se retrouvait, le nombre des maisons en « dur » avait triplé et la mairie-épicerie-buvette, augmentée d'un nouveau bâtiment, rassemblait autour d'elle une vie plus active, comme sur la place d'un vrai village. En outre, sur la rive droite de l'oued, des rectangles de blé poussaient, luttant de tout leur vert tendre contre la grisaille désertique de la vallée.

Ayant absorbé le thé et le biscuit *Lu* offerts, ou plutôt imposés par la mère, Bernadette sortit de la petite maison de briques, de la petite maison sombre où, malgré l'assistante, la cheminée avait été bouchée, et les tuiles transparentes, destinées à l'éclairer, remplacées par des tuiles opaques.

Un bain violet envahissait la vallée dont seuls les rebords étaient encore jaunis par le soleil couchant. L'heure était celle d'une prière qui ployait les paysans vers la terre.

Bernadette, qui portait une robe de toile rose mais de lourds pataugas, écarta un couple de chevreaux pour s'avancer à grandes enjambées parmi le gloussement des poules et l'aboiement des chiens. Elle remontait vers le poste. C'était là qu'elle habitait. Encore qu'aucun assaut de grande envergure n'eût été tenté contre Sidi Omar depuis plus d'un an, la fille qui lui avait succédé, comme assistante, ne s'était pas installée au village, préférant coucher au poste. Lorsqu'elle était tombée malade, quinze jours plus tôt et que Bernadette, avec une véhémence imprévisible, s'était proposée pour la remplacer provisoirement, elle n'avait pas cru devoir modifier des habitudes établies. Cette précaution était d'ailleurs justifiée par les tirs de harcèlement qui, deux ou trois fois par mois, claquaient au coucher du soleil, ou la nuit. A Sidi Omar, on savait ces tirs dirigé par Mohammed, le cousin de Yacef Cherif, et qu'il commandait maintenant le commando zonal de la Rébellion.

Bernadette, qui gravissait la rampe pierreuse menant au poste, apercevait déjà, dans le prolongement des murs gris, la tache blanche du marabout quand elle reconnut la voix de Yacef Cherif derrière elle.

— Birnadé ! Birnadé !

Elle se retourna et vit « le gobernador de Sidi Omar », comme l'appelait avec entrain Luccioni, qui, vêtu de kaki comme à l'habitude, attaquait la pente coudes au corps. Elle se remit en marche à pas plus lents, pour lui laisser le temps de la rattraper, de sorte qu'elle pénétrait dans la cour du poste au moment où, essoufflé, il s'arrêta derrière elle.

— Tu ne connais pas ! bredouilla-t-il, tu ne sais pas... Tu n'as pas entendu ?

Faisant effort sur lui-même, il parvint à revenir au vouvoiement :

— Vous n'avez pas entendu la radio ? demanda-t-il d'une voix à peu près normale.

— Mais non ! répliqua-t-elle avec humeur.

Trop de fois, à la ferme Desaix, des ouvriers musulmans

lui avaient apporté avec exaltation des nouvelles qu'ils croyaient avoir entendues soit à la radio d'Alger, soit à celle du Caire...

— A Alger, reprit Yacef Cherif, tout le monde, il s'embrasse. Prenez-vous la main ! il a dit, l'homme qui parlait, et ils se sont pris la main.

— La main de ta sœur dans la culotte d'un zouave ? interrogea finement Luccioni qui sortait du poste, en bras de chemise avec, sur ses talons, un presque-épagneul.

— Vous avez entendu, chef ? lui demanda Yacef Cherif.

— Oh ! lui, dit Bernadette, il chantait.

Luccioni fit quelques pas en s'étirant, l'air glorieux.

— Après un petit somme, rien ne me réveille comme de chanter. Je suis une bénédiction pour les troufions : quand je dors, ils sont peinards, et quand je me réveille, ils se régalent.

— L'homme qui parlait, recommença Yacef Cherif avec douceur, leur a dit de se prendre les mains, ils se sont pris les mains, tous, des milliers, cent mille !

— Qui ça ? demanda Luccioni avec condescendance.

— Les hommes d'Alger.

Pour se faire comprendre, il ajouta :

— Toi, moi...

Et par égard pour Bernadette, il précisa :

— Et elle. Il y avait des femmes. Tout le monde il y avait. Et tout le monde s'est embrassé. Et l'homme de la radio, il était content.

— Oui, dites donc, lança un soldat qui tournait autour d'eux depuis un instant, je viens d'entendre ça. Les musulmans se sont précipités tout à l'heure sur le Forum, à Alger.

— Mais on les a repoussés ? jeta Luccioni, scandalisé.

— Ils sont venus à je ne sais combien, vingt mille, trente mille, peut-être plus.

Atterré, Luccioni murmura :

— On pouvait établir des barrages, merde !

— Pourquoi ? s'étonna le soldat. Ils étaient d'accord.

— Tout le monde, il est d'accord ! cria Yacef Cherif. Tout le monde il s'embrasse. Toi et moi.

— D'après la radio, expliqua le soldat, c'était sensationnel. C'était la Casbah qu'était descendue, quoi ! Les gars se sont pris les mains les uns les autres, Européens et musulmans, la chaîne de l'amitié, quoi.

Une idée neuve cheminait lentement dans le cerveau du sous-officier corse.

— Dans ces conditions, évidemment, reconnut-il, il était superflu de tirer.

— Il y avait des gens qui pleuraient, dit le soldat.

Il se tut brusquement : depuis qu'il était arrivé il regardait la robe de Bernadette battre autour de ses genoux au gré du vent mû par le crépuscule, puis son regard avait remonté le long du corps, était parvenu jusqu'au visage... Bernadette pleurait.

Maintenant d'autres soldats les entouraient.

— Il paraît, dit l'un, qu'à Paris...

— Paris, on s'en fout, déclara Yacef Cherif.

Il sortit un paquet de Gitanes de sa poche, en offrit à la ronde. Peu à peu chacun avait remarqué l'éclat des larmes sur les joues de la jeune femme. Elle recula, alla s'appuyer au toit de la soute à munitions.

Un brigadier qui sortait du poste, aussitôt escorté par les ovations du presque-épagneul, vint à la rencontre de Luccioni.

— Chef, je viens d'avoir le capitaine Noguès. Il veut organiser demain, à Chamerlat et à Vialar, un truc comme à Alger. Il lui faut...

Le soldat s'interrompit. Yacef Cherif commandait à un millier de musulmans mais, vêtu d'un treillis kaki, respectueux envers les sous-officiers, il était pour un soldat du Contingent un cas difficile à trancher. Fallait-il l'appeler « Monsieur » ? Le brigadier tourna le problème en s'adressant directement à lui :

— Le capitaine voudrait vous parler. Il faudrait que demain vous descendiez à Chamerlat. Avec des éléments représentatifs de Sidi Omar, il a dit. Les camions, il les enverra.

— Ton bonheur fait plaisir à voir, dit Marie-Louise en tournant le bouton du transistor.

— C'est vrai ? demanda-t-il naïvement.

492

Elle étendit un morceau de toile cirée sur la table de cuisine, posa les bols, versa le café, puis le lait.

— Un gouvernement de paras, prononça-t-elle en s'asseyant, ça te comble !... Travail, famille, patrie. L'ordre moral, le sabre et le goupillon... ou plutôt la gégène et le goupillon. D'ailleurs, pourquoi dis-je goupillon, ces gens-là ne croient en rien qu'en leur haine pour ce qui est juste.

Demeilhan se beurrait une tartine d'un air songeur.

— La prise du G.G., l'insurrection, le balayage probable de la IVᵉ, tu vois au fond ça m'est égal. L'extraordinaire, c'est cette fraternisation sur le Forum.

— C'est truqué...

— Tu sais bien que non ! Quarante mille musulmans en délire, ça dépasse le truquage. Tu ne manges pas ?

Il fut étonné d'avoir ingurgité une énorme bouchée, comme pour compenser le manque d'appétit de sa fille. Celle-ci se tenait bien raide, une main de chaque côté de son bol, amaigrie encore par son long pyjama, blême et les yeux brillants.

— Il eût suffi, reprit-il, que ces quarante mille musulmans sortent de la Casbah avec des couteaux et des drapeaux verts pour que l'Algérie fût à eux. Tu n'imagines pas l'Armée faisant un carnage d'une foule pareille ! Et cette foule ne descendait que pour la réconciliation ! Je n'aurais jamais osé rêver ça. Je croyais la partie perdue. Hier soir, en réponse à la lettre que m'a envoyée le fils du capitaine Benboulaïf, tu sais, de Tunis, je lui ai écrit quelques lignes d'autant plus amères que je venais de lire le rapport du professeur Mohammed Mobarak. Le professeur Mohammed Mobarak déclare que la civilisation de l'Occident, par son égoïsme, son matérialisme, a été incapable d'apporter la moindre lumière à l'humanité. A la longue j'étais las du manque de générosité de l'Islam. Nous mettons notre amour à le comprendre, à le prôner, comme les Massignon, les Guénon, et il ne sait que nous haïr sèchement. J'écrivais au fils Benboulaïf : « Vous avez raison de déserter un Occident qui, victime de sa mauvaise conscience, c'est-à-dire de ses scrupules moraux, est destiné à se laisser crucifier par un Orient envieux, drapé dans un spiritualisme hypocrite. » Mais ce qui vient de se passer sur le Forum, ça m'a remis en selle. Je suis content. J'ai tellement aimé le Maghreb, ses habitants, que quoi qu'il arrive par la suite, je suis payé. Payé par la photographie de ces mains unies, par ce que nous venons d'entendre à la radio. Sais-tu, avec ta mère, dans nos grands moments, c'était en arabe que je lui faisais la cour...

Son sourire découvrit des dents jaunies, déchaussées par la pyorrhée. Il avait murmuré une brève incantation arabe qu'il traduisit machinalement :

— Ton sexe est pareil à l'empreinte d'une gazelle.

— Tu lui disais ça !

Il battit des yeux comme s'il s'éveillait en sursaut. Il n'eut pas le temps de regretter une confidence qui lui ressemblait aussi peu : il sentit sa fille émue. Ils étaient plus près l'un de l'autre qu'ils ne l'avaient été depuis des années.

— Ecoute, dit Marie-Louise. J'ai repris des activités que tu réprouves et tu le sais. Je ne tiens pas à ce qu'un jour la police débarque ici et trouve une grenade sous ton lit. Il faut que je parte. C'est nécessaire. Il n'y a plus un seul événement qui n'agisse sur nous à l'opposé. Mon angoisse, ce matin, et ta joie... Il y a longtemps que j'ai pris cette décision. J'attendais... Tu vois, en ce moment, nous nous comprenons assez pour que je me décide. Je vais partir.

Sans la regarder, Demeilhan acquiesça de la tête.

— Tu n'iras pas !

— C'est le capitaine Noguès et le capitaine Daubourguet qui me l'ont demandé !

— Je me fous des capitaines ! hurla Desaix.

Pédagogue patiente, Bernadette reprit l'exposé par le début :

— Ecoute, la manifestation d'Alger est quelque chose d'exceptionnel, extraordinaire... Le colonel Jasson... pardon, j'oublie toujours, celui qui le remplace, le colonel de Queycker, a décidé qu'une délégation se rendrait à Alger. Et le pivot de cette délégation, c'est Yacef Cherif...

— D'accord ! Très bien ! Mais tu n'as rien à faire là-dedans.

Il ajouta plus gentiment :

— Surtout dans ton état, grande bête ! Tiens, tu ferais mieux de t'asseoir.

494

— Je t'en prie ! ne me parle pas de mon état.

Desaix, attendri, tapota l'épaule de sa femme :

— Dire que tu es souvent d'une impudeur sidérante, et que là-dessus, tu es bégueule à ce point-là ! Quand je pense, tu n'osais même pas me l'avouer, ton état, et encore maintenant, si j'y fais allusion, tu rougis. Tu sais bien que ça me fait plaisir d'en parler...

— Pas à moi, souffla Bernadette. Ce qui me ferait plaisir à moi, reprit-elle péniblement, c'est d'accompagner la délégation à Alger. Sidi Omar, c'est tout ce que j'ai aimé en Algérie, Kléber. Que les représentants de Sidi Omar aillent participer à l'histoire extravagante qui se passe là-bas... qui continue tous les jours, ce défilé d'Européens et de musulmans réconciliés, ça me bouleverse. J'ai le droit d'y assister, j'ai le droit, tu entends. Ce n'est pas à cause des services que j'ai pu rendre à Sidi Omar en arrivant ici, ni de ce que je fais maintenant en remplaçant Mademoiselle Emeri... mais tout simplement parce que, malgré le milieu où j'avais vécu en France... Laisse-moi parler... contre ce milieu, je me suis passionnée pour l'Algérie française. Elle se fait. Je veux voir ça.

Bernadette avait commencé de pleurer. Desaix réprima une réplique exaspérée pour s'attendrir de nouveau.

— Regarde comme tu es sensible ! Réfléchis ! Ce sera éreintant... Et dans le pays, ça va faire jaser. Déjà, on a mal vu que tu aies fait l'intérim de Mademoiselle Emeri. Tu as l'air de vouloir donner aux autres femmes de colons une leçon de civisme. Si tu pars pour Alger, on répétera que tu as voulu t'exhiber, que c'est de mauvais goût... J'ai rencontré ce matin l'intendant des Vignolet qui m'a demandé d'un air ironique : « Alors, votre femme va déchirer son haïk sur le Forum ? »

— Au fond, observa Bernadette, vous êtes tous les mêmes dans le Sersou. Un Arabe, c'est toujours pour vous un bounioule. Les fraternisations du Forum vous scandalisent.

— Evidemment, Hansi n'a pas l'habitude de prendre les mains des Arabes qu'il rencontre pour faire une ronde avec eux. Mais sais-tu ce qui s'est passé pendant que tu étais à Monte-Carlo ? Les débris d'une bande qui s'était fait accrocher du côté de Burdeau ont traversé, une nuit, les parages de sa ferme. Le gars Hansi connaissait vaguement un vieux fermier, Belkacem Tijdit, qui vit tout seul. Et il lui avait dit :

si jamais vous étiez attaqué, frappez sur votre enseigne, j'arriverai. L'enseigne, c'est une grosse plaque de cuivre que Belkacem a dégotée Dieu sait où, et qu'il a accrochée devant sa porte. A deux heures du matin...

— Je n'aime pas les histoires édifiantes, trancha Bernadette.

— ... A deux heures du matin, Belkacem, aux prises avec cinq ou six fellagha, a frappé sur sa plaque. Ce n'est pas une histoire édifiante que je te raconte. Il faut vivre ici pour comprendre le courage d'Hansi. Les Métropolitains ne peuvent pas se rendre compte de ce que ça signifie : en pleine nuit, alors qu'on est à peu près en sécurité derrière son blindage, soulever les barres des volets, sortir à l'aveuglette, sa carabine à la main, courir sur trois cents mètres à travers une nuit peuplée d'égorgeurs... il l'a fait. Il a sauvé Mohammed. D'accord, je n'imagine pas Hansi dansant dans les bras de Mohammed sur le Forum, mais crois-moi, c'est plus difficile de se lever en pleine nuit en entendant résonner l'enseigne. On serait plutôt tenté d'avoir le sommeil épais à ce moment-là.

Bernadette, qui jusque-là s'était tenue debout, se laissa tomber dans le fauteuil de cuir.

— Peut-être, dit-elle, ai-je un goût excessif pour le pittoresque, mais ce qui se passe à Alger, je veux voir ça !

Et comme si elle considérait que l'argument fût sans réplique :

— Et puis, j'emmène Djemila. Elle représentera les femmes de Sidi Omar. Pour elle, c'est épatant, elle ne connaît pas Alger.

Le téléphone tintait. Desaix traversa la pièce avec humeur et décrocha. Très vite il balbutia dans l'appareil une série de « Mais croyez-vous que je sois l'homme qu'il vous faut... Très, très flatté, mais je me demande si... »

Quand il revint vers Bernadette il avait une physionomie animée.

— Tu sais ce qu'ils se sont mis dans la tête ? Ils veulent me donner la vice-présidence du Comité de Salut Public de Chamerlat. Je n'ai pas pu refuser finalement... Il paraît que tout le monde était d'accord sur mon nom, tout le monde, Européens, musulmans, militaires... alors !

Il ajouta :

— Dans ces conditions, ton expédition à Alger se présente tout autrement. Elle est naturelle dans la mesure où tu es ma femme et où tu m'aides à remplir mes fonctions. A la réflexion, je crois même indispensable que, au sein de la délégation, je sois représenté par toi.

⁂

Dans un ciel qui, depuis le matin, se décrassait progressivement, l'avion montait, prenait de la hauteur au-dessus de la plaine genevoise.

— Ouf, dit Soustelle.

Cet « ouf » résumait quarante-huit heures d'aléas : l'incertitude avenue de l'Observatoire pendant qu'on avait attendu la voiture de Bénouville ; à la frontière, la crainte que, depuis quinze ans, le « réseau » de Bénouville ne se fût effiloché ; à Genève, la déception causée par le refus du pilote de l'avion-taxi anglais, bien décidé à ménager les autorités françaises. Un avion suisse avait finalement accepté le petit groupe mais il avait fallu attendre sur le terrain sous les yeux de douaniers et de policiers. Enfin, le sol s'était dérobé sous les roues du Viscount.

— Maintenant, dit Dumont, vous pouvez retirer votre chapeau.

— Ah ! c'est vrai.

Dumont et Béraudier, retrouvés à Genève, étaient de la partie. En tout ils n'étaient que cinq dans le vaste appareil qui fuyait maintenant le lac Léman et ses longues rives étincelantes, survolant un chaos de roches, de neige et de nuages que découpaient d'étroites vallées vertes serties de routes.

La Tour du Pin, abandonné sur son siège, les yeux mi-clos, résistait mollement au sommeil. Avant de s'endormir, il eut le temps de faire observer à Soustelle :

— Et tes lunettes, tu peux les remettre maintenant.

Sur l'aérodrome quand, autour de Bénouville, ils avaient joué leurs rôles de reporters et de photographes, ils avaient pris le parti de se tutoyer.

— Où est-on ? demanda La Tour du Pin en s'éveillant brusquement, les paupières mitraillées par le soleil.

— Aucune idée, répondit Bénouville, mais on voit la mer.

Sous l'appareil s'étirait une campagne rocailleuse, blanche, au bout de laquelle brillait la flaque d'une grande ville creusée de sillons obscurs et que prolongeaient les jetées d'un port tranchant sur l'éclat de la mer.

— Ce ne peut être que La Spezia, murmura La Tour du Pin.

Puis, pris d'inquiétude :

— Tu as bien donné mon plan de vol au pilote ?

— Mais oui...

— Tu sais que s'il prend le plus court chemin, c'est-à-dire l'axe Genève-Nice-Alger, nous risquons d'être signalés. Tu penses bien que le départ de Soustelle est connu maintenant.

— Je lui ai dit de passer par l'Italie, protesta Bénouville.

— Le doute n'est plus permis, mon petit vieux, observa froidement La Tour du Pin, c'est Nice que nous survolons.

— Nice, intervint Soustelle, vous êtes sûrs !

— J'ai fait des missions au-dessus de Nice pendant la guerre, certifia La Tour du Pin. Je suis sûr de ce que j'avance.

Il avait baissé la voix, parce que l'hôtesse de l'air, grande fille aux doux cheveux châtains, à la peau laiteuse, aux yeux lisses, passait entre eux pour leur proposer bière ou jus de fruits.

Sous l'appareil la mer avait rapidement effacé la côte. Quelques navires s'y distinguaient comme de petites taches d'encre.

— Nous marchons plein sud, déclara enfin La Tour du Pin, ce qui signifie que nous allons frôler la Corse, nouveau risque pour nous. Si nous ne changeons pas de cap...

— Qu'arrivera-t-il ? demanda Dumont.

— Il arrivera que nous déboucherons en Tunisie.

Bénouville se leva, gagna le poste de pilotage. Il en revint encore soucieux mais souriant.

— Je n'ai pas pu tirer grand-chose du pilote. Il prétend qu'il ne pouvait pas faire autrement que de survoler Nice. Il dit que nous éviterons la Corse. Mes questions l'ont un peu inquiété évidemment.

Entre le bleu de la mer et celui du ciel, l'avion file, ensoleillé. En vain, l'hôtesse aux longues jambes ondule-t-elle avec son plateau de rafraîchissements. On se tait. On ne boit pas. La Tour du Pin fume. Soustelle lit. Le paquet soigneusement ficelé qu'il avait porté sur le dos quand il jouait les banquettes s'était finalement révélé une trousse de toilette, gonflée comme un ballon. Il en a tiré « Les Essais » et une Bible qu'il feuillette.

— Je vous croyais protestant, observe La Tour du Pin.

Le lourd regard de Soustelle quitte la Bible pour se poser sur son compagnon :

— Vous ne vous trompiez pas.

— Et vous lisez la Bible dans cette édition ? Si je ne me trompe, c'est celle de Jérusalem, établie par le révérend père Deveau.

— Nous avons le goût de la vérité, répond Soustelle, piqué, et la vérité, c'est que cette édition est en effet la meilleure.

Dumont a ouvert un dossier qu'il compulse froidement comme s'il était dans son cabinet. Béraudier qui, en bon adjoint au maire de Lyon, regrette l'absence à bord de tout bourgogne ou côtes-du-rhône, finit par demander de la bière à l'hôtesse.

— J'ai l'impression que nous gagnons vers l'est, prononce La Tour du Pin.

— Vers Tunis !

— On va se retrouver chez Bourguiba ?

L'hôtesse revient, son verre de bière à la main. Etonnée par l'animation des visages et des propos, elle reste un instant immobile dans la travée. Un vaste silence s'est rétabli. Béraudier boit sa bière. L'hôtesse, pour assurer sa contenance, s'appuie au siège arrière où les passagers ont abandonné leurs manteaux. La trépidation ayant fait glisser le trench-coat de La Tour du Pin, la jeune fille le saisit, et d'un mouvement qu'elle veut harmonieux, le remonte sur le dossier.

Son mouvement ne devait pas être harmonieux jusqu'au bout. Sur des dents aussi régulières qu'éblouissantes, sa bouche s'ouvrit, cependant qu'elle ramenait vivement son bras à elle, comme s'il risquait de se brûler. Et La Tour du Pin, consterné, considérait en même temps qu'elle, dépassant longuement de la poche du trench-coat, un superbe Smith and Wesson à barillet et à crosse de bois.

La peau claire de l'hôtesse de l'air est devenue blême. Elle bat en retraite vers la cabine de pilotage. Héroïque, elle en ressort au bout d'une minute escortée du stewart. Ils se

499

postent devant la porte pour protéger les pilotes de leurs corps.

— Après tout, déclara brusquement Bénouville en se levant, il n'est pas mauvais que ces gens comprennent que nous ne sommes pas des plaisantins et que s'ils comptent nous faire le coup de Ben Bella en nous déposant à Tunis, l'affaire n'ira pas toute seule.

Il fit deux pas, puis, tourné vers La Tour du Pin.

— Cet engin, tu peux le piloter ?

— Oui, le piloter je peux mais...

— Tu peux naviguer jusqu'à Alger ?

— Pour la navigation, ça ira, mais...

— Parfait !

Sans en écouter davantage, Bénouville s'était dirigé vers la cabine de pilotage. L'hôtesse de l'air esquissa un geste mais il sourit et passa.

Quand il revint, il souriait davantage.

— Ça va, annonça-t-il. Depuis qu'ils savent qu'il y a un arsenal à bord, et que nous sommes capables de conduire l'avion sans eux, ils ne mouffètent plus. Ils ont accepté tout de suite de mettre le cap à l'ouest.

— Oui, observa La Tour du Pin... c'est parfait, le bon angle.

Et, seulement rassuré, il confia à Bénouville :

— Heureusement que ça se passe comme ça, tu sais, parce que tout à l'heure tu ne m'as pas laissé achever.

— Achever quoi ? Puisque tu peux piloter ce truc et naviguer, je ne vois pas ce qu'on peut te demander de plus ?

— Atterrir.

— Quoi ?

— Un appareil de cette taille-là, je ne peux pas le poser. C'était un détail, mais...

**

Des ouvriers cassaient la croûte, assis sur l'herbe jaunie de l'aérodrome.

— C'est lui !

Précédé par un officier d'aviation, suivi de quelques civils, l'idole d'Alger cheminait sous le soleil en direction des bâtiments de l'aéroport.

— Vive Soustelle !

Le cri se propagea le long du terrain jusqu'au salon d'honneur dont les portes engloutirent la petite troupe. Les C.R.S., les gendarmes, les douaniers, les laveurs de vitres, les aviateurs reprenaient à pleins poumons le nom bénéfique, le nom de celui que le peuple d'Alger avait essayé de retenir, deux ans plus tôt, dans les rues, alors que le Gouvernement le rappelait.

Plus doucement, le nom de Soustelle courut le long des fils téléphoniques, entre Maison-Blanche et la ville.

La venue de Salan à l'aéroport provoquait des interprétations contradictoires. Selon les uns, le général en chef remettait tous ses pouvoirs à Soustelle ; selon les autres, il lui enjoignait de regagner l'Europe. Certains assuraient qu'il l'avait fait mettre en état d'arrestation, qu'il l'expédiait au cœur du Sahara, comme Biaggi. Dans les couloirs du Gouvernement Général il y avait ceux qui se félicitaient qu'un homme d'Etat vînt diriger l'insurrection ; ceux qui voyaient surtout dans ce retour la certitude de la prise du pouvoir par de Gaulle ; ceux qui craignaient, au contraire, que l'irruption de Soustelle ne durcît, à Paris, la résistance du Gouvernement ; enfin ceux qui comptaient sur la présence de l'ancien Gouverneur Général pour obliger Salan à rompre ses tractations avec Pflimlin. De ces chuchotements ne sortit qu'une seule consigne, celle que Delebecque glissa au chef des Unités Territoriales : « Allez donc chercher Soustelle à l'aérodrome de Maison-Blanche avant que Salan ne vous l'escamote. »

Cependant devant le Gouvernement Général, sur l'esplanade où des hommes se ruaient hors de leurs véhicules, une seule clameur montait :

— Soustelle au Forum !

⁂

C'était une chambre pour sous-officier, peinte d'un blanc hôpital et ne comportant que quatre lits.

— Si j'avais su que vous vous leviez, je ne me serais pas dérangé, remarqua le lieutenant en s'asseyant sur l'unique chaise de la chambre, je vous aurais convoqué.

Bossac, qui avait pris place sur le bord de son lit, face à l'officier, fit de la main un petit geste agacé.

— Je suis officier de la Sécurité Militaire, reprit le lieutenant, et chargé de vous interroger à propos de documents vous appartenant.

Bossac ne cacha pas sa satisfaction en voyant son journal sortir de la serviette de l'officier.

— Bon Dieu ! s'écria-t-il, je l'ai assez recherché ! J'ai encore écrit à l'hôpital de Bône, hier...

— Vous reconnaissez donc ce cahier comme vous appartenant ?

— Mon nom est écrit dessus !

— Récapitulons. Vous avez été blessé à la frontière tunisienne, ce qui vous a d'ailleurs valu de recevoir la médaille de la valeur militaire. On vous a évacué sur Bône, puis, pour suivre un traitement, sur l'hôpital Maillot. Vos affaires personnelles vous ont rejoint à Bône, sauf ce cahier qui, après diverses pérégrinations, est tombé sous nos yeux. Certains passages sont d'ordre personnel, je ne m'en occuperai pas, même, je ne ferai pas état des morceaux qui concernent le train-train militaire, vos opinions sur vos chefs, et sur le métier des armes.

L'officier fit une pause pour sortir un paquet de troupes de sa poche.

— Il y a même, poursuivit-il, des appréciations sur la guerre d'Algérie qui montrent que vous avez plutôt mauvais esprit. Mais les renseignements que nous avons recueillis sur vous prouvent que vous n'avez jamais cherché à influencer vos camarades et que, dans le service, vous n'avez aucun blâme à encourir.

Il ouvrit le cahier.

— Toutefois il y a des passages obscurs sur lesquels j'aimerais que vous m'éclairiez. Ce poème, par exemple.

Il lut :

> « *Comme je culbutais les roses insensibles*
> *Je ne me sentis plus guidé par leur pâleur,*
> *Des archanges criards les ayant pris pour cible*
> *Les avaient clouées nues au pied de l'ascenseur.* »

Le jeune lieutenant était trapu, sanguin, la mâchoire carrée, les yeux ronds.

— Nous avons établi, prononça-t-il, que ces vers

étaient la modification de la première strophe du « Bateau ivre » : « Comme je descendais les fleuves impassibles, etc. » Mais il a fallu chiader dur pour y arriver. On peut dire que vous nous avez fait plancher !

— Eh bien, mon lieutenant, dit Bossac avec un franc-parler de grand blessé, si *Le Canard Enchaîné* apprenait ça, il vous soupçonnerait d'avoir du temps à perdre.

— Veuillez garder vos observations pour vous et me répondre sur le fond. Quel était le but de ce travail ?

Comme Bossac se taisait, il insista :

— Vous avez maquillé un texte dans des conditions qui sont parfois employées par les cryptographes des services secrets. Il suffit que votre correspondant connaisse le texte initial pour que vos modifications deviennent un langage secret.

— Pour me distraire, se décida à répondre Bossac. J'aime bien me réciter des vers mais pas toujours les mêmes. Alors, je les restaure. Vous connaissez Viollet-Le-Duc ?... je suis le Viollet-Le-Duc de la poésie.

L'officier riait. Il avait pris l'air copain.

— Enfin, bref, vous faisiez ça pour vous distraire. Vous avouerez, c'est quand même une drôle de distraction...

Alors, changeant brutalement de visage et de ton :

— Et ça ! hurla-t-il, c'était pour vous distraire que vous écriviez à Amirouche ?

Et il agitait sous le nez de Bossac une lettre, trouvée dans le cahier, et commençant par : « Cher Amirouche... »

L'assaut avait été si brutal que Bossac, qui en avait sursauté, ne parvenait plus à reprendre contenance. Comme il se taisait, l'officier le secoua par le bras.

— Allez, ta seule chance maintenant c'est de vider ton sac. Et en vitesse !

— Ne me secouez donc pas comme un prunier, j'ai encore un pansement !

Le lieutenant le lâcha et suivit avec une extrême attention le geste qu'exécuta Bossac pour atteindre la poche revolver de son pantalon. De cette poche il sortit un carnet d'adresses qu'il ouvrit à la lettre *R*.

— Tenez, dit-il en soulignant du bout de son doigt l'un des noms. Constatez vous-même, mon lieutenant.

— Rouche... et alors, qu'est-ce que vous voulez que ça me fiche ?

— J'ai un ami, un ethnologue qui fait du cinéma, il s'appelle Rouche. Eh bien, qu'est-ce que vous voulez, je trouve drôle au lieu de lui écrire « cher ami Rouche », de lui écrire « cher Amirouche ».

Bossac lut une telle hésitation sur le visage de l'officier qu'il se leva pour ouvrir sa petite table de nuit de métal blanc.

— Tenez, voilà « Les cahiers du cinéma ». C'est une revue. Là, vous avez un article sur lui.

Le lieutenant nota le titre de la revue sur un calepin puis, machinalement, la feuilleta en regardant les photographies. Enfin, il se décida à rendre à Bossac et la revue et son journal non sans lui avoir fait signer un reçu.

— Il est possible, lança-t-il sur le pas de la porte, que vous soyez convoqué chez nous. Mais enfin, je pense que vous avez été surtout imprudent, je compte conclure là-dessus.

Bossac vit l'officier s'éloigner dans le couloir que le soleil, en baissant, aspergeait d'une lumière éblouissante. Dans sa marche, il croisa deux infirmières qui se précipitèrent à la rencontre de Bossac :

— Six heures cinq ! Nous ne sommes pas parties à cause de vous. On doit remettre la feuille de température, il manque la vôtre, et comme vous étiez enfermé là avec ce lieutenant...

— Mademoiselle Aïcha, vous vous compliquez toujours la vie ! Mettez 37,4.

— Pas question, dit Aïcha. Ne raisonnez pas et faites ce que je vous dis.

Elle tendit un thermomètre à Bossac pendant que Cherifa, saisissant le poignet du jeune homme, lui prenait le pouls.

— Oh ! tu sais, constata Cherifa, il ne doit guère avoir plus.

— Il nous a fait, au début de la semaine, un petit mouvement, rétorqua Aïcha avec sévérité. Déjà, je trouve qu'on a le tort de le laisser sortir, mais au moins il faut le surveiller.

— Mais il a bonne mine !

— On peut mourir avec une mine superbe !

Résigné, Bossac s'était allongé et avait englouti le thermomètre dans l'entrebâillement de son pantalon. Comme Aïcha attendait, le regard rivé à sa montre, il lui lança :

— Vous, je ne sais pas quand vous aurez fini de me torturer ! Ça se voit que vous avez été chez les paras. Vous en avez pris de la graine !

La bouche d'Aïcha se pinça. Elle détestait qu'on évoquât une aventure sur laquelle, d'ailleurs, Bossac était peu renseigné. Il savait seulement qu'Aïcha, avec Cherifa et plusieurs autres infirmières, avait été détenue ; qu'elles avaient fait la preuve de leur innocence, et que sur la recommandation d'un officier para, elles avaient été placées à l'hôpital Maillot.

— Moi aussi, dit Cherifa sur un ton de revendication, j'ai été chez les paras. Et je ne vous torture pas.

Elle avait soulevé la chemise de Bossac, tâtait le pansement.

— Il ne rime plus à rien, ce pansement ! Heureusement qu'on vous enlève les points de suture demain. Ça vous fait toujours mal quand vous écartez le bras ?

— Oh ! un tout petit peu… Ça y est, je peux le retirer ?

— … Encore quelques secondes, dit Aïcha. Et croyez bien que ça n'est pas pour mon plaisir. Cherifa, marque sur la feuille, il a 37,7.

— N'attirez pas l'attention du major là-dessus demain matin, implora Bossac. Si j'ai un ou deux dixièmes de plus, c'est à cause de cette cloche qui m'a tenu la jambe pendant une heure.

— Je fais mon métier correctement. Vous devriez comprendre ça puisque vous avez si bien fait le vôtre, que vous avez été blessé.

— Si vous croyez que je l'ai fait exprès ! Dites donc, avant de vous sauver, soyez gentilles, passez-moi la clef de la douche.

— Pas question, déclara Aïcha en tapant du pied. On ferme la douche à six heures moins cinq, vous n'avez rien à faire de la journée, il n'y a aucune raison de vous accorder tout le temps des passe-droits.

Elle avait ouvert la porte et un rayon de soleil miroitait sur ses cheveux.

— Si vous vous voyiez ! s'exclama Bossac. Vous êtes mignonne comme un cœur et ce que je ne comprends pas, vache comme pas une. Ecoutez, je descends avec vous. Je veux bien être sale, mais pas seul.

Tous trois descendirent l'escalier. Au poste de garde, Bossac montra sa permission de sortie et ils se retrouvèrent dans la rue. Aïcha, qui marchait la première, se heurta à un Wasseau qui, les bras écartés, lui barrait le trottoir.

— C'est pour vous que je suis venu ! Je vous surveille, moi ! Je vous invite même à dîner ce soir, si vous êtes libres.

— Bonne idée, dit Cherifa, mais il faudra que je téléphone à ma mère.

— Je voulais travailler, protesta Aïcha, mon examen de puériculture, il est fin juin.

— Alors, je vous dis au revoir, intervint Bossac en esquissant un petit signe d'adieu.

Wasseau le considéra d'un air perplexe se demandant de quelle nature étaient ses rapports avec les jeunes filles.

— Remarquez, dit-il, si vous voulez venir avec nous, jeune homme ?

— Non, déclara Aïcha, il a été très sérieusement blessé. Il ne faut pas qu'il vadrouille pendant des heures.

Bossac monta dans l'estime de Wasseau.

— Dans une opération ? demanda-t-il.

L'état de blessé de guerre enchantait Bossac.

— Oui, répondit-il modestement, pendant l'interception d'une katiba, de nuit, du côté de Negrine.

— Venez, décida Wasseau. Une petite sortie, ça vous changera les idées.

Quand ils furent tous quatre dans la voiture de Wasseau celui-ci demanda sur un ton gaillard :

— On va faire un tour au Forum ?

— Quoi faire au Forum ?

— Depuis huit jours le spectacle est ininterrompu. Je parie que vous n'y êtes pas allée, Aïcha ?

— J'ai autre chose à faire.

— Et Cherifa ?

— Non, mais notre cuisinière y est allée. Ma mère était scandalisée. La cuisinière était ravie. La pauvre fatma, je ne sais pas si elle a bien compris ce qui se passait, mais elle était enthousiasmée. Un officier, très poli paraît-il, lui a donné à tenir le manche d'un écriteau qui proclamait je ne sais quoi et qu'elle était bien incapable de lire, mais qu'elle a brandi d'une main ferme.

— Et vous ? demanda Wasseau à Bossac.

— Je ne sors que depuis quelques jours... J'ai préféré éviter la bousculade.

— Eh bien, conclut Wasseau, vous allez voir ça, mes petits enfants, c'est formidable.

Et, sans transition, avec une brutalité qui rappela à Bossac son entrevue avec le lieutenant de la Sécurité Militaire :

— Qu'est-ce que vous en dites de l'arrivée de Soustelle ?

— D'abord, est-il vraiment arrivé ? observa Bossac.

— Ça, je peux vous le garantir !

— Vous l'avez vu ?

— A l'aérodrome, oui. J'accompagnais Salan. Drôle d'atmosphère d'ailleurs ! Accueil mitigé... Le Mandarin craignait que Soustelle ne prenne le commandement à sa place, je suppose.

— Je n'y connais rien, admit Bossac, mais Soustelle est un homme à de Gaulle. S'il est là aujourd'hui, ça veut dire que de Gaulle sera là demain. Il est venu lui faire son lit.

— Moi, dit Wasseau, ces combinaisons-là me dépassent. On verra bien ce que ça va donner.

— Ne cherchez pas, dit Bossac, ça va donner de Gaulle.

— J'ai un bel album de photographies sur de Gaulle, moi, fit remarquer Cherifa. On me l'a donné quand j'étais petite.

— Moi, mon père ne l'aimait pas, déclara Aïcha d'un ton pointu. Mon père, quand il était soldat, le maréchal Pétain lui a parlé. C'était le maréchal Pétain qu'il aimait, mon père.

— Pétain a trahi, récita Wasseau.

La certitude de l'officier était d'une candeur si solide que Bossac ne put s'empêcher de rire.

— Et vous êtes sûr, mon lieutenant, vous êtes absolument sûr de de Gaulle ?

— J'attends qu'il parle. Il doit parler demain ou après-demain. Et je croirai ce qu'il dira. C'est un homme absolu, excessif, mais il a l'intégrité d'un soldat. S'il dit qu'il est pour nous, il sera pour nous jusqu'au bout. Il ne nous abandonnera pas comme les parlementaires. Et tant qu'à faire une révolution, ça a quand même plus de gueule d'avoir comme enseigne le nom d'un de Gaulle, que celui d'un Salan...

— Si je comprends bien, mon lieutenant, vous êtes tellement sûr d'avoir gagné la partie que vous en êtes à vous chercher le souverain le plus décoratif ?

— Ça, la partie, elle est gagnée. Il y a quinze jours, je n'étais sûr de rien. Nos victoires d'ici, Paris avait l'art de les transformer en défaites. Mais maintenant, je suis sûr de tout.

Wasseau, les joues roses, arborait, en effet, un incessant

sourire qui donnait sur les nerfs du maréchal des logis Bossac.

— Et si vous aviez été au Forum, continua-t-il, vous seriez de mon avis. C'était fabuleux. La population musulmane a commencé d'arriver... Et puis, ça n'arrêtait plus. Et quand tout le monde s'est pris les mains !

Son sourire se teinta de mystère. Tout en manœuvrant pour éviter les groupes compacts qui encombraient les abords de la grande Poste, il sembla suivre la courbe d'une pensée intérieure qui le charmait.

— Vous oubliez Paris, reprit Bossac. Qu'est-ce que vous espérez ? Vous croyez que la République va s'effondrer sans histoire, comme le slip d'une strip-teaseuse ?

— Exactement ! s'exclama Wasseau en éclatant de rire. Comme le slip. Et à la cadence de l'orchestre ! Et l'orchestre, c'est nous !

— Et le parti communiste ? demanda Bossac avec agacement. Et les syndicats ? Qu'est-ce que vous en faites ?...

— Les parlementaires, enchaînait Wasseau, seront assis dans la salle et ils auront tellement peur que, quand le slip tombera, ils applaudiront.

Il riait enchanté par cette comparaison gaillarde.

— Ils auront peur de quoi ?

— Tant pis, je fais comme les autres, je me range en double file... ils auront peur de nous, tiens ! Des paras ! On est prêts à débarquer là-bas, vous savez.

— Bon, les parlementaires, je vous les laisse, reprit Bossac avec entêtement. Mais les ouvriers ? Le parti communiste, les syndicats les précipiteront dans la rue et...

— ... et quand ils trouveront, au premier carrefour, un régiment de paras, ils les regarderont bien et préféreront aller dîner chez eux, en famille.

Wasseau après avoir verrouillé les portes de sa voiture, les entraîna tous trois à travers une foule si compacte qu'à chaque instant ils risquaient de se perdre. Des camions tentaient de se frayer un passage, les uns munis de haut-parleurs répétant les paroles que Soustelle venait de prononcer sur le balcon du Forum, les autres, chargés d'Européens endimanchés et de musulmans multicolores, s'efforçant de trouver où se garer. Le soleil couchant teignait de rose la masse blanche de la Poste.

AGITÉS D'ALGER

A mesure qu'on approchait du Forum les chants et les cris devenaient d'une violence inextricable. Pourtant, dans la clameur que des jeunes gens faisaient retentir devant les grilles du Gouvernement Général, le nom de Soustelle était reconnaissable.

— Ils crient « Libérez Soustelle ! », découvrit Bossac, il est arrêté, vous croyez?

Une brusque inquiétude éteignit le sourire de Wasseau. Apercevant le capitaine Marin qui essayait en vain de regagner sa voiture, il parvint à le rejoindre.

— Pourquoi crient-ils ça ?

— Moitié pour rire, moitié sérieusement, répondit Marin. Soustelle leur a parlé tout à l'heure. Depuis, il est enfermé avec Salan et quelques rombiers dans le bureau de Lacoste. Alors, la foule le réclame. Elle est entraînée par des gars de Delebecque, des gaullistes.

Poussé par un remous de la foule, le colonel de Bordesoule faillit culbuter Wasseau.

— Vous n'avez pas vu ma voiture ?

— Dans cette foire, mon colonel ! observa Marin.

Avide d'éclaircissements, Wasseau demanda :

— Alors, Soustelle l'a prise, la présidence du Comité de Salut Public ?

Profitant d'une accalmie dans les clameurs, Bordesoule expliqua :

— Il ne veut pas. Il refuse tout poste. Il se déclare « commis-voyageur de l'intégration ». Salan lui a donné le bureau de Lacoste, la voiture de Lacoste, mais aucun poste officiel. La situation est très confuse. Il est bien évident que si Soustelle prenait le pouvoir ici, ce serait pour le donner à de Gaulle. C'est une grosse responsabilité, vous savez. Dieu sait que je suis gaulliste! Mais je comprends leur hésitation. Parce que jusqu'ici, nous autres, les militaires, nous sommes restés dans la légalité. Salan et Massu se sont débrouillés pour faire confirmer leurs décisions par Paris. Ils représentent le gouvernement Pflimlin, même s'ils n'en font qu'à leur tête. A partir du moment où Soustelle prendrait la direction des opérations, alors, ce serait la rébellion ouverte. Je l'ai dit à Delebecque : je ne suis pas chaud pour accélérer le processus. Et Soustelle lui-même semble l'avoir compris puisqu'il ne demande rien.

— C'est marrant tout ça, constata Wasseau, voilà les complications qui commencent.

Et il leva le nez parce que tous les visages s'étaient tendus vers l'édifice et qu'après une seconde toutes les gorges avaient résonné : Salan et Soustelle agitaient les bras au balcon, penchés vers la foule qui, passionnée, afflua vers les grilles, s'écrasant elle-même.

Du coup, Wasseau se trouva séparé des deux officiers et s'aperçut qu'il avait également perdu les infirmières et leur petit maréchal des logis. Il cheminait à travers les corps et les cris. Ceux-ci avaient repris dès la retraite de Soustelle et Salan. Le régal de leur présence avait été trop bref. De nouveau on exigeait: « Soustelle au balcon : » puis, comme le chœur commençait de s'enrouer, un spasme neuf secoua la foule.

— Les voilà!

D'abord, Wasseau, au-dessus des têtes, n'aperçut que des banderoles qui, descendant du boulevard de Lattre-de-Tassigny, se rapprochaient en tanguant. Il distinguait les noms des bourgs de la Mitidja qui s'étalaient en rouge, en bleu, en noir sur les banderoles rougies par le couchant : Fort-de-l'eau, Rovigo, l'Arba, Maison-Carrée. Un détachement de paras entreprit de tasser la foule pour faire à ces milliers d'arrivants une place sur le Forum — projet qui semblait insensé tant il était comble. Wasseau se glissa au-devant des délégations dont la colonne de tête parvenait à s'enfoncer miraculeusement dans la masse compacte qui l'acclamait. Presque tous les délégués étaient musulmans, coiffés de casquettes, de fez, de calottes, de bérets, de haïks. Des Harkis, en bonnets de police, étaient mêlés à eux. Un reflux de la foule précipita Wasseau qui, en civil, n'avait pas droit aux égards que sa tenue de para lui eût valus, sur une colonne de musulmanes voilées portant l'écriteau : « Femmes Mahieddine ». Le même tourbillon le catapulta dans un bloc d'Anciens Combattants Musulmans qui, les poitrines bariolées de décorations, essayaient vainement de marcher au pas en chantant la Marseillaise. Entraîné par eux, il se retrouva à proximité des grilles au moment où une ovation saluait un orateur juché au-dessus de la foule derrière un micro. Il était vêtu d'un pantalon militaire kaki et d'une veste de chasse à poches à soufflets, toute neuve. D'abord, la foule l'avait acclamé de confiance, puis elle s'apaisa et, grâce aux amplificateurs, les envolées de l'orateur parvinrent jusqu'à Wasseau.

— Je vous dis : où le blé, il n'y en avait pas, il pousse, il va pousser... Là où elle était, l'ignorance, elles poussent les écoles... Là où il y avait le caïd qui disait : « un certificat, tu veux ? un extrait de naissance? Donne-moi d'abord mille francs » il y aura des gens sérieux, comme toi et moi, qui diront : bonjour, monsieur, voilà votre certificat. A moi, vous ne me devez rien.

Il alternait les phrases en français et en arabe. Parfois, il mélangeait les deux langues. Le style oratoire lui était si naturel qu'il entama ainsi sa péroraison :

— Moi, Yacef Cherif, je vous dis ceci : je suis le chef du village de Sidi Omar... Là où il y a Sidi Omar aujourd'hui, il n'y avait rien que le vent, il y a deux ans. Et le vent n'avait rien à semer... Moi, Yacef Cherif, une mechta j'habitais, à des kilomètres de là. Et les chacals sont venus me voir. Et j'ai aidé les chacals. Alors, les militaires m'ont pris et ils m'ont parlé...

Les Européens, comprenant que l'orateur avait été fellagha, éprouvèrent aussitôt pour lui l'amour total que l'on porte à l'ennemi qui, lorsqu'il revient vers vous, vous confirme dans la justesse de votre cause. Ils en trépignèrent, hurlant de tous leurs poumons.

— Ils m'ont dit, les militaires, que le caïd, c'était fini, que les affaires de l'Algérie elles seraient réglées par les meilleurs musulmans, par les meilleurs Européens.

Ce n'est plus une ovation, c'est un tonnerre. Yacef Cherif, suspendu au-dessus de lui-même par l'immensité de cette adhésion, perd pied, se trouve des ailes.

— Et alors, le blé poussera ! hurle-t-il, les écoles pousseront... Les routes, les chemins de fer, les hôpitaux, les cinémas... et nous nous embrasserons... Nous nous dirons : monsieur, comment allez-vous, très bien, merci monsieur, et vous-même ? Et nous irons bien, et nous irons loin!

Résistant inopinément au délire des mots, il brisa son envol pour en revenir à son cas :

— Les militaires m'ont dit: tu marches ? Moi, Yacef Cherif, j'ai répondu : je marche. Et quand les chacals sont revenus dans ma maison avec la mitraillette, j'avais la hache. Je n'avais que la hache.. les militaires n'avaient pas assez

confiance encore pour me donner le fusil... Avec la hache,
au commissaire politique, j'ai brisé le crâne... et sur les autres aussi, je tapais sur leurs mains, que leurs doigts s'envo-
laient... J'ai refermé ma porte, et ils tiraient dans la porte
ceux qui vivaient encore, et je criais: Maudits, maudits !

Il traduisit la phrase en arabe. Cette fois ce furent les
musulmans qui, avec un élan imprévisible, reprirent l'invec-
tive sacrée :

— Maudits! Maudits! Soyez maudits !

— J'ai fait Sidi Omar ! cria Yacef. Les militaires m'ont
aidé, le colonel Jasson, le capitaine Béverier, le capitaine
Noguès, le capitaine Daubourguet... Il est ici, il est parmi
vous, et mademoiselle Birnadé qui est ici. Ils avaient confiance en moi parce que mes frères avaient confiance en moi.
Ils quittaient leurs maisons pour venir faire une ville dans le
désert, et nous avons fait Sidi Omar...

— Tout à fait le discours de réception de M. Le Trouha-
dec à Donogo-Tonka, chuchota une voix dans l'oreille de
Wasseau.

Wasseau sursauta, reconnut le maréchal des logis Bossac.

— Où sont les petites ? demanda-t-il.

— A deux pas, encore qu'il faille, pour les faire ces deux
pas, un bon quart d'heure, vu la densité de population. J'ai
retrouvé une amie. Je les ai laissées ensemble quand je vous
ai aperçu. Essayez de vous déplacer vers la gauche.

Prenant son repère à la crête d'un soleil rougeoyant qui
s'enfonçait, il corrigea:

— Disons vers le nord, pour faire plus militaire.

Wasseau considéra Bossac avec une curiosité humiliée.
Emu par cette scène, il s'interrogeait sur son émotion, se
demandait si ce n'était pas un peu con.

— Ça ne vous touche pas ? Ça ne vous fait rien?

Bossac, qui maintenait sur son visage une expression moqueuse l'atténua seulement pour répondre:

— Si... ça me fait quelque chose.

Les deux hommes, une épaule en avant, les pieds liés,
comme s'ils dansaient un slow, manœuvrèrent vers le nord
pendant que l'orateur poursuivait:

— Et aux enfants de Sidi Omar, moi, Yacef Cherif, voilà
ce que je dis... il y a trois ans, rien j'étais, et aujourd'hui
celui qui me parle me dit : Si Yacef, et vous, petits, on

512

vous appellera Si Mohammed, Si Ali, Si Omar. Je leur dis :
j'ai fait un million de fois plus que les caïds et que les
cadis... et que les sous-préfets, et vous ferez...

Wasseau avait honte de son trouble. « Est-ce que je ne
me fais pas pigeonner ? » Mais l'ardeur têtue avec laquelle,
pendant deux ans, il avait dénoué les fils des réseaux, arraché les mots-clé, les noms de rues et de personnes, les détails
capitaux à des êtres allongés dans la douleur ou dans l'angoisse, s'effaçait triomphalement. Du même coup, il découvrait qu'en cas d'échec il eût perdu son âme ; en acceptant
de faire de la cruauté son métier quotidien, il avait risqué son
âme ; et la recouvrait puisque, depuis la veille, l'Alger musulman et l'Alger européen s'embrassaient. Il pensa d'abord :
« Je l'ai échappé belle » puis, se souvenant de ses camarades :
« Nous l'avons échappé belle. »

— Vous revoilà tout de même! s'écria Cherifa, vous nous
aviez semées ! Et je n'ai toujours pas téléphoné à ma mère.

Derrière elle et Aïcha, Wasseau, que Bossac poussait en
avant, rencontra le regard d'une jeune femme, plutôt belle,
dont le visage ne lui était pas inconnu.

— Bernadette Desaix, dit celle-ci en se présentant, mais
quand vous m'avez connue, je m'appelais Bernadette Champion.

Comme le regard de Wasseau vacillait, à la recherche
d'un souvenir net, elle se fâcha:

— Vous pourriez au moins, lieutenant, vous rappeler la
tête des gens que vous avez persécutés.

— Ça y est, j'y suis !

Elle le présenta à Djemila...

— ... une jeune citoyenne de Sidi Omar, le village dont
le chef est en train de parler.

Yacef Cherif, avec un sens aigu inné de la foule, avait
repéré l'instant où celle-ci, lasse de l'applaudir, retrouvait
un intérêt entier pour Soustelle. A coups de « Vive le Comité
de Salut Public de Chamerlat! Vive le Comité de Salut Public d'Alger ! Vive l'Algérie française! », il sut conclure et
redescendit prestement parmi les mortels. Bernadette et
Djemila le hélèrent à grands cris. Il leur tomba dans les
bras, escorté par un capitaine en tenue, ce qui déclencha
de nouvelles présentations...

— Le capitaine Daubourguet, du Ve Chasseurs, membre du Comité de Salut Public de Chamerlat...

Yacef Cherif se présenta lui-même :

— Moi, je suis le responsable de Sidi Omar...

— Ça, nous savons, dit Bossac en riant.

— Il a été formidable, n'est-ce pas ! s'exclama Daubourguet, il n'y a plus qu'à en faire un député !

— Pas un député, corrigea sérieusement Yacef Cherif. Un député, il est choisi par ses troupes. Moi, je les choisis.

Son visage de fouine avait pris de la carrure. Il enfonçait les mains dans les poches de sa veste de chasse avec désinvolture.

Ce fut seulement lorsqu'ils parvinrent au bas des marches, sur le plateau de Glières où la foule était moins dense, l'air plus marin, que Bossac découvrit que la nuit était tombée. Jusque-là il n'avait pensé qu'à l'étonnement d'avoir retrouvé Bernadette et que la jeune femme eût considéré cet événement sans surprise. Pendant des années ils ne s'étaient pas quittés... puis ils s'étaient quittés ; ils s'étaient revus quarante-huit heures à Saint-Tropez, quarante-huit heures à la ferme Desaix; elle lui avait écrit deux fois, il ne lui avait pas répondu. Maintenant, à la lisière d'une foule qui hurlait, ils marchaient côte à côte dans une ville qui ne leur rappelait rien de commun, et sur laquelle la nuit était tombée subitement.

— L'ennui, dit-il machinalement, c'est qu'il est neuf heures...

La phrase était toute prête dans sa bouche ; il allait dire : « et qu'une malheureuse créature m'attend chez elle depuis six heures ». Dans le même instant, à la clarté réunie d'un réverbère et du ciel encore vibrant, il reconnut la créature en question, les poings sur les hanches.

— Heureusement que je ne t'ai pas attendu ! cria Lise d'une voix haut perchée. Tu es infect!

Sans se soucier des six personnes qui entouraient Bossac, elle s'approcha à petits pas impérieux.

— Quand j'en ai eu plein les reins de t'attendre, je me suis sortie et je suis tombée sur ce cirque. C'est fas-ci-nant.

— Tu as raison, dit Bossac, c'est exactement ça: un cirque fascinant.

Il entreprit des explications que Lise bouscula. Ce qu'elle

était ? Une grande amie de la femme de Bossac, et quand celle-ci avait dû quitter Alger, pauvre Lyvia, elle était bien obligée! c'était elle, Lise, qui l'avait relayée au chevet du grand blessé. Elle précisa que son géologue de mari travaillait à Hassi Messaoud ; elle n'habitait Alger que depuis deux mois, elle s'y était beaucoup ennuyée d'abord, et puis il y avait eu Lyvia, et puis Bossac, et maintenant, cette sacrée kermesse.

— Qu'est-ce qu'il faut en penser ? interrogea-t-elle à la ronde. Non, ne me dites pas ! Rien de plus fatigant que les problèmes où il y a du pour et du contre.

Lise était une petite fille de dix-huit ans, ou à peine plus, toute rousse de poil, toute blanche de peau, aux yeux gris. Elle était un peu maigre, un peu acidulée, un peu vulgaire. Elle portait une robe de mousseline et grelottait.

— Je propose qu'on aille dîner, dit Wasseau.

Ils acquiescèrent tous, mais leurs murmures furent couverts par les exclamations de Lise. Elle venait de reconnaître Yacef Cherif.

— C'est vous! Vous étiez magnifique. La politique ne m'intéresse pas, ce que j'aime, moi, c'est la vie. Vous auriez été un leader F.L.N., je vous aurais acclamé aussi fort. L'enthousiasme, c'est ça qui est bon ! Vous êtes épatant.

— Je le sais bien qu'elle est idiote, souffla Bossac à l'oreille de Bernadette. Je peux la semer si elle vous embête trop ?

— Oh ! je m'en fiche !

Elle ajouta perfidement :

— D'ailleurs, dans l'idiotie, elle me rappelle Corinne qui vous plaisait beaucoup, à Nahon et à vous, quand on était à Saint-Tropez.

Bossac sentit que, de même que Bernadette avait été troublée par le nom de Lyvia, elle savait l'avoir troublé en prononçant celui de Nahon.

— Au fait, demanda-t-il à voix basse, comment ça s'est-il arrangé ?

— Vous verrez bien!

Il ne put s'empêcher de jeter un regard sur la taille de la jeune femme, puis garda le silence jusqu'aux voitures. Wasseau proposait d'aller dîner à Bab-el-Oued, chez Alexandre. Mais Lise avait froid, elle exigeait de repasser chez elle

515

changer de robe, rue Fourcault, à deux pas de l'hôtel Aletti.
Et suspendue au bras de Yacef Cherif, elle lui chuchota :

— Venez avec moi! Dans une ville pareille, on a peur
d'être seule !

On convint que Bernadette prendrait dans sa voiture
Bossac, les deux infirmières, que Wasseau prendrait dans la
sienne Daubourguet qui, lui-même, laisserait sa Peugeot et
le soldat lui servant de chauffeur à la disposition de Lise
et de Yacef Cherif chargé de l'escorter.

A travers des rues encombrées, chargées de cris et de lumières, la Peugeot prit un départ difficile. Mais Yacef Cherif
souriait, assis à l'arrière aux côtés d'une Parisienne — d'une
Parisienne amoureuse. Il ne se trompait pas plus sur elle qu'il
ne s'était trompé sur la foule. Elle se plaignait d'un mari
perdu dans le Sahara et d'un Bossac bien décevant. La tête
rejetée en arrière, il fumait un cigare.

Il accepta sans enthousiasme de monter chez elle. Ce détour ne faisait pas partie du plan qu'il s'était fixé. Ils grimpèrent un petit escalier blanc, débouchèrent dans un studio-
cuisine, provisoire, affirma Lise.

— Ça vous plaît ?

Yacef Cherif n'avait pas prévu de devenir, dans la journée, le conseiller vestimentaire d'une Parisienne. Perplexe, il
renvoya la fumée de son cigare.

— Je me doutais que vous préféreriez mon gros lainage !
Avec ces petites chaussures-là, regardez, je les ai achetées rue
Pierre-Charron...

Il regardait. Il évoquait les pieds nus des dames de Sidi
Omar ou, les jours de neige, les vieux souliers d'Algéroises
qu'elles portaient après en avoir rogné les hauts talons.

— C'est très bien, dit-il.

— Naturellement, ordonna-t-elle, vous ne regardez pas !

Elle avait expulsé sa petite robe par-dessus sa tête et
exposait une peau blanche tachée de rousseur aux épaules et
à la naissance de la gorge. Elle portait un soutien-gorge noir et
un slip de dentelle noir et rose, très étroit, aussi mince que
sa cicatrice d'appendicite. Elle attendait, peu pressée d'enfiler son « gros lainage ».

— Chez moi, dit Yacef Cherif, pas ici.

Déconcertée, elle s'habilla en silence, se recoiffa longuement et redescendit l'escalier derrière lui. Au chauffeur, il expliqua qu'ils allaient à l'Aletti...

— ... à deux pas. Allez nous y attendre.

Suivi de Lise, il pénétra avec assurance dans le hall de l'hôtel.

— Dépêche-toi, ordonna-t-il au gros chasseur qui fouillait le sac de la jeune femme.

Ayant reçu sa clef du portier, il se dirigea vers l'ascenseur.

— C'est vous, monsieur, qui avez pris la parole au Forum, tout à l'heure ?

— Oui.

— Je représente un grand quotidien allemand. Je m'appelle Gertrude Hanchiller, je souhaite une interview.

— Demain matin, si tu veux... J'habite cet hôtel. Passez.

Il poussa Lise dans l'ascenseur dont il rejaillit au troisième, pressé, entraînant la fille par le poignet. Il claqua la porte sur eux.

— Regarde, dit-il, c'est bien.

C'était une petite chambre ornée d'une gravure anglaise, dont la porte s'ouvrait sur une salle de bains.

— Hein !

Il fit jouer l'électricité. Rien ne pourrait faner l'éblouissement qu'il avait savouré, le matin, quand, après quelques palabres, le capitaine Daubourguet avait obtenu de le loger à l'Aletti. Pour les autorités d'Alger, Yacef Cherif, l'homme de Sidi Omar, tenait du bachaga et du capitaine de Harkis. Il avait fait le tour de cette pièce, de cette salle de bains, de la terrasse ; il avait longuement contemplé le plateau de petit déjeuner qu'un maître d'hôtel lui avait apporté à la demande de Daubourguet et, stimulé par ce faste, un faste que faute d'éléments il n'avait même jamais imaginé, il s'était dit que les hommes étaient aussi justes que Dieu puisqu'ils avaient compris sa valeur et le traitaient conformément à sa haute qualité intérieure.

Rayonnant, il contemplait Lise. Il avait voulu que ce qui devait se passer se passât ici afin de confondre, dans un même souvenir, la possession d'une pièce digne de lui et de sa première femme de France. Au bordel de Vialar, il avait pratiqué trois ou quatre fois une fille qui se disait parisienne, qui parlait en effet le français, mais dont il avait appris

517

par un garde champêtre qu'elle était née dans le ghetto d'Oran. Au contraire, Lise était indiscutablement une Parisienne, mariée à un Parisien et reconnue comme telle par les militaires et Bernadette.

Comme il manœuvrait maladroitement la robe de « gros lainage », elle se chargea de détacher les pressions elle-même, puis s'allongea sur le lit. Il abaissa un peu le minuscule slip de dentelle pour contempler les fesses de la Parisienne. Il en avait vu de plus belles, de plus serrées, mais elles n'étaient pas mal... Ce qui le choquait, c'était la trace plus claire, aux contours nets, qu'avait laissée le bikini qu'elle portait au soleil. Comme elle avait défait elle-même son soutien-gorge, il constata le même phénomène sur la poitrine. Il fit effort pour s'y habituer. Sans doute était-il appelé, dans l'avenir, à rencontrer fréquemment cette bizarrerie. Par acquit de conscience, il s'assura qu'aucune teinture, aucun henné n'entraient dans les couleurs de la dame. Puis, il la plaqua sur le ventre et, avec le geste sûr d'un artisan qui malaxe une pâte, lui distendit la croupe en roucoulant, par habitude, en arabe:

— Ma petite fleur...

Il fut un peu choqué par le comportement des Parisiennes. Celle-ci parlait. Elle dit :

— Oh ! les hommes, c'est toujours comme ça ! Vous avez toujours de vilaines idées.

Puis elle souffla, gémit, et cria de nombreux « mon chéri », au lieu de se laisser faire tranquillement comme les femmes des Béni-Saouré. Ces étrangetés troublèrent un peu le triomphe de Yacef Cherif. Pourtant il lui sembla discerner, dans le tumulte du lit, l'écho des ovations qui étaient montées vers lui sur le Forum. La Parisienne l'irrita, ensuite, en maniant avec trop d'aisance les robinets de la salle de bains. Puis en s'étendant nue sur le lit afin de fumer une cigarette. Elle ajouta même:

— Si mon mari me voyait, il serait fou ! Il ne veut pas que je fume, il me fait tout le temps la guerre là-dessus.

Yacef Cherif la prit par la peau du cou pour l'obliger à se rhabiller, la tira de la chambre, la jeta dans la voiture, et ils firent enfin leur apparition sous les plafonds enfumés de « chez Alexandre ».

Les autres, qui buvaient des anisettes et des jus de fruits, raillèrent un peu Lise sur le temps qu'elle avait mis à changer de robe et passèrent leurs commandes. Ils étaient neuf et avaient mis trois tables bout à bout. Une rumeur fébrile emplissait la vaste salle. Alexandre leur apporta lui-même les moules crues cependant qu'Amar, le Kabyle, embusqué derrière un rideau de flammes, leur grillait des brochettes.

— Notre tablée est marrante, observa Wasseau. Un Métropolitain y perdrait son latin ! Il y a deux mois, je flanquais au trou nos deux petites infirmières qui grenouillaient dans la Rébellion alors qu'elles viennent d'applaudir tout ce qu'on voulait sur le Forum; il y a un an, c'était vous, madame Desaix, que je mettais à l'ombre; vous, Bossac, si j'ai bien compris votre histoire, vous êtes une espèce de progressiste que la Sécurité Militaire traque pour mauvais esprit; vous, madame je-ne-sais-plus-quoi... je vais d'ailleurs vous appeler Lise, ça simplifie, vous êtes la Parisienne de service, éprise de pittoresque, qui acclamez à tout hasard Yacef Cherif, ex-fellaga, dans ses improvisations oratoires...

— Pardon, rectifia Yacef Cherif. Fellagha, j'ai été, mais quand le commissaire politique est revenu, j'avais la hache, mais...

— On sait ! coupa Wasseau, vingt ou trente mille personnes le savent ! Tu es un héros ! Nous sommes tous des héros ! Alexandre ! du blanc.

— Pour moi, du lait ! cria Aïcha.

— Bravo, Aïcha ! le Coran...

— Ce n'est pas pour le Coran, corrigea Aïcha, c'est pour la santé. Vous, Bossac, avec vos anisettes, votre whisky, vos vins blancs, vous vous tuerez. J'aimerais vous montrer, dans mon traité d'hygiène, les jolis résultats de l'alcool sur le foie et sur le cerveau.

Le sérieux d'Aïcha fit sourire. Bossac fut le seul à rire franchement. Il la trouvait parfaite, cette civilisation occidentale qui avait débarqué en Afrique avec une bouteille d'anisette dans une main et une planche anatomique sur les méfaits de l'alcool, dans l'autre.

— Mais aujourd'hui, Aïcha, s'écriait Wasseau, c'est fête !

— Moi, déclara Cherifa, demain je retourne au Forum.

Ravi, Wasseau lui donna une petite tape affectueuse sur l'épaule. Son bonheur, sa fierté étaient si évidents que Bossac, profitant du vacarme général, lui glissa à l'oreille:

— A vous voir, mon lieutenant, on a l'impression que c'est vous l'auteur de la pièce. Vous êtes si glorieux de son succès qu'on a envie de vous demander un autographe.

— Oh ! nous sommes plusieurs auteurs.

— Ça ne fait rien ! Co-auteur des fraternisations du Forum, c'est déjà une jolie situation.

— Vous rigolez, mais vous ne m'avez pas l'air assez bête, avant assisté, sinon à la fiesta d'hier, au moins à celle d'aujourd'hui, pour aller imaginer que nous aurions pu monter ça de pied en cap, comme une comédie.

— Je me posais la question...

— C'est vache à expliquer. Les historiens auront du mal à s'en sortir. Les uns diront que les officiers d'Alger-Sahel ont obligé la population musulmane terrorisée à servir de claque sur le Forum, les autres, que les musulmans se sont précipités spontanément pour crier leur amour de la France. Les deux versions sont fausses.

— Je vous vois venir. Vous voulez assimiler la population musulmane aux demoiselles Aïcha et Cherifa que vous êtes allé chercher à l'hôpital, que vous avez entraînées au Forum, et qui, une fois là, se sont bien amusées ?

— Vous êtes doué pour l'ironie, remarqua Wasseau. Je comprends que les pèlerins du colonel Guigue vous cherchent des crosses.

— Colonel ?

— Guigue, le chef de la Sécurité Militaire... Au fond, votre interprétation est plus juste que vous ne le croyez. La vérité, c'est que nous avons déclenché l'opération. Seulement, elle a pris une telle ampleur que nous ne pouvons plus nous en considérer comme responsables.

Bossac se mit à rire, les yeux brillants.

— C'est merveilleux ! vous venez de retourner comme un gant ma réplique préférée de Cocteau : « Puisque ces phénomènes nous dépassent, feignons d'en être les organisateurs. » Et vous, vous dites : « Puisque ces phénomènes nous dépassent, feignons de n'en être pas les organisateurs. » C'est joli...

Wasseau, que les références littéraires de Bossac dépassaient à coup sûr, examina son voisin d'un air perplexe. La diversion fut fournie par Bernadette qui déclara « étouffer ». On se leva d'un commun accord pour aller prendre glaces et cafés à l'extérieur, sur les marches d'une ruelle en escalier où Alexandre disposait ses tables, du printemps à l'automne.

— Vous savez, dit Cherifa, en se rasseyant auprès de Bossac, Aïcha est folle de rage. Il paraît que vous buvez comme une éponge. Elle compte vous faire supprimer votre permission de sortie par le médecin-chef.

Mais Wasseau, entêté, avait pris Bossac par le coude, et tout en avalant son café à brèves et bruyantes gorgées, entreprit de venir à bout de ses explications.

— Avant-hier, c'est le colonel Trinquier qui, le premier, a lancé l'idée d'une participation musulmane aux manifestations du Forum. Godard nous a fait un briefing. Nous avons passé la nuit à préparer l'affaire avec les gens dont nous étions sûrs dans la Casbah. J'ai moi-même assisté, le lendemain, au rassemblement des quatre ou cinq cents premiers musulmans, à l'orée de la Casbah. Puis j'ai filé au Forum. De là, je les ai vus déboucher. J'évaluais leur nombre. D'abord, je me suis dit qu'il y en avait plus de cinq cents, puis, plus d'un millier, donc que c'était très bien. Et puis... c'est dommage que vous n'ayez pas été là hier... Je vous assure, quand cette marée a déferlé... Ces milliers et ces milliers d'hommes qui avaient emboîté le pas à ceux que nous avions rassemblés et qui coulaient sur le Forum, comme un fleuve... Je n'en suis pas encore revenu. La Casbah a basculé, comprenez-vous ? Si nos chefs ne se dégonflent pas, si Paris nous suit, je vous en donne ma parole, la partie est gagnée. Vous ne me croyez pas ?

— Mais si ! grogna Bossac. Si je ricane, c'est parce que j'ai une bonne formation universitaire.

Le vacarme était aussi vif dans la ruelle que dans la salle. Alger n'avait pas seulement fait une révolution, elle s'était mise en fête, en vacances. En même temps que la République, elle avait balayé le couvre-feu. Sous un ciel peuplé d'étoiles, elle goûtait ses nuits retrouvées.

A la table voisine, une grande gueule de Bab-el-Oued, qui répondait au nom de Marco, racontait bruyamment de longues histoires à une dizaine d'auditeurs passionnés :

— Et pendant ce temps, la Rachelle, toujours elle était là, toujours elle bouillonnait comme la marmite ourvégienne, en me traitant de coulo entre ses dents, cette fille de calamare qu'elle est ! Moi, pour en finir je prends l'autre grand bâtard par le bras...

— Et ce qu'il t'a dit le rouçouveur du troulley !

Le capitaine Daubourguet, qui se trouvait le plus près de Marco, écoutait. Il admirait que ce fils de Bab-el-Oued fût aussi proche d'un conteur arabe.

— Marco, raconte la nuit de noces.

Celui-ci, comme ses auditeurs, avait la voix cassée. Depuis quelques jours, ces gens passaient des heures à hurler leurs slogans tempétueux à travers les rues d'Alger et le Forum.

Dans cette nuit, à la fois tonitruante et veloutée, la chaleureuse fusion de Marco et de ses auditeurs frappa Daubourguet comme l'écho affaibli de ce qu'il avait entendu sur le Forum. « Je participe, se dit-il. Mon cœur bat avec ceux des pieds-noirs de Bab-el-Oued, ceux de la Casbah, des lourds militaires français venus du Nord, des ralliés, des rebelles, des fellas qui attendent le blé et la paix. Je suis avec eux. J'ai peut-être bu trop de vin blanc, aussi. »

Comme on s'était levé, il rejoignit Yacef Cherif dont, depuis leur départ de Chamerlat, il se considérait comme le manager. Yacef, dont les yeux brillaient, se tenait en équilibre sur le bord d'une marche entre Lise et la petite Djemila qui lui parlait en arabe.

— J'ai envie de rentrer à pied. Veux-tu me raccompagner ? demanda Bernadette à Bossac en reprenant le tutoiement.

— A l'hôpital, ils vont être fous ! Mais comme de toute façon Aïcha va me faire sauter mes sorties, autant que je profite de celle-ci.

Laissant les autres rembarquer dans les voitures, Bernadette et Bossac s'éloignèrent lentement à travers les rues de Bab-el-Oued. Ils croisaient des groupes agités d'Européens et de musulmans. Des voitures klaxonnaient. Dans les cafés, des magnétophones rugissaient des chansons.

— Où en es-tu ? demanda finalement Bossac.

— Et toi ?

— Moi, tu sais, il peut m'arriver n'importe quoi, j'en suis toujours au même point.

Ce fut beaucoup plus tard, sous les arcades qui précédaient l'Aletti, que Bernadette lui confia, comme une nouvelle importante :

— Tu sais, sur le Forum, j'ai pleuré.

En guise d'explication, elle ajouta :

— J'ai compris que l'Algérie, c'était un mélange.

— Ah oui ?

Bossac qui avait perdu l'habitude de veiller tard, bâilla.

— Alors, mon problème est résolu, insista-t-elle. Tu ne comprends pas ?

— Pas très bien. Pas du tout...

« Elle débloque », pensait-il. Et il se maquillait un nouveau poème : « La vase où meurt cette murène, par un gouvernail transpercé... »

— Un mélange incroyable ! poursuivit Bernadette d'une voix oppressée. Des gens de partout, toutes les civilisations, tous les visages, un concert d'amis et d'ennemis, une sacrée salade, ou plutôt une salade sacrée... Alors, ça n'a pas d'importance, au contraire, c'est très bien.

— Qu'est-ce qui est très bien ? demanda-t-il discrètement.

— ... que la postérité de Kléber ne soit pas du même sang que lui. Maintenant ma décision est prise. Je ne lui dirai rien. Si c'est un garçon, je lui donnerai le prénom du grand-père de Desaix.

Quand il la quitta devant l'hôtel, Bernadette sanglotait toujours.

**

Mal entretenue, souvent crevassée, la route tournait à travers la forêt de chênes-lièges. Une violente lumière matinale sertissait les frondaisons. Partie d'Azazga, la colonne de dragons-parachutistes roulait lentement ; en tête et en queue, une automitrailleuse, au milieu, un half-track, entre eux, des jeeps et une 203.

Le tireur, juché dans la tourelle de l'automitrailleuse de tête, se retourna, fit un signe avec la main. Quelques instants plus tard, la colonne entière s'était immobilisée. Des deux premières jeeps et de l'automitrailleuse descendirent quelques soldats et un officier. A pas lents, ils se dirigèrent vers le tas de cailloux qui, situé en plein milieu de la route, avait provoqué l'arrêt. L'officier l'examina d'un air compétent, le sonda avec sa canne, puis ôta une pierre qu'il alla jeter, sans se presser, dans le fossé, chaque soldat, l'imitant cueillit une pierre sur le tas et d'un pas égal se dirigea vers le fossé pour l'y lancer.

Il ne resta plus qu'un entassement de cinq ou six pierres, brillant au soleil. Si le tas de cailloux était piégé, l'explosion ne tarderait plus : en diminuant, le poids qui avait jusque-là pesé sur la mine libérerait le ressort. L'officier ayant encore une fois sondé le monticule avec sa canne, prit une pierre, retourna vers le fossé. Chaque soldat en fit autant. Il ne restait plus que trois pierres. L'officier enleva l'avant-dernière. Un soldat, qui revenait du fossé, se pencha sur l'ultime. Elle était de toutes la plus grosse. Il dut la soulever à deux mains. Autour de lui le groupe s'était immobilisé, en attente. La pierre s'éleva dans les mains du jeune homme : aucune détonation n'ébranla les airs. Elle dissimulait seulement une écorchure de la route faite sans doute de quelques coups de pioche. Sur les tas de cailloux que les rebelles, pendant la nuit, sèment sur les routes de Kabylie, il n'y en a guère plus d'un sur cinquante qui soit piégé — mais leur présence suffit à retarder les convois.

Celui-ci repartit lentement. La pente de la route était dure. L'A.M. de tête vrombissait.

Un épaulement du terrain cacha bientôt entièrement les voitures aux jumelles du veilleur fellagha. Le ronronnement des moteurs lui parvenait cependant, alla diminuant, puis reprit de l'ampleur quand la colonne réapparut de l'autre côté de l'oued, gravissant le versant opposé. Pour la suivre le veilleur, qui était assis au pied d'un chêne, se borna à se déplacer de l'espace d'une fesse. Allongés près de lui, deux autres veilleurs manœuvraient patiemment leurs pions sur un « carré arabe » posé dans l'herbe.

La rafale de mitrailleuse les arracha si brusquement à leur jeu qu'ils renversèrent les pions dans le mouvement qu'ils firent pour se redresser.

Le premier veilleur, adossé à l'arbre, avait braqué ses jumelles. Au-dessus d'eux, des vols d'oiseaux, bouleversés par les détonations, se succédèrent.

— Je ne comprends pas, grommela-t-il, il n'y avait rien de prévu. Autour de l'oued, il n'y a personne de chez nous...

Ses deux camarades tendaient impatiemment la main pour obtenir les jumelles. Les détonations continuaient. La colonne, arrêtée, s'était déployée en formation de combat le long de la route.

Le vacarme cessa brusquement. De nouveau les moteurs ronflèrent, la colonne reprit sa formation de marche sur la route.

Le veilleur consentit à abandonner ses jumelles aux deux autres. Il riait :

— Les singes ! Ils ont pris les singes pour nous... Ils ont tiré dessus à la mitrailleuse !

Et il ajouta avec un soupir :

— Ils ne sont pas polis les francaouis de confondre les soldats de Dieu et les singes.

Dans l'herbe, les deux autres se penchent pour ramasser leurs pions. L'un d'eux, accroupi, observe :

— Les chefs devraient nous remplacer par des singes, puisque c'est assez pour faire peur aux francaouis. Nous, on rentrerait à la maison.

— Les frères qui se plaignent à tort et à travers, grogna le guetteur aux jumelles, je leur dis : abomination ! Tu te plains, Amar, alors que ta maison est à Michelet, que tu la vois deux fois par mois alors que la mienne, qui est de l'autre côté du Djurdjura, je ne l'ai pas vue depuis deux mois. Et quand je la vois, je risque ! Le village voisin est M.N.A...

Ces trois initiales détournèrent sa rancune.

— Les chiens ! dit-il, mais Dieu est le plus fort !

— Ce que Dieu veut, il le fait, répondit poliment Amar. Mais tout ça dure bien longtemps. Toujours on nous dit : un petit effort, et ça sera fini. Toujours : un petit effort. On le fait, et ça ne finit pas... Il y a trois ans que j'ai quitté ma maison, que je vis comme une panthère. Et on me dit encore : un petit effort, c'est le dernier. Les chefs nous racontaient que la France n'avait plus de gouvernement, qu'elle prétendait nous gouverner et n'arrivait même pas à se gouverner elle-même, que, fatalement, elle allait tomber entre les mains d'hommes qui diraient à l'Armée de s'en aller d'ici. Donc : encore un petit effort jusqu'à ce que l'Armée s'en aille ! Et qu'est-ce qu'ils disent les gens maintenant ? Ils disent que les paras vont prendre le gouvernement de la France. Ils disent qu'à Alger, nos frères embrassent les Français...

Le débat fut interrompu par un cri :

— Ya ! aya !

Le corps émergeant d'un fourré, un homme agitait les mains. Il appelait les guetteurs, mais sans les voir. Amar vit briller sur sa veste l'étoile blanche d'aspirant.

— C'est le Mlazem Awwel, annonça-t-il.

L'homme aux jumelles se décida alors à lancer un « ya » ! et l'aspirant, guidé par le son, dévala vers eux à travers les broussailles.

— Le salut sur vous, prononça Mouloud Draib, l'aspirant, qui était un rouquin trapu, au visage orné de grosses lunettes de soleil.

— Le salut sur toi et toutes les bénédictions de Dieu. Si tu viens à cause des coups de fusil, ne t'inquiète pas. Les Français ont entendu les singes s'agiter dans la broussaille et ils leur ont tiré dessus pendant cinq minutes.

— Je sais, dit l'aspirant. Je viens de voir les deux guetteurs de la maison forestière. Je les ai laissés sur place. Ils suffiront pour la surveillance. Vous trois, venez avec moi.

Et Draïb entreprit de remonter vers la crête, son chapeau de brousse en bataille. Pendant dix minutes, les quatre hommes se faufilèrent entre les taillis, s'accrochant aux branches pour se hisser lorsque la pente était trop rude. Sur l'autre versant, ils trouvèrent le soleil et un vent tiède.

Ils redescendirent à travers bois, suivirent un sentier jusqu'à une clairière lumineuse, toute jaune, parsemée de fleurs. Ils venaient de s'y engager quand le bourdonnement d'un hélicoptère les surprit. L'aspirant leva le nez, rebroussa chemin. Hors d'haleine, tous quatre, à l'abri des pins, regardèrent passer l'engin.

— C'est un Bell, décréta Draïb en désignant, miroitant au soleil, la bulle de verre où se profilait le pilote.

L'appareil survola très bas la clairière, prit un peu de hauteur pour franchir la crête, disparut.

Connaissant les mœurs des hélicoptères qui ont une démarche beaucoup plus capricieuse que les avions, reviennent volontiers sur leur trace, décrivent des trajets sinueux dans les airs où ils réapparaissent du côté où on ne les prévoit pas, ils attendirent quelques minutes avant de s'engager de nouveau à découvert. Au fond de la vallée, ils retrouvèrent l'ombre dérapant sur un tapis de feuilles mortes décomposées.

Au bord d'un étang presque à sec, une heure plus tard, ils

distinguèrent l'éclat d'une arme et auprès un homme étendu. Par précaution, ils louvoyèrent dans le sous-bois, puis, s'étant convaincus qu'il s'agissait bien d'un soldat de l'A.L.N., crièrent pour s'annoncer. Un groupe de quelques hommes attendait, assis sous les arbres. L'aspirant Draïb chercha du regard celui qui, ainsi escorté, devait être conduit par lui au P.C. du colonel Amirouche.

— Il dort, lui expliqua l'un des soldats.

C'était un homme assez corpulent, mal rasé, aux traits lourds, qui dormait en effet mais péniblement, peinant pour exhaler sa respiration. L'aspirant lui toucha l'épaule.

— Tu es Omar Benboulaïf ? Salut à toi. Je vais te conduire au P.C.

— Salut à toi, dit Benboulaïf en se redressant.

Mal éveillé, il battait des paupières.

— Est-ce que tu parles français ? demanda-t-il.

— Si tu veux, je peux, lança Draïb avec un sourire hostile.

— Bon... Alors, c'est toi qui me conduis ?

— Oui. En route !

Ils furent arrêtés deux heures plus tard par l'aboiement d'un chacal qui retentit trois fois. Aussitôt l'aspirant Draïb se porta en avant. Ereinté, Benboulaïf suivit l'échange des répliques. L'aspirant, après avoir fourni le mot de passe, le numéro de sa katiba, devisa familièrement avec son interlocuteur. La progression de la petite troupe reprit alors mais avec une extrême lenteur. Toutes les trois ou quatre minutes, on s'arrêtait. A chaque fois l'aspirant s'avançait. Tantôt il y avait un conciliabule, tantôt Draïb recevait seulement un signe, l'invitant à continuer d'attendre ou à poursuivre. « Ici, pensait Omar Benboulaïf, ce ne sont plus des guetteurs, mais des régulateurs de trafic. Ils nous donnent le feu vert ou rouge, selon l'encombrement du P.C. »

Ils s'arrêtèrent à mi-pente d'une colline boisée de pins. Dans un ciel très pur, le soleil commençait sa chute. Au nord, Benboulaïf distingua une ligne bleue, à peine brumeuse: la Méterranée. C'était il y avait bien des semaines, à Tunis que Benboulaïf l'avait aperçue pour la dernière fois. Il s'assit sur le sol jonché d'aiguilles de pins, retira ses pataugas pour soulager ses pieds, et alluma une cigarette.

Draïb revint bientôt vers le petit groupe pour annoncer qu'on pouvait se reposer, que des vivres et de l'eau allaient être apportés. Mais l'avis ne concernait pas Benboulaïf. Celui-ci eut à suivre l'aspirant à travers les pins, jusqu'à une corniche où ils se heurtèrent à une trentaine de soldats en tenue très réglementaire, coiffés de casquettes ou de chapeaux de brousse. Quatre hommes se détachèrent pour les précéder dans un sentier au bout duquel ils trouvèrent une suite de cabanes accotées les unes aux autres comme des cabines de bain. Elles étaient faites de tôle ondulée et maquillées par des feuillages. Devant l'une d'elles, un officier, porteur des étoiles de Dabet Tsani, sourit aimablement à Benboulaïf, puis ayant fait signe à l'aspirant et aux soldats de se retirer, passa la tête par l'ouverture d'une des cabanes. Il parla trop vite pour que Benboulaïf le comprît, mais aussitôt un homme aux traits abrupts, qui portait une moustache sombre et une sorte de barbe courte due au fait qu'il n'avait pas dû la raser depuis quelques semaines, apparut en bras de chemise.

— C'est moi, Amirouche, dit-il sèchement. Tu m'as été annoncé il y a longtemps. Tu ne t'es pas pressé.

Le front de Benboulaïf s'était tendu. Il peinait pour suivre le débit rapide du colonel.

— Excusez-moi, dit-il, je ne parle que très peu l'arabe.

— Bon, mais pas de salade, entama Amirouche dans un français rauque. M'as-tu écrit un compte rendu opérationnel ?

Avec des mains maladroites, Benboulaïf chercha le papier parmi ceux qui remplissaient une poche extérieure de la sacoche qu'il portait sur sa hanche.

— Tu me le montreras plus tard, donne-moi d'abord les papiers de Tunis.

Benboulaïf décrocha sa sacoche.

— Voilà l'argent.

— Bon, et les papiers?

Il feuilleta les quelques rectangles dactylographiés.

— C'est dépassé tout ça, dit-il. Depuis ton départ de Tunis, je suis officiellement commandant de la wilaya. Krim a fait un communiqué.

Repris par des soucis militaires, il interrogea :

— Au barrage, ça n'a pas marché ?

Benboulaïf désigna d'abord du doigt son compte rendu opérationnel, puis se lança dans des explications. Il raconta la première tentative à la hauteur de Souk-Ahras, l'échec, le passage par le sud, la bataille du Djebel-Ong, la remontée des Aurès.

— J'ai remis ce qui restait d'hommes et d'armes à la mintaka du Bois-des-Bibans. J'avais vingt hommes, deux cents kilos d'explosif, six Berettas, dix pistolets-mitrailleurs, un fusil lance-grenades, cent kilos de munitions, quinze kilos de pénicilline...

— C'est maigre, fit observer le Dabet Tsani.

— Et tu ne me sers à rien, reprit Amirouche. Depuis ton départ, il y a eu le 13 mai. Tes instructions n'en tiennent pas compte. Il ne faudra pas qu'on se plaigne si je prends des initiatives. Il y a des commandants de wilayas qui cherchent à traiter avec l'armée française. Je peux le prouver. Après ça on m'accusera de noyauter... on dira : un Kabyle ça met son nez partout. Je suis bien obligé ! Ma sécurité dépend de la tenue des wilayas voisines. Et il y a des traîtres dans tous les coins.

Il s'était remis à parler en arabe. De temps en temps, il prononçait quelques mots en français. Benboulaïf s'efforçait de suivre son réquisitoire. Amirouche semblait avoir reçu, quelques jours plus tôt, un message de Tunis lui demandant de justifier les nombreuses exécutions auxquelles il faisait procéder parmi ses troupes. Cette méfiance l'exaspérait. S'il tuait, c'est qu'il le fallait. Les traîtres étaient partout.

— Tu verras, dit-il, je te montrerai... Non, je te le montre tout de suite ! ajouta-t-il avec une colère froide en saisissant Benboulaïf par le bras.

Suivi du Dabet Tsani, ils dévalèrent la pente que les aiguilles de pins rendaient glissante. Devant une rangée de cabanes, une vingtaine de soldats armés de pistolets mitrailleurs et de quatre mitrailleuses en batterie se tenaient immobiles. Ils ne paraissaient pas entendre les plaintes qui sortaient d'une des cabanes.

— Regarde !

Benboulaïf fit un pas dans la pénombre de la cabane, déglutit et ferma les yeux. Il ne voulait plus voir l'homme nu qui était allongé sur la terre, avec son visage sans oreilles, ses joues striées de sang, son torse dont la peau avait été enlevée au rasoir. Le torse de cet homme était devenu de la viande de boucherie. Cette viande de boucherie râlait.

— Par Allah... Par Allah...

— C'est la punition d'Allah ! cria Amirouche.

Sa voix sèche n'était pas faite pour crier. Elle s'étrangla. Benboulaïf, sans en demander l'autorisation, était sorti de la cabane, frôlant un autre corps rendu absurde par les mutilations; mais ce corps-là, au moins, se taisait. Mais la voix de Amirouche retentit de nouveau derrière lui ;

— Il y a quinze jours, je reçois ce message du C.C.E. On trouve que je vais trop fort dans la punition des traîtres. On croit que j'exagère. On ne comprend pas à Tunis la gravité de la situation. Avec leur fraternisation d'Alger, ils peuvent nous faire craquer la situation dans les mains. A Tunis, on ne lit que *le Monde* et *l'Express* ! Moi aussi, je les lis. Mais je regarde autour de moi! Et ce que je vois me fait peur. La confirmation de mes craintes, des mesures que j'ai prises, les faits me l'apportent. La Medina d'Alger est tombée aux mains de l'Armée. De gré ou de force, elle fraternise. Si je n'étais pas là, la Kabylie en ferait autant. Dans les Djemaas, les partisans des Français relèvent la tête. Les Harkis ne nous ménagent plus. Les traîtres sont parmi nous. Une fille est ici. Elle a été arrêtée à Alger. Dieu a voulu qu'elle entrevoie les listes des frères de la Wilaya 3 qui nous trahissent. Je suis en train de les éliminer. Je n'agis pas au hasard, croyez-le bien...

... Il s'avisa seulement de la pâleur d'Omar Benboulaïf.

— Pourquoi faites-vous cette tête-là ? Les tortures vous déplaisent ? Je les fais faire au rasoir parce que moi, je n'ai pas d'électricité. Et rassurez-vous, pas de Commission de Sauvegarde, ni de Croix-Rouge suisse ici pour venir nous embêter.

Amirouche dut lire dans le regard de son Dabet Tsani une certaine inquiétude, car il se refréna. Il était en effet inutile d'affoler cet envoyé de Tunis.

— Mes informateurs sont sûrs, dit-il avec un sourire aimable. Tu n'en douteras pas quand tu sauras que l'un d'entre eux est ta fille.

Benboulaïf, l'air las, n'avait suivi qu'approximativement les phrases cassantes du colonel, mélange d'arabe et de français. Mais la dernière proposition, il la comprit.

— Quelle fille? cria-t-il.

— Je ne connais pas les autres, dit Amirouche, je ne connais que celle-ci.

En se retournant dans la direction qu'indiquait la main du colonel, Omar Benboulaïf se heurta à Samia. Il lui fallut une seconde pour admettre que c'était bien Samia. Des larmes s'échappèrent de ses yeux, il serra la jeune fille contre lui. La guerre était oubliée. Il balbutia une phrase indistincte où le mot « pourquoi » revint plusieurs fois. Pourquoi avait-elle laissé croire à sa mort ?

— Ta mère et moi, pourquoi ?

Il omettait de reconnaître qu'il n'avait pas annoncé à sa femme la mort de Samia. Suspectant l'amour que sa fille pouvait lui porter, il la mettait d'abord en face de sa cruauté envers sa mère. Reculant d'un pas, il fut étonné que Samia, elle aussi, s'abandonnât à l'émotion. Elle ne pleurait pas, mais fixait son père avec des yeux embués. Elle portait un blue-jean qui plongeait dans des pataugas ; un blouson était jeté sur ses épaules ; un revolver, dans son étui, était passé à sa ceinture.

— Je vous laisse, dit sèchement Amirouche.

Il s'éloigna d'un pas raide suivi de son Dabet Tsani, traversa le groupe de soldats en armes. Devant la dernière cabane, il s'arrêta pour tendre la main à un gros homme à la barbe grise et ronde, vêtu d'un complet de flanelle sur lequel on voyait un burnous :

— Monsieur le Cadi, lança-t-il d'une voix moqueuse, je te salue.

Ils étaient à quelques enjambées d'une fosse creusée devant la cabane. L'homme qu'on y enterrait vivant, les poignets et les chevilles ligotés, clamait ce qui lui restait à déverser d'imprécations et de prières.

Le Cadi détourna la tête. Il avait blêmi.

— Est-ce que tu n'exagères pas ? demanda-t-il doucement.

— La trahison m'entoure, dit Amirouche. Elle m'entoure, moi, je l'enterre.

Les deux hommes néanmoins s'éloignèrent machinalement de l'endroit où la trahison, par ses cris, risquait de troubler l'échange de leurs propos.

— Tu me pardonneras de me mêler de ce qui ne me regarde pas, mais j'ai entendu dire certaines choses. Il est amical que je te les rapporte, n'est-ce pas ?

— Ne m'as-tu pas assez cassé les oreilles avec les chicayas ? Ne m'en as-tu pas assez dit sur la justesse de la cause des Beni-Gaoubas et l'infamie des Guechtoulas ? Il est bon de défendre ses frères, ô Cadi, mais il est mal d'abuser de la patience d'un soldat.

— C'est de toi, maintenant que je parle, répliqua le Cadi avec une fermeté inattendue. On a trop peur de toi pour te le dire, mais tes hommes murmurent. Tu as tué trop de tes frères sous prétexte qu'ils trahissaient. Tu ne t'es pas demandé... Moi, le renseignement me vient d'un policier français, je te le donne pour ce qu'il vaut... Tu m'écoutes ?

— Oui.

— Si mon policier a dit vrai, les Français te trompent. Ils te renvoient ceux qu'ils ont faits prisonniers avec de prétendus messages pour Ali ou pour Mohammed. Toi, tu crois qu'Ali et Mohammed trahissent. Tu ne penses pas que c'est peut-être une invention des Français ! Ils laissent sous les yeux de leurs prisonniers les listes de leurs agents. Libérés, les prisonniers se hâtent de t'apporter les listes. Tu ne te demandes pas pourquoi on les a libérés, ni pourquoi on leur a laissé lire des listes. Tu tombes dans le piège. Tu décimes ton entourage. Les Français n'ont plus qu'à se croiser les bras en te regardant faire.

Le Cadi avait dû élever la voix pour couvrir les cris du supplicié. Puis, la terre ayant sans doute comblé la bouche, le silence se fit. Amirouche se taisait. Il était moins effrayé par les conséquences du piège que le Cadi lui révélait que par son origine : était-il possible que Godard, un colonel de l'armée française, usât d'une arme semblable ? « C'est une arme bonne pour moi, pensait-il. Si un colonel français en est réduit à cette ruse, ce n'est plus une guerre qui honore l'adversaire. »

Il fit quelques pas en silence jusqu'à l'extrémité du terre-plein.

*

Jean se tenait sur le palier vêtue d'une robe de soie jaune rehaussée de dessins noirs. Sans tendre la main, sans avancer d'un pas elle articula:

— Bonjour, Monsieur.

Hanau se sentait, comme disait sa mère, la « tête perdue ». Il fut sur le point d'expliquer à Jean que s'il ouvrait lui-même la porte c'était parce qu'il avait donné congé à Jeannette pour la Pentecôte. Il regrettait d'avoir renoncé à un valet de chambre qui lui revenait trop cher mais le situait socialement et, depuis qu'il avait Jeannette à son service, il hésitait sur la meilleure manière de la présenter. Devait-il la qualifier de secrétaire, de gouvernante, d'amie de la famille ou de femme de chambre ? Quand il recevait des intellectuels vraiment pauvres, il disait « ma femme de ménage ». Pas toujours, car il lui arrivait de se cabrer : « On le sait que je suis riche ! On ne peut tout de même pas me reprocher de ne pas faire mon lit moi-même ! » Son insertion dans la vie bourgeoise lui donnait du fil à retordre : tantôt il avait honte d'habiter rue de la Tour, à Passy, un appartement trop clair, trop bien rangé, trop bien servi, tantôt honte, au contraire, de ne posséder que trois pièces, que Jeannette pour le servir, et souffrait de donner aux grands de la terre une impression de médiocrité.

En débouchant dans le studio, Jean constata que Nahon n'était pas arrivé.

— Il est allé chercher Béverier...

— Oui, mais quand même ! il devrait déjà être là, décidat-elle d'une voix têtue, les yeux baissés, les poings presque fermés.

— La première fois que je vous ai vue, c'était à la librairie d'Evian. Vous vous rappelez ?

La lumière de fin d'après-midi était encore assez vivace pour percer le tissu léger de la robe et dessiner en ombres chinoises les cuisses de la jeune fille plantée devant la fenêtre.

— A Evian, insista Hanau, vous étiez en pantalon.

— C'est possible.

— Je me souviens que la libraire m'ennuyait en me bassinant avec les fascistes d'Alger. C'est elle qui avait raison. J'ai toujours eu tort dans la vie quand je n'ai pas voulu croire au pire. Je ne peux pas croire au pire. Pourtant le pire existe...

Il parlait au hasard, égaré par le brusque désir de Jean qui lui était venu. Celle-ci demanda sèchement :

— Puis-je m'asseoir ?

Il se demanda, tout en la regardant chercher une position dans le fauteuil fonctionnel, si un maître de maison doit inviter une femme à s'asseoir ou si celle-ci est tenue de le faire sans invitation préalable. Il y a des usages dans le peuple, il y en a dans la bourgeoisie, dans l'aristocratie ; et les ouvriers les bourgeois, les aristocrates, semblait-il à Hanau, connaissaient à fond le rituel de leur classe. « Il n'y a que moi, pensa-t-il avec orgueil, qui patauge parce que je n'appartiens à aucune classe. »

Il versa du whisky canadien dans le verre de Jean, du cognac dans le sien et frémit parce que le téléphone tintait, comme il avait frémi quand sa visiteuse avait sonné. Depuis que, le matin, il avait été éveillé par une voix inconnue qui avait prononcé « salope, commande ton cercueil, sinon nous te mettrons dans un sac », il appréhendait tout ce qui pouvait se produire aux deux issues de son appartement: la porte et le téléphone.

Ayant répété plusieurs fois « bon, très bien », il raccrocha.

— C'est Pierre Nahon. Il attend Béverier qui est en retard. Vous, vous ne savez rien de neuf sur les événements?

— Oh ! du train où ça va, Massu va finir par prendre le pouvoir.

— Et vous l'admettez ? Je suis de ceux, et nous sommes un certain nombre, qui n'admettront jamais ce qu'ils ne peuvent pas approuver.

Elle haussa les épaules avec un tel mépris qu'il rougit.

— Vous n'auriez pas d'eau Perrier ?

— Non, mais voulez-vous que j'aille chercher de la glace ?

Elle l'y autorisa d'un souverain mouvement des paupières qui l'exaspéra. Dans la cuisine, se brûlant les doigts sur les cubes de glace, il grognait. De quel droit le snobait-elle ? Il était le grand Hanau, traduit dans presque tous les pays du monde, objet de deux thèses en Sorbonne et de plusieurs en Amérique. Il avait fait une œuvre. Il avait le droit d'attendre de la bande d'êtres banals et stériles qui tournaient autour de lui, non de l'obséquiosité certes, mais un juste respect de sa valeur.

Il déposa bruyamment le seau à glace devant Jean qui, les mains jointes sur un genou, regardait droit devant elle. Rageur, il mania la pince à glace avec une telle brusquerie qu'il fit sursauter la jeune fille. Elle le regarda avec étonnement.

— Vous avez de beaux yeux, lui dit-il.

Pendant qu'elle buvait, il vida son verre de cognac à longues rasades:

— J'ai écrit un livre qui s'appelle « Le Monde est un œil ». Vous voulez que je vous le donne ?

534

— Ce n'est pas la peine, Nahon l'a.

Depuis son réveil Hanau avait trop bu. Il le savait. Pourtant il remplit encore son verre de cognac. D'un air de reproche, Jean tendit le sien. Tout en y versant du whisky, il essayait de retenir les mots qui se détachaient de lui avec une indépendance solennelle.

— Savez-vous que l'on veut m'assassiner ?

— Qui ?

— Les paras, les ultras, les activistes, ils m'ont choisi pour cible.

— Il faut bien que la célébrité ait des inconvénients.

Pour les gens qui l'avaient connu déjà célèbre, cette célébrité était naturelle, faisait partie de lui comme font partie de quelqu'un sa beauté, sa force, sa bonne vue, sa richesse. On oubliait qu'il l'avait acquise à grand-peine. Lui seul savait qu'à vingt-cinq ans il avait apporté à deux vedettes de music-hall, dans leurs loges, un petit sketch comique avec l'espoir qu'ils le choisiraient pour leur prochain spectacle à l'A.B.C. Si les deux vedettes ne l'avaient envoyé promener il ne serait peut-être aujourd'hui qu'un petit librettiste. « J'aurais pu ne jamais trouver ma voie, songea-t-il, je l'ai trouvée. J'ai gagné. Et cette idiote considère ma victoire comme un privilège abusif qui justifie la fureur de ceux qui en veulent à ma vie. »

Le mot *vie* retentit en lui. Imbibé de cognac, il acquit une majuscule. Avec un lyrisme documenté, Hanau, son verre à la main, remontait l'histoire de la Vie. Il s'enthousiasma sur le poisson à qui la velléité de marcher était venue peu à peu, comme une manie, au point que des pattes lui étaient poussées. Ce poisson, après l'avoir connu à l'état fossile, des savants avaient eu la bonne fortune de le pêcher au large de Madagascar. L'alcool, comme un stupéfiant, donne l'illusion du génie. Hanau évaluait les dimensions du chapitre qu'il pouvait écrire sur un poisson tellement décidé à marcher que des pattes lui poussent. Il savait néanmoins assez son métier pour, en dépit de son état, repérer les principaux écueils littéraires de l'entreprise. On pouvait faire un mauvais usage de ce poisson en le traitant à la manière de Grimm ou de Marcel Aymé. Il fallait même se défendre de toute influence de Kafka. Avec Kafka, les pattes du poisson, à peine posées sur le sable du rivage, se détacheraient du corps et progresseraient, libres et vouées à de mortelles difficultés. Le rythme qui vint s'imposer à Hanau était celui de Bossuet. Et il se laissait emporter. Au-delà du poisson, l'assaillaient les rêves du reptile qui se veut autant de plumes qu'il a d'écailles pour, après s'être traînés bien bas, s'envoler haut ; les rêves du singe qui, enfin debout sur ses pattes de derrière, inspecte le ciel, étire ses pattes de devant, pressé d'opposer le pouce aux autres doigts afin de se prolonger d'abord par un silex éclaté, puis par le stylo qui lui permettra d'établir le poids des étoiles.

A la seconde même où l'ironie revint à Hanau, assez aiguë pour lui signaler les ridicules de la poésie paléontologique, il se demanda depuis combien de temps il se tenait silencieux, le regard posé sur Jean.

— Puisque Nahon n'arrive pas, chuchota-t-elle, je m'en vais.

Il battit des yeux et découvrit que Jean n'était plus dans le fauteuil, mais près de la porte, la main posée sur la poignée. Il s'amusa, fermant un œil, à la regarder à travers le liquide qui avait la même couleur que la robe dont elle était vêtue. La lumière avait décliné ; au rayonnement jaune de l'immeuble d'en face, s'était substituée une clarté plus profonde qui tombait du ciel. Cette clarté imprégnait les jambes et les bras nus de la jeune fille dont le visage, encadré d'une lourde chevelure sombre, et penché, baignait au contraire dans l'ombre. Et les reflets noirs qui palpitaient dans le verre correspondaient aux motifs de la robe.

A pas lents, il se dirigeait vers elle. Il s'en apercevait au fait qu'elle grandissait dans son regard, qu'il détaillait les sombres dessins abstraits de la robe, qu'il distinguait, sous la ligne de flottaison du tissu, le frétillement ténu d'un jupon blanc caressant le mollet.

— Je pense, dit Jean posément, que j'ai bu trop de scotch et qu'il faut que j'aille me promener dehors. Juste un petit tour; je reviendrai.

— Mais c'est une chance d'être ivre ! s'écria-t-il.

Il souriait avec assurance, comme un dieu agraire, et, ayant soulevé Jean dans ses bras, la portant dans les airs, il admira que sa robe se striât de plis antiques. Usé par la civilisation, il acclama en lui l'élan intact de l'homme en rut. « C'est quand même formidable », se disait-il.

Elle gisait, étalée dans sa robe jaune, sur le divan violet.

Il était assis de travers, contre elle, les deux mains posées à plat sur le velours.

— Vous aussi, dit-elle, vous êtes ivre.

Il chercha son verre du regard, avec effroi, ne sachant où il l'avait posé et s'en inquiétant comme si ce verre eût pu mettre le feu à un tapis ou à un napperon, à l'égal d'une cigarette. Elle interpréta mal son égarement et se moqua de lui :

— Allez, allez ! Les paras ne sont pas encore là ! D'ailleurs, ils ne vous mangeront pas.

Il faillit s'écrier : « Ah ! ma petite, ne me retirez pas mes raisons de vivre au-dessus de mes moyens ! Laissez-moi un doute qui me permette de commercer avec l'héroïsme !» Il se pencha et baisa une bouche qui ne se défendit pas.

Hanau se redressa, ému par un fracas lointain qu'il prit d'abord pour le roulement de l'orage, puis pour celui du canon. Le début de la guerre civile ! Les reins en sueur, il attendit une explosion plus proche qui ne laissât plus place au doute, puis force lui fut d'admettre qu'un camion mal suspendu était simplement passé avenue Paul-Doumer. Il se rejeta sur le corps de Jean avec la hardiesse, la précipitation d'un homme voué aux violences de la Révolution qui ouvre une parenthèse dans une alcôve. Ainsi faisant, il n'était pas un personnage de ses propres romans, mais, lui semblait-il, plutôt d'un roman d'Hemingway. Il eût suffi de situer la chambre à Madrid ou à Tolède.

— Vous me plaisez, chuchota-t-il bêtement en regardant Jean non plus dans les yeux, mais à travers les ténèbres qui baignaient ses cuisses et que renforçait la couleur noire de son léger slip.

Elle ne répondit pas. Elle respirait vite et fort. Son ivresse permettait à Hanau d'isoler du reste de la chambre les deux cuisses dont la peau était dorée et fiévreuse. Il les parcourait avec des mains qui lui semblaient géniales. Il appréciait la douceur différente du pli de l'aine, la dureté élastique du porte-jarretelles, les plis rêches du jupon, la chaleur lisse des bas noirs à grandes mailles, la mollesse du slip de nylon noir qui ne se défendit pas, glissa jusqu'aux genoux ronds et clairs, et termina son parcours, avec les souliers, à l'extrémité du divan.

Malgré qu'il en eût, Hanau était toujours surpris par le spectacle d'un corps féminin, cette citadelle où l'architecte a préfabriqué une brèche. Il grondait de désir en se jetant sur cette brèche, mais ne cessait pas de penser, tant les idées étaient nécessaires à l'entretien de son désir. « Je me demande comment Dieu peut juger... comment Dieu, s'il existait, pourrait juger deux de ses créatures en train de s'accoupler ; comment il pourrait communier avec l'une et l'autre puisque l'une et l'autre sont des contraires, chacune des deux ayant pourtant raison. Raison, car chacune détient une vérité sécrétée par la forme de son corps. Une vérité mâle, une vérité femelle comme il y a une vérité ultra et une vérité fellagha. »

— Allez donc ouvrir, souffla-t-elle en le repoussant, vous entendez bien qu'on sonne ! C'est eux...

Il se retrouva debout, au milieu de la pièce, réajustant ses vêtements. « Eux », ne signifiait pas Nahon et Béverier pour lui, mais sans doute ceux qui lui avaient téléphoné le matin. Il se dirigea d'un pas ferme vers l'antichambre. Il regrettait seulement que l'élan d'une étreinte amoureuse lui eût été refusé avant d'être abattu.

Restée seule, Jean se rechaussa, rattacha une jarretelle qu'Hanau avait défaite, rabattit son jupon, rectifia sa coiffure dans la pénombre du miroir, puis tâtonna pour retrouver son slip sur le velours sombre du divan.

Elle fut interrompue par l'apparition d'un jeune homme au visage rouge dont le front, rétréci par une frange de cheveux incolores qui formait auvent, comme une perruque, s'appuyait sur de larges lunettes à monture d'argent. Son complet de fil à fil gris était admirablement repassé. Il tenait soigneusement à la main une serviette de cuir rutilant sur lequel brillait une fermeture éclair dorée. Hanaü présenta :

— M. Roger Morel... Mademoiselle Jean Ouzilleau.

Le jeune homme posa sa serviette sur un des fauteuils fonctionnels et l'ouvrit.

— Excusez-moi, coupa Hanau, mais je pensais que vous viendriez plus tôt. Maintenant j'ai un rendez-vous et le temps me manque pour...

— Je ferai très vite, Maître, je ne vous exposerai que le plan de mon manuscrit.

Jean s'ébrouait, secouant ses boucles, tapotant sa robe, les yeux fixés sur les mains du jeune homme qui étaient d'une propreté si extrême qu'elles en devenaient fascinantes. Ces mains sortirent de la serviette un mince paquet de fiches per-

538

forées et les répandirent sur la table, en éventail, comme un jeu de cartes.

— Mon ouvrage, exposa-t-il en s'asseyant, sera divisé en quatorze chapitres de longueur variable, le plus petit ayant cinq pages et le plus grand trente et une. Ces pages seront blanches. Elles ne le seront pas tout à fait dans la mesure où des notes explicatives courront souvent au bas des feuillets vides. Vous m'avez suivi, Maître ?

Hanau assis sur le divan regardait Jean accotée à la fenêtre qui mobilisait encore assez de lumière pour trahir les formes de la jeune fille sous la robe et le jupon.

— Ces notes expliciteront la blancheur des pages. Elles démontreront que mon roman était impossible à formuler.

— Impossible... intervint Jean avec insolence. Pourquoi ?

— Parce que la langue française ne permet pas la formulation romanesque. Appliquer cette langue au roman, c'est modifier, par l'éclairage, le parcours d'une particule qu'on prétend étudier.

« Ces jeunes gens, songeait Hanau avec humeur, ne se doutent pas que je me désintéresse des procédés, que je suis un simple romancier, un essayiste bien classique. Le résultat, c'est qu'ils viennent m'emmerder avec leurs petites conneries et que moi, puisque je représente l'extrême pointe de la conscience écrite, je me crois obligé de les écouter. »

— A titre d'exemple, je vous signalerai d'abord l'impossibilité où je me trouve de mettre mon nom sur la couverture. Je m'appelle Roger Morel...

— Je sais, je sais !

— Non, non, vous ne savez pas tout... Je suis le premier à soulever le problème. Roger est un prénom d'origine scandinave. Morel me suppose un lointain ancêtre maure ou comparable à un Maure. Or, ni la Scandinavie, ni l'Arabie n'interviennent dans mon ouvrage pour la bonne raison que je ne me suis jamais soucié d'elles. Ai-je le droit, Maître, de placer en tête de mon livre une référence qui est mensongère sur l'Arabie et la Scandinavie ? D'où la nécessité de laisser mon nom en blanc et de recourir à des notes afin d'expliquer pourquoi.

D'impatience, Hanau tapotait le dessus de lit ; ses doigts furent surpris par le contact qui n'était plus celui du velours.

Il en frémit, comme s'il avait effleuré un reptile, puis reconnut le nylon du slip de Jean.

— En ce qui concerne le plan de mon roman, j'ai résolu d'adopter la trame banale d'un roman pour bonnes afin de montrer que, même sur un synopsis facile, l'écriture romanesque était chose impossible.

Malgré la pénombre qui avait englouti le divan, Jean remarqua l'animation d'Hanau et ce qu'il lui laissait entrevoir dans sa main. Elle contourna discrètement l'orateur et tendit les doigts.

— Mon premier chapitre comportait la visite d'une jeune fille pauvre à un cordonnier de banlieue à qui elle avait donné ses souliers à ressemeler.

— Rendez-le-moi ! chuchota Jean.

— Vous avez froid ? souffla Hanau qui, avec un rire étouffé, cacha sa main derrière son dos.

— Ma première phrase était : « Le cordonnier de Villeneuve-Saint-Georges regarda les souliers. »

— Voulez-vous me le rendre !

Cette fois l'attention du jeune homme fut attirée par leurs chuchotements et il tourna un visage grave vers le divan. Les deux autres se turent et Jean s'assit à côté d'Hanau.

— J'explique par une note, reprit alors Roger Morel, les motifs qui m'ont rendu impossible l'écriture de cette phrase. D'abord, et de nouveau, un motif d'ordre étymologique.

Par surprise, Jean faillit attraper le slip. Ils luttèrent avec des soupirs et des débuts de fou rire. Le jeune homme, qui avait interrompu sa phrase, attendit avec un calme professoral, sans jeter un regard vers eux, que le calme fût rétabli.

— A travers Villeneuve-Saint-Georges, reprit-il, c'est le martyrologe espagnol qui perce. A travers cordonnier, c'est l'artisan de Cordou. Ainsi, aux dépens de la chose signifiée, une notion de l'Espagne médiévale se serait déjà carrément déployée.

— Allongez-vous en travers, chuchota Hanau.

— Pourquoi faire ?

— Je vais vous le remettre.

— Vous pouvez constater que, sans ma vigilance à blanchir mes phrases, j'aurais donc déjà introduit, dans ce qui voulait être l'histoire d'une jeune fille pauvre de banlieue, des références à la Scandinavie, à l'Arabie, à l'Espagne et au Moyen Age.

Jean avait cédé. Elle s'était à demi allongée, présentant ses jambes à Hanau qui fit glisser le slip autour du pied le plus proche de lui. Elle tendit l'autre, et à petites secousses, il guida le tissu soyeux le long des mollets.

— L'impossibilité où je me trouve de restituer le fait de « il regarda les souliers » tient à plusieurs autres causes dont la première est l'incapacité de la langue à exprimer le singulier en soi, et le pluriel en soi.

— Ne serrez pas les jambes comme ça...

Elle se détendit, laissant les mains guider le frêle tissu sous le jupon largement soulevé. Se fiant impudemment à l'ombre dans laquelle baignaient le divan, et eux-mêmes, Hanau se pencha et lança un baiser au hasard que Jean arrêta en laissnt retomber le flot de la jupe et du jupon sur la tête de l'illustre écrivain. Celui-ci, un instant prisonnier des ténèbres dorées, assiégé par les odeurs d'une chair jeune et émue, éprouvait une vraie joie. Jean le tira familièrement par les cheveux pour l'obliger à se redresser. Ils se regardèrent avec des yeux brillants. Grâce à ce crétin, il y eut entre eux une gaieté, une connivence imprévisibles.

— Quand nous disons un soulier, poursuivait la voix monocorde, son soulier, ce soulier, les souliers, des souliers, leurs souliers, quelques souliers, nous ne parvenons à rendre le singulier ou le pluriel qu'à l'état impur, en liaison avec des notions étrangères au sujet, celles du défini, de l'indéfini, du déterminé, du possessivé, etc.

Tous deux s'étaient pressés l'un contre l'autre ; Hanau maintenant étirait le souple tissu autour de la croupe de Jean sans que leurs regards animés se quittassent.

— Même impossibilité en ce qui concerne les verbes que le langage nous oblige à situer dans le temps et à soumettre aux modalités. Or, j'exige, moi, l'action pure. Vous me suivez ? Je n'arrive pas à retrouver une de mes fiches et si cela ne vous ennuie pas, je vais allumer.

Tout en parlant, il avait pressé le bouton de la lampe, et s'était tourné vers eux. Il se tut, déconcerté par le spectacle du Témoin de la Conscience Moderne qui, pris de court par l'invasion de l'électricité, rapprochait prestement ses mains, cependant que sa compagne, clignant des yeux, rabattait sa

541

robe. Puis il les vit tressaillir ensemble, parce qu'un coup de sonnette avait retenti. L'air contrarié, une fiche à la main, il regarda Jean bondir et courir vers l'antichambre suivie d'Hanau qui, encore sous le charme, n'appréhendait plus le moindre tueur.

Tout en serrant la main de Béverier et celle de Nahon, il s'offrit même le plaisir d'une dernière complicité avec Jean:

— Nous vous en voulions d'autant plus de votre retard que vous nous avez fait tomber dans les pattes d'une sorte de crétin qui nous commente son œuvre. Filons tout de suite, c'est la seule manière de nous en débarrasser.

Contrairement à ce pronostic, ce fut le crétin qui, en voyant entrer cette foule, prit l'air piqué, rangea ses fiches, et salua en assurant sèchement à Hanau « qu'il ne voulait pas le déranger plus longtemps ». Son ton signifiait qu'il ne croyait nullement le déranger, mais qu'il le privait de son exposé pour le punir.

Pendant qu'Hanau le raccompagnait, les deux hommes, encore essoufflés, se laissèrent tomber sur des sièges pendant que Jean se réinstallait sur le divan.

— Quelles nouvelles ? interrogea Hanau.

— Le gouvernement fond à vue d'œil, déclara Nahon. L'armée stationnée en France est gagnée aux factieux. Des maquis s'organisent. De petits coups de main ont lieu. Quelques paras ont débarqué en précurseurs. Le Parti Socialiste, comme les Indépendants, est mûr pour s'incliner devant de Gaulle qui légitimera l'insurrection d'Alger.

— Ce n'est pas possible, soupira Hanau. De Gaulle ! La figure même de l'Histoire de France contemporaine se donnant du mal pour devenir l'homme des paras, des ultras, des tortionnaires ! Non, ce n'est pas possible!

— Ça non plus, ça ne devrait pas être possible ! lança Jean.

Elle avait ouvert une histoire de l'art qu'elle feuilletait allongée sur le divan.

— Je l'aime ce bœuf écorché de Rembrandt, mais alors, le commentaire ! et c'est du Malraux ! Ecoutez ça : « En face du bœuf, ce qui arrête, ce n'est ni un bœuf convaincant, ni un bœuf magnifié, c'est la sourde présence d'un univers dont on sent que cette image est seulement le moyen d'expression, comme si une poignante symphonie plastique avait fini par s'enregistrer dans ce bœuf saignant... »

542

Ce n'est pas merveilleux d'écrire à ce point pour ne rien dire ?

Etalée sur le ventre, les bras écartés par la largeur du livre, la jeune fille évoqua pour Béverier le frontispice d'une collection pour fillettes que lisaient ses cousines. Le regard d'Hanau se portait plus sur les reins creusés et les fesses que cette position dilatait sous le clapotis du tissu. Il y avait dans son regard autant de chaleur que de sévérité — celle-ci étant due à la certitude qu'il aurait pu écrire un texte de ce genre. Son mécontentement s'accentua à la pensée que s'il avait eu le temps de posséder la jeune fille, il se fût senti moins blessé par son jugement. Nahon fut sensible à cette humeur et, confus qu'elle eût déplu au Maître par son enfantillage, il ordonna :

— Jean! Veux-tu nous laisser parler tranquilles.

Puis, se tournant vers Hanau:

— Je ne vous ai pas vu depuis la conférence de presse de de Gaulle au Quai d'Orsay. C'était extravagant. Dehors, les C.R.S. l'ont acclamé. A l'intérieur, c'était bourré de projecteurs, de micros. Les gens étaient respectueux comme devant un chef d'Etat, excités comme devant une vedette. Je ne l'avais jamais vu. Je l'ai trouvé plus gros, plus bedonnant que sur ses photos, plus paisible aussi, plus débonnaire. Ce qu'il a dit, vous l'avez vu. C'était un peu neutre, un peu décevant, mais très habile, vous ne croyez pas?

— Je ne crois pas, dit Hanau, que l'habileté ait rien à faire dans une pareille situation.

— J'étais au milieu de journalistes parlementaires ; ils étaient très admiratifs. Son problème était le suivant : il lui fallait éviter de condamner l'insurrection d'Alger puisque c'est grâce à la peur qu'elle inspire, aux forces dont elle dispose, qu'il a sa chance de revenir au pouvoir — et ne pas déplaire non plus au gouvernement et aux grands partis politiques, puisqu'il veut que son retour soit tout ce qu'il y a de légal et de régulier. Eh bien ! il a réussi son coup !

— Aux dépens de la République!

— Mais, dit doucement Béverier, il n'y en a déjà plus de République.

Il y eut un long silence pendant lequel craquèrent les feuillets du livre que Jean parcourait.

— Savez-vous, dit Hanau d'une voix sourde, que j'ai reçu des lettres de menace... des menaces de mort ?

— Oui, je sais, cria Jean, vous me l'avez déjà dit. Si nous allions dîner ?

— Mais nous ne le savions pas, rétorqua Nahon en la foudroyant du regard. C'est effarant !

— Peut-être, dit Béverier, est-ce de l'intox ?

— Quoi ?

— De l'intoxication. J'ai vu, depuis quarante-huit heures, plusieurs de mes camarades. Certains me battent froid, mais j'ai quand même appris que beaucoup d'activités très voyantes sont seulement destinées à impressionner le pouvoir et le public. Les émissions d'Alger du genre de « la poule va pondre son œuf » sont purement et simplement destinées à répandre la psychose de l'arrivée des paras. De même les quelques officiers qui ont débarqué s'agitent beaucoup pour entretenir l'émotion et je crois que les lettres de menace sont du même tabac.

Soulagé, encore que déçu, Hanau demanda :

— Alors on ne croit pas au putsch dans votre entourage ?

— Je n'ai pas dit ça ! Il y a la frime, le folklore... et puis le sérieux. Le pouvoir, lui, ne voit que la frime. Le ministre de la Guerre croit tout arranger en envoyant le général Challe en résidence surveillée ainsi que son adjoint, pour la raison qu'ayant entendu dire qu'il revenait de Bonn, il a entendu Bône ! Mais dans le même temps le général Ely a pondu un ordre du jour terrible à l'armée, donné sa démission et débouché dans la clandestinité ! Et pendant ce temps-là Chevigné reçoit affectueusement le général Miquel... le futur chef de l'insurrection en métropole. Insurrection qui est mûre. Il n'y a que Chevigné et Jules Moch pour s'y tromper. Ils font barrer les pistes des aérodromes militaires. Bon, mais l'armée de l'air a prévu un dispositif pour les déblayer avant l'atterrissage des quatre régiments de parachutistes qui sont attendus et qui n'auront aucun mal à occuper à Paris les points stratégiques.

— Et les C.R.S. ?

— Ils piétinent d'impatience ! Ils attendent le putsch comme le Messie ! Ajoutez les blindés de Rambouillet et de Saint-Germain-en-Laye, la gendarmerie mobile, la police de Paris qui a déjà formé son comité de Salut Public. Plus les civils...

les gens du ANAC, de l'URSAF, les Anciens d'Indochine, les repliés du Maroc et de Tunisie, les énervés de Biaggi, les cogneurs de Le Pen... Face à ce monde-là, qui mettez-vous dans la rue ? Les leaders des syndicats ont fait savoir, paraît-il, à Guy Mollet, qu'il ne fallait pas compter sur les prolétaires pour se faire tuer inutilement.

Hanau se passa la main sur le front :

— Pourtant, dit-il, je croyais Mollet prêt à...

— Vous savez, Mollet et Pflimlin sont déjà, je crois, assez avancés dans leurs pourparlers avec de Gaulle.

— Mais ne peut-on compter sur la manifestation d'après-demain ? Si, d'un bloc, le peuple de Paris...

— Si le peuple se borne à défiler à la pépère, zéro. Mais évidemment, si cela tourne à l'insurrection, si le prolétariat se déchaîne, les militaires hésiteraient devant le risque d'une guerre d'Espagne. Je doute fort que l'occasion se présente.

— J'en doute aussi, approuva Nahon. Un de mes copains, qui est communiste, est allé faire une virée ces jours-ci dans les cellules de la région lyonnaise. Il m'a dit que les militants étaient beaucoup plus préoccupés par les traites de leurs machines à laver que par la volonté d'empêcher le fascisme de passer. C'est terrible.

— C'est terrible, reprit Hanau en écho — et les paroles retentirent, pour lui, chargées de toute leur signification littérale.

— Mais voyez-vous, capitaine, reprit-il, vous évoquiez il y a un instant le spectre de la guerre d'Espagne comme susceptible de faire hésiter l'Armée, or Servan-Schreiber...

— Ah ! vous l'avez vu ? demanda vivement Nahon, que tout nom de quelque réputation faisait frétiller d'aise.

— Oui. Eh bien, il ne voit d'autre solution que la guerre civile. Il m'a dit son désespoir à la pensée que Félix Gaillard, le 13 mai, quand il lui a été demandé s'il fallait ou non tirer, a répondu non !

— Alors, il est fou, votre Servan-Schreiber, décréta Jean qui, agenouillée sur le divan, tendait les bras vers la bibliothèque pour y replacer le livre d'art.

— Ce qu'il reproche le plus violemment à Pflimlin et aux autres, reprit Hanau sans tenir compte de l'impertinente interruption, c'est de vouloir recourir à de Gaulle par crainte de la guerre civile. Il me l'a dit textuellement : il ne leur

pardonne pas d'avoir perdu l'espoir d'une guerre civile gagnée.

— Vous n'exagérez pas un peu ? demanda Béverier.

— Pas du tout. Il n'avait que la guerre d'Espagne à la
bouche. Il me la citait comme un modèle. A tel point que j'ai
dû lui rappeler que notre régime est trop discrédité pour
qu'en son honneur les travailleurs s'offrent à une pareille
effusion de sang. Mais voici sa pensée : il m'a répondu que la
guerre civile était un bien en soi, que le sang répandu créerait
de nouvelles valeurs et que si, au début, on combattrait pour
défendre, en effet, peu de chose, à mesure que le sang coulerait une belle cause se formerait.

— Ah ! oui ? interrogea Béverier, la voix sifflante.

— Oui. D'après lui, quand les cris de « Arriba España »
ont retenti à travers l'Espagne, d'une nation amorphe a surgi
l'âme d'un peuple et d'une épopée exemplaire une solidarité humaine neuve qui n'a dû son échec qu'à l'intervention
étrangère et qui, vingt ans après, n'a pas fini d'éclairer
l'Occident.

— Vous êtes sûr que ce n'était pas un paradoxe ? Il n'est
guère possible qu'un libéral comme lui, à moins d'être poussé
par des nécessités oratoires, souhaite la mort de centaines de
milliers de ses compatriotes pour dégager mieux l'âme de la
France et entretenir l'éclairage de l'Occident.

— Ce qui l'anime, admit Hanau, c'est la haine de l'Armée
et surtout des paras. Il me les a décrits, avec beaucoup d'éloquence, comme les mercenaires de l'injustice, de l'arbitraire,
du racisme, de l'ordre moral, de la torture, les jeunes serfs
d'un vieux passé féodal.

— Sa guerre civile, c'est maintenant qu'il veut la faire ?

— Tout de suite. Il m'a dit : se battre tout de suite, se
battre plus tard, c'est la seule alternative qui soit offerte à
ceux qui ne peuvent se plier aux ordres des Légionnaires.

Jean s'était levée dans un bruissement de soie.

— Où vas-tu ? demanda Nahon.

— Je vous laisse à vos sanglantes orgies. Je vais dîner.
Monsieur Hanau m'a fait boire comme une éponge. J'ai besoin de solide.

Les trois hommes convinrent qu'ils étaient aussi décidés à
dîner et la suivirent.

Dehors, l'air était tiède, les trottoirs presque déserts. De rares voitures rentraient de la campagne. A la terrasse du seul café du quartier qui fût resté ouvert des gens buvaient en compagnie de bouquets de fleurs fraîchement cueillis.

— C'est fabuleux, constata Hanau. Un événement historique ne peut pas les empêcher de rater leur week-end de Pentecôte.

Ayant acheté le journal du soir, il s'étranglait :

— Fabuleux ! Voilà ce qu'on nous annonce sur Deauville : « Les hôtels sont complets. Les Planches craquent sous l'affluence. » Et au Touquet aussi, c'est superbe. Les courses ont été, paraît-il, particulièrement réussies.

— Evidemment, prononça Béverier avec une colère sèche, vous préféreriez, comme votre ami Servan-Schreiber, une bonne petite guerre civile.

Nahon qui, déjà, avait la main sur la portière de sa voiture, en ouvrit la bouche d'ébahissement.

— Pardonnez-moi, dit aussitôt Béverier. Je ne sais pas ce que j'ai. Je suis à bout. Il vaut mieux que je marche. Dites-moi où vous allez, je vous retrouverai.

Dès qu'il eut tourné le coin de la rue, il se sentit si léger qu'il en sautilla en marchant. Puis, apercevant un taxi, il le héla.

A peine assis, il fut surpris par la question du chauffeur. Le véhicule avait été pour lui un moyen de bouger, mais sans but.

— Eh bien ! euh !... vers l'Opéra. Rue Saint-Denis, tenez !

Les feuillages de Paris étaient lourds, burinés par l'électricité, ou immergés dans le néon, sous un ciel aux étoiles adoucies, étouffées par la résille d'une brume chaude. Le long des Champs-Elysées, devant les façades illuminées, des cars touristiques se suivaient. Quand il y débarqua, la rue Saint-Denis était si calme qu'il craignit de trouver son restaurant fermé. Deux chiens, qui se promenaient de conserve, tenaient tout le trottoir.

« La Baie » était ouverte mais presque vide. En entrant dans ce petit restaurant indochinois où il avait dîné deux ou trois fois, Béverier fut atteint par le ronronnement des ventilateurs qui le projeta six années en arrière, à Hanoï, mêlé aux claquettes, aux klaxons, aux va-et-vient soyeux des moustiquaires.

Un Indochinois en veste blanche conserva un long sourire tuyauté pendant tout le temps que Béverier mettait à faire sa commande. « Qui suis-je, vu par ses yeux ? » se demandait Béverier. Il savait que le serveur avait deviné en lui « l'ancien d'Indochine ». Il se jugeait lui-même si mal qu'il prêtait aux autres une lucidité cruelle.

Il tenait à se persuader qu'il n'avait pas été impoli en quittant brusquement ses amis ; se disculpait par un long discours : « L'indulgence avec laquelle vous avez commenté les propos effrayants de Servan-Schreiber m'a révolté parce qu'après avoir souffert des imperfections du camp où je me trouvais tout naturellement, de naissance quasiment, je souffre plus vivement encore de celles qui me blessent dans un camp que j'ai choisi, où vous m'avez entraîné au prix d'une trahison envers mes camarades. » Tout en mâchonnant le soja de son potage, il s'attendrit sur ses camarades, sur ces « pauvres vieux » honnis par une presse décidée à ne pas comprendre à quelle extrémité de la guerre ils se débattaient alors qu'elle ne se choquait nullement qu'un Servan-Schreiber appelât les horreurs de la guerre civile.

Dans la rue, une voiture passa très vite en klaxonnant « Algérie française ». Du coup, Béverier tenta de parvenir à plus de sincérité. A la vérité, depuis le 13 mai, c'était « les pauvres vieux » qui étaient en train de gagner la partie. De sorte que Béverier, à la dernière seconde, par la publication de ses entretiens avec Hanau, entretiens où l'anonymat du Capitaine Trois Etoiles avait vite été percé, avait tout simplement déserté une victoire à laquelle il avait tant travaillé au moment où elle naissait enfin. Il imagina le plaisir que lui aurait fait la prise du Forum ; le bonheur que lui aurait donné la fraternisation du 16 mai si, par un virage malheureux, il n'était passé au même moment dans les rangs de ceux pour qui ces événements étaient funestes.

Les plantes, les lampions, les incrustations cessèrent de lui rappeler Hanoï au profit d'un petit restaurant de la rue Catinat, à Saigon. Depuis cinq ans, il n'avait perdu aucune de ses images d'Indochine. Quand il faisait chaud et humide à Alger, il lui arrivait encore, en s'éveillant, de chercher machinalement son tube de quinine, comme s'il était dans le Delta.

Il n'avait cessé, en Algérie, d'en comparer l'atmosphère à celle de l'Indochine, comme s'il eût continué à être l'acteur de la

548

même pièce qu'en Asie, mais transposée dans de misérables
décors de tournée. Les modestes assistantes médico-sociales
qu'il avait croisées, crottées, dans le djebel, n'avaient jamais
été pour lui que les ternes doublures des altières AFAT, nues
sous leurs robes, coiffées et manucurées deux fois par semaine.
De même, quand il pénétrait rue d'Isly, à l'état-major de la
région, séjour gris et grave, son cœur battait au souvenir de
la démence du Quartier Général indochinois, aux cours peu-
plées de sticks frémissants, d'épaules nues, de calots, de képis,
de bonnets, de bérets nuancés comme pour un bal, allant de
la gorge-de-pigeon au bois-de-rose et à la jonquille, traver-
sées violemment par des motards en buffleterie blanche enca-
drant de sombres et étincelantes voitures portant leurs fanions
comme un foulard à la mode, leurs cocardes et leurs étoiles
comme des clips, entre les colossales sentinelles sénégalaises
qui présentaient les armes. Alors, reçu par un banal soldat du
Contingent occupé à faire le Jeu des Sept Erreurs dans le
« Bled », il se revoyait en short mastic, en bas et en gants
blancs, bien cambré, plus jeune, au son des claquements de
talons, et éprouvait toutes les amertumes de l'acteur déchu.

Tout en grignotant des bribes d'ananas prisonnières d'une
sauce poivrée il se demanda si tout au long de son séjour en
Algérie il n'avait pas attendu insconsciemment la défaite parce
que celle d'Indochine, éclatante, capiteuse, l'avait marqué.
Même un accessoire aussi banal qu'un fil de fer barbelé lui
avait toujours rappelé les réseaux de ceux qui entouraient un
poste en Indochine, et de ce que ce poste avait été, en fin
de compte, évacué, il augurait de même pour le poste algérien. Son seul regret, au-delà de ces fils de fer barbelés identiques, avait constamment été de ne pas retrouver le paysage
de « Là-bas », la brume sur le grand fleuve sinueux, le puzzle
des rizières dont le vert vénéneux devenait gris sous les trom-
bes d'eau des typhons brisant les bouquets de bananiers.

Il ne but que le tiers de sa tasse de café, ayant gardé de
ses crises névralgiques l'appréhension des excitants. Il contemplait fixement, au bout de ses jambes croisées, des souliers
grisés par la poussière. A Saigon ou Alger, des essaims de
petits garçons se fussent précipités avec leurs brosses. Et « là-
bas », les fillettes en robes de couleur venaient jeter des ca-
cahouettes sur les tables des cafés, présenter des statuettes, des
coupons d'étoffe, alors que l'Algérie, pudique, réduisait à

549

une inaction modeste les petites sœurs de yaouleds. Il pensa : « la fraternisation d'Alger était impossible à Hanoï ou à Saïgon. Au fond, Français et Algériens, c'est de la même graine... »

Il y avait, dans ce jugement, autant de mépris que de respect passionné pour l'étrangeté irréductible de l'Asie. Il s'étonna lui-même d'avoir vu tant de lieux et d'événements et de n'en tirer que si peu de pensées. Comme le serveur s'était assis à la caisse, rêveur, Béverier s'aperçut qu'il était seul avec lui. Il le régla. Au moment où il ouvrit la porte, une voiture passait, qui klaxonnait aussi : « Algérie française ».

*
* *

Les Pyrénées formaient de beaux empâtements bleus dont certaines facettes resplendissaient comme les éclats d'une pierre taillée. Au-dessus de Wasseau, l'avion qui l'avait largué n'était plus qu'un point scintillant fuyant vers le Sud. Le vrombissement de ses moteurs ne parvenait pas au parachutiste assourdi par le ronflement du vent.

Le terrain d'atterrissage défilait sous lui, d'un vert jauni par les boutons d'or.

Quelques minutes plus tôt, avant le « Go ! », Wasseau qui n'avait pas sauté depuis longtemps, un peu ému, avait retrouvé, en même temps que son émotion la petite chanson de ses débuts :

> *Parachutiste ! Vois, le ciel est clair !*
> *Serre les dents. Il est temps de sauter.*

Maintenant que sa chute avait pris une telle lenteur qu'il dérivait au-dessus du terrain, poussé par le vent, il appréciait, entre le vaste tumulte du largage et les instants toujours déplaisants où il se préparerait à prendre contact avec le sol, une parenthèse heureuse. « Je suis bien bête de m'être enfermé pendant des mois dans des bureaux, dans les venelles de la Casbah... » Son lyrisme fut arrêté par des taches noires, C.R.S. ou gendarmes, qui remplissaient une jeep arrêtée sur un petit chemin en bordure du terrain.

Il n'eut pas le temps de s'inquiéter davantage, car une saute de vent l'enfonça brusquement vers le sol. Ne pas se fouler une cheville, il ne manquerait plus que ça !

Sans se donner le temps de reprendre souffle, Wasseau, debout au milieu des boutons d'or, se libérait rapidement de son parachute. La jeep, ayant quitté le chemin, piquait sur lui. Il était partagé entre la tentation de courir vers les buissons qui moutonnaient sur sa droite ou d'attendre la jeep de pied ferme, prêt à jouer le rôle d'un officier de la base de Pau qui vient d'effectuer un exercice militaire.

Les gendarmes sautèrent de la jeep, portèrent la main à leur képi, et se mirent à rire.

— Mon lieutenant, remarqua l'adjudant qui les commandait, j'ai dans l'idée que vous avez été à deux doigts de vous planquer dans les buissons.

— Sans indiscrétion, mon lieutenant, quel temps faisait-il à Alger, ce matin ?

Déconcerté, Wasseau abattit les cartes.

— Très beau, mais ici vous n'avez pas à vous plaindre non plus...

La repartie eut un immense succès. Même le chauffeur, resté à son volant, ne finissait pas d'en rire. Ce n'était pas du rire d'ailleurs, c'était très exactement de la rigolade.

— Les deux premiers qui se sont posés ici, y a bientôt quinze jours, c'est le commandant Vitasse et le capitaine Lamouliatte. Le commandant, lui, il s'était carapaté dans les buissons. On a eu du mal à le trouver...

— ... et on lui a dit : Mon commandant, croyez bien que si on vous court après, c'est uniquement pour vous offrir notre taxi.

— Comme à vous, mon lieutenant. On ne peut pas vous mener voir le général Miquel à Toulouse, c'est un peu loin, mais on vous mènera à la base si vous voulez... ou ailleurs... Même, si c'est urgent, on se débrouillera pour vous porter jusqu'à Toulouse, vous n'avez qu'à dire.

Une fois dans la jeep, Wasseau éprouva le besoin de justifier la méfiance qu'il avait d'abord montrée :

— De loin, je vous avais pris pour des C.R.S...

— En règle générale vous avez raison, faut s'en méfier de ces gens-là. Mais à présent, même que ça aurait été des C.R.S., ils vous auraient fêté comme nous.

A travers les propos que les gendarmes vociféraient pour dominer le grondement du moteur, Wasseau apprit que la région était en état d'insurrection latente. Jusqu'aux policiers

qui avaient demandé au général Miquel dans quel état il désirait qu'on lui livrât le préfet : en le lui expédiant du premier étage de sa préfecture ou du second ?

— Et c'est partout la même chose, hein ! A Lyon, dans
le Midi, autour de Paris, partout ! Les généraux commandant
la région ont pris la situation en main. Les maquis sont organisés. On n'attend que le top.

A la base, où un groupe d'officiers s'est emparé de Wasseau, on fait donner le champagne. L'affaire est tellement
dans le sac qu'il éprouve l'impression d'être de trop. Il apprend
que Pflimlin et de Gaulle se sont rencontrés en pleine nuit
sur la terrasse du parc de Saint-Cloud ; qu'hier, en conseil
des ministres, l'un d'entre eux a fait le bilan suivant de la
situation : « Ministre de la Défense nationale, l'armée ne lui
obéit plus. Ministre de l'Intérieur, il n'a plus de police. Ministre de l'Air, il ne contrôle plus ni les avions, ni les terrains.
Ministre de l'Algérie, il ne peut plus aller en Algérie. Ministre du Sahara, il ne peut plus aller au Sahara. Ministre de
l'Information, il ne peut que censurer. »

— Alors, au fond, s'enquiert Wasseau, qu'est-ce qu'on
attend ?

— J'allais vous le demander ! J'ai encore vu le général
Miquel cette nuit. Il ne lui faut qu'une heure pour déclencher
l'opération Résurrection mais, tous les jours, Alger la décom-
mande.

— Cela tient, expose avec autorité un capitaine qui revient de Paris, à ce que le général de Gaulle veut entourer
sa prise du pouvoir de toutes les précautions légales. Or, les
socialistes se font tirer l'oreille sur des détails. On perd du
temps à couper les cheveux en quatre. Ça traîne, mais c'est
dans le sac.

— Qu'est-ce qu'on a à en foutre de la légalité ! explosa
Wasseau. Dans la lutte contre la Rébellion, moi, je la viole
une fois par jour la légalité. De Gaulle peut bien faire comme
moi pour un seul jour. D'autant qu'il n'a rien d'autre à faire
qu'à nous laisser faire. Et je trouve qu'il est plus honorable
pour lui d'être porté au pouvoir par de bons Français que par
le Système dont il dit pis que pendre.

— On pense comme toi, lui souffle un lieutenant, mais
à l'échelle des grands chefs, c'est une autre musique. Les généraux, ici, ne marcheront que sur un ordre de Salan parce que le

Gouvernement a délégué des pouvoirs à Salan et Salan, qui est entouré de gaullistes à Alger, ne le donnera son ordre que si de Gaulle lui donne d'abord le feu vert. Quand on t'a vu descendre, tout à l'heure, on a cru que tu nous apportais l'heure H.

— Oh ! non ! Ma mission ne porte que sur des détails.

— Moi, quand je t'ai aperçu de loin, dans la jeep, je ne t'ai pas reconnu. Je t'ai pris pour Lagaillarde, un Lagaillarde rasé.

— Il s'est rasé d'ailleurs, dit Wasseau. On l'a débarqué je ne sais où. Il est en métropole.

— Celui-là, il ne me déplairait pas, reprit le lieutenant, il est jeune au moins...

⁂

Hanau, en sortant de chez lui, changea d'idée. Toute réflexion faite, il ne trouvait pas opportun de se rendre à la manifestation dans la voiture de Nahon. Si modeste qu'elle fût, elle avait belle apparence depuis que Nahon l'avait repeinte lui-même — belle apparence aux yeux de Hanau surtout, qui, très ignorant de l'univers automobile, était incapable de distinguer un modèle de l'année d'un modèle datant de dix ans. Bref, il ne tenait pas à surgir dans un véhicule aussi étincelant au milieu des masses ouvrières. Il y tenait d'autant moins qu'il se faisait du prolétariat une conception aussi confuse que de l'automobile. Il ignorait que beaucoup d'ouvriers avaient une voiture, que ceux qui n'en avaient pas espéraient en avoir une bientôt, et que s'il fût apparu dans la guimbarde de Nahon, il les eût simplement déçus par la vétusté de son équipage.

Nahon se défendit comme un diable, non qu'il tînt à exhiber sa voiture, mais parce que, trop humble, il croyait n'avoir d'autres titres à escorter l'illustre écrivain que celui de chauffeur.

— Non, non, non, j'y ai réfléchi, insista Hanau, nous irons par le métro !

Ce « nous » rassura et émerveilla Nahon. Tous deux descendaient la rue de la Tour, croisant des femmes qui descendaient faire leurs emplettes rue de Passy, ou en revenaient.

— L'indifférence de ces gens, observa Hanau, alors que

la République chancelle, constitue une sorte d'énigme. Peut-être la bourgeoisie n'a-t-elle jamais été sincèrement attachée à la République. Ou peut-être encore est-elle à ce point indifférente au sort de notre pays qu'elle continue à manger, préparer ses week-ends et ses vacances comme si de rien n'était.

Comme un taxi libre se présentait, Hanau le héla, renonçant au métro.

— Place de la Nation.

A peine avaient-ils démarré que le chauffeur, après réflexion, leur jeta un regard hostile.

— Dites donc, ça ne me va pas, ça ! Y a des manifestations là-bas. Je ne tiens pas à me faire coincer. Dans ces histoires-là, y a toujours des tordus pour vous casser vos vitres. Et puis, si je suis coincé, je perdrai mon après-midi.

Hanau lui proposa de continuer à rouler vers la place de la Nation, quitte à les déposer dès que la foule deviendrait dense.

Le chauffeur grognait. Hanau enrageait vraiment à la pensée que cet homme traitait la manifestation du peuple de Paris en faveur de la République comme un chahut d'étudiants, comme une démonstration de trublions.

Dans le centre, Hanau fut blessé par l'ampleur d'une circulation pareille à celle des autres jours. Au moment où l'ultime combat avait lieu la ville poursuivait, aveugle, son roulement et sa clameur quotidiens. Il dévisageait les passagers d'autres voitures et ne parvenait pas à trouver sur leurs physionomies le moindre signe d'inquiétude civique ou d'exaltation républicaine.

Enfin le taxi déboucha sur le boulevard Beaumarchais. Une rumeur (huée ou acclamation ?) suffit à dégoûter le chauffeur. Il stoppa, releva son drapeau et se tourna vers ses passagers d'un air rogue pour annoncer :

— 520 francs.

— Vous ne pouvez pas nous mener plus loin ?

— Ça fait 520 francs.

Hanau régla, bouleversé par l'ingratitude que le peuple, en la personne de ce chauffeur, venait de lui témoigner.

— Quand vous aurez les paras ici, lui lança-t-il en s'arrêtant à hauteur de la portière, vous pourrez dire que vous ne l'aurez pas volé !

— Va te faire enfoirer, répliqua le chauffeur sans élever

la voix. Les députés ou les paras, qu'est-ce que j'en ai à faire ?

Et il opéra un demi-tour peu réglementaire, sous le nez de deux agents qui ne le réprimandèrent même pas, comme Hanau l'avait secrètement espéré. Ceux-ci regardaient au loin, dans la perspective du boulevard. Ils étaient paisibles, plutôt rigolards. « S'il faut les opposer aux paras, se demanda Hanau, marcheront-ils ? »

Ils remontèrent le boulevard en direction de la rumeur où maintenant les applaudissements étaient perceptibles. Les magasins avaient baissé leurs rideaux de fer. Aux fenêtres, beaucoup de visages curieux, mais seulement curieux, nullement passionnés. Sur un étroit balcon, une femme tricotait. Le quotidien était devenu historique, mais le peuple de Paris gardait un visage quotidien.

Sur le trottoir les groupes s'épaissirent. Nahon, d'une démarche déhanchée, fendit la foule qu'il dominait de sa haute taille. Hanau le suivit. Ils parvinrent au bord de la chaussée. Deux cars de police passèrent à petite vitesse, puis la manifestation apparut, comme une falaise en marche.

— Regardez, c'est Mendès ! s'écria Nahon.

Et le doigt pointé il désigna successivement, marchant en tête du défilé, Mitterand, Duclos, Thorez, puis Vise-Canisy et Muccarde, qui, se tenant par le bras, bavardaient tranquillement, comme des gens qui suivent d'assez loin un enterrement.

Derrière les leaders, les manifestants scandaient : « Nous-dé-fen-drons la-Ré-pu-blique. »

— Oui, mais pas les parlementaires ! déclara à haute voix un homme vêtu de cuir noir — sans doute un préposé à la voirie.

Et comme les manifestants, changeant de thème, martelaient maintenant « les paras, à l'usine », l'homme lança :

— Et les députés avec !

Autour de lui on approuvait en riant.

Le contraste entre la gravité des leaders et la bonne humeur de leurs troupes était d'autant plus évident que, par souci de décorum démocratique, les parlementaires étaient encadrés, enveloppés d'une foule prolétarienne. Hanau, sollicité par des impressions contradictoires, tantôt s'affligeait de ce contraste et, révolté par la bonne humeur nonchalante des manifestants, il se répétait que tout était perdu, que jamais ces gens n'opposeraient leurs poitrines aux rafales des parachutistes ; tantôt il les excusait, admettant combien il était choquant qu'il y eût là des professionnels de la politique qui, avec leurs mines d'enterrement, avaient l'air de défendre, non la République, mais leur métier ; tantôt encore, il attribuait la bonhomie goguenarde du peuple à une certitude intérieure, à sa conscience que l'Histoire ne pouvait revenir sur ses pas, et que les conquêtes démocratiques étaient inaliénables.

Nahon, voyant plusieurs photographes courir maintenant devant le cortège en multipliant les flashs, était tiraillé entre le sentiment de la prudence et le goût de la gloire. Il se demandait quelles représailles frapperaient les meneurs de cette manifestation si les ultras prenaient le pouvoir à Paris. En même temps, il désirait si violemment se retrouver sur une photographie, à la tête du défilé, entre Hanau et un ministre, qu'il ne put se retenir.

— Vous venez ? dit-il.

Il entraîna Hanau au milieu des manifestants qui maintenant hurlaient : « de Gaulle, au musée ! » Quand ils parvinrent derrière le paquet des personnalités, la clameur était devenue : « Soustelle, à la poubelle ! Massu, par-dessus ! » Vise-Canisy fut le premier à reconnaître l'écrivain. Il lui tendit la main en souriant ; tendit aussi la main à Nahon, mais celui-ci, persuadé que l'ancien ministre ne l'avait pas reconnu, se crut obligé de lui rappeler qu'ils s'étaient rencontrés chez Clotilde Vignolet, rue du Cirque...

— Oui, oui, oui, c'est cela, répliqua Vise-Canisy avec une indifférence cordiale.

Et comme la foule reprenait : « nous défendrons la République », il s'y associa d'une voix vibrante. Puis, d'un air malin, et penché vers Hanau, il lui fit observer que, de toutes façons, la République ne risquait rien.

— Vous croyez, demanda Hanau, ravi, que le peuple est assez fort pour la maintenir ?

Comme Vise-Canisy riait, Nahon, avide, lui demanda « s'il avait des renseignements ».

— Aucun. Mais ce dont je suis sûr, c'est que, de nos jours, en France, même un gouvernement fasciste se proclamerait

556

républicain. Tout ce qui peut lui arriver, à la République, c'est de changer de numéro.

— La Ve République ? balbutia Nahon, tout étonné de son manque d'imagination.

Ce qui n'empêcha pas Vise-Canisy de reprendre d'une voix forte :

— Nous défendrons la République !

— Vous avez pu parler avec les chefs communistes ? interrogea brusquement Hanau.

— Parler de quoi ? Parce que vous vous figurez que les communistes préparent quelque chose ? Un pique-nique à Garches, peut-être !

Un journaliste essoufflé, qui taquinait sa lourde moustache avec une pointe Bic, s'était glissé auprès de Vise-Canisy.

— Que voulez-vous que je vous déclare ? répondit celui-ci avec amabilité. Ma présence dans ce défilé prouve suffisamment mon attachement aux libertés républicaines. Je suis sûr qu'elles l'emporteront parce que, sauf une poignée d'excités, tous les Français, Parisiens comme Algérois, sont avant tout raisonnables. Ils sauront repousser le spectre de la guerre civile. Quant aux militaires, ils ont trop le souci de l'unité de l'Armée pour se laisser aller à commettre des actes irréparables. L'épreuve que nous subissons est une crise de croissance. Il nous suffira d'être vigilants. La fièvre tombe d'elle-même.

Il s'était exprimé lentement, avec chaleur, haussant la voix quand les vociférations de la foule culminaient et surveillant la marche de la pointe Bic sur le calepin du journaliste. Nahon contemplait la scène, séduit par l'assurance avec laquelle Vise-Canisy, dans un moment aussi douteux, savait parler pour ne rien dire. Le journaliste, lui, était un peu déçu.

— Jules Moch m'a fait une déclaration carabinée, vous savez.

— Ça ne m'étonne pas, répondit Vise-Canisy avec un sourire affectueux.

Comme la foule clamait de nouveau « de Gaulle, au musée », le journaliste se pencha vers Vise-Canisy :

— Ce matin, dans les couloirs de l'Assemblée, j'ai entendu dire que vous auriez vu cette nuit le général de Gaulle ?

— Pour le moment, je ne peux rien vous répondre là-dessus. Depuis le 13 mai, j'ai provoqué des entretiens dans les milieux les plus différents. C'est par des conversations d'homme à homme, menées loyalement, qu'on peut et qu'on doit conjurer les horreurs de la guerre civile.

Dégoûté, le journaliste glissa sur la droite pour s'accrocher à Mitterand. Tout aussi écœuré par la prudence de Vise-Canisy, Hanau se donna le plaisir d'être héroïque. Comme un jeune étudiant lui demandait un autographe, il écrivit, tout en marchant, sur la page de carnet : « A Monsieur Léon Ricard, mon compagnon de voyage de la Nation à la République - Voyage illusoire, car la Nation, c'est la République, et la République, c'est la Nation. »

Le vert des arbres du boulevard était très doux. Il y avait des marchands de glace aux coins des rues. Les agents cyclistes plaisantaient avec la foule. C'était gai et tendre. Nahon eut envie de faire l'amour.

Le Forum ne pouvait pas être plus pavoisé que le reste de la ville tant la moindre ruelle d'Alger était emmitouflée de tricolore.

Tous les jours, dix, vingt, quarante mille personnes sur le Forum. Des cars, des camions y déversaient jusqu'à des chameliers qui n'avaient jusqu'à ce jour jamais quitté leur oasis. Les oiseaux, ayant pris l'habitude de ce vacarme ininterrompu, ne tournoyaient plus avec effarement dans le ciel et, inspirés par le coucher du soleil, ils mêlaient leurs chants à la clameur plus vaste qui montait du Forum à l'heure crépusculaire. Car cette foule, si elle s'alimentait loin, dans le désert saharien, réunissait aussi ses habitués de la Casbah et de Babel-Oued qui avaient déjà instauré une tradition. C'était entre sept et huit heures du soir, c'est-à-dire à l'heure où le Gouvernement Général avait été pris le 13, et où la communauté musulmane était venue se mêler à la communauté européenne le 16, qu'elle s'accordait ses spasmes les plus violents.

— Djemila ! cria Bernadette dans l'oreille de la jeune fille. Il faut rentrer !

Elles étaient toutes deux appuyées au tronc d'un palmier, à la lisière des jardins. Ce tronc les étayait quand les remous de la foule devenaient un déferlement.

— Tu entends ce que je te dis !

D'un mouvement têtu du menton, Djemila signifia qu'elle entendait très bien.

— Oh !

Bernadette, furieuse et renonçant à se faire obéir, se glissa entre les burnous d'une délégation de Biskra occupée à réparer sa banderole, enjamba une famille de Bab-el-Oued qui pique-niquait, dévala une pelouse et, escortée par les lambeaux du chœur qui descendaient du Forum, dégringola les escaliers vers le plateau de Glières. Elle remontait dans sa voiture qu'elle n'avait réussi à garer que derrière Air France quand Djemila apparut, au grand galop, dans sa robe rose. Se laissant tomber tout essoufflée sur la banquette :

— Tu m'en veux ? demanda-t-elle.

Bernadette, sans répondre, continua de conduire au pas sur une chaussée encombrée de véhicules parmi lesquels se glissait la foule.

— Ne te fâche pas, implora Djemila en embrassant Bernadette sur la joue.

— Tu as été odieuse ! Tu voulais rester le plus longtemps possible. A l'Aletti, on ne pouvait plus nous garder. Nous tombons sur Clotilde Vignolet qui nous propose sa villa. Et pour une fois qu'elle nous demande quelque chose, tu te débrouilles pour nous mettre en retard. Ça te déplaît tant ce cocktail ?

— Ça ne me déplaît pas du tout, répliqua Djemila d'un air sombre, mais tu sais très bien pourquoi je voulais rester.

Bernadette se décida à sourire.

— Enfin ! tu t'es promenée tout l'après-midi avec lui ! Ça ne te suffit pas ? Tu espérais qu'il allait encore faire un discours ?

— Il aime que je l'écoute. Il veut que je lui raconte ce que les gens ont dit de lui...

La voiture montait maintenant à bonne allure vers El Biar.

— La vérité, observa Bernadette, c'est que tu as peur, si tu le laisses seul cinq minutes, que cette Lise lui remette le grappin dessus.

— Eh oui ! jeta naïvement Djemila.

— N'exagère pas ! Après-demain nous serons rentrés, nous à la ferme, lui à Sidi Omar. Cette bonne femme n'ira pas le relancer là-bas.

— Là-bas, soupira Djemila, ce sera autre chose ! Mon père

voudra qu'il lui donne de l'argent pour m'avoir. Ça s'est toujours fait comme ça. Et moi, je ne veux pas être vendue.

Sous un ciel doré, la voiture parvint au sommet de la colline, ralentit pour franchir la grille de la propriété.

— Tu n'en es pas là ! observa Bernadette, taquine. D'abord, Yacef Cherif a pris l'habitude d'aller parader sur le Forum. Il se débrouille pour faire des discours à tout bout de champ. Alors, voudra-t-il réintégrer sa cambrousse ? on n'en sait rien...

S'apercevant de la mine consternée de Djemila, elle lui pinça le bout du nez, la poussa hors de la voiture. Quand elles traversèrent le hall, les rumeurs du cocktail de Clotilde leur parvinrent.

— Grouillons-nous !

La vaste chambre qui leur était réservée se prolongeait par une terrasse d'où, au-delà d'un premier plan de palmiers, se découvrait la mer dominée, à l'est, par les montagnes dont la masse violette barrait l'horizon comme un orage.

— Oh ! cria Bernadette, non, ne va pas admirer le paysage ! Mets tes bas, recoiffe-toi et lave-toi les mains.

Tout en se changeant elle-même, Bernadette poursuivit :

— Tu n'en loupes pas une ! La photo de Yacef Cherif sous ton oreiller ! Le vague à l'âme, quoi !

— Qu'est-ce que ça veut dire « vague à l'âme » ?

— Ça veut dire que tu es aussi bêtasse qu'une Européenne... mais comme Yacef Cherif a pris le style d'un parlementaire toulousain, vous ferez un couple très assorti.

— Peut-être qu'il le fait, son discours, en ce moment.

— Peut-être, ça n'en fera jamais qu'un de plus !

— Tu sais, quand il parle, il regarde souvent du côté des jardins où... enfin, tu sais.

Quelques jours plus tôt, Yacef Cherif, particulièrement acclamé, était descendu du balcon, ivre de gloire. La nuit ensevelissait la foule qui ne se décidait à se disperser qu'avec une lenteur solennelle, un majestueux va-et-vient pareil à celui d'une mer qui se retire. Yacef Cherif avait fait tomber Djemila derrière un massif de lauriers roses. Elle n'avait pas songé à défendre une seconde ce qu'il était le premier à lui demander. La présence de la foule qui ruisselait autour d'eux, effleurant parfois leur buisson, tempérait la nuit. Au-dessus des épaules de Yacef, Djemila n'avait cessé d'entrevoir des étoiles. Elle avait entendu aussi des coups de klaxon, le borborygme d'un haut-parleur lointain, le coup de sirène d'un navire dans la rade et les lambeaux, français ou arabes, des phrases que lançaient ceux qui passaient près d'eux sans soupçonner le secret du ténébreux massif. Ce soir-là elle était rentrée avec une robe froissée, tachée de sable rouge et d'herbe verte, l'air si grave que Bernadette avait compris et ri.

— Ce cocktail, Bernadette, il m'ennuie bien...

— Qu'est-ce qui te prend ? Tu as peur qu'on te produise dans ton numéro de jeune musulmane émancipée par l'effort conjugué des braves militaires et des bons colons, c'est ça ? Rassure-toi. On ne nous remarquera pas. Il doit y avoir un monde fou.

Il n'y avait pas un monde fou.

La dizaine d'invités se tenait près de la baie embrasée par le couchant. Le silence qui s'était abîmé sur eux ne fut d'abord troublé que par le frétillement d'un glaçon dans un verre. Puis Alain de Sérigny dont le visage hâlé, le profil en bec d'aigle, était découpé par l'ardeur du ciel mourant, déclara :

— Chère Madame, vos craintes me paraissent dénuées de tout fondement, permettez-moi de vous le dire. Mon ami Soustelle et moi n'avons pas agi à la légère. Croyez-bien qu'avant d'écrire un éditorial tel que « Parlez, mon général ! » qui a dirigé le mouvement algérien vers la personne de de Gaulle, je me suis renseigné. N'est-ce pas, cher ami ?

Le gros visage de Soustelle acquiesça avec lenteur :

— Cet hiver, prononça-t-il, j'ai posé moi-même la question au général. Il est décidé à faire l'Algérie française.

— Il nous sauvera pour la seconde fois ! s'écria le colonel Jasson avec ferveur.

— Demain, il est à Alger, s'enflamma Sérigny. Vous n'aurez qu'à l'écouter, chère Madame. Il vient ici, moins pour apaiser une insurrection qui n'existe plus, que pour mener à son terme ce miracle : la fusion des deux communautés dans l'Algérie française.

— Oh ! je vous en supplie, pas de discours ! gémit Clotilde. Je crains que le général de Gaulle n'ait davantage le goût du pouvoir que celui de l'Algérie. C'est tout.

— Vous le craignez ? Ou le souhaitez ? Car enfin, ceci

n'est pas un reproche, mais votre mari, vos amis sont de vieux partisans de la négociation et du retrait.

— Je ne parle pas pour eux. Je vous donne mon avis à moi. Ce ne serait pas la première fois que, dans l'Histoire, un aspirant au pouvoir penserait que Paris vaut bien une messe.

— Je retiens votre exemple, chère Madame ! Vous oubliez qu'une fois assis sur le trône, Henri IV n'a pas, que je sache, abjuré le catholicisme pour retomber dans le protestantisme.

Le colonel Jasson surenchérit :

— De Gaulle a le sens de la grandeur de la France. C'est une certitude. Il l'a dit. Il l'a prouvé. L'idée qu'il s'est toujours faite de la France...

Serigny le coupa :

— Et l'Algérie fait partie de la grandeur de la France !

— Mais s'il était seulement soucieux de sa grandeur à lui ! cria Clotilde avec véhémence. S'il estimait que cette grandeur n'est pas compatible avec la petite lutte patiente, sans éclat, qui est nécessaire pour intégrer l'Algérie ? S'il lui préférait le prestige facile des conférences internationales ? S'il l'abandonnait pour enfourcher de plus hautes chimères ? Par exemple de devenir l'arbitre de l'Est et de l'Ouest ?

— Que de « si » ! observa Bordesoule. Votre excellent ami, Vise-Canisy, lors du scrutin d'investiture à la Chambre, a expliqué pourquoi il s'abstiendrait. Parmi les raisons qu'il a données, j'ai été frappé par celle-ci : il estime la négociation nécessaire, et craint que le sens de la grandeur du général de Gaulle ne la retarde. N'est-ce pas la preuve que nous n'avons nous, rien à craindre ?

— Ne la retarde ! Il craint « un retard ». Vous ne comprenez pas ce que ça veut dire ? Ça veut dire que pour votre général un régime fondé sous les auspices des Algérois, des paras, des foules métropolitaines qui ont klaxonné « Algérie française » sera obligé de faire durer la guerre avant de traiter. Donc, du sang inutile, des dévouements inutiles, une longue mystification ! Si ça devait arriver, alors autant traiter tout de suite, pendant que nous tenons le bon bout !

— Mais cela ne sera pas, proclama Jasson, avec fougue. Ce qui se passe à Alger prouve assez que nous avons gagné la guerre pour que le général de Gaulle en soit ébloui !

Soustelle d'une voix neutre s'enquit :

— Vous vous rendez au Forum demain, Madame ? Alors écoutez bien quand le général parlera. Si vos inquiétudes ne sont pas de pure rhétorique, mais réelles, elles seront apaisées.

Le ton avait été celui du « mot de la fin ». Chacun le sentit. Ce fut Sérigny qui donna le signal du départ.

Clotilde raccompagna ses hôtes jusqu'à la porte du salon, puis, ceux-ci ayant quitté le hall, elle y aperçut Bernadette et Djemila en conversation avec une femme mal peignée, vêtue d'un pantalon de tergal et d'un pull-over rouge.

— Clotilde ! vous devez m'en vouloir terriblement, s'écria Bernadette en se précipitant au-devant d'elle. Nous nous sommes attardées sur le Forum, et quand nous arrivions au salon, je suis tombée sur cette amie qui...

— Aucune importance, répondit Clotilde avec lassitude. Vous n'avez rien perdu ; si ce n'est le spectacle de gens qui ont eu, pendant quinze jours, tous les moyens de prendre le pouvoir et qui ont préféré en faire cadeau à quelqu'un qui ne s'intéresse pas à leurs affaires...

Elle avait prononcé le dernier mot d'un air distrait, surprise par le manège de la visiteuse qui palpait Djemila en la faisant pivoter devant elle.

— Madame est une doctoresse de Vialar, expliqua Bernadette. Elle a soigné Djemila et, comme vous voyez, elle l'inspecte.

— Ah ! la fameuse Mme Haldekch.

Les regards des deux femmesse croisèrent.

— Excusez-moi, dit Mme Haldekch, mais j'ai su que Bernadette et Djemila habitaient chez vous. Je me suis permis...

— Bernadette m'a souvent parlé de vous, mais je vous croyais...

— ... en cabane ? J'ai été libérée hier avec une bonne centaine de détenus de mon camp. On nous a baladés en camions, on nous a fait des discours. Les militaires, les présidents de Comités venaient nous serrer la main à la queue leu leu. C'est tout juste si on ne nous a pas offert de fleurs et si je n'ai pas été obligée de réciter un compliment en vers.

— Ne restons pas là, dit Clotilde.

La pénombre avait rempli le salon. Clotilde alluma une grosse lampe et elles s'assirent toutes quatre autour d'une table basse encore encombrée par les verres des invités.

— Non merci, pas d'alcool, dit Mme Haldekch. J'ai soif d'eau... Oui, c'est ça, un peu de Perrier.

Son visage durci par l'électricité exprimait l'ironie et la fatigue.

— Je suis venue faire des démarches pour mon mari qui est toujours interné, lui. Dans l'état actuel des choses, j'ai toutes les chances d'aboutir. Ensuite, nous prendrons le bateau. J'en ai assez de ce pays. J'en ai ma claque !

Elle se remplit elle-même un second verre d'eau minérale, sortit un paquet de troupes de la poche de son pantalon, chercha du feu et aspira longuement sa fumée, comme un homme.

— On ne peut pas faire une révolution cohérente avec des Méditerranéens. Cet après-midi, j'ai rallié Alger avec une quinzaine de mes camarades du camp. Toute la journée d'hier on nous avait traînés de cérémonie en cérémonie. Moi, je comprenais très bien que pour recouvrer leur liberté ils sachent être patients. Mais ce soir, quand nous sommes arrivés ici, alors que personne ne leur demandait rien, ils ont voulu à toute force que notre camion les dépose au Forum, et se sont mis à brailler en chœur avec les autres. Et demain, ils ont bien l'intention d'aller acclamer de Gaulle. Naturellement, sous la pression d'un autre événement, je suppose qu'ils seraient prêts à virer de bord dans quinze jours. Moi, des trucs comme ça, ça me fatigue.

Et de fatigue, en effet, elle haussa douloureusement les sourcils. Puis, sensible au silence qui avait accueilli son exposé, elle se tourna vivement vers Bernadette :

— Votre mari doit nager dans le bonheur, hein, ma chérie ? On lui fait son Algérie française au moment même où vous lui faites...

La malice alluma des feux dans ses prunelles pâles pendant qu'elle marquait un temps imperceptible avant d'achever :

— ... un bel enfant, un vaillant Pied-Noir qui poursuivra, dans le cadre des traditions familiales, l'œuvre civilisatrice du capitalisme français au Sersou.

Elle se leva.

— Il faut que je me sauve.

Elle précisa :

— « Sauver » est exactement le mot qui convient.

*
* *

Clotilde se demandait « Qu'est-ce que je fais ici ? ». Harassée par les heures qu'elle avait passées à Alger, le jour de l'arrivée du général de Gaulle, elle avait accepté l'invitation de Bernadette qui l'avait ramenée chez elle avec Djemila et Yacef Cherif. Depuis la veille elle se demandait pourquoi elle avait accepté cette hospitalité dans une ferme qui était trop proche de la sienne pour qu'elle n'éprouvât pas l'envie d'aller se réinstaller chez elle, encore que l'absence d'Aïcha, toujours à Paris, lui eût rendu un tel séjour aussi peu pratique que possible. Elle subissait donc l'hospitalité des Desaix en se posant la question : « Qu'est-ce que je fais ici ? » et aussi : « D'ailleurs, que suis-je venue faire en Algérie ? »

Son objectif avait été de convaincre ses amis politiques de prendre le pouvoir directement à Paris en se passant de l'intermédiaire du plus illustre des Français. Ses propos n'avaient rencontré aucune audience, et depuis qu'elle avait entendu le « je vous ai compris ! », elle se demandait si sa méfiance n'était pas injuste, ce qui achevait de donner à son expédition, via l'Espagne et un petit yacht de contrebande, un tour dérisoire. Elle regrettait que sa belle action eût une conclusion aussi morne que cet après-midi dont elle attendait la fin, vautrée dans un fauteuil d'osier, auprès d'une Bernadette sereine, étendue sur une chaise longue, et de Djemila qui corrigeait des comptes sur un large cahier entoilé de noir. Au-delà de l'allée, les blés, déjà jaunes, répandaient une lumière dure.

Bernadette annonça d'une voix calme :

— Voilà Kléber.

La silhouette du colon se découpa, obscure, sur les blés, bientôt rejointe par celle de Bachir. Les deux hommes gagnaient la cour à petits pas jusqu'à l'instant où Kléber Desaix, consultant sa montre, bondit.

— Six heures ! leur annonça-t-il, le général parle à Mostaganem ! Venez vite !

Bernadette, voyant que Clotilde ne bougeait pas de son fauteuil, murmura :

— Venez toujours...

— Venez vite ! renchérit Djemila. Avec l'appareil de radio

tout neuf que Yacef a ramené d'Alger, il est en train de faire entendre le discours aux gens de Sidi Omar.

— Voilà qui est bien, pensa Clotilde en se soulevant, cette jeune fille est amoureuse au point de souhaiter entendre une voix parce que cette voix, au même moment, est entendue par l'homme qu'elle aime.

Elles plongèrent toutes trois dans la fraîcheur du salon où la radio répandait le délire d'une foule.

— Le speaker, chuchota Kléber, vient de dire qu'avant d'arriver à Mostaganem, le général de Gaulle, sur toute la route, est passé sous des voûtes de drapeaux tricolores devant une foule ininterrompue venue à pied, à âne, en voiture, et que, sur la voie ferrée, les locomotives sifflaient « Algérie française ». A Mostaganem, ils sont dans tous leurs états... une quantité folle de musulmans... Attendez... ce doit être lui.

La foule, en effet, marqua un instant de silence si aigu, suivi d'une ovation si haute, qu'il était facile d'imaginer les quelques pas du général vers le micro. De la main, Kléber, excité, faisait signe aux femmes de s'asseoir.

Clotilde s'était blottie dans l'ombre, à l'extrémité du canapé. Elle écoutait la voix. De ses doigts elle tapotait la flanelle de sa large jupe. Bientôt elle ferma les yeux.

— La France entière, lança la voix, le Monde entier sont témoins de la preuve que Mostaganem apporte aujourd'hui : que tous les Français d'Algérie sont les mêmes Français. Dix millions d'entre eux sont pareils, avec les mêmes droits et les mêmes devoirs.

Les acclamations ébranlèrent l'appareil de radio au point que Kléber, inquiet, atténua le son.

— Il est parti de cette terre magnifique d'Algérie un mouvement vraiment exemplaire de rénovation et de fraternité. Il s'est élevé, de cette terre éprouvée et meurtrie, un souffle admirable qui, par-dessus la mer, est venu passer sur la France entière pour lui rappeler quelle était sa vocation, ici, et ailleurs. C'est grâce à cela que la France a renoncé à un système qui ne convenait ni à sa vocation, ni à son désir, ni à sa grandeur. C'est à cause de cela, c'est d'abord à cause de vous qu'elle m'a mandaté pour rénover ses institutions et pour l'entraîner corps et âme, non plus vers les abîmes où elle courait, mais vers les sommets du Monde !

La foule donnait l'impression de ne plus respirer pendant

des périodes entières et de ne reprendre souffle que pour hurler son enthousiasme. Les yeux toujours fermés, Clotilde s'a-
bandonnait à l'émotion qu'elle sentait autour d'elle, à celle de
la foule, et à celle de l'orateur qui était évidente. Elle ne s'accusait même plus d'avoir péché par scepticisme, trop heureuse
d'être vaincue par les faits, submergée par l'enthousiasme
des foules et par celui de leur chef dont la sincérité était bou-
leversante.

— Mais à ce que vous avez fait pour elle, elle doit répondre en faisant ici ce qui est son devoir, c'est-à-dire considérer qu'elle n'a, depuis un bout jusqu'à l'autre de l'Algérie,
dans toutes les catégories, dans toutes les communautés qui
peuplent cette terre, qu'une seule espèce d'enfants. Il n'y a
plus ici, je le proclame en son nom, et je vous le proclame,
et je vous en donne ma parole, que des Français à part entière, des compatriotes, des concitoyens, des frères qui mar-
chent désormais dans la vie en se tenant par la main.

Surmontant le plain-chant de la foule, la voix cria :

— Vive l'Algérie française !

Cent mille voix reprirent :

— Vive l'Algérie française !

Clotilde se leva, le souffle coupé, les ongles encore crispés
sur la flanelle de sa jupe, le front en sueur.

**

Les chants et les cris gardaient leur ampleur... Yacef Cherif se tenait debout, une main appuyée sur le poste de radio,
fier comme s'il était l'inspirateur des paroles qui venaient de
retentir, le propriétaire des foules qui hurlaient dans le haut-
parleur, le maître des mots et des événements.

Derrière lui, la façade de la mairie-épicerie-buvette brillait
au soleil. Autour de lui, les notables de Sidi Omar, une
vingtaine, faisaient cercle, certains appuyés sur des bâtons.
L'aveugle portait son burnous le plus blanc, une main posée
sur l'épaule d'un petit garçon. Au-delà des notables, les Harkis étaient formés en carré, le fusil à la main. Plus loin, entre
les maisons et les tentes, les simples citoyens, assis à croupe-
tons, regardaient et écoutaient, même ceux qui étaient situés
trop loin pour entendre quoi que ce soit. Parfaitement immobiles, ils laissaient les gosses s'agiter au milieu d'eux et jeter

des pierres aux chiens à l'attache, quand ils aboyaient. A leurs pieds, l'oued coulait, amaigri, étincelant dans l'or des blés.

Yacef Cherif tourna le bouton du poste et, dans le brusque silence, le murmure respectueux des notables s'éleva :

— Ya si Yacef, tu nous a guidés vers la lumière.

Lents, solennels, les compliments affluaient : Yacef était un très grand chef. Il était aimé de Dieu. La voie sur laquelle il avait engagé ses frères de Sidi Omar était celle de la force et de la justice. L'aveugle ponctuait les louanges d'un spasmodique :

— Gloire à Dieu !

Gravement, Yacef Cherif traversa le rangs des notables, s'arrêta devant le front des Harkis qui rectifièrent la position. Alors, il bifurqua et fit quelques pas vers son peuple assis. Certains enfants se précipitèrent. Des hommes s'étaient levés. Un vieillard lui embrassa l'épaule.

A petits pas, il s'éloignait vers l'oued. Ceux des notables qui d'abord l'avaient suivi comprirent que le chef voulait faire retraite. C'était l'heure de la prière. Ils le laissèrent.

Yacef Cherif marcha longtemps, non pas perdu dans sa rêverie, mais mû par sa rêverie. Si les songes aujourd'hui tonifiaient ses muscles, agitaient ses nerfs, durcissaient sa marche, c'est que assuré maintenant de son pouvoir sur les hommes, il évoquait les actes par lesquels il étendrait son autorité. Longtemps il l'avait limitée à la dentelle des crêtes qui enserrent, dans l'Ouarsenis, l'aire des Beni-Saoulé, sa tribu, et des Oulèds-Teboule, la tribu rivale. Quelques semaines plus tôt, son ambition se restreignait à la domination de cet infime secteur, aux problèmes que lui posaient les compétitions de villages, les haines de chefs, et à la manière de les utiliser vis-à-vis des militaires pour faire de Sidi Omar la capitale de cet ensemble précaire. Or, depuis son triomphe algérois, c'était à l'échelle de l'Algérie qu'il convoitait l'agrément des foules et rêvait à la disponibilité du pouvoir. Rien dans la marche des événements, dans l'attitude des militaires et des colons, ne lui permettait de considérer ce vœu ardent comme une chimère. Même, ne limitant plus son élan à l'Algérie, il s'imagina, comme l'avait dit le général Salan, remontant les Champs-Elysées, à Paris, sous les acclamations.

— Le Rouge, demanda-t-il rudement en se retournant, qu'est-ce que tu veux ?

Celui qu'on appelait « Le Rouge » à cause de sa carnation et sa toison, s'arrêta essoufflé, sa carabine sur l'épaule.

— Je t'ai rejoint, Lumière, parce que tu t'éloignes trop de Sidi Omar.

Il déplut à Yacef Cherif que son garde du corps, l'ancien fellagha qui avait aidé Belkacem à casser le toit de l'école, tuile par tuile, vint lui rappeler l'étroitesse de son royaume, et qu'un combat exigu constituait encore, pour de nombreux mois, le tremplin capable de le renvoyer aux voitures conduites par des chauffeurs, aux chambres de l'Aletti et, en cachette de Djemila, à la peau des Parisiennes. Seul, il avait laissé le champ libre à l'espoir. En présence du Rouge, il retrouvait le poids de menues nécessités. Celui-ci précisément observait :

— Les Chacals sont proches.

— C'est la vérité, prononça une voix.

Le pistolet mitrailleur était dirigé sur eux deux. C'était Mohammed Cherif qui le tenait.

— Je te guette depuis des heures, dit-il. Je n'osais pas espérer que tu suivrais l'oued jusqu'à moi.

Il reprit d'une voix coupée par l'émotion :

— Tu as eu raison. Les militaires et toi, vous avez gagné. Les militaires, ça m'est égal. Toi...

— Si tu veux te rallier, prononça précipitamment Yacef Cherif, je partagerai avec toi Sidi Omar. Je tiendrai la promesse...

— Tu ne la tiendras pas. Tu as gagné et j'ai perdu. J'ai eu tort et tu as eu raison. Mais je ne veux pas...

Yacef Cherif espéra un instant qu'un miracle permettrait au Rouge de dégager sa carabine et de tirer.

— Je ne veux pas que tu jouisses de ta victoire.

La rafale coucha Yacef Cherif dans la broussaille humide, grise, qui se hérissait entre les deux bras maigres et étincelants de l'oued.

FIN

BIBLIOGRAPHIE SOMMAIRE

HISTOIRE GENERALE

M. AMROUCHE. *Terres et Hommes d'Algérie* (Avec la collaboration de L. Balout, J. Lassus, C. Courtois, G. Marçais, R. Le Tourneau, Cheikh Bekri, L. Golvin, P. Boyer, Yacono, S.A.P.)

A. BERTHIER. *L'Algérie et son Passé* (Picard).

E. DERMENGHEM. *Le Culte des Saints dans l'Islam Maghrébin* (Gallimard).

E.F. GAUTIER. *Le Sahara, Mœurs et Coutumes des Musulmans, le Passé de l'Afrique du Nord* (Payot).

CH. A. JULIEN. *Histoire de l'Afrique du Nord* (Payot).

LEVI-PROVENÇAL. *Histoire de l'Espagne Musulmane.*

F. LOT. *Les Invasions Barbares* (Payot). *La Fin du Monde Antique et le Début du Moyen Âge* (Albin-Michel).

MAHOMET. *Le Koran.*

G. MARÇAIS. *Manuel d'Art Musulman.*

G. MARÇAIS. *Les Arabes en Berbérie du XIe au XIVe siècle* (Constantine).

L. MASSIGNON. *Essais sur les Origines du Lexique Technique de la Mystique Musulmane.*

J.P. ROUX. *L'Islam en Occident* (Payot)

LA REBELLION

R. ARON. *La Tragédie Algérienne* (Plon).

R. BARBEROT. *Malaventure en Algérie* (Plon).

P. BENOIST-MECHIN. *Un Printemps Arabe* (Albin-Michel).

J. BERQUE. *Les Arabes d'Hier à Demain* (Le Seuil).

G. BIDAULT. *L'Oiseau aux Ailes Coupées* (La Table Ronde).

S. BROMBERGER. *Les Rebelles Algériens* (Plon).

H. BRUNSCHWIG. *Mythes et Réalités de l'Impérialisme Colonial Français* (Armand Colin).

M. DEON. *L'Armée d'Algérie et la Pacification* (Plon).

C. DUFRESNOY. *Des Officiers Parlent* (Julliard).

F. FANON. *L'An Cinq de la Révolution Algérienne* (Maspéro).

C.H. FAVROD. *La Révolution Algérienne* (Plon).

A. FIGUERAS. *Lyautey Assassiné* (Volonté Française).

H. KERAMANE. *La Pacification* (Laffont).

F. MAURIAC. *Bloc-Notes* (Flammarion).

A. MENEVY. *L'Algérie a Vingt Ans* (Grasset).

V. MONTHEIL. *Les Musulmans en U.R.S.S.* (Le Seuil).

P. MOUSSET. *Ce Sahara qui voit le Jour* (Presses de la Cité).

F. SARRASIN. *L'Algérie, Pays sans Loi* (Esprit).

P. SAS & Y. ROMANETTI. *Vie d'un Peuple Mort* (Le Scorpion).

J. J. SERVAN-SCHREIBER. *Lieutenant en Algérie* (Julliard).

J. SERVIER. *Demain en Algérie* (Laffont).

J. SOUSTELLE. *Le Drame Algérien et La Décadence Française* (Plon).

R. STEPHANE. *La Tunisie de Bourguiba* (Plon).

M. R. THOMAS. *Sahara et Communauté* (Presses Universitaires).

G. TILLON. *Les Ennemis Complémentaires* (Editions de Minuit).

VERGES. *Les Disparus* (La Cité - Lausanne).

LE 13 MAI

M. & S. BROMBERGER. *Les 13 Complots du 13 Mai* (Fayard)

A. DEBATTY. *Le 13 Mai et la Presse* (Armand Colin).

M. DEBRE. *Ces princes qui nous gouvernent* (Plon).

A. de SERIGNY. *La Révolution du 13 Mai* (Plon).

J.R. TOURNOUX. *Secrets d'Etat* (Plon).

ROMANS

J. BRUNE. *Cette Haine qui Ressemble à l'Amour* (La Table Ronde).

M. DEON. *La Carotte et le Bâton* (Plon).

M. GUILLOT. *La Grande Occasion* (Debresse).

P. HEDUY. *Au Lieutenant des Taglaïts* (La Table Ronde).

J. LARTEGUY. *Les Centurions* (Presses de la Cité).

MOHAMMED DIB. *Un Été Africain* (Le Seuil). *Au Café* (Gallimard).

MOULOUD MAMMERI. *La Colline Oubliée* (Plon).

E. REBOUL. *Si Toubib* (Julliard).

R. STEPHANE. *Une Singulière Affinité* (Laffont).

ACHEVÉ D'IMPRIMER
SUR LES PRESSES
DE
L'IMPRIMERIE COMMERCIALE
D'YVETOT

12791

NUMERO D'EDITION : 1.428
NUMERO D'IMPRESSION : 471
DEPOT LEGAL : 3e TRIMESTRE 1961